Cinquenta
tons mais
escuros

Cinquenta tons mais escuros

TRADUÇÃO DE
JULIANA ROMEIRO

E L James

intrínseca

TÍTULO ORIGINAL
Fifty Shades Darker

PREPARAÇÃO
Julia Sobral

REVISÃO
Milena Vargas

DIAGRAMAÇÃO
Abreu's System

CAPA
Jennifer McGuire

IMAGEM
E. Spek/Dreamstime.com

CIP-BRASIL. CATALOGAÇÃO-NA-FONTE
SINDICATO NACIONAL DOS EDITORES DE LIVROS, RJ

J81c

James, E L
    Cinquenta tons mais escuros / E L James ; tradução de
Juliana Romeiro de Carvalho Stanton. - Rio de Janeiro :
Intrínseca, 2012.

    512p. : 23 cm (Trilogia cinquenta tons de cinza ; 2)
    Tradução de: Fifty shades darker
    ISBN 978-85-8057-210-0

    1. Ficção americana. I. Stanton, Juliana Romeiro de
Carvalho. II. Título. III. Série.

12-3783.   CDD: 823
                                  CDU: 821.111-3

[2012]

Todos os direitos desta edição reservados à

EDITORA INTRÍNSECA LTDA.
Rua Marquês de São Vicente, 99, 3º andar
22451-041 – Gávea
Rio de Janeiro – RJ
Tel./Fax: (21) 3206-7400
www.intrinseca.com.br

Para Z e J
Vocês têm meu amor incondicional, sempre

AGRADECIMENTOS

Tenho uma grande dívida de gratidão para com Sarah, Kay e Jada. Obrigada por tudo o que fizeram por mim.

Devo também um ENORME obrigada a Kathleen e Kristi, que me salvaram e resolveram um monte de coisas.

Obrigada também a Niall, meu marido, meu amante e meu melhor amigo (a maior parte do tempo).

E um superobrigada a todas as mulheres maravilhosas do mundo inteiro que tive o prazer de conhecer desde que tudo isso começou, e que hoje considero minhas amigas, entre elas: Ale, Alex, Amy, Andrea, Angela, Azucena, Babs, Bee, Belinda, Betsy, Brandy, Britt, Caroline, Catherine, Dawn, Gwen, Hannah, Janet, Jen, Jenn, Jill, Kathy, Katie, Kellie, Kelly, Liz, Mandy, Margaret, Natalia, Nicole, Nora, Olga, Pam, Pauline, Raina, Raizie, Rajka, Rhian, Ruth, Steph, Susi, Tasha, Taylor e Una. E também às muitas e muitas mulheres talentosas, engraçadas e acolhedoras que conheci on-line (e homens também). Vocês sabem quem são.

Obrigada a Morgan e a Jenn por todas as questões ligadas ao Heathman.

E, finalmente, obrigada a Janine, minha editora. Você é o máximo. E isso é tudo.

PRÓLOGO

Ele voltou. Mamãe está dormindo ou então está doente de novo.

Eu me escondo e me enrosco debaixo da mesa da cozinha. Por entre meus dedos posso ver mamãe. Ela está dormindo no sofá, com a mão sobre o tapete verde e pegajoso, e ele está usando suas botas grandes, com fivelas brilhantes, e está de pé junto dela, gritando.

Ele acerta mamãe com um cinto. *Levante-se! Levante-se! Você é uma cadela filha da puta. Você é uma cadela filha da puta. Você é uma cadela filha da puta. Você é uma cadela filha da puta. Você é uma cadela filha da puta. Você é uma cadela filha da puta.*

Mamãe soluça. *Pare. Por favor, pare.* Mamãe não grita. Mamãe se encolhe.

Tapo os ouvidos e fecho os olhos. O barulho para.

Ele se vira, e posso ver suas botas à medida que caminha em direção à cozinha. Ainda está com o cinto. Está me procurando.

Ele se abaixa e sorri. Cheira mal. A cigarro e bebida. *Aí está você, seu merdinha.*

Um uivo arrepiante o acorda. *Meu Deus!* Ele está encharcado de suor e seu coração bate muito forte. *Que porra é essa?* Ele se senta na cama e leva a cabeça até as mãos. *Merda. Eles voltaram. O barulho era eu.* Respira fundo, tentando afastar da mente e das narinas o cheiro de uísque barato e de cigarros Camel rançosos.

CAPÍTULO UM

Sobrevivi ao terceiro dia pós-Christian, e ao primeiro dia no emprego. Foi uma distração bem-vinda. O tempo voou numa névoa de rostos novos, trabalho a fazer e a presença do Sr. Jack Hyde. O Sr. Jack Hyde... ele sorri para mim, os olhos azuis cintilantes, ao se recostar contra minha mesa.

— Bom trabalho, Ana. Acho que vamos formar um belo time.

De alguma forma, dou um jeito de curvar os lábios para cima num arremedo de sorriso.

— Acho que já vou indo, se estiver tudo bem para o senhor — murmuro.

— Claro, são cinco e meia. Vejo você amanhã.

— Boa noite, Jack.

— Boa noite, Ana.

Pego minha bolsa, enfio-me no casaco e caminho até a porta. Lá fora, no ar do início de noite de Seattle, respiro fundo. Ele não chega nem perto de encher o vazio em meu peito, um vazio que está ali desde a manhã de sábado, um lembrete oco e doloroso de minha perda. Caminho de cabeça baixa em direção ao ponto de ônibus, olhando para os meus pés e contemplando a vida sem o meu amado Wanda, meu fusca antigo... ou sem o Audi.

Imediatamente bloqueio esses pensamentos. Não. Não pense nele. É claro que tenho dinheiro para comprar um carro — um belo carro novo. Suspeito de que ele tenha sido generoso demais no pagamento, e a ideia deixa um gosto amargo em minha boca, mas eu a afasto e tento manter a cabeça tão vazia e entorpecida quanto possível. Não posso pensar nele. Não quero começar a chorar de novo, não no meio da rua.

O apartamento está vazio. Sinto saudade de Kate, e a imagino deitada numa praia em Barbados, se refrescando com um coquetel. Ligo a tevê de tela plana para que o ruído preencha o vazio e proporcione uma sensação de companhia, mas não a escuto nem olho para ela. Sento-me e encaro a parede de tijolos com um olhar vazio. Estou apática. Não sinto nada além de dor. Por quanto tempo precisarei suportar isso?

A campainha me acorda da prostração, e meu coração dispara. Quem será? Atendo o interfone.

— Entrega para a Srta. Steele — responde uma voz entediada e distante, e a decepção me atinge em cheio.

Entorpecida, desço até o térreo e vejo um rapaz encostado na porta da frente, mascando ruidosamente um chiclete e segurando uma grande caixa de papelão. Assino para receber o pacote e subo com ele. A caixa é enorme e surpreendentemente leve. Dentro dela, duas dúzias de rosas brancas de caule comprido e um cartão.

Parabéns pelo primeiro dia no trabalho.
Espero que tenha corrido tudo bem.
E obrigado pelo planador. Foi muito gentil de sua parte.
Reservei um lugar especial para ele em minha mesa.
Christian

Encaro o cartão digitado, o buraco em meu peito se expandindo. Sem dúvida foi enviado por uma assistente. Christian provavelmente não tem nada a ver com isso. É doloroso demais pensar no assunto. Examino as rosas — são lindas, não consigo jogá-las no lixo. Obediente, vou até a cozinha procurar um vaso.

E ASSIM UM PADRÃO se estabelece: acordar, trabalhar, chorar, dormir. Bem, tentar dormir. Não consigo fugir dele nem em meus sonhos. Os olhos ardentes de Grey, o olhar perdido, o cabelo macio e brilhoso me perseguem. E a música... tanta música. Não suporto ouvir música alguma. Tenho o cuidado de evitar a todo custo. Mesmo os *jingles* em comerciais de tevê me deixam trêmula.

Não falei com ninguém, nem mesmo com minha mãe ou Ray. Não estou com cabeça para conversa fiada agora. Não, não quero nada disso. Eu me tornei minha própria ilha. Uma terra destruída e devastada onde nada cresce e os horizontes são sombrios. Sim, essa sou eu. Sou capaz de interagir de forma impessoal no trabalho, mas é só. Se eu conversar com minha mãe, sei que vou me machucar ainda mais e não tenho mais onde me machucar.

TENHO TIDO DIFICULDADE de comer. No almoço de quarta, consegui tomar um copo de iogurte, a primeira coisa que comi desde sexta-feira. Estou sobrevivendo graças a uma recém-descoberta tolerância a café com leite e Coca Diet. É a cafeína que me faz seguir em frente, mas isso está me deixando ansiosa.

Jack começou a me rondar. Ele me irrita, fazendo perguntas pessoais. O que ele quer? Sou educada, mas preciso mantê-lo a distância.

Eu me sento e começo a vasculhar a pilha de cartas endereçadas a ele, a distração do trabalho mecânico me satisfaz. Meu e-mail pisca, e rapidamente verifico quem é.

Puta merda. Um e-mail de Christian. *Ah não, aqui não... não no trabalho.*

De: Christian Grey
Assunto: Amanhã
Data: 8 de junho de 2011 14:05
Para: Anastasia Steele

Querida Anastasia,

Desculpe essa intromissão em seu trabalho. Espero que tudo esteja correndo bem. Você recebeu minhas flores?

Queria lembrar que amanhã é a abertura da exposição do seu amigo. Tenho certeza de que você não teve tempo de comprar um carro, e a viagem é longa. Eu ficaria mais que feliz em levá-la — se você quiser.

Avise-me.

Christian Grey
CEO, Grey Enterprises Holdings, Inc.

Lágrimas enchem meus olhos. Apressadamente, deixo minha mesa, corro até o banheiro e me escondo em uma das cabines. A exposição do José. Eu tinha esquecido completamente. E prometi a ele que iria. Merda, Christian tem razão; como vou chegar lá?

Pressiono minhas têmporas. Por que o José não me ligou? Pensando bem, por que ninguém me ligou? Tenho andado tão distraída, que nem reparei que meu celular não tem tocado.

Merda! Que idiota! As ligações ainda estão sendo desviadas para o BlackBerry. Que inferno. Christian está recebendo todas as minhas chamadas — a menos que tenha jogado o BlackBerry fora. Como ele conseguiu meu e-mail?

Ele sabe quanto eu calço; duvido que um endereço de e-mail seja um problema para ele.

Aguento vê-lo de novo? Será que vou suportar? Quero vê-lo de novo? Fecho os olhos e inclino a cabeça para trás, a mágoa e o desejo tomando conta de mim. É claro que quero.

Talvez... talvez eu pudesse dizer a ele que mudei de ideia... Não, não e não. Não posso ficar com alguém que tem prazer em me infligir dor, alguém incapaz de me amar.

Memórias torturantes invadem minha mente: o planador, as mãos dadas, os beijos, a banheira, a gentileza dele, o humor e o olhar sombrio, taciturno e sexy. Sinto falta dele. Já se passaram cinco dias, cinco dias de agonia que foram como uma eternidade. Choro todas as noites antes de dormir, desejando que não tivesse desistido, desejando que ele fosse diferente, desejando que estivéssemos juntos. Por quanto tempo essa sensação esmagadora e horrível vai durar? Estou no purgatório.

Envolvo meu corpo com os braços, apertando-me com força, tentando me manter firme. Sinto falta dele. Realmente sinto falta dele... Eu o amo. Simples assim.

Anastasia Steele, você está no trabalho! Preciso ser forte, mas quero ir à exposição de José, e, no íntimo, a masoquista em mim quer ver Christian de novo. Respiro fundo e volto para minha mesa.

De: Anastasia Steele
Assunto: Amanhã
Data: 8 de junho de 2011 14:25
Para: Christian Grey

Oi, Christian,

Obrigada pelas flores; elas são lindas.

Sim, eu gostaria de uma carona.

Obrigada.

Anastasia Steele
Assistente de Jack Hyde, Editor, SIP

Verifico meu telefone e vejo que ainda está ativado para desviar as chamadas para o BlackBerry. Jack está em reunião, então ligo rapidinho para José.

— Oi, José. É a Ana.

— Olá, mocinha — Ele é tão caloroso e acolhedor que quase me faz desabar outra vez.

— Não posso demorar muito. A que horas devo chegar amanhã na exposição?

— Você ainda vai poder vir? — Ele parece animado.

— Sim, claro. — Sorrio meu primeiro sorriso sincero em cinco dias ao imaginar sua expressão de alegria.

— Lá pelas sete e meia.

— Vejo você amanhã. Tchau, José.

— Tchau, Ana.

De: Christian Grey
Assunto: Amanhã
Data: 8 de junho de 2011 14:27
Para: Anastasia Steele

Querida Anastasia,

A que horas devo buscá-la?

Christian Grey
CEO, Grey Enterprises Holdings, Inc.

De: Anastasia Steele
Assunto: Amanhã
Data: 8 de junho de 2011 14:32
Para: Christian Grey

A exposição abre às 19h30. Que horas você sugere?

Anastasia Steele
Assistente de Jack Hyde, Editor, SIP

De: Christian Grey
Assunto: Amanhã
Data: 8 de junho de 2011 14:34
Para: Anastasia Steele

Querida Anastasia,

Portland fica a certa distância. Devo buscá-la às 17h45.

Estou ansioso para vê-la.

Christian Grey
CEO, Grey Enterprises Holdings, Inc.

De: Anastasia Steele
Assunto: Amanhã
Data: 8 de junho de 2011 14:38
Para: Christian Grey

Vejo você amanhã.

Anastasia Steele
Assistente de Jack Hyde, Editor, SIP

Ai, meu Deus. Vou encontrar Christian e, pela primeira vez em cinco dias, meu estado de espírito se eleva um pouco, e me permito imaginar como ele tem passado.

Será que sentiu minha falta? Provavelmente não do jeito como senti a dele. Será que arrumou uma nova submissa? A imagem é tão dolorosa que a dispenso imediatamente. Olho para a pilha de correspondências que preciso organizar para Jack e volto a trabalhar, tentando afastar Christian de meus pensamentos uma vez mais.

Durante a noite, na cama, reviro-me de um lado para o outro, tentando dormir. É a primeira vez em dias que não choro até adormecer.

Em minha cabeça, visualizo perfeitamente o rosto de Christian na última vez em que o vi, quando deixei seu apartamento. Sua expressão aflita me persegue. Lembro que ele não queria que eu fosse embora, o que era muito estranho. Por que motivo eu ficaria, quando as coisas haviam chegado ao ponto em que chegaram? Ambos tentávamos fugir de nossos próprios problemas: meu medo da punição, o medo dele... de quê? Do amor?

Virando-me de lado, abraço o travesseiro, tomada por uma tristeza esmagadora. Ele acha que não merece ser amado. Por que ele acha isso? Será que tem a ver com o jeito como foi criado? Com sua mãe biológica, a prostituta drogada? Meus pensamentos me atormentam até de madrugada, quando enfim mergulho num sono agitado e exausto.

O DIA SE ARRASTA, e Jack está especialmente atencioso. Suspeito que seja por causa do vestido ameixa de Kate e das botas pretas de salto alto que peguei no armário dela, mas não perco muito tempo pensando nisso. Decido que preciso usar meu primeiro salário para comprar roupas. O vestido está mais folgado em mim do que de costume, mas finjo não reparar.

Enfim, são cinco e meia; pego meu casaco e a bolsa, tentando acalmar meus nervos. *Vou vê-lo!*

— Vai sair com alguém hoje? — pergunta Jack ao passar por minha mesa a caminho da saída.

— Vou. Não. Não exatamente.

Ele ergue uma sobrancelha, seu interesse obviamente despertado.

— Namorado?

Fico vermelha.

— Não, um amigo. Ex-namorado.

— Talvez amanhã a gente pudesse tomar um drinque depois do trabalho. Você teve uma primeira semana fantástica, Ana. A gente devia comemorar. — Ele sorri e seu rosto é tomado por uma expressão estranha, inquietante, que me deixa desconfortável.

Com as mãos nos bolsos, ele passa pelas portas duplas. Faço uma careta ao vê-lo ir embora. Beber com o chefe, será que é uma boa ideia?

Balanço a cabeça. Primeiro preciso enfrentar uma noite com Christian Grey. Como vou fazer isso? Corro para o banheiro para os últimos retoques.

Dou uma olhada longa e severa no rosto do outro lado do grande espelho na parede. Sou eu, em meu estado pálido de sempre, olheiras escuras ao redor dos olhos grandes demais. Pareço magra e assustada. Queria muito saber usar maquiagem. Passo um pouco de rímel e delineador e belisco as bochechas, na esperança de que isso seja o suficiente para ressaltar um pouco a cor delas. Arrumo o cabelo para que ele caia graciosamente pelas minhas costas, e respiro fundo. É o melhor que consigo fazer.

Nervosa, atravesso o saguão de entrada com um sorriso e um aceno para Claire, na recepção. Acho que poderíamos nos tornar amigas. Jack está conversando com Elizabeth enquanto caminho na direção das portas. Com um largo sorriso, ele se apressa em abri-las para mim.

— Depois de você, Ana — murmura.

— Obrigada. — Sorrio envergonhada.

Lá fora, Taylor me espera junto da calçada. Ele abre a porta traseira do carro. Olho hesitante para Jack, que saiu depois de mim. Está encarando o Audi SUV, consternado.

Viro-me e entro no carro, e lá está ele, Christian Grey, em seu terno cinza, sem gravata, a camisa branca aberta no colarinho. Os olhos cinzentos brilhando.

Minha boca fica seca. Ele está lindo, só que está fazendo uma cara feia para mim. *Por quê?*

— Quando foi a última vez que você comeu? — pergunta, assim que Taylor fecha a porta atrás de mim.

Merda.

— Oi, Christian. Bom ver você também.

— Nada de bancar a espertinha. Responda. — Seus olhos estão em chamas.

Puta merda.

— Hum... Tomei um iogurte na hora do almoço. Ah, e comi uma banana.

— Quando foi a última vez que você fez uma refeição de verdade? — pergunta ele friamente.

Taylor se senta no banco do motorista, liga o carro e começa a dirigir.

Olho para fora e Jack está acenando para mim, embora eu não tenha ideia de como ele consegue me ver através dos vidros escuros. Aceno de volta.

— Quem é? — pergunta Christian.

— Meu chefe. — Dou uma olhada de relance no belo homem ao meu lado, e seus lábios estão contraídos, pressionados numa linha rígida.

— E então? Sua última refeição?

— Christian, isso não é da sua conta — murmuro, sentindo-me surpreendentemente corajosa.

— O que quer que você faça é da minha conta. Fale logo.

Não, não é. Solto um gemido de frustração, revirando os olhos. Christian faz uma careta. E pela primeira vez em muito tempo tenho vontade de rir. Esforço-me para sufocar o riso que ameaça brotar em mim. Christian suaviza o rosto, e tento manter uma expressão séria; vejo o esboço de um sorriso brotar em seus lábios maravilhosamente esculpidos.

— E então? — pergunta ele num tom mais suave.

— *Pasta alla vongole,* sexta passada — sussurro.

Ele fecha os olhos; raiva e arrependimento, quem sabe, tomam conta de seu rosto.

— Entendo — diz ele, a voz inexpressiva. — Parece que, desde então, você perdeu pelo menos uns dois quilos, talvez mais. Por favor, Anastasia, volte a comer — ele me repreende.

Olho para baixo, para os dedos entrelaçados em meu colo. Por que ele sempre faz com que eu me sinta uma criança insolente?

Ele se ajeita no banco do carro, virando-se para mim.

— Como você está? — pergunta, a voz ainda suave.

Bem, eu estou uma merda... Engulo em seco.

— Se dissesse que estou bem, estaria mentindo.

Ele respira fundo.

— Eu também — murmura, e segura a minha mão. — Sinto sua falta — acrescenta.

Ah, não. Pele contra pele.

— Christian, eu...

— Ana, por favor. Nós precisamos conversar.

Eu vou chorar. Não.

— Christian, eu... por favor... Eu chorei muito — sussurro, tentando manter minhas emoções sob controle.

— Ah, baby, não. — Ele puxa minha mão, e antes que eu me dê conta, estou em seu colo. Ele passa os braços ao meu redor, seu nariz está em meu cabelo. — Tenho sentido tanto a sua falta, Anastasia. — Ele suspira.

Quero me soltar de seu abraço, manter a distância, mas os braços dele me envolvem. Ele me aperta contra o peito. Eu me derreto. Ah, é aqui que quero estar.

Descanso a cabeça nele, e ele beija meu cabelo várias vezes. Sinto-me em casa. Ele cheira a linho, amaciante de roupas, gel de banho e, meu cheiro favorito, Christian. Por um momento, permito-me ter a ilusão de que tudo vai ficar bem, e isso alivia minha alma devastada.

Alguns minutos depois, Taylor encosta o carro no meio-fio, embora ainda estejamos dentro da cidade.

— Vamos. — Christian me tira de seu colo. — Chegamos.

O quê?

— Heliporto, no alto deste edifício. — Ele lança um olhar de explicação em direção ao prédio.

Claro. *Charlie Tango.* Taylor abre a porta e eu salto do carro. Ele me lança um sorriso acolhedor e paternal que me transmite segurança. Sorrio de volta.

— Eu preciso devolver seu lenço.

— Fique com ele, Srta. Steele, com os meus melhores cumprimentos.

Fico vermelha enquanto Christian dá a volta no carro e pega minha mão. Ele olha, curioso, para Taylor, que o olha de volta impassível, sem revelar nada.

— Nove? — pergunta Christian.

— Sim, senhor.

Christian acena com a cabeça, vira-se e me conduz pelas portas duplas até o suntuoso saguão. Eu me deleito ao sentir a mão grande e os dedos longos e habilidosos entrelaçados aos meus. Sinto o puxão familiar — sou atraída como Ícaro é pelo Sol. Eu já me queimei antes, e ainda assim aqui estou de novo.

Chegamos aos elevadores, e ele aperta o botão. Olho para ele de relance, e ele está exibindo seu meio sorriso enigmático. Quando as portas se abrem, ele solta minha mão e me conduz para dentro.

As portas se fecham, e arrisco uma segunda olhadela. Ele me olha de volta, os olhos cinzentos vivos, e lá está de novo, no ar entre nós, aquela mesma eletricidade. Chega a ser palpável. Quase posso senti-la, pulsando entre nós, atraindo-nos um para o outro.

— Meu Deus... — arquejo, deleitando-me na intensidade dessa atração visceral e primitiva.

— Também posso sentir — diz ele, o olhar soturno e intenso.

O desejo se concentra, sombrio e mortal, em minha virilha. Ele aperta minha mão, roça meus dedos com o polegar, e, dentro de mim, todos os músculos se enrijecem deliciosamente.

Como ele ainda consegue causar esse efeito em mim?

— Por favor, Anastasia, não morda o lábio — sussurra.

Levanto o olhar para ele, soltando o lábio. Eu o quero. Aqui, agora, no elevador. Como poderia evitar?

— Você sabe como me deixa quando faz isso — murmura.

Ah, então ainda posso afetá-lo. Minha deusa interior desperta de sua letargia de cinco dias.

De repente, as portas se abrem, quebrando o feitiço, e estamos no topo do edifício. Está ventando, e, apesar do casaco preto, sinto frio. Christian passa o braço em volta de mim, puxando-me para junto dele, e caminhamos apressadamente até *Charlie Tango*, que está no centro do heliporto, as hélices girando lentamente.

Um homem alto, louro, de queixo quadrado e usando um terno escuro salta do helicóptero, abaixa-se e corre em nossa direção. Ele troca um aperto de mão com Christian e grita por sobre o ruído do motor.

— Tudo pronto, senhor. Ele é todo seu!

— Já fez todas as verificações?

— Sim, senhor.

— Você pode pegá-lo lá pelas oito e meia?

— Sim, senhor.

— Taylor está esperando por você lá embaixo.

— Obrigado, Sr. Grey. Tenha um bom voo até Portland. Senhora — ele me cumprimenta.

Sem soltar minha mão, Christian acena, abaixa-se e me leva até a porta do helicóptero. Uma vez lá dentro, ele prende meu cinto, apertando bem as tiras, e me lança um olhar cúmplice, além de seu sorriso misterioso.

— Isso deve mantê-la segura — murmura. — Tenho que admitir que gosto de ver você presa assim. Não toque em nada.

Fico profundamente vermelha, e ele corre o indicador ao longo de minha bochecha antes de me entregar os fones de ouvido. *Eu também queria tocar você, mas você não me deixaria.* Faço uma cara feia para ele. Além do mais, ele apertou tanto as tiras que mal posso me mover.

Ele se senta e afivela o próprio cinto, em seguida, começa a executar as checagens de segurança. É tão competente. Isso é muito sedutor. Ele coloca os fones de ouvido e liga um interruptor, os motores se aceleram, ensurdecendo-me.

Ele se vira para mim:

— Pronta? — sua voz ecoa pelos fones.

— Pronta.

Ele abre seu sorriso de menino. Nossa, há quanto tempo não vejo esse sorriso.

— Torre, aqui é *Charlie Tango* Golf-Golf Echo Hotel, pronto para decolagem, destino Portland, via Aeroporto Internacional de Portland. Por favor, confirme, câmbio.

O controlador de tráfego aéreo responde, emitindo instruções numa voz distante.

— Aqui é a torre; *Charlie Tango* está liberado.

Christian vira dois botões, segura o manche, e o helicóptero sobe lenta e suavemente pelo céu de fim de tarde. Seattle e meu estômago ficam lá embaixo; há tanto para ver.

— Nós já perseguimos o amanhecer, Anastasia, agora vamos atrás do crepúsculo — sua voz me vem pelos fones de ouvido. Viro-me para ele, boquiaberta.

O que isso significa? Como ele consegue dizer as coisas mais românticas? Ele sorri, e não consigo não lhe retribuir um sorriso tímido.

— E, com o sol da tarde, há mais para ser visto desta vez — diz.

Na última vez em que voamos até Seattle estava escuro, mas, esta noite, a vista é espetacular, realmente extraordinária. Estamos em meio aos prédios mais altos, subindo cada vez mais.

— Ali fica o Escala. — Ele aponta um edifício. — Ali é a Boeing, e, lá atrás, dá para ver o Space Needle.

Viro a cabeça.

— Nunca fui lá.

— Eu levo você, a gente podia comer lá.

— Christian, nós terminamos.

— Eu sei. Mas ainda posso levar você lá e alimentar você. — Ele me encara.

Balanço a cabeça e decido não contradizê-lo.

— É muito bonito aqui, obrigada.

— Impressionante, não é?

— É impressionante que você possa fazer isso.

— Elogios vindos de você, Srta. Steele? Sou um homem de muitos talentos.

— Tenho total consciência disso, Sr. Grey.

Ele se vira e sorri para mim. Pela primeira vez em cinco dias, relaxo um pouco. Talvez isso não vá ser tão ruim.

— Como vai o novo emprego?

— Bem, obrigada. É interessante.

— E como é o seu chefe?

— Ah, ele é legal. — Como poderia dizer a Christian que Jack me deixa desconfortável? Christian me encara.

— Qual é o problema? — pergunta ele.

— Fora o óbvio, nada.

— O óbvio?

— Ah, Christian, às vezes você é realmente muito estúpido.

— Estúpido? Eu? Não sei se gosto do seu tom, Srta. Steele.

— Bem, problema seu.

— Senti saudade do seu atrevimento. — Seus lábios se contorcem num sorriso.

Suspiro, e minha vontade é gritar bem alto: *E eu senti saudade de você por inteiro, e não apenas do seu atrevimento!* Mas fico calada, olhando pelas janelas de vidro de *Charlie Tango* ao seguirmos em direção ao sul. O crepúsculo está à nossa direita, o Sol está baixo no horizonte, enorme, flamejante e laranja; e, mais uma vez, eu sou Ícaro, voando perto demais dele.

O ENTARDECER NOS segue desde Seattle, e o céu está tomado de tons de rosa e azul-marinho, perfeitamente entrelaçados de um jeito que só a Mãe Natureza sabe fazer. A noite está clara e nítida, as luzes de Portland brilham acolhendo-nos à medida que Christian pousa o helicóptero. Estamos no topo do estranho prédio de tijolos marrons do qual saímos há menos de três semanas.

Meu Deus, faz tão pouco tempo. No entanto, sinto como se conhecesse Christian a vida toda. Ele aperta vários botões, desligando os motores de *Charlie Tango*, até que tudo o que ouço é o som de minha própria respiração nos fones de ouvido. Hum. Por um instante, isso me faz lembrar da experiência Thomas Tallis. Fico pálida. Realmente, não quero pensar nisso agora.

Christian solta seu cinto e se inclina para abrir o meu.

— Fez boa viagem, Srta. Steele? — pergunta ele, a voz suave, os olhos cinzentos reluzindo.

— Sim, obrigada, Sr. Grey — respondo, educada.

— Bem, vamos lá ver as fotos daquele garoto. — Ele me estende a mão e, apoiando-me nele, desço do *Charlie Tango*.

Um homem de barba e cabelo grisalho caminha até nós, com um largo sorriso no rosto. Eu o reconheço como o mesmo senhor da última vez em que estivemos aqui.

— Joe — Christian sorri e solta minha mão para apertar a de Joe calorosamente.

— Tome conta dele para Stephan. Ele vai chegar lá pelas oito ou nove.

— Certo, Sr. Grey. Senhora — diz ele, acenando para mim. — Seu carro está esperando lá embaixo, senhor. Ah, e o elevador está quebrado, vão ter que usar a escada.

— Obrigado, Joe.

Christian pega minha mão, e seguimos até a escada de emergência.

— Usando esses saltos, sorte sua serem só três andares — resmunga ele, em desaprovação.

É sério?

— Não gostou das botas?

— Gostei muito, Anastasia. — Seu olhar escurece. Acho que vai dizer mais alguma coisa, mas ele para. — Vamos com calma. Não quero que você caia e quebre o pescoço.

Nos sentamos em silêncio no carro, enquanto o motorista nos leva até a galeria. Minha ansiedade voltou com força total, e percebo que o tempo passado dentro de *Charlie Tango* foi o olho do furacão. Christian está quieto e taciturno... apreensivo até; nosso bom humor de poucos instantes atrás se dissipou. Tem tanta coisa que quero dizer, mas a viagem é muito curta. Pensativo, Christian olha para fora da janela.

— José é só um amigo — murmuro.

Christian vira-se para mim, os olhos escuros e cautelosos não deixam transparecer nada. Sua boca — ah, essa boca é uma distração que eu não queria ter agora. Eu fico me lembrando dela em mim, em todos os lugares. Minha pele fica quente. Ele se ajeita em seu assento e franze a testa.

— Esses lindos olhos estão grandes demais no seu rosto, Anastasia. Por favor, prometa-me que você vai comer.

— Prometo que vou comer, Christian — respondo automaticamente, sem convicção.

— Estou falando sério.

— Ah, é? — Não consigo evitar o tom de desdém em minha voz.

Sério, a audácia desse cara, esse homem que durante os últimos dias me fez passar por um inferno. Não, não foi isso. Fui eu que me fiz passar por um inferno. Não. Foi ele. Balanço a cabeça, confusa.

— Não quero brigar com você, Anastasia. Quero você de volta, e quero você saudável — diz ele.

— Mas nada mudou.

Você ainda é o cara com cinquenta tons.

— Chegamos. Na volta a gente conversa.

O carro para na frente da galeria, e Christian desce, deixando-me muda. Ele abre a porta para mim, e salto do carro.

— Por que você faz isso? — minha voz sai mais alta do que eu esperava.

— Isso o quê? — pergunta Christian, surpreso.

— Você fala uma coisa dessas e depois para.

— Anastasia, nós chegamos. No lugar em que você queria estar. Agora nós vamos entrar, e depois conversamos. Eu realmente não quero fazer uma cena no meio da rua.

Olho ao redor. Ele está certo. É público demais. Aperto os lábios enquanto ele olha para mim.

— Certo — resmungo, de mau humor.

Segurando minha mão, ele me conduz para dentro do prédio. Estamos em um armazém reformado: paredes de tijolo, piso de madeira escura, teto branco e encanamento branco. É moderno e arejado, e várias pessoas caminham ao longo da galeria, bebendo vinho e admirando o trabalho de José. Por um momento, meus problemas se dissipam e me dou conta de que José realizou um sonho. *Parabéns, cara!*

— Boa noite e bem-vindos à exposição de José Rodriguez.

Somos recebidos por uma jovem vestida de preto, o cabelo castanho muito curto, batom vermelho e grandes brincos de argola. Ela me olha de relance, então encara Christian por muito mais tempo do que o estritamente necessá-rio, depois volta o olhar para mim, piscando, e suas faces ficam de um verme-lho-vivo.

Franzo a testa. *Ele é meu.* Ou era. Tento não fazer cara feia para ela. Assim que seu olhar me focaliza de novo, ela pisca mais uma vez.

— Ah, Ana, é você. Nós também vamos querer a sua opinião a respeito disso tudo. — Sorrindo, ela me entrega um folheto e me conduz em direção a uma mesa com bebidas e aperitivos.

— Você a conhece? — Christian franze as sobrancelhas.

Nego com a cabeça, igualmente intrigada.

Ele dá de ombros, distraído.

— O que você quer beber?

— Vinho branco, obrigada.

Ele franze a testa, mas fica quieto e caminha até o bar.

— Ana!

Abrindo caminho entre as pessoas, José vem em minha direção.

Caramba! Ele está de terno. Está bonito, além de radiante. Abraça-me com força. E faço tudo o que posso para não irromper em lágrimas. Meu amigo, meu único amigo agora que Kate não está aqui. Meus olhos se enchem d'água.

— Ana, que bom que você veio — sussurra ele em meu ouvido. Em seguida, faz uma pausa e me segura à distância de um braço, examinando-me.

— O que foi?

— Ei, você está bem? Você parece, não sei, estranha. *Dios mío*, você emagreceu? Pisco com força, para espantar as lágrimas. *Merda, José também*.

— Estou bem, José. Estou tão feliz por você. Parabéns pela exposição — minha voz oscila à medida que percebo a preocupação em seu rosto tão familiar, mas tenho que segurar a onda.

— Como você chegou aqui? — pergunta ele.

— Christian me trouxe — digo, apreensiva de repente.

— Ah. — A expressão em seu rosto desmorona, e ele me solta. — Cadê ele? — Seu olhar escurece.

— Foi buscar as bebidas.

Aponto na direção de Christian com a cabeça e vejo que está conversando com alguém na fila. Ele se vira e nossos olhares se cruzam. E, naquele breve instante, fico paralisada, encarando o homem absurdamente lindo que me olha de volta com alguma emoção insondável. Seu olhar é quente e me queima por dentro, e ficamos ali, perdidos por um momento, olhando um para o outro.

Deus meu... Esse homem maravilhoso me quer de volta, e, lá no fundo, dentro de mim, uma alegria gostosa lentamente desabrocha como uma flor no amanhecer.

— Ana! — José me distrai, e sou arrastada de volta para o presente. — Estou muito feliz que você tenha vindo. Mas, ouça, preciso avisar...

De repente, a Srta. Cabelinho Curto e Batom Vermelho o interrompe.

— José, a jornalista do *Portland Printz* chegou. Vamos lá? — Ela me dá um sorriso educado.

— É o máximo ou não é? Ah, a fama! — Ele sorri, e eu sorrio de volta. Ele está tão feliz. — Falo com você mais tarde, Ana. — Ele beija minha bochecha, e eu o vejo caminhar na direção de uma jovem de pé ao lado de um fotógrafo alto e magro.

As fotografias de José estão por toda parte, e, em alguns casos, ampliadas em telas enormes. Umas em preto e branco, outras a cores. Muitas das paisagens transmitem uma beleza etérea. Uma delas é a foto do entardecer no lago de Vancouver, as nuvens cor-de-rosa se refletem no espelho d'água. Por alguns segundos, sou transportada para a paz e a tranquilidade da imagem. É impressionante.

Christian se junta a mim, e me entrega a taça de vinho branco.

— Presta? — minha voz soa mais normal.

Ele me olha intrigado.

— O vinho.

— Não. Raramente presta neste tipo de evento. O garoto é bom, não é? — Christian está admirando a foto do lago.

— Por que outro motivo você acha que pedi a ele para fotografar você? — Não consigo esconder o orgulho em minha voz. Seus olhos deslizam impassíveis da fotografia para mim.

— Christian Grey? — O fotógrafo do *Portland Printz* aproxima-se de Christian. — Posso tirar uma foto, senhor?

— Claro. — Christian disfarça o mau humor. Dou um passo para trás, mas ele segura minha mão e me puxa para junto de si. O fotógrafo olha para nós dois e não consegue esconder a surpresa.

— Obrigado, Sr. Grey. — Ele tira duas fotos. — Senhorita...? — pergunta.

— Ana Steele — respondo.

— Obrigado, Srta. Steele. — E desaparece.

— Procurei na internet por fotos suas com outras mulheres, e não existe nenhuma. É por isso que Kate achava que você era gay.

Christian contrai a boca num sorriso.

— Isso explica a pergunta indecorosa. Não, eu não saio com qualquer uma, Anastasia, só com você. Mas você sabe disso. — Seus olhos ardem de sinceridade.

— Então, você nunca saiu com as suas... — olho nervosa ao redor, para me certificar de que ninguém pode nos ouvir — submissas?

— Às vezes. Mas nunca para um encontro. Para fazer compras, você sabe. — Ele dá de ombros, os olhos fixos nos meus.

Ah, então é tudo restrito ao quarto de jogos — o Quarto Vermelho da Dor — e ao apartamento dele. Não sei o que pensar a respeito disso.

— Só você, Anastasia — sussurra ele.

Eu coro e encaro meus próprios dedos. À sua maneira, ele se importa comigo.

— Seu amigo parece mais um cara de paisagens do que de retratos. Vamos dar uma olhada. — Ele estende a mão, e eu a seguro.

Caminhamos diante de mais algumas fotos, e percebo um casal acenando para mim, com um largo sorriso de quem acaba de me reconhecer. Deve ser porque estou com Christian. Um rapaz, no entanto, encara-me descaradamente. *Que estranho.*

Entramos na sala seguinte, e eu entendo o porquê dos olhares esquisitos. Na parede oposta a nós vejo sete retratos enormes. Meus.

Encaro as imagens, estupefata, o sangue fugindo do meu rosto. Lá estou: fazendo beicinho, rindo, fazendo cara feia, séria, compenetrada. Tudo em super close-up, tudo em preto e branco.

Puta merda! Lembro-me de José brincando com a câmera em algumas das vezes em que me visitou e quando trabalhei com ele como motorista e assistente de fotografia. Ele tirou umas fotos rápidas, ou assim eu pensava. Não estes retratos reveladores.

Christian está paralisado observando as imagens, uma de cada vez.

— Parece que não sou o único — resmunga, enigmático, a boca franzindo-se rispidamente.

Acho que está com raiva.

— Com licença — diz ele, encarando-me por um momento com seu olhar cinzento e reluzente. Ele se vira e segue até a recepção.

Qual é o problema agora? Hipnotizada, eu o observo conversar animadamente com a Srta. Cabelinho Curto e Batom Vermelho. Ele abre a carteira e puxa o cartão de crédito.

Merda. Deve ter comprado um dos quadros.

— Oi? Você é a musa. Estas fotos estão fantásticas.

Levo um susto ao ser abordada por um rapaz com uma mecha de cabelo louro e brilhoso. Sinto um toque em meu cotovelo e percebo que Christian está de volta.

— Você é um cara de sorte — diz o Sr. Cabelo Louro para Christian, que lhe devolve um olhar gelado.

— Sou mesmo — resmunga ele, sombrio, ao me puxar para um canto.

— Você acabou de comprar uma das fotos?

— Uma das fotos? — bufa ele, sem tirar os olhos das imagens.

— Você comprou mais de uma?

Ele revira os olhos.

— Comprei todas, Anastasia. Não quero estranho nenhum cobiçando você na privacidade de sua casa.

Minha primeira reação é rir.

— E você prefere que seja você? — zombo.

Ele me encara, surpreendido por minha ousadia, acho, mas contendo o riso.

— Para falar a verdade, sim.

— Pervertido — gesticulo com a boca para ele e mordo o lábio inferior para conter um sorriso.

Ele fica boquiaberto, e, agora, seu divertimento é óbvio. Então, acaricia o queixo, pensativo.

— Aí está algo que não posso negar, Anastasia. — Ele balança a cabeça, e seu olhar se suaviza com um toque de humor.

— Eu poderia desenvolver mais o assunto, mas assinei um termo de confidencialidade.

Ele suspira, olhando para mim, e seu olhar escurece.

— As coisas que eu gostaria de fazer com essa sua boca atrevida... — murmura.

Suspiro, sei muito bem o que ele quer dizer.

— Que grosseria! — Tento parecer chocada, e consigo. Será que ele não tem limites?

Ele ri para mim, divertindo-se, e, em seguida, franze a testa.

— Você parece muito descontraída nessas fotografias, Anastasia. Normalmente não vejo você assim.

O quê? Uau! Isso é o que eu chamo de desviar o foco da conversa — de brincalhão a sério num instante.

Fico vermelha e olho minhas mãos. Ele inclina minha cabeça para cima, e eu inspiro profundamente ao sentir o contato de seus longos dedos.

— Queria que você se sentisse descontraída desse jeito quando está comigo — sussurra. Todo resquício de humor se foi.

Dentro de mim aquela sensação de alegria se agita novamente. *Como pode?* Temos tantos problemas.

— Você precisa parar de me intimidar, se é isso que quer — rebato.

— E você precisa aprender a se comunicar e a me dizer como se sente — revida ele, os olhos brilhando.

Respiro fundo.

— Christian, você queria que eu fosse uma das suas submissas. É aí que está o problema. Na própria definição de submissa, que você chegou até a me mandar por e-mail uma vez — faço uma pausa, tentando lembrar as palavras exatas —, acho que os sinônimos eram, abre aspas: dócil, agradável, passiva, dominável, paciente, amável, inofensiva, subjugada. Eu não podia olhar para você. Não podia falar, a menos que você me desse permissão. O que você esperava? — resmungo para ele.

Ele pisca e franze ainda mais a testa à medida que continuo.

— É muito confuso estar com você. Você não aceita que eu o desafie, mas gosta do meu atrevimento. Você quer obediência, exceto quando não quer, para que possa me punir. Eu simplesmente não sei como me portar quando estou com você.

Ele aperta os olhos.

— Boa resposta, como sempre, Srta. Steele — sua voz está gélida. — Venha, vamos comer.

— Mas nós chegamos há meia hora.

— Você já viu as fotos e já falou com seu amiguinho.

— O nome dele é José.

— Você já falou com José, o sujeito que, na última vez em que o vi, estava tentando enfiar a língua em sua boca hesitante enquanto você caía de bêbada e passava mal — rosna ele.

— Ele nunca me bateu — revido.

Christian fecha a cara para mim, a fúria emanando de cada poro.

— Golpe baixo, Anastasia — sussurra, ameaçadoramente.

Fico pálida, Christian passa as mãos pelo cabelo, arrepiando-se de raiva mal contida. Fito seus olhos.

— Vou levar você para comer alguma coisa. Você está prestes a desaparecer na minha frente. Ande, vá se despedir daquele garoto.

— Por favor, não podemos ficar um pouco mais?

— Não. Vá se despedir dele. Agora.

Eu o encaro, o sangue fervendo. Maldito Sr. Maníaco por Controle. Raiva é bom. Raiva é melhor do que lágrimas.

Afasto os olhos dele e dou uma olhada ao redor, à procura de José. Ele está conversando com um grupo de moças. Saio pisando duro, aproximando-me dele e afastando-me do meu Cinquenta Tons. Só porque me trouxe aqui, sou obrigada a fazer o que ele quer? Quem ele pensa que é?

As meninas estão atentas a cada palavra de José. Uma deles se assusta ao me ver. Sem dúvida, ela me reconheceu dos retratos.

— José.

— Ana. Com licença, meninas. — Ele sorri para elas e passa o braço ao meu redor. De certa forma, acho engraçado: José dando uma de galã, impressionando as mulheres.

— Você parece brava — diz ele.

— Tenho que ir — murmuro, obstinada.

— Mas você acabou de chegar.

— Eu sei, mas Christian precisa voltar. As fotos estão lindas, José. Você é muito talentoso.

Ele sorri.

— Foi muito bom ver você.

José vira meu corpo e me aperta num longo abraço, de forma que consigo ver Christian do outro lado da galeria. Está de cara feia, e percebo que é porque estou nos braços de José. Então, num movimento bastante calculado, passo as mãos ao redor de sua nuca. Acho que Christian está prestes a ter um ataque. Seu olhar torna-se tenebroso, e, lentamente, ele caminha até nós.

— Obrigada por me avisar sobre os meus retratos — murmuro.

— Merda. Foi mal, Ana. Eu devia ter avisado. Você gostou?

— Hum... Não sei — respondo com sinceridade, momentaneamente desconcertada pela pergunta.

— Bem, foram todos vendidos, então alguém gostou. Não é legal? Você é praticamente uma modelo. — Ele me aperta ainda mais à medida que Christian chega, de cara feia, embora, por sorte, José não possa vê-lo.

Ele me solta.

— Vê se não desaparece, Ana. Ah, Sr. Grey, boa noite.

— Sr. Rodriguez, muito impressionante — Christian soa friamente educado. — Uma pena que nós precisemos voltar para Seattle. Anastasia? — ele salienta sutilmente o *nós* enquanto pega na minha mão.

— Tchau, José. Parabéns de novo. — Dou-lhe um beijo rápido na bochecha, e, antes que eu perceba, Christian me arrasta para fora do prédio. Sei que ele está fervendo de raiva silenciosa, mas eu também estou.

Ele olha rapidamente para um lado e para o outro da rua, então vira para a esquerda e, de repente, puxa-me para um beco, empurrando-me com força contra a parede. Segura meu rosto entre as mãos, forçando-me a encarar seus determinados olhos em chamas.

Eu suspiro, sua boca investe rapidamente contra a minha. Está me beijando, violentamente. Nossos dentes se batem por um instante, em seguida, sua língua está dentro de minha boca.

O desejo explode dentro de mim feito fogos de artifício, e eu o beijo de volta com o mesmo fervor, passando as mãos por seu cabelo, puxando-o com força. Ele geme, um som baixo e sexy que vem do fundo de sua garganta e reverbera em mim. As mãos dele movem-se por meu corpo até o alto de minha coxa, os dedos cravando a minha carne através do vestido ameixa.

Derramo toda a angústia e todo o sofrimento dos últimos dias nesse beijo, atando-o a mim, até que me dou conta — no meio daquele momento de paixão cega — que ele está fazendo o mesmo, ele sente o mesmo que eu.

Christian interrompe o beijo, ofegante. Seus olhos estão inundados de desejo, o que desperta o já aquecido sangue que corre em meu corpo. Minha boca está entreaberta, e tento levar um pouco de ar para os pulmões.

— Você. É. Minha — rosna, enfatizando cada palavra. Ele se afasta de mim e se agacha, mantendo as mãos nos joelhos como se tivesse acabado de correr uma maratona. — Pelo amor de Deus, Ana.

Eu me recosto contra a parede, ofegante, tentando controlar a desordem que toma conta do meu corpo, tentando encontrar meu ponto de equilíbrio de novo.

— Sinto muito — sussurro assim que recupero o fôlego.

— Acho bom. Eu sei o que você estava fazendo. Você quer aquele fotógrafo, Anastasia? Ele obviamente sente algo por você.

Nego com a cabeça, culpada.

— Não. Ele é só um amigo.

— Passei toda a minha vida adulta tentando evitar emoções extremas. Mas você... você desperta sentimentos em mim que me são completamente desconhecidos. É muito... — ele franze a testa, procurando a palavra certa. — Perturbador.

Ele se levanta.

— Eu gosto de ter controle, Ana, mas com você isso... — seu olhar é intenso — desaparece... — Ele acena vagamente com a mão, passa os dedos pelo cabelo e respira fundo.

Por fim, ele segura a minha mão.

— Venha, nós precisamos conversar, e você precisa comer.

CAPÍTULO DOIS

Ele me leva para um restaurante pequeno e intimista.
— Isto vai ter de servir — resmunga. — Não temos muito tempo.
O lugar me parece ótimo. Cadeiras de madeira, toalhas de mesa de linho e paredes da mesma cor que o quarto de jogos de Christian — vermelho-sangue —, com pequenos espelhos dourados pendurados aleatoriamente, velas brancas e vasinhos de rosas também brancas. Ao fundo, Ella Fitzgerald canta suavemente sobre essa coisa chamada amor. É muito romântico.

O garçom nos conduz até uma mesa para dois, em uma área reservada, e eu me sento, apreensiva, imaginando o que Christian vai dizer.

— Não temos muito tempo — avisa ele ao garçom enquanto nos sentamos. — Então já vou fazer o pedido: dois bifes ao ponto, molho béarnaise, se você tiver, batatas fritas e legumes cozidos, qualquer um que tiver na cozinha. E traga a carta de vinhos.

— Claro, senhor.

Surpreso pela eficiência calma e controlada de Christian, o garçom se afasta. Christian coloca o BlackBerry sobre a mesa. Legal, então eu não tenho direito de escolha?

— E se eu não gostar de bife?

— Não comece, Anastasia — suspira ele.

— Não sou criança, Christian.

— Então pare de agir como uma.

É como se ele tivesse me dado um tapa. Então é assim que vai ser, uma conversa agitada e carregada, ainda que em um ambiente romântico, mas certamente sem flores nem corações.

— Então eu sou uma criança porque não gosto de bife? — murmuro, tentando esconder a mágoa.

— Você é uma criança por causar ciúmes em mim deliberadamente. É uma coisa infantil de se fazer. Você não tem consideração pelos sentimentos do seu amigo, usando-o daquele jeito? — Christian aperta os lábios e fecha a cara quando o garçom retorna com a carta de vinhos.

Eu coro, não tinha pensado nisso. Pobre José. Certamente não quero encorajá-lo. De repente, fico mortificada. Christian tem razão nesse ponto; foi uma coisa impensada. Ele dá uma olhada na carta de vinhos.

— Gostaria de escolher o vinho? — pergunta, levantando as sobrancelhas para mim, a arrogância em pessoa. Ele sabe que não entendo nada de vinho.

— Escolha você — respondo, carrancuda, mas humilde.

— Duas taças de Barossa Valley Shiraz, por favor.

— Hum... nós só vendemos esse vinho pela garrafa, senhor.

— Uma garrafa, então — retruca Christian.

— Certo. — Ele se afasta, rebaixado, e eu não o culpo por se sentir assim.

Faço uma cara feia para Christian. Qual o problema dele? Eu, provavelmente. E em algum lugar nas profundezas do meu ser, minha deusa interior desperta, sonolenta, ela se espreguiça e sorri. Esteve adormecida por um bom tempo.

— Você está muito mal-humorado.

— Eu me pergunto o motivo. — Ele me olha, impassível.

— Bem, é bom definir o tom adequado para uma discussão íntima e sincera a respeito do futuro, não acha? — Sorrio para ele docemente.

Sua boca se contrai, mas então, quase a contragosto, seus lábios se curvam, e sei que está tentando conter um sorriso.

— Desculpe — diz ele.

— Está desculpado. E fico muito feliz de informar que não resolvi virar vegetariana desde a nossa última refeição.

— Considerando que aquela foi a última refeição que você fez, acho que essa é uma questão a ser discutida.

— E temos mais uma "questão a ser discutida".

— Uma questão a ser discutida — ele repete, e seu olhar se suaviza, enchendo-se de humor. Ele passa a mão pelo cabelo, e fica sério de novo. — Ana, na última vez em que conversamos, você me deixou. Estou um pouco nervoso. Eu disse a você que a quero de volta, e você não disse... nada. — Seu olhar é intenso e ansioso, sua franqueza me desarma. O que diabo eu respondo diante disso?

— Senti sua falta... de verdade, Christian. Os últimos dias têm sido... difíceis — engulo em seco, e um nó se incha em minha garganta à medida que me lembro da minha angústia desesperada desde que o deixei.

A última semana foi a pior fase da minha vida, a dor é quase indescritível. Nada nunca chegou perto. Mas a realidade bate à porta, e me traz de volta.

— Nada mudou. Eu não posso ser o que você quer que eu seja — espremo as palavras através do nó na garganta.

— Você é o que eu quero que você seja — diz ele, a voz enfática.

— Não, Christian, eu não sou.

— Você está chateada por causa do que aconteceu da última vez. Eu fui estúpido, e você... você também. Por que você não usou a palavra de segurança, Anastasia? — seu tom de voz muda, tornando-se acusador.

O quê? Opa, mudança de abordagem.

— Responda.

— Eu não sei. Foi demais para mim. Eu estava tentando ser o que você queria que eu fosse, tentando lidar com a dor, e a palavra sumiu da minha cabeça. Sabe... eu esqueci — sussurro, envergonhada, encolhendo os ombros como num pedido de desculpas.

Talvez pudéssemos ter evitado toda essa mágoa.

— Você esqueceu! — exclama ele, horrorizado, agarrando as laterais da mesa e me olhando de um jeito que me faz murchar.

Merda! Ele está furioso de novo. Minha deusa interior também me encara. *Está vendo, você mesma se colocou nessa situação!*

— Como posso confiar em você? — diz ele, baixando a voz. — Em qualquer situação?

O garçom volta com o nosso vinho e permanecemos olhando um para o outro, olhos azuis em olhos cinzentos. Ambos tomados de recriminações não ditas enquanto o garçom retira a rolha com um floreio desnecessário e serve um pouco de vinho na taça de Christian. Automaticamente, ele estende a mão e dá um pequeno gole.

— Pode servir — seu tom é seco.

Com cuidado, o garçom enche as nossas taças e deixa a garrafa sobre a mesa, antes de se retirar. Christian não desviou os olhos de mim o tempo inteiro. Sou eu a primeira a fraquejar, rompendo o contato visual. Pego a minha taça e dou um gole generoso. Mal sinto o gosto do vinho.

— Desculpe — sussurro, de repente, sentindo-me uma idiota. Eu o deixei porque achei que fôssemos incompatíveis, mas ele está me dizendo que eu poderia tê-lo detido?

— Por que está se desculpado? — diz ele, assustado.

— Por não ter usado a palavra de segurança.

Ele fecha os olhos, parecendo aliviado.

— Talvez pudéssemos ter evitado todo esse sofrimento — resmunga.

— Você parece bem. — Mais do que bem. Parece você.

— As aparências enganam — diz ele, baixinho. — Não estou nem um pouco bem. Eu sinto como se o Sol tivesse se posto e não tivesse nascido por cinco dias, Ana. Estou vivendo uma noite infinita.

Essa confissão me deixa sem fôlego. *Ah, meu Deus, exatamente como eu.*

— Você disse que nunca iria me deixar, mas foi só as coisas ficarem difíceis para que saísse porta afora.

— Quando foi que eu disse que nunca iria deixar você?

— Dormindo. Foi a coisa mais reconfortante que ouvi em muito tempo, Anastasia. Isso me fez relaxar.

Meu coração se comprime, e eu pego minha taça de vinho.

— Você disse que me amava — sussurra ele. — Isso ficou no passado? — Sua voz é baixa, repleta de ansiedade.

— Não, Christian, não ficou.

Ele me encara, e parece muito vulnerável ao soltar o ar.

— Que bom — murmura.

Fico chocada com a declaração dele. Ele mudou de ideia. Antes, quando eu disse que o amava, parecera horrorizado. O garçom está de volta. Rapidamente, coloca os pratos diante de nós e se afasta.

Ah, não. Comida.

— Coma — ordena ele.

No fundo, sei que estou com fome, mas nesse exato instante meu estômago está dando um nó. Estar sentada diante do único homem que amei em toda a minha vida, debatendo nosso futuro incerto, realmente não é algo que abra meu apetite. Olho em dúvida para meu prato.

— Eu juro, Anastasia, se você não comer, vou colocá-la de bruços no meu colo e dar umas palmadas em você aqui neste restaurante, e não vai ter nada a ver com a minha satisfação sexual. Coma!

Relaxe, Grey. Meu inconsciente me encara por sobre os óculos de leitura. E está em total acordo com meu Cinquenta Tons.

— Tudo bem, vou comer. Controle sua mão nervosa, por favor.

Ele não sorri, mas continua a me encarar. Relutante, ergo meus talheres e corto a carne. Ah, está uma delícia, de dar água na boca. Estou com fome, morta de fome. Mastigo, e ele relaxa visivelmente.

Jantamos em silêncio. A música mudou. Uma mulher de voz suave canta ao fundo, as palavras ecoando meus pensamentos. Nunca mais vou ser a mesma desde que ele apareceu em minha vida.

Olho para Christian. Ele está comendo e me observando. Fome, desejo e ansiedade combinados em um único e cálido olhar.

— Você sabe quem está cantando? — Faço uma tentativa de conversa normal.

Christian faz uma pausa e escuta.

— Não... mas a cantora é boa, quem quer que seja.

— Também gosto.

Por fim, ele abre seu sorriso enigmático. O que está planejando?

— O que foi? — pergunto.

Ele balança a cabeça.

— Coma — diz, suavemente.

Já comi metade do prato. Não posso engolir mais nada. Como vou negociar isso?

— Não consigo. Já comi o bastante para o senhor?

Ele me encara impassível, sem responder, e em seguida olha para o relógio.

— Estou satisfeita — acrescento, tomando um gole do delicioso vinho.

— Temos que ir daqui a pouco. Taylor chegou, e amanhã você tem que acordar cedo para trabalhar.

— Você também.

— Eu preciso de muito menos horas de sono do que você, Anastasia. Pelo menos você comeu alguma coisa.

— Não vamos voltar no *Charlie Tango*?

— Não, achei que eu talvez fosse beber. Taylor vai nos levar de volta. Além do mais, desse jeito, pelo menos tenho você no carro só para mim por algumas horas. O que podemos fazer, fora conversar?

Ah, então é esse o plano.

Christian chama o garçom e pede a conta, em seguida, pega o BlackBerry e faz uma ligação.

— Estamos no Le Picotin, Terceira Avenida, South West. — E desliga.

Continua seco ao telefone.

— Você é muito grosso com Taylor. Aliás, com a maioria das pessoas.

— Só vou direto ao ponto, Anastasia.

— Você ainda não foi direto ao ponto esta noite. Nada mudou, Christian.

— Tenho uma proposta para você.

— Tudo isso começou com uma proposta.

— Uma proposta diferente.

O garçom volta, e Christian lhe entrega o cartão sem sequer checar a conta. Ele me encara, contemplativo, enquanto o garçom passa o cartão. O telefone vibra, e ele dá uma olhada.

Então ele tem uma proposta? O que é agora? Visualizo duas situações: sequestro ou trabalhar para ele. Não, nada faz sentido. Christian termina de pagar.

— Vamos. Taylor está lá fora.

Nos levantamos, e ele pega minha mão.

— Não quero perder você, Anastasia. — Ele beija os nós de meus dedos com ternura, e o toque de seus lábios em minha pele ressoa por todo o meu corpo.

Lá fora, o Audi nos espera. Christian abre a porta. Entro no carro e afundo no estofamento de couro. Ele se aproxima da janela do motorista; Taylor salta do carro, e eles conversam brevemente. Isso não faz parte do protocolo habitual. Fico curiosa. Do que será que estão falando? Instantes depois, os dois entram no carro, e eu lanço um olhar para Christian que, com sua expressão impassível de sempre, permanece olhando para a frente.

Por um breve momento, permito-me analisar seu perfil: nariz reto, lábios carnudos e esculpidos, o cabelo caindo deliciosamente sobre a testa. Certamente este homem divino não foi feito para mim.

Uma música inunda a parte de trás do carro, uma peça orquestral que não conheço, e Taylor começa a dirigir em meio ao tráfego leve, em direção à Interestadual 5 e a Seattle.

Christian vira-se para mim.

— Como eu estava dizendo, Anastasia, tenho uma proposta para você.

Olho, nervosa, para Taylor.

— Ele não pode nos ouvir — Christian me tranquiliza.

— Como não?

— Taylor — chama Christian. Taylor não responde. Ele o chama de novo e, de novo, fica sem resposta. Christian se inclina e toca seu ombro. Taylor remove um fone de ouvido que eu não tinha notado.

— Sim, senhor?

— Obrigado, Taylor. Pode voltar para a sua música.

— Certo, senhor.

— Feliz, agora? Ele está ouvindo seu iPod. Puccini. Esqueça que ele está aqui. É o que eu faço.

— Você pediu a ele para fazer isso?

— Pedi.

Ah.

— Certo, e a sua proposta?

De repente, Christian parece determinado e metódico. *Puta merda.* Estamos negociando um acordo. Escuto com atenção.

— Primeiro preciso perguntar uma coisa. Você quer um relacionamento baunilha, sem nenhuma trepada sacana?

Fico boquiaberta.

— Trepada sacana? — sussurro.

— Trepada sacana.

— Não acredito que você falou isso.

— Bem, falei. Responda — diz ele calmamente.

Fico vermelha. Minha deusa interior está de joelhos, suplicando com as mãos unidas.

— Eu gosto de uma trepada sacana — murmuro.

— É o que eu achava. Então, do que você não gosta?

De não poder tocá-lo. Do fato de você gostar de me ver sentir dor, do calor do cinto...

— Da ameaça de punição cruel e incomum.

— Como assim?

— Bem, você tem todas aquelas varas, chicotes e outras coisas no seu quarto de jogos, e isso me assusta para cacete. Eu não quero que você use aquilo comigo.

— Certo, então nada de chicotes ou varas... nem de cintos — diz ele sarcasticamente.

Eu o encaro, perplexa.

— Você está tentando redefinir os limites rígidos?

— Não exatamente, só estou tentando entender você, formar uma imagem mais clara do que você gosta e do que não gosta.

— Basicamente, Christian, é difícil lidar com seu prazer em me infligir dor. E com a ideia de que você vai fazer isso porque eu cruzei alguma espécie de linha arbitrária.

— Mas não é arbitrária, as regras estão escritas.

— Não quero um conjunto de regras.

— Nenhuma regra?

— Nenhuma regra. — Balanço a cabeça, mas meu coração está saindo pela boca. Onde ele quer chegar com isso?

— Mas você não se importa se eu bater em você?

— Com o quê?

— Com isso. — Ele levanta a mão.

Eu me contorço, desconfortável, no assento do carro.

— Não, não me importo. Principalmente com aquelas bolas prateadas... — graças a Deus está escuro, meu rosto está ardendo e minha voz diminui à medida que eu me lembro daquela noite. *Sim... Eu faria aquilo de novo.*

— Sim, aquilo foi divertido. — Ele sorri para mim.

— Mais do que divertido — murmuro.

— Então, você pode lidar com alguma dor.

— Acho que sim. — Dou de ombros.

Onde ele está querendo chegar com isso? Minha ansiedade subiu vários níveis na escala Richter.

Ele acaricia o queixo, perdido em pensamentos.

— Anastasia, eu quero começar de novo. Começar pela parte baunilha e, depois, quem sabe, quando você confiar mais em mim e eu achar que você está sendo sincera e é capaz de se comunicar comigo, a gente não possa seguir em frente e fazer algumas das coisas que eu gosto de fazer?

Fico olhando para ele, chocada, sem conseguir pensar em nada — como um computador travado. Ele me olha ansioso, mas na escuridão do Oregon, não consigo vê-lo direito. E então, finalmente, eu me dou conta.

Ele quer a luz, mas será que eu posso pedir isso a ele? E será que eu não gosto do escuro? Só um pouco, às vezes. As lembranças da noite Thomas Tallis voltam à minha mente, sedutoras.

— Mas e os castigos?

— Nada de castigos. — Ele balança a cabeça. — Zero.

— E as regras?

— Nada de regras.

— Nenhuma regra? Mas você tem as suas necessidades.

— Preciso mais de você do que delas, Anastasia. Estes últimos dias têm sido um inferno. Todos os meus instintos me dizem para deixar você ir, que eu não mereço você. As fotos que aquele cara tirou... Eu vejo como ele a enxerga. Você parece tão despreocupada e bonita, não que não esteja bonita agora, mas aqui está você. Eu vejo a sua dor. E é difícil saber que fui eu que fiz você se sentir assim. Mas eu sou um sujeito egoísta. Eu quis você desde que caiu em meu escritório. Você é delicada, honesta, afetuosa, forte, inteligente, inocente de um modo sedutor; a lista é interminável. Você me deixa bobo. Eu quero você, e a ideia de que outra pessoa possa possuir você é como uma faca perfurando minha alma negra.

Minha boca fica seca. *Puta merda.* Se isso não é uma declaração de amor, não sei o que é. E as palavras simplesmente saem de mim como se uma barragem tivesse se rompido.

— Christian, por que você acha que tem uma alma negra? Eu jamais diria isso. Triste, talvez, mas você é um homem bom. Eu sei que é... Você é generoso, é gentil e nunca mentiu para mim. E eu não me esforcei muito. Sábado passado foi um choque. Foi o meu grito de alerta. Eu percebi que até então você tinha pegado leve comigo, e que eu não poderia ser a pessoa que você queria que eu fosse. Então, depois que saí, eu me dei conta de que a dor física a que você me submeteu não era tão ruim quanto a dor de perdê-lo. Eu quero agradá-lo, mas é muito difícil.

— Você me agrada o tempo todo — sussurra ele. — Quantas vezes eu tenho de dizer isso?

— Eu nunca sei o que você está pensando. Às vezes você é tão distante... como uma ilha. Você me intimida. É por isso que eu fico quieta. Eu não sei para que lado o seu humor vai se dirigir. Ele se altera de um extremo a outro num milésimo de segundo. Isso me confunde, e você não me deixa tocar seu corpo, e eu quero tanto demonstrar o quanto amo você.

Ele pisca para mim na escuridão, cautelosamente, acho, e eu não consigo mais resistir. Solto o cinto de segurança, pulo em seu colo, pegando-o de surpresa, e seguro seu rosto em minhas mãos.

— Eu amo você, Christian Grey. E você está disposto a fazer tudo isso por mim. Sou eu quem não merece isso, e eu lamento não poder fazer todas aquelas coisas por você. Talvez com o tempo... eu não sei... mas sim, aceito a sua proposta. Onde eu assino?

Ele passa os braços em volta de mim e me aperta junto a seu corpo.

— Ah, Ana. — Ele expira ao enterrar o rosto em meu cabelo.

Nós ficamos ali, sentados, abraçados, ouvindo a música — uma peça lenta para piano — refletir as emoções dentro do carro, a doce calmaria que sucede a tempestade. Eu me aninho em seus braços, descansando a cabeça na curva de seu pescoço. Ele acaricia minhas costas delicadamente.

— Toque é um de meus limites rígidos, Anastasia — sussurra ele.

— Eu sei. Gostaria de entender por quê.

Depois de um tempo, ele suspira e, em voz baixa, diz:

— Eu tive uma infância terrível. Um dos cafetões da prostituta drogada... — Sua voz diminui, e seu corpo se enrijece à medida que ele revive alguma espécie de horror inimaginável. — Eu lembro que... — sussurra ele, estremecendo.

De repente, meu coração aperta ao me lembrar das cicatrizes de queimadura marcando sua pele. *Ah, Christian.* Aperto meus braços em volta de seu pescoço.

— Ela maltratava você? Sua mãe? — minha voz é baixa, com a suavidade das lágrimas não derramadas.

— Não que eu me lembre. Ela era negligente. Não me protegia do cafetão. — Ele bufa. — Acho que era eu que cuidava dela. Quando ela finalmente se suicidou, levou quatro dias para alguém se dar conta e nos encontrar... Disso eu me lembro.

Não consigo conter uma exclamação de horror. *Puta que pariu.* A bile sobe até minha garganta.

— Isso é horrível de muitas maneiras — sussurro.

— Cinquenta — murmura ele.

Inclino a cabeça e pressiono os lábios no pescoço dele, buscando e oferecendo consolo enquanto imagino um menino pequeno, sujo e de olhos cinzentos, perdido e solitário ao lado do corpo da mãe.

Ah, Christian. Inalo o cheiro dele. É um cheiro divino, meu perfume favorito em todo o mundo. Ele aperta os braços em volta de mim e beija meu cabelo, e eu permaneço ali, envolta em seu abraço, enquanto Taylor acelera pela noite.

* * *

QUANDO ACORDO, estamos em Seattle.

— Oi — diz Christian em voz baixa.

— Desculpe — murmuro e me sento, piscando e me espreguiçando. Ainda estou em seus braços, em seu colo.

— Eu poderia ver você dormir para sempre, Ana.

— Falei alguma coisa?

— Não. Estamos quase chegando à sua casa.

Ah?

— Não estamos indo para a sua?

— Não.

Sento-me e olho para ele.

— Por que não?

— Porque você tem que trabalhar amanhã.

— Ah — resmungo.

— Por quê? Tinha algo em mente?

— Bem, talvez. — Ajeito-me no banco do carro.

— Anastasia, não vou tocar em você de novo até que me implore. — Ele ri.

— O quê?!

— Até que você comece a se comunicar comigo. Da próxima vez em que fizermos amor, você vai ter que me dizer exatamente o que quer, nos mínimos detalhes.

— Ah.

Ele me tira de seu colo quando Taylor encosta o carro diante do meu prédio. Christian salta e abre a porta para mim.

— Tenho uma coisa para você. — Ele se move até a parte de trás do carro, abre a mala e tira um grande embrulho de presente. Que diabo é isso? — Só abra quando estiver dentro de casa.

— Você não vai subir?

— Não, Anastasia.

— Então, quando vamos nos ver de novo?

— Amanhã.

— Meu chefe me chamou para tomar um drinque com ele amanhã.

A expressão de Christian enrijece.

— Ah, é mesmo? — sua voz está repleta de ameaça latente.

— Para comemorar minha primeira semana — acrescento depressa.

— Onde?

— Não sei.

— Eu poderia buscar você depois disso.

— Certo... Mando um e-mail ou uma mensagem.

— Ótimo.

Ele me leva até a porta do prédio e espera até que eu ache as chaves dentro da bolsa. Abro a porta, ele se inclina para a frente e segura meu queixo, empurrando de leve minha cabeça para trás. Sua boca paira sobre a minha, e, de olhos fechados, ele deixa um rastro de beijos do canto do meu olho até o canto da minha boca.

Deixo escapar um pequeno gemido enquanto minhas entranhas se derretem.

— Até amanhã — murmura.

— Boa noite, Christian — sussurro, e posso ouvir o desejo em minha voz. Ele sorri.

— Já para dentro — ordena, e eu atravesso a portaria carregando meu presente misterioso. — Até mais, baby — diz ele e, com a sua elegância natural, retorna ao carro.

Uma vez no apartamento, abro o pacote e encontro o meu MacBook Pro, o BlackBerry e outra caixa retangular. O que é isso? Desembrulho o papel prateado. Dentro dele, um estojo de couro preto e fino.

Abro o estojo e vejo um iPad. *Minha nossa... um iPad.* Sobre a tela, um cartão branco com a letra de Christian:

Anastasia, isto é para você.
Eu sei o que você quer ouvir.
A música gravada aqui fala por mim.
Christian

Christian Grey gravou uma música para mim em um iPad de última geração. Balanço a cabeça em desaprovação pelo custo dessa brincadeira, mas, no fundo, adorei o presente. Jack tem um desses no escritório, então sei como funciona.

Ligo o aparelho e fico besta ao ver a imagem na tela: o modelo de um pequeno planador. *Meu Deus.* É o Blanik L-23 que eu dei a ele, montado num suporte de vidro, sobre o que acho que é a mesa de Christian, em seu escritório. Fico pasma.

Ele montou o avião! Ele realmente montou o avião. E então me lembro de que ele chegou a falar disso no bilhete que veio com as flores. Mal posso acreditar. No mesmo instante, percebo o quanto ele se dedicou na elaboração desse presente.

Deslizo a seta na parte inferior da tela para destravar o iPad e me surpreendo de novo. O papel de parede é a nossa foto na comemoração da minha formatura, a que foi publicada no *Seattle Times.* Christian está tão bonito que não consigo evitar abrir um largo sorriso — *Sim, e ele é meu!*

Com um toque da ponta do dedo, os ícones passam, e outros aparecem na tela seguinte. Um aplicativo para Kindle, iBooks, Words — o que quer que isso seja.

Biblioteca Britânica? Toco no ícone e um menu aparece: ACERVO HISTÓRICO. Corro a lista para baixo e seleciono ROMANCES DO SÉCULO XVIII E XIX. Outro menu. Clico no título: THE AMERICAN, DE HENRY JAMES. Uma nova janela se abre, trazendo uma cópia digitalizada do livro. Meu Deus — é uma edição antiga, publicada em 1879, e está disponível no meu iPad! Ele me deu acesso irrestrito à Biblioteca Britânica ao toque de um botão.

Fecho as janelas depressa, consciente de que poderia me perder nesse aplicativo por uma eternidade. Vejo um app chamado "boa comida", que me faz revirar os olhos e me arranca um sorriso ao mesmo tempo, outro de notícias, um com a previsão do tempo. O bilhete dele, no entanto, falava de música. Volto para a tela principal, toco no ícone do iPod e uma lista de reprodução aparece. Dou uma olhada nas músicas, e a seleção me faz sorrir. Thomas Tallis — não vou me esquecer disso tão cedo. Afinal de contas, ouvi duas vezes enquanto ele me açoitava e trepava comigo.

"Witchcraft". Meu sorriso se alarga — a dança na enorme sala. A transcrição de Bach para a obra de Marcello — *ah não, isso é triste demais para o meu estado de espírito atual. Hum.* Jeff Buckley — *sim, já ouvi falar dele.* Snow Patrol — minha banda preferida — e uma música chamada "Principles of Lust", do Enigma. É muito Christian. Sorrio. Outra chamada "Possession"... *ah, sim, muito Cinquenta Tons.* E mais algumas que nunca ouvi.

Escolho uma música cujo título me chama a atenção e aperto play. "Try", de Nelly Furtado. Ela começa a cantar, e sua voz é como um tecido de seda ao meu redor, envolvendo-me. Deito-me na cama.

Isso significa que Christian vai tentar? Tentar este novo tipo de relação? Eu me deleito nos versos, encarando o teto, procurando entender essa reviravolta. Ele sentiu a minha falta. Eu senti a falta dele. Ele deve sentir algo por mim. Tem que sentir. Este iPad, as músicas, os aplicativos... ele se importa. Ele realmente se importa. Meu coração se delicia com a esperança.

A música acaba e lágrimas brotam em meus olhos. Rapidamente pulo para outra: "The Scientist", do Coldplay, uma das bandas preferidas de Kate. Conheço a música, mas nunca tinha prestado atenção na letra antes. Fecho os olhos e deixo as palavras tomarem conta de mim.

As lágrimas começam a escorrer. Não posso contê-las. Se isso não é um pedido de desculpas, o que é? *Ah, Christian.*

Ou é um convite? Será que ele vai responder às minhas perguntas? *Estou procurando significados demais em tudo isso? Provavelmente sim.*

Enxugo as lágrimas. Preciso mandar um e-mail de agradecimento. Levanto da cama e pego a máquina do mal.

Coldplay continua a tocar enquanto eu me sento de pernas cruzadas sobre a cama. O Mac liga e eu digito minha senha.

De: Anastasia Steele
Assunto: iPad
Data: 9 de junho de 2011 23:56
Para: Christian Grey

Você me fez chorar de novo.

Amei o iPad.

Amei as músicas.

Amei o app da Biblioteca Britânica.

Amo você.

Obrigada.

Boa noite.

Bj, Ana.

De: Christian Grey
Assunto: iPad
Data: 10 de junho de 2011 00:03
Para: Anastasia Steele

Fico feliz que tenha gostado. Comprei um para mim também.

Se eu estivesse aí, secaria suas lágrimas com beijos.

Mas não estou, então, vá dormir.

Christian Grey
CEO, Grey Enterprises Holdings, Inc.

A resposta dele me faz sorrir. Tão mandão, tão Christian. Será que isso também vai mudar? E percebo naquele momento que eu espero que não. Gosto dele assim — autoritário —, desde que eu possa enfrentá-lo sem medo de ser punida.

De: Anastasia Steele
Assunto: Sr. Rabugento
Data: 10 de junho de 2011 00:07
Para: Christian Grey

Você parece o mandão de sempre, e talvez ainda mais tenso e rabugento, Sr. Grey.

Eu sei de algo que poderia acalmá-lo. Só que você não está aqui, não me deixou ficar com você, e ainda espera que eu implore...

Vá sonhando, senhor.

Bj, Ana.

PS: Reparei que você incluiu o Hino do Perseguidor, "Every Breath You Take". Aprecio seu senso de humor, mas será que o Dr. Flynn sabe disso?

De: Christian Grey
Assunto: Calmaria zen-budista
Data: 10 de junho de 2011 00:10
Para: Anastasia Steele

Minha querida Srta. Steele,

Relacionamentos baunilha também têm palmadas, sabia? Em geral são consensuais e acontecem num contexto sexual... Mas estou mais do que feliz em abrir uma exceção.

Você vai ficar aliviada de saber que o Dr. Flynn também aprecia meu senso de humor.

Agora, por favor, vá dormir, já que amanhã não vou deixar você dormir muito.

Aliás, você vai implorar, confie em mim. E eu mal posso esperar por isso.

Christian Grey
Um CEO tenso, Grey Enterprises Holdings, Inc.

De: Anastasia Steele
Assunto: Boa noite, bons sonhos
Data: 10 de junho de 2011 00:12
Para: Christian Grey

Bem, já que você está me pedindo de forma tão educada, e eu gosto da sua deliciosa ameaça, vou me recolher com o iPad que você tão gentilmente me deu e adormecer enquanto navego pela Biblioteca Britânica, ouvindo a música que diz tudo por você.

Bj,
A.

De: Christian Grey
Assunto: Mais um pedido
Data: 10 de junho de 2011 00:15
Para: Anastasia Steele

Sonhe comigo.

Bj.

Christian Grey
CEO, Grey Enterprises Holdings, Inc.

Sonhar com você, Christian Grey? Sempre.

Visto depressa o pijama, escovo os dentes e caio na cama. Coloco os fones de ouvido, pego o balão vazio *Charlie Tango* de debaixo do meu travesseiro e o abraço.

Estou transbordando de alegria, um sorriso bobo de orelha a orelha. Que diferença um dia pode fazer. Como vou conseguir dormir?

José Gonzalez começa a cantar uma melodia suave, um riff hipnótico de guitarra, e me deixo levar lentamente pelo sono, admirada de como o mundo se ajeitou em apenas uma noite e imaginando preguiçosamente se eu deveria fazer uma seleção de músicas para Christian.

CAPÍTULO TRÊS

A única vantagem de não ter um carro é que no ônibus, a caminho do trabalho, posso colocar os fones de ouvido no iPad enquanto ele está guardado em segurança dentro da bolsa e ouvir todas as músicas maravilhosas que Christian gravou para mim. Quando chego ao escritório, estou com o sorriso mais idiota estampado no rosto.

Jack me olha, vira-se, e olha novamente.

— Bom dia, Ana. Você está... radiante. — Sua observação me irrita. *Que coisa mais inapropriada!*

— Bom dia, Jack. Dormi bem, obrigada.

Sua testa se enruga.

— Você pode dar uma lida nisto aqui para mim e preparar os relatórios até a hora do almoço, por favor? — Ele me entrega quatro manuscritos. Ao ver minha expressão de espanto, acrescenta: — Só os primeiros capítulos.

— Claro. — Sorrio de alívio, e ele abre um largo sorriso em troca.

Ligo o computador para começar a trabalhar enquanto termino de comer uma banana e de tomar meu café com leite. Vejo que recebi um e-mail de Christian.

De: Christian Grey
Assunto: Me ajude...
Data: 10 de junho de 2011 08:05
Para: Anastasia Steele

Espero que você tenha tomado café da manhã.

Senti sua falta ontem à noite.

Christian Grey
CEO, Grey Enterprises Holdings, Inc.

De: Anastasia Steele
Assunto: Livros velhos...
Data: 10 de junho de 2011 08:33
Para: Christian Grey

Estou comendo uma banana enquanto escrevo. Não tomo café da manhã há alguns dias, então já é um avanço. Adorei o app da Biblioteca Britânica. Comecei a reler Robinson Crusoé... e, é claro, amo você.

Agora me deixe em paz, estou tentando trabalhar.

Anastasia Steele
Assistente de Jack Hyde, Editor, SIP

De: Christian Grey
Assunto: Você só comeu isso?
Data: 10 de junho de 2011 08:36
Para: Anastasia Steele

É melhor se esforçar mais. Vai precisar de energia para implorar.

Christian Grey
CEO, Grey Enterprises Holdings, Inc.

De: Anastasia Steele
Assunto: Praga
Data: 10 de junho de 2011 08:39
Para: Christian Grey

Sr. Grey, estou tentando exercer meu ganha-pão, e é você que vai implorar.

Anastasia Steele
Assistente de Jack Hyde, Editor, SIP

De: Christian Grey
Assunto: Manda ver!
Data: 10 de junho de 2011 08:36
Para: Anastasia Steele

Ora, Srta. Steele, eu adoro um desafio...

Christian Grey
CEO, Grey Enterprises Holdings, Inc.

Sorrio para a tela feito uma idiota. Mas preciso ler esses capítulos para Jack e escrever relatórios sobre todos eles. Coloco os manuscritos em cima da mesa e começo.

Na hora do almoço, vou até a cantina para comer um sanduíche de pastrami e ouvir a seleção de músicas em meu iPad. Primeiro, Nitin Sawhney, uma faixa de world music chamada "Homelands" — é boa. O Sr. Grey tem um gosto eclético para música. Volto até minha mesa ouvindo uma música clássica, "Fantasia sobre um tema de Thomas Tallis", de Vaughn Williams. Hum, ele tem senso de humor, e eu o adoro por isso. Será que esse sorriso estúpido algum dia vai sair do meu rosto?

A tarde se arrasta. Decido, em um momento de descuido, escrever um e-mail para Christian.

De: Anastasia Steele
Assunto: Entediada...
Data: 10 de junho de 2011 16:05
Para: Christian Grey

Não tenho nada para fazer.

Como você está?

O que está fazendo?

Anastasia Steele
Assistente de Jack Hyde, Editor, SIP

De: Christian Grey
Assunto: Algo para fazer
Data: 10 de junho de 2011 16:15
Para: Anastasia Steele

Você deveria ter vindo trabalhar para mim.

Certamente teria algo para fazer agora.

Tenho certeza de que seria melhor aproveitada.

Na verdade, posso pensar em diversas formas de aproveitá-la...

Eu estou fazendo minhas fusões e aquisições de sempre.

É tudo muito tedioso.

Seus e-mails na SIP são monitorados.

Christian Grey
Um CEO distraído, Grey Enterprises Holdings, Inc.

Ai, merda. Eu não tinha ideia. Como ele sabe disso? Faço uma cara feia para a tela e rapidamente verifico os e-mails trocados por nós, deletando-os.

Jack chega à minha mesa pontualmente às cinco e meia. Como é sexta-feira, ele está de calça jeans e camisa preta.

— E aí, vamos tomar um drinque, Ana? Em geral a gente dá uma passada rápida no bar do outro lado da rua.

— A gente? — pergunto, esperançosa.

— É, a maior parte do pessoal vai... Você vem?

Por alguma estranha razão que não quero avaliar atentamente, sou tomada por uma sensação de alívio.

— Claro. Como se chama o bar?

— Anos Cinquenta.

— Você está brincando?

— Não. Tem algum significado especial para você? — Ele me olha confuso.

— Não, desculpe. Encontro vocês lá.

— O que você gostaria de beber?

— Uma cerveja, por favor.

— Legal.

Vou até o banheiro e mando um e-mail para Christian do meu BlackBerry.

De: Anastasia Steele
Assunto: Vai combinar direitinho com você
Data: 10 de junho de 2011 17:36
Para: Christian Grey

Estamos indo para um bar chamado Anos Cinquenta.

A quantidade de piadas que eu poderia fazer sobre isso é interminável.

Estou ansiosa para encontrá-lo lá, Sr. Grey.

Bj,
A.

De: Christian Grey
Assunto: Riscos
Data: 10 de junho de 2011 17:38
Para: Anastasia Steele

Fazer piada é uma coisa muito, muito perigosa.

Christian Grey
CEO, Grey Enterprises Holdings, Inc.

De: Anastasia Steele
Assunto: Riscos?
Data: 10 de junho de 2011 17:40
Para: Christian Grey

O que quer dizer com isso?

De: Christian Grey
Assunto: Apenas...
Data: 10 de junho de 2011 17:42
Para: Anastasia Steele

É apenas uma observação, Srta. Steele.

Vejo você em breve.

Até menos, baby.

Christian Grey
CEO, Grey Enterprises Holdings, Inc.

Confiro meu reflexo no espelho. Que diferença um dia pode fazer. Minhas bochechas estão coradas, meus olhos, radiantes. É o efeito Christian Grey. Uma simples troca de e-mails com ele faz isso com qualquer garota. Sorrio para o espelho e ajeito a camisa azul-clara — a que Taylor comprou para mim. Também estou usando minha calça jeans favorita hoje.

A maioria das mulheres no escritório usa calça jeans ou saias leves. Vou precisar investir em uma ou duas saias soltinhas. Talvez faça isso este fim de semana e desconte o cheque que Christian me deu por Wanda, o fusca.

Assim que saio do prédio, ouço chamarem meu nome:

— Srta. Steele?

Viro-me e vejo uma jovem pálida se aproximar de mim cautelosamente. Parece um fantasma: tão branca e tão estranhamente vazia.

— Srta. Anastasia Steele? — repete ela, e suas feições permanecem estáticas, embora esteja falando.

— Sim?

Ela para, encarando-me a cerca de três metros na calçada. Olho para ela, paralisada. Quem é? O que ela quer?

— Posso ajudar? — pergunto. Como ela sabe meu nome?

— Não... Eu só queria ver você. — Sua voz é estranhamente sedosa.

Como eu, ela tem o cabelo escuro contrastando fortemente com a pele clara. Seus olhos são castanhos feito uísque, mas opacos. Não transmitem nenhum resquício de vida. Seu belo rosto está lívido e marcado pela tristeza.

— Desculpe, estou em desvantagem — digo, tentando ignorar o formigamento que corre por minha coluna numa espécie de alerta.

Olhando de perto, ela parece estranha, descabelada e descuidada. Suas roupas estão largas, inclusive o casaco de marca que usa sobre elas.

Ela ri, produzindo um som estranho e dissonante que só faz alimentar a minha ansiedade.

— O que você tem que eu não tenho? — pergunta, com tristeza.

A ansiedade se transforma em medo.

— Sinto muito, quem é você?

— Eu? Eu não sou ninguém. — Ela levanta o braço e passa a mão pelo cabelo, na altura dos ombros, e, à medida que faz isso, a manga de seu casaco sobe, revelando um curativo sujo em volta do pulso.

Puta merda.

— Tenha um bom dia, Srta. Steele. — Ela se vira e caminha pela rua, e continuo imóvel no meio da calçada. Eu a observo enquanto sua frágil silhueta desaparece de vista, perdida entre as pessoas que saem dos escritórios.

O que foi isso?

Confusa, atravesso a rua na direção do bar, tentando assimilar o que acabou de acontecer, mas meu inconsciente ergue sua cara feia e grita comigo: *Ela tem algo a ver com Christian.*

O bar Anos Cinquenta é um ambiente fechado e impessoal, com flâmulas e cartazes de beisebol pendurados na parede. Jack está junto ao balcão com Elizabeth, Courtney, o outro editor, dois caras do setor financeiro e Claire, da recepção. Claire está usando argolas prateadas, sua marca registrada.

— Oi, Ana! — Jack me entrega uma garrafa de Budweiser.

— Saúde... obrigada — murmuro, ainda abalada pelo encontro com a Garota--Fantasma.

— Saúde — brindamos, e ele continua sua conversa com Elizabeth.

Claire sorri para mim com gentileza.

— Então, como foi sua primeira semana? — pergunta ela.

— Foi boa, obrigada. Todo mundo é muito gentil.

— Você parece muito mais feliz hoje.

— É sexta-feira — respondo rapidamente. — E então, o que vai fazer neste fim de semana?

Minha já costumeira tática de distração funciona, e estou a salvo. Descubro que Claire tem seis irmãos e que vai passar o fim de semana com a família, em Tacoma. Ela fica bastante animada com a conversa, e me dou conta de que não conversava com uma mulher da minha idade desde que Kate foi para Barbados.

Distraída, imagino como Kate deve estar agora... e Elliot. Preciso me lembrar de perguntar a Christian se teve notícias dele. Ah, e Ethan, o irmão dela, volta na próxima terça-feira, e vai ficar no nosso apartamento. Acho que Christian não vai gostar muito disso. Assim, meu encontro com a estranha Garota--Fantasma vai desaparecendo de meus pensamentos.

Durante minha conversa com Claire, Elizabeth me passa outra cerveja.

— Obrigada. — Sorrio para ela.

É muito fácil conversar com Claire, ela gosta de falar, e, antes que eu perceba, estou na terceira cerveja, cortesia de um dos caras do financeiro.

Quando Elizabeth e Courtney vão embora, Jack se aproxima de mim e de Claire. Cadê o Christian? Um dos caras do financeiro puxa Claire para uma conversa.

— E então, Ana, acha que foi uma boa ideia vir trabalhar com a gente? — A voz de Jack é suave, e ele está um pouco perto demais. Mas já notei que tem uma tendência a fazer isso com todo mundo, até mesmo no escritório.

— Foi uma boa semana, Jack, obrigada. Sim, acho que tomei a decisão certa.

— Você é uma menina muito inteligente, Ana. Você vai longe.

— Obrigada — murmuro enrubescida, sem saber o que dizer.

— Você mora longe?

— Em Pike Market.

— Não fica muito longe de onde eu moro. — Sorrindo, ele se aproxima ainda mais e se recosta contra o bar, bloqueando minha saída com eficiência. — Vai fazer alguma coisa neste fim de semana?

— Bem... hum...

Eu o sinto antes de vê-lo. É como se todo o meu corpo estivesse inteiramente antenado para sua presença: relaxo e me inflamo ao mesmo tempo, uma estranha dualidade interna, e sinto aquela eletricidade peculiar pulsando dentro de mim.

Christian passa o braço em torno de meus ombros em uma demonstração de afeto aparentemente casual, mas sei o que significa. É um sinal de posse, e, na atual situação, é muito bem-vindo. Ele beija meu cabelo com ternura.

— Oi, baby — murmura.

Não posso evitar a sensação de alívio, segurança e empolgação que o braço dele ao meu redor transmite. Ele me puxa para junto de si, e eu o vejo encarar Jack com sua expressão impassível. Voltando a atenção para mim, ele me lança um breve sorriso torto seguido de um beijo rápido. Está usando o paletó azul-marinho de risca de giz, calça jeans e uma camisa branca aberta. Ele está delicioso.

Jack se afasta, desconfortável.

— Jack, este é Christian — murmuro, quase me desculpando. Mas por que a necessidade de pedir desculpas? — Christian, Jack.

— Sou o namorado — diz Christian com um pequeno e frio sorriso que não chega a alcançar seus olhos enquanto aperta a mão de Jack.

Olho de relance para Jack, que está avaliando o belo exemplar de masculinidade diante de si.

— Sou o chefe — responde Jack com arrogância. — Na verdade, Ana mencionou um ex-namorado.

Ai, merda. Você realmente não está a fim de jogar este jogo com Christian.

— Bem, deixei de ser ex — responde Christian calmamente. — E aí, Ana, vamos? Está na hora.

— Por favor, fique e tome uma bebida com a gente — convida Jack.

Eu não acho que seja uma boa ideia. Por que essa situação é tão desconfortável? Olho para Claire que, obviamente, está observando boquiaberta, em uma franca apreciação carnal por Christian. *Quando vou parar de me preocupar com o efeito que ele tem sobre outras mulheres?*

— Já temos planos — responde Christian com seu sorriso enigmático.

Temos? E um frisson de antecipação percorre meu corpo.

— Outro dia, quem sabe — acrescenta ele. — Vamos — diz enquanto segura minha mão.

— Vejo vocês na segunda. — Sorrio para Jack, Claire e os dois caras do financeiro, esforçando-me para ignorar a expressão de insatisfação de Jack ao seguir Christian para fora do bar.

Taylor está ao volante do Audi, esperando.

— Por que eu fiquei com a impressão de que aquilo foi um concurso de quem mija mais longe? — pergunto a Christian depois que ele abre a porta do carro para mim.

— Porque foi — murmura ele, lançando-me um sorriso enigmático e fechando minha porta.

— Oi, Taylor — digo, e nossos olhos se encontram no retrovisor.

— Srta. Steele — responde Taylor com um sorriso caloroso.

Christian senta-se ao meu lado, segura minha mão e, delicadamente, beija meus dedos.

— Oi — diz baixinho.

Minhas bochechas ficam cor-de-rosa só de saber que Taylor pode nos ouvir, mas sinto-me grata de que ele não possa ver o olhar escaldante, de esquentar a calcinha, que Christian está me lançando. Preciso de todo o meu autocontrole para não pular em cima dele ali mesmo, no banco de trás do carro.

Ah, o banco de trás do carro... hum.

— Oi — suspiro, a boca seca.

— O que você gostaria de fazer esta noite?

— Você disse que já tínhamos planos.

— Ah, eu sei o que eu quero fazer, Anastasia. Estou perguntando o que você quer fazer.

Sorrio para ele, radiante.

— Entendi — diz ele com um sorriso perverso. — Então... vai ser implorar. Você quer implorar na minha casa ou na sua? — Ele inclina a cabeça para o lado e abre seu sorriso sensual para mim.

— Acho que você está sendo muito presunçoso, Sr. Grey. Mas, só para variar, dessa vez a gente podia ir para a minha casa. — Mordo o lábio deliberadamente, e as feições dele se fecham.

— Taylor, para o apartamento da Srta. Steele, por favor.

— Sim, senhor — responde Taylor, e dá a partida no carro.

— E então, como foi o seu dia? — pergunta ele.

— Bom. E o seu?

— Bom, obrigado.

Seu sorriso absurdamente largo reflete o meu, e ele beija minha mão mais uma vez.

— Você está linda — diz.

— Você também está lindo.

— O seu chefe, Jack Hyde, ele é bom no que faz?

Uau! Isso é que mudança brusca de assunto! Franzo a testa.

— Por quê? Isso não tem nada a ver com o seu concurso de mijo a distância, tem? Christian ri.

— Aquele homem quer entrar na sua calcinha, Anastasia — diz ele secamente. Fico rubra, boquiaberta, e olho nervosa para Taylor.

— Bem, ele pode querer o que bem entender... por que estamos tendo essa conversa? Você sabe que não tenho o menor interesse nele. Ele é só meu chefe.

— Esse é o ponto. Ele quer o que é meu. Preciso saber se ele é bom no trabalho dele.

— Acho que sim. — Dou de ombros. Aonde ele está querendo chegar com isso?

— Bem, é melhor ele deixar você em paz, ou vai acabar no olho da rua.

— Ah, Christian, do que você está falando? Ele não fez nada errado... — *Por enquanto.* Ele só fica perto demais quando fala comigo.

— Qualquer movimento dele, conte para mim. Isso se chama torpeza moral da mais baixa. Ou assédio sexual.

— Foi apenas uma cerveja depois do trabalho.

— Estou falando sério. Um movimento, e ele está na rua.

— Você não tem esse poder! — Francamente! E, antes que eu possa revirar os olhos para ele, a ficha cai com a velocidade de um relâmpago. — Ou tem?

Christian me lança seu sorriso enigmático.

— Você está comprando a editora — sussurro horrorizada.

Seu sorriso se desfaz em resposta ao pânico em minha voz.

— Não exatamente — diz ele.

— Você já comprou. A SIP. Já comprou.

Ele pisca para mim, cauteloso.

— Talvez.

— Comprou ou não?

— Comprei.

Que inferno!

— Por quê? — pergunto, chocada. Ah, não, isso é demais.

— Porque eu posso, Anastasia. Preciso de você em segurança.

— Mas você disse que não iria interferir na minha carreira!

— E não vou.

Puxo a minha mão de volta.

— Christian... — As palavras me escapam.

— Você está brava comigo?

— Estou. Claro que estou brava com você — explodo. — Quer dizer, que tipo de executivo responsável toma decisões com base na pessoa que ele está comendo no momento? — Fico branca e uma vez mais olho nervosa para Taylor, que está nos ignorando estoicamente.

Merda. Que hora para o filtro cérebro-boca falhar.

Christian abre a boca e então a fecha novamente, fazendo uma cara feia para mim. Eu o encaro de volta. Enquanto nos enfrentamos, a atmosfera no carro mergulha de cálida com toques de doce reconciliação para gélida e repleta de palavras não ditas e possíveis recriminações.

Felizmente, a desconfortável viagem não dura muito tempo, e Taylor encosta o carro diante do meu prédio. Saio às pressas, sem esperar que ninguém abra a porta para mim, e ouço Christian murmurar para Taylor:

— Acho que é melhor você esperar aqui.

Eu o sinto de pé atrás de mim, bem perto, enquanto me esforço para encontrar as chaves da porta da frente na bolsa.

— Anastasia — diz ele com calma, como se eu fosse um animal selvagem encurralado.

Suspiro e me viro para encará-lo. Estou com tanta raiva que ela chega a ser palpável, uma entidade das trevas que ameaça me sufocar.

— Primeiro, já faz tempo, tempo demais, aliás, que não como você. E segundo, eu queria entrar no mercado editorial. Das quatro editoras de Seattle, a SIP é a mais rentável, mas está no seu limite e vai acabar ficando estagnada. Ela precisa se diversificar.

Eu o encaro friamente. Seu olhar é intenso, ameaçador até, mas sensual como o diabo. Eu poderia me perder em sua profundeza de aço.

— Então você é meu chefe agora — rebato.

— Tecnicamente, eu sou o chefe do chefe do seu chefe.

— E, tecnicamente, isso é uma torpeza moral das mais baixas, o fato de eu estar fodendo com o chefe do chefe do meu chefe.

— No momento, você está discutindo com ele. — Christian faz uma cara feia.

— Isso porque ele é um idiota — exclamo.

Christian recua, atordoado. *Ai, merda.* Será que fui longe demais?

— Idiota? — murmura ele, as feições adquirindo uma expressão divertida. *Porra! Estou morrendo de raiva de você, não me faça rir!*

— Isso mesmo. — Luto para manter meu olhar de indignação moral.

— Idiota? — pergunta Christian novamente. Desta vez, seus lábios se contorcem num sorriso reprimido.

— Não me faça rir quando estou com raiva de você! — grito.

E ele sorri, um sorriso deslumbrante, cheio de dentes, um modelo de perfeição, e eu não consigo evitar. Sorrio também e, então, caio na gargalhada. Como eu poderia não ser afetada pela alegria presente naquele sorriso?

— Só porque estou com esse sorriso idiota na cara não significa que eu não esteja morrendo de raiva de você — murmuro ofegante, tentando suprimir minha risada infantil de líder de torcida. *Embora eu nunca tenha sido líder de torcida*, o pensamento amargo atravessa minha mente.

Ele se inclina, e eu acho que vai me beijar, mas não o faz. Enfia o rosto em meu cabelo e inspira profundamente.

— Como sempre, Srta. Steele, você é surpreendente. — Ele volta o corpo para trás, para me encarar, os olhos brilhando cheios de humor. — E então, vai me convidar para entrar ou vou ficar de castigo por exercer o meu direito democrático, como cidadão norte-americano, empreendedor e consumidor, de comprar o que eu bem entender?

— Você falou com o Dr. Flynn sobre isso?

Ele ri.

— Você vai me deixar entrar ou não, Anastasia?

Tento lançar um olhar relutante — morder o lábio ajuda —, mas estou sorrindo quando abro a porta. Christian se vira e acena para Taylor, e o Audi dá partida.

É ESTRANHO TER Christian Grey em meu apartamento. O lugar parece pequeno demais para ele.

Ainda estou brava — a perseguição dele não tem limites —, e acabo me dando conta de que é por isso que ele sabia que meu e-mail na SIP era monitorado. Ele provavelmente sabe mais sobre a SIP do que eu. É um pensamento desagradável.

O que posso fazer? Por que ele tem essa necessidade de me manter em segurança? Já sou — *pelo menos um pouco* — adulta, pelo amor de Deus. O que posso fazer para tranquilizá-lo?

Observo seu rosto enquanto ele caminha de um lado para outro na sala, feito um predador enjaulado, e minha raiva desaparece. Vê-lo em meu território depois de achar que tínhamos terminado é reconfortante. Mais do que reconfortante, eu o amo, e meu coração se enche com uma euforia nervosa e inebriante. Ele olha ao redor, avaliando o ambiente.

— Apartamento bacana — diz.

— Os pais de Kate compraram para ela.

Ele acena distraidamente com a cabeça, e seus olhos cinzentos e ousados recaem sobre mim.

— E então... quer uma bebida? — murmuro, enrubescendo.

— Não, obrigado, Anastasia. — Seu olhar escurece.

Por que estou tão nervosa?

— O que você gostaria de fazer, Anastasia? — pergunta ele suavemente, caminhando em minha direção, todo selvagem e sensual. — Eu sei o que eu quero fazer — acrescenta, em voz baixa.

Recuo até bater contra a bancada de concreto da cozinha.

— Ainda estou brava com você.

— Eu sei. — Ele abre um sorriso torto de desculpas, e eu me derreto... Bem, talvez não tão brava assim.

— Gostaria de comer alguma coisa? — pergunto.

— Sim. Você — murmura ele, assentindo lentamente com a cabeça. Todo o meu corpo se enrijece da cintura para baixo. Sou seduzida até por sua voz, mas aquele olhar, aquele olhar faminto de quem quer me devorar agora... meu Deus.

Ele está de pé na minha frente, mas sem encostar em mim, olhando nos meus olhos e me banhando no calor que irradia de seu corpo. Sinto-me sufocada, agitada, e minhas pernas parecem gelatina à medida que o desejo sombrio toma conta de mim. Eu quero esse homem.

— Você já comeu hoje? — pergunta ele.

— Um sanduíche no almoço — sussurro. Não quero falar de comida.

— Você precisa comer. — Ele estreita os olhos.

— Eu realmente não estou com fome... de comida.

— E você está com fome de quê, Srta. Steele?

— Acho que você sabe, Sr. Grey.

Ele abaixa a cabeça, e de novo acho que vai me beijar, mas não o faz.

— Quer que eu beije você, Anastasia? — sussurra baixinho no meu ouvido.

— Sim — murmuro.

— Onde?

— Em todos os lugares.

— Você vai ter que ser um pouco mais específica do que isso. Eu já avisei que não vou tocar você até que implore e me diga o que fazer.

Estou perdida, ele não está jogando limpo.

— Por favor — peço.

— Por favor, o quê?

— Toque em mim.

— Onde?

Ele está tão tentadoramente perto, seu perfume é inebriante. Eu levanto as mãos, e ele recua de imediato.

— Não, não — ele me repreende, os olhos de repente arregalados e alarmados.

— O quê? — *Não... volte.*

— Não. — Ele balança a cabeça.

— Nem um pouco? — Não consigo evitar o desejo em minha voz.

Ele me olha, hesitante, e eu me sinto encorajada por essa hesitação. Dou um passo na direção dele, e ele recua, erguendo as mãos em defesa, mas sorrindo.

— Espere, Ana. — É um alerta, e ele passa a mão pelo cabelo, exasperado.

— Às vezes você não se importa — observo, melancólica. — Talvez eu devesse pegar uma caneta, aí poderíamos mapear as áreas proibidas.

Ele ergue uma sobrancelha.

— Isso não é má ideia. Onde fica o seu quarto?

Indico com a cabeça. Será que ele está deliberadamente mudando de assunto?

— Você está tomando a pílula?

Ah, merda. A pílula.

Sua expressão se desfaz ao ver minha reação.

— Não — falo, num gemido.

— Certo — diz ele, e seus lábios se comprimem numa linha fina. — Venha, vamos comer alguma coisa.

— Achei que estávamos indo para a cama! Eu quero ir para a cama com você.

— Eu sei, baby. — Ele sorri e, de repente, vem em minha direção, pega meus pulsos e me puxa para junto de si de forma que seu corpo pressiona o meu. — Você precisa comer e eu também — murmura, os ardentes olhos cinzentos me encarando. — Além do mais... a expectativa é o segredo da sedução e, neste instante, estou muito interessado em adiar a gratificação.

Hum, desde quando?

— Você já me seduziu e eu quero a minha gratificação agora. Eu imploro, por favor — minha voz parece um gemido.

Ele sorri para mim com ternura.

— Vamos comer. Você está muito magra. — Ele beija minha testa e me solta. É um jogo, parte de algum plano maligno. Faço uma cara feia.

— Ainda estou com raiva porque você comprou a SIP, e, agora, estou com raiva porque você está me fazendo esperar — resmungo.

— Você é muito ansiosa, não é? Mas vai se sentir melhor depois de uma boa refeição.

— Eu sei o que vai fazer com que eu me sinta melhor.

— Anastasia Steele, estou chocado. — Seu tom é um tanto debochado.

— Pare de me provocar. Você não joga limpo.

Ele sufoca o riso, mordendo o lábio inferior. Simplesmente adorável... um Christian brincalhão divertindo-se com a minha libido.

Se pelo menos as minhas habilidades de sedução fossem melhores, eu saberia o que fazer, mas não poder tocá-lo realmente dificulta as coisas.

Minha deusa interior estreita os olhos, pensativa. Precisamos trabalhar essa questão.

Enquanto Christian e eu nos encaramos — eu, toda alvoroçada e cheia de desejo; ele, descontraído e divertindo-se às minhas custas —, percebo que não tenho comida em casa.

— Eu poderia cozinhar alguma coisa para nós, só que vamos ter que ir ao mercado.

— Ao mercado?

— Comprar comida.

— Você não tem comida em casa? — Sua expressão se enrijece.

Nego com a cabeça. Merda, ele parece muito irritado.

— Vamos às compras, então — diz com firmeza ao se virar em direção à porta, abrindo-a para mim.

— Quando foi a última vez em que esteve em um supermercado?

Christian parece deslocado, mas ele me segue, obediente, segurando uma cesta de compras.

— Não me lembro.

— É a Sra. Jones quem faz as compras?

— Acho que Taylor a ajuda. Não sei bem.

— Você gosta de frango xadrez? É rápido de fazer.

— É uma boa ideia — Christian sorri, sem dúvida imaginando meu verdadeiro motivo para querer uma refeição rápida.

— Eles trabalham com você há muito tempo?

— Taylor, há quatro anos, acho. A Sra. Jones também deve ter o mesmo tempo. Por que você não tem comida em casa?

— Você sabe o porquê — murmuro, enrubescendo.

— Foi você quem me deixou — resmunga ele, em desaprovação.

— Eu sei — respondo em voz baixa, não querendo ser lembrada disso.

Chegamos ao caixa e, em silêncio, esperamos na fila.

Se eu não tivesse ido embora, ele teria oferecido a alternativa do relacionamento baunilha?, pergunto-me inutilmente.

— Você tem alguma coisa para beber? — Ele me traz de volta ao presente.

— Cerveja... Acho.

— Vou pegar um vinho.

Ah, Deus. Não sei que tipo de vinho pode-se comprar num Supermercado Ernie. Christian volta de mãos vazias e com uma cara de nojo.

— Tem uma boa loja de bebidas aqui ao lado — digo depressa.

— Vou ver o que eles têm.

Talvez devêssemos ir logo para a casa dele, assim não teríamos esse aborrecimento todo. Eu o observo deixar o supermercado, determinado e com uma elegância natural. Duas mulheres na entrada param para observá-lo. *Ah, sim, contemplem o meu Cinquenta Tons*, penso, desanimada.

Quero lembrar dele na minha cama, mas ele está bancando o difícil. Talvez eu devesse fazer o mesmo. Minha deusa interior concorda freneticamente. E ali, na fila, estabelecemos um plano. Hum...

CHRISTIAN LEVA as sacolas de compras até o apartamento. Ele as está carregando desde que saímos do mercado. E parece estranho. Não tem nada da aparência habitual de CEO.

— Você parece tão... doméstico.

— Ninguém nunca me acusou disso antes — responde secamente.

Ele coloca as sacolas na bancada da cozinha. Tiro as compras das bolsas; ele pega uma garrafa de vinho branco e procura um saca-rolhas.

— Este lugar ainda é novo para mim. Acho que o abridor está naquela gaveta ali. — Aponto com o queixo.

Isso parece tão... normal. Duas pessoas se conhecendo, preparando uma refeição. No entanto, é tão estranho. O medo que sempre senti na presença dele passou. Já fizemos tanta coisa juntos, eu coro só de pensar, e ainda assim, mal o conheço.

— Em que você está pensando? — Christian interrompe meu devaneio enquanto tira o paletó risca de giz e o coloca sobre o sofá.

— Em quão pouco conheço você.

Seus olhos se suavizam.

— Você me conhece melhor do que qualquer pessoa.

— Não acho que isso seja verdade. — A Mrs. Robinson surge em meus pensamentos sem ser chamada, uma visão nada bem-vinda.

— Mas é, Anastasia. Sou uma pessoa muito, muito reservada.

Ele me entrega uma taça de vinho branco.

— Saúde — diz.

— Saúde — respondo e tomo um gole enquanto ele guarda a garrafa na geladeira.

— Posso ajudar com isso? — pergunta.

— Não, está tudo bem... pode se sentar.

— Eu queria ajudar. — Sua expressão é sincera.

— Você pode cortar os legumes.

— Não sei cozinhar — diz ele, observando com desconfiança a faca que passo para ele.

— Imagino que você não precise. — Coloco uma tábua e uns pimentões vermelhos na frente dele. Ele fica olhando, confuso. — Você nunca cortou um legume antes?

— Não.

Sorrio para ele.

— Está rindo de mim?

— Parece que há uma coisa que eu sei fazer e você não. Cá entre nós, Christian, acho que se trata de uma primeira vez. Aqui, deixe-me mostrar.

Encosto o corpo no dele, e ele recua. Minha deusa interior ergue o olhar e fica atenta.

— Assim. — Fatio o pimentão, tomando o cuidado de remover as sementes.

— Parece bastante simples.

— Você não vai achar muito difícil — murmuro, com ironia.

Ele me olha impassível por um momento e depois se volta para sua tarefa; eu preparo o frango picado. Ele começa a fatiar com cuidado, bem devagar. *Ai, meu Deus, desse jeito vai levar a noite toda.*

Lavo minhas mãos e vou procurar a panela, o óleo e os outros ingredientes dos quais preciso, roçando repetidas vezes o corpo no dele — meu quadril, meu braço, minhas costas, minhas mãos. Pequenos toques, aparentemente inocentes. E ele fica paralisado a cada vez que faço isso.

— Eu sei o que você está tentando, Anastasia — murmura ele, sombrio, ainda fatiando o primeiro pimentão.

— Acho que as pessoas chamam de cozinhar — digo, piscando os olhos. Pego outra faca e me junto a ele diante da tábua para cortar o alho, a cebolinha e as ervilhas, esbarrando continuamente nele.

— Você é muito boa nisso — resmunga ele ao começar a fatiar o segundo pimentão.

— Fatiar legumes? — Pisco. — Anos de prática. — E esbarro nele com o quadril. Christian fica paralisado mais uma vez.

— Se você fizer isso mais uma vez, Anastasia, eu vou trepar com você no chão dessa cozinha.

Uau. Está funcionando.

— Você vai ter que implorar primeiro.

— É um desafio?

— Talvez.

Ele descansa a faca sobre a mesa e caminha lentamente na minha direção, seus olhos em chamas. Inclina-se para longe de mim e desliga o gás do fogão. O óleo na panela silencia quase imediatamente.

— Acho que vamos comer mais tarde — diz ele. — Coloque o frango na geladeira.

Taí uma frase que eu jamais imaginei ouvir de Christian Grey, e só ele poderia fazê-la soar sensual. Muito sensual, aliás. Pego a vasilha com o frango picadinho e, trêmula, coloco um prato sobre ela e a guardo na geladeira. Quando me viro, ele está junto a mim.

— Então, você vai implorar? — sussurro, fitando corajosamente seus olhos sombrios.

— Não, Anastasia. — Ele balança a cabeça. — Nada de implorar. — Sua voz é suave, sedutora.

E ficamos ali, encarando-nos, deliciando-nos com a visão do outro, sem dizer nada, apenas olhando, a atmosfera ao nosso redor quase estalando de tão carregada. Mordo meu lábio à medida que o desejo que sinto por esse homem maravilhoso se apodera de mim à força, esquentando meu sangue, oprimindo minha respiração, acumulando-se na região abaixo da cintura. Vejo minhas reações refletidas na postura dele, em seus olhos.

Num instante, ele me agarra pelo quadril e me puxa para junto de si, minhas mãos seguram seu cabelo, e sua boca busca por mim. Ele me empurra contra a geladeira, ouço o barulho abafado de garrafas e frascos protestando, sua língua encontra a minha. Solto um gemido dentro de sua boca, e uma de suas mãos segura o meu cabelo, puxando minha cabeça para trás enquanto trocamos um beijo selvagem.

— O que você quer, Anastasia?

— Você — sussurro.

— Onde?

— Cama.

Christian se solta do nosso abraço, me pega nos braços e me carrega depressa e aparentemente sem qualquer esforço até o quarto. Ele me coloca de pé ao lado da cama e se inclina para acender o abajur na mesa de cabeceira. Dá uma olhada rápida em volta e fecha as cortinas cor de creme.

— E agora? — diz em voz baixa.

— Faça amor comigo.

— Como?

Caramba.

— Você tem que me dizer, baby.

Puta merda.

— Tire minha roupa. — Já estou ofegante.

Ele sorri e pega na abertura da minha camisa com o indicador, puxando-me em direção a ele.

— Boa menina — murmura e, sem tirar os olhos ardentes dos meus, lentamente começa a desabotoar minha camisa.

Com cuidado, apoio minhas mãos em seus braços para manter o equilíbrio. Ele não reclama. Os braços são uma área segura. Quando termina com os botões, ele puxa minha camisa por sobre meus ombros, e eu tiro as mãos dos braços dele para deixar a camisa cair no chão. Ele se estica na direção do cós de minha calça jeans, abre o botão e puxa o zíper para baixo.

— Diga o que você quer, Anastasia. — Seus olhos estão em chamas; os lábios, entreabertos, a respiração ofegante.

— Beije-me daqui até aqui — sussurro, arrastando o dedo a partir da base da orelha até o pescoço.

Ele tira o meu cabelo do caminho e se curva sobre mim, deixando beijos suaves ao longo do percurso de meu dedo, e depois faz o caminho de volta.

— A calça jeans e a calcinha — murmuro, e ele sorri junto do meu pescoço antes de se ajoelhar diante de mim.

Ah, eu me sinto tão poderosa. Com os polegares enfiados por dentro do cós, ele desce delicadamente a calça junto com a calcinha ao longo de minhas pernas. Eu dou um passo para fora dos sapatos e das roupas, de forma que fico só de sutiã. Ele para e olha para cima em expectativa, mas não se levanta.

— E agora, Anastasia?

— Beije-me — sussurro.

— Onde?

— Você sabe onde.

— Onde?

Hum, ele está bancando o durão. Envergonhada, aponto rapidamente para o local onde minhas coxas se encontram, e ele sorri com malícia. Fecho os olhos, mortificada, mas, ao mesmo tempo, muito excitada.

— Ah, com prazer. — Ele ri.

Ele me beija e brinca com a língua, essa língua experiente que inspira prazer. Solto um gemido e enfio as mãos em seu cabelo. Ele não para, a língua circulando o meu clitóris, deixando-me louca, de novo e de novo, indo e voltando. *Ahhh... quanto tempo... faz...? Ah...*

— Christian, por favor — imploro. Não quero gozar de pé. Não tenho força para isso.

— Por favor o quê, Anastasia?

— Faça amor comigo.

— Estou fazendo — murmura ele, soprando em mim suavemente.

— Não. Quero você dentro de mim.

— Você tem certeza?

— Por favor.

Ele continua com a sua tortura doce e deliciosa. Solto um gemido alto.

— Christian... por favor.

Ele se levanta e me olha, os lábios brilhando com a prova da minha excitação. *Que tesão...*

— E então? — diz ele.

— E então, o quê? — pergunto ofegante, olhando para ele tomada de um desejo frenético.

— Ainda estou vestido.

Eu o encaro, confusa.

Tirar a roupa dele? Sim, eu posso fazer isso. Pego sua camisa e ele recua.

— Não — adverte. Merda, ele quer dizer a calça.

Hum, isso me dá uma ideia. Minha deusa interior fica animada, e eu caio de joelhos diante dele. Um tanto desajeitada e com as mãos tremendo, abro a calça e a puxo para baixo, junto com a cueca, e ele está livre. *Uau.*

Ergo o olhar para ele através dos cílios, e ele está olhando para mim com... o quê? Apreensão? Espanto? Surpresa?

Ele sai da calça e tira as meias, e eu o seguro, apertando-o com força, deslizando a mão para trás do jeito que ele me ensinou. Ele geme, seu corpo se enrijece, a respiração sibila por entre dentes cerrados. Com muito cuidado, eu o coloco na boca e o chupo com força. Hum, ele tem um gosto bom.

— Ah, Ana... ei, devagar.

Ele segura minha cabeça com ternura, e o enfio mais fundo em minha boca, pressionando meus lábios tão firmemente quanto posso, cobrindo os dentes e sugando com força.

— Caralho — sussurra ele.

Ah, que som gostoso, sensual e inspirador. Então eu repito, engolindo-o ainda mais fundo e rodopiando a língua na ponta. *Hum...* Eu me sinto como Afrodite.

— Ana, chega. Pare.

Faço de novo. *Ande, Grey, implore.* E mais uma vez.

— Ana, você já provou o quanto é boa — murmura ele entre dentes. — Eu não quero gozar na sua boca.

Repito ainda mais uma vez, e ele se abaixa, me agarra pelos ombros, me coloca de pé e me joga na cama. Arrancando a camisa, ele remexe a calça jeans largada no chão e, como um bom menino, tira do bolso um envelopinho de papel laminado. Está ofegante, como eu.

— Tire o sutiã — ele ordena.

Eu me sento e obedeço.

— Deite. Quero ver você.

Eu me deito, olhando para ele enquanto ele desenrola lentamente a camisinha. Eu o quero tanto. Ele me encara e passa a língua nos lábios.

— Você é uma bela visão, Anastasia Steele.

Ele se inclina sobre a cama e lentamente sobe em mim, beijando-me. Beija cada um dos meus seios e brinca com os mamilos, um de cada vez, eu gemo e me contorço embaixo dele, mas ele não para.

Não... Pare. Quero você.

— Christian, por favor.

— Por favor, o quê? — murmura ele entre os meus seios.

— Quero você dentro de mim.

— Agora?

— Por favor.

Olhando para mim, ele abre minhas pernas com as suas e se ajeita de modo que fica pairando sobre meu corpo. Sem tirar os olhos dos meus, entra em mim num ritmo deliciosamente lento.

Fecho os olhos, saboreando a plenitude, a sensação extraordinária de sua posse, minha pélvis se inclinando instintivamente para encontrá-lo, para se juntar a ele, gemendo alto. Ele sai e, muito lentamente, entra de novo.

Meus dedos correm até seu cabelo sedoso e rebelde, e, muito lentamente, ele continua se movendo para dentro e para fora de mim.

— Mais rápido, Christian, mais rápido... por favor.

Ele me olha vitorioso e me beija com força, e então começa a se mover de verdade — *puta merda, um ritmo implacável... ah...* —, e eu sei que não vai demorar muito. Ele estabelece uma cadência acelerada. Fico excitada, as pernas rígidas embaixo dele.

— Goze, baby — suspira. — Goze para mim.

Suas palavras são uma perdição, e, magnificamente, as ideias entorpecidas, eu explodo em um milhão de pedaços ao redor dele, e ele me acompanha gritando o meu nome.

— Ana! Ah, Ana!

Ele cai em cima de mim, a cabeça enterrada em meu pescoço.

CAPÍTULO QUATRO

Quando recupero minha sanidade, abro os olhos e vejo o rosto do homem que amo. A expressão de Christian é suave, leve. Ele esfrega o nariz no meu, apoiando-se sobre os cotovelos, as mãos segurando as minhas ao lado de minha cabeça. Infelizmente, suspeito que seja uma forma de impedir que eu o toque. Ele me dá um beijo delicado nos lábios e sai de dentro de mim.

— Senti falta disso — ofega.

— Eu também — sussurro.

Ele me segura pelo queixo e me beija com força. Um beijo apaixonado e suplicante, mas pedindo o quê? Não sei. Fico sem fôlego.

— Não me deixe de novo — implora ele, olhando fundo nos meus olhos, a expressão séria.

— Está bem — sussurro e sorrio para ele. Seu sorriso de resposta é deslumbrante: alívio, júbilo e uma alegria juvenil combinados em um olhar encantador, capaz de derreter o mais frio dos corações. — Obrigada pelo iPad.

— Não há de quê, Anastasia.

— Qual é sua música preferida lá?

— Isso já seria revelar demais. — Ele sorri. — Agora venha, minha serviçal, preparar uma refeição para mim. Estou morrendo de fome — acrescenta ele, sentando-se de repente e me puxando.

— Serviçal? — Dou uma risadinha.

— Serviçal. Comida, agora, por favor.

— Já que me pede de forma tão educada, senhor, é para já.

Ao me arrastar para fora da cama, tiro o travesseiro do lugar, revelando o balão vazio em forma de helicóptero que guardo debaixo dele. Christian o pega nas mãos e me olha, intrigado.

— É o meu balão — digo, com ar de propriedade, enquanto pego o roupão e me cubro. *Ah, merda... por que ele tinha que ver isso?*

— Na sua cama? — murmura.

— É. — Fico vermelha. — Ele me faz companhia.

— Sortudo esse *Charlie Tango* — diz ele, surpreso.

Sim, sou sentimental, Grey, porque amo você.

— Meu balão — digo novamente e me viro em direção à cozinha, deixando-o com um sorriso de orelha a orelha.

CHRISTIAN E EU nos sentamos no tapete persa de Kate, comendo frango xadrez e macarrão chinês em tigelas brancas de porcelana com hashis e bebendo um Pinot Grigio branco gelado. Christian encosta no sofá, as longas pernas esticadas à sua frente. Está de calça jeans e camisa e com o cabelo de quem acabou de transar, e isso é tudo. Ao fundo, vindo do iPod dele, Buena Vista Social Club preenche suavemente o ambiente.

— Está gostoso — elogia ele, devorando a comida.

Estou sentada de pernas cruzadas a seu lado, comendo avidamente, morrendo de fome e admirando seus pés nus.

— Normalmente sou eu que faço a comida aqui em casa. Kate não é muito boa na cozinha.

— Foi sua mãe quem lhe ensinou?

— Na verdade, não. — Faço uma careta. — Na época em que eu estava interessada em aprender a cozinhar, minha mãe já morava com o Marido Número Três em Mansfield, no Texas. E o Ray teria vivido à base de torrada e comida de restaurante se não fosse eu.

— Por que você não ficou no Texas com sua mãe? — Christian me olha.

— Eu não me entendia com Steve, o marido dela. E sentia falta de Ray. O casamento da minha mãe com Steve não durou muito. Ela caiu em si, acho. Nunca fala dele — acrescento em voz baixa. Acho que é uma parte sombria da vida dela, algo que nunca chegamos a discutir.

— Então você ficou em Washington com seu padrasto.

— Morei durante um período muito curto no Texas. Depois voltei para ficar com Ray.

— Parece que você cuidava dele — diz Christian com ternura.

— Acho que sim. — Dou de ombros.

— Você está acostumada a cuidar das pessoas. — O tom de sua voz atrai minha atenção, e olho para ele.

— O que foi? — pergunto, espantada por sua expressão cautelosa.

— Quero cuidar de você. — Seus olhos brilham, refletindo uma emoção que não consigo identificar.

Meu coração acelera.

— Já percebi — sussurro. — Só que você faz isso de um jeito estranho.

Ele franze a testa.

— É o único que conheço.

— Ainda estou brava com você por ter comprado a SIP.

— Eu sei, só que não é isso que vai me impedir, baby. — Ele sorri.

— O que eu vou falar para os meus colegas de trabalho, para Jack?

Ele estreita os olhos.

— É melhor esse filho da puta se cuidar.

— Christian! — reclamo. — Ele é meu chefe.

Christian contrai os lábios. Parece uma criança teimosa.

— Não conte a eles — diz.

— Não contar o quê?

— Que eu sou o dono. O negócio foi fechado ontem. A notícia não vai poder ser divulgada por umas quatro semanas até que o setor administrativo da SIP faça algumas mudanças.

— Hum... eu vou perder o emprego? — pergunto, alarmada.

— Sinceramente, duvido muito — responde Christian secamente, tentando conter o riso.

Faço uma cara feia.

— Se eu sair e arrumar outro emprego, você vai comprar a outra empresa também?

— Você não está pensando em sair, está? — Sua expressão se altera, tornando-se cautelosa mais uma vez.

— Talvez. Receio que você não tenha me deixado muita escolha.

— Sim, vou comprar a outra empresa, também. — Ele é inflexível.

Fecho a cara. Não tenho como competir com ele.

— Você não acha que está sendo um pouco superprotetor demais?

— Sim. Tenho plena consciência da impressão que isso passa.

— Chamando Dr. Flynn — murmuro.

Ele baixa a tigela vazia e me olha, impassível. Suspiro. Não quero brigar. Levanto-me e pego sua tigela.

— Quer sobremesa?

— Agora você está falando a minha língua! — diz, lançando-me um sorriso lascivo.

— Não é isso. — *Por que não?* Minha deusa interior desperta de seu cochilo e se senta, prestando atenção. — Tem sorvete. De baunilha.

— Sério? — O sorriso de Christian aumenta. — Acho que nós poderíamos fazer algo com ele.

O quê? Eu o encaro surpresa enquanto ele se põe de pé graciosamente.

— Posso ficar aqui? — pergunta ele.

— Como assim?

— Esta noite.

— Presumi que você fosse ficar.

— Ótimo. Cadê o sorvete?

— No forno. — Lanço um sorriso doce para Christian.

Ele inclina a cabeça para o lado, suspira e balança a cabeça para mim.

— O sarcasmo é a forma mais baixa de humor, Srta. Steele. — Seus olhos brilham.

Ah, merda. O que ele está planejando?

— Ainda posso colocar você de bruços no meu colo e lhe dar umas palmadas. Largo as tigelas na pia.

— Você está com aquelas bolas prateadas?

Ele leva as mãos até o peito, depois desce até a barriga e por último bate nos bolsos da calça jeans.

— Curiosamente, não costumo carregar um kit extra comigo. Não tem muita serventia no escritório.

— Fico feliz em ouvir isso, Sr. Grey, e pensei que você tinha dito que sarcasmo era a forma mais baixa de humor.

— Bem, Anastasia, meu novo lema é: se não pode vencê-los, junte-se a eles.

Fico boquiaberta. *Não posso acreditar que ele acabou de dizer isso.* Ele me olha incrivelmente satisfeito consigo mesmo e sorri. E então se vira, abre o freezer e pega um pote de sorvete de baunilha Ben & Jerry's.

— Isso aqui vai cair muito bem. — Ele olha para mim, os olhos escuros. — Ben & Jerry's e Ana. — Ele diz as palavras bem devagar, pronunciando cada síla-ba com bastante clareza.

Ah, meu Deus. Acho que o meu queixo chega a encostar no chão. Ele abre a gaveta e pega uma colher. Quando ergue o olhar para mim, seus olhos estão en-cobertos, e sua língua desliza sobre os dentes superiores. Ah, essa língua.

Fico sem fôlego. Pelas minhas veias corre um desejo quente, escuro, insinuan-te e cruel. Nós vamos nos divertir... com comida.

— Espero que você esteja com calor — sussurra ele. — Porque vou refrescar você com isto aqui. Venha. — Ele estende a mão, e eu lhe entrego a minha.

No quarto, ele coloca o sorvete em cima da mesa de cabeceira, tira o edredom e os travesseiros da cama, empilhando-os no chão.

— Você tem outro jogo de lençóis, não tem?

Concordo com a cabeça, olhando para ele, fascinada. Ele pega *Charlie Tango*.

— Não suje meu balão — advirto.

Seus lábios se movem num meio sorriso.

— Nem sonharia com isso, baby, mas quero lambuzar você nestes lençóis. Praticamente tenho uma convulsão.

— Quero amarrar você.

Hum.

— Tudo bem — sussurro.

— Só as mãos. Na cama. Preciso de você bem paradinha.

— Tudo bem — sussurro de novo, incapaz de qualquer outra coisa.

Ele caminha até mim sem tirar os olhos dos meus.

— Vamos usar isto. — Ele segura a faixa do meu roupão e, com uma lentidão deliciosa e provocante, desfaz o laço e gentilmente puxa a faixa para si.

O roupão se abre, e permaneço paralisada sob seu olhar quente. Depois de um instante, ele desliza o roupão por sobre os meus ombros, fazendo com que caia junto aos meus pés, de modo que fico nua, diante dele. Christian acaricia meu rosto com as costas da mão, e seu toque ressoa nas profundezas de minha virilha. Ele se curva e beija meus lábios brevemente.

— Deite-se na cama de barriga para cima — murmura, os olhos escurecendo, queimando nos meus.

Faço o que ele manda. O quarto está escuro, exceto pela luz suave e insípida do abajur. Normalmente, odeio essas lâmpadas econômicas, elas são tão fracas. Mas, nua diante de Christian, fico feliz com a iluminação turva. Ele fica de pé, junto à cama, olhando para mim.

— Eu poderia ficar aqui olhando para você o dia inteiro, Anastasia — diz ele, e então sobe na cama, passa uma das pernas sobre meu corpo e se senta em cima de mim. — Braços acima da cabeça — ordena.

Obedeço, e ele amarra a ponta da faixa em meu pulso esquerdo e passa a outra extremidade pelas barras de metal na cabeceira da cama. Puxa bem apertado, de forma que meu braço esquerdo fica flexionado acima de mim. Em seguida, amarra a extremidade da faixa com força em minha mão direita.

Uma vez que estou amarrada, olhando-o, ele relaxa visivelmente. Christian gosta de me ver assim, presa. Desse jeito, não posso tocá-lo. E me dou conta de que nenhuma de suas submissas jamais deve tê-lo tocado — e mais, elas sequer tiveram a oportunidade. Ele as mantinha sempre sob controle e a distância. É por isso que gosta das regras.

Ele sai de cima de mim e se inclina para me dar um beijinho rápido nos lábios. Então, fica de pé e tira a camisa. Desabotoa a calça e a deixa cair no chão.

Está gloriosamente nu. Minha deusa interior dá um salto triplo nas barras assimétricas, e, de repente, minha boca fica seca. Ele tem um físico delineado em traços clássicos: ombros largos e musculosos, quadris estreitos. O triângulo invertido perfeito. Obviamente, ele malha. Eu poderia olhar para ele o dia inteiro. Caminha até o pé da cama e agarra meus tornozelos, puxando-me bruscamente para baixo, até que meus braços ficam esticados, e eu, imobilizada.

— Assim é melhor — balbucia.

Com o pote de sorvete na mão, ele sobe devagar na cama, passando de novo a perna por cima de mim. Muito lentamente, abre a tampa do pote e mergulha a colher.

— Hum... ainda está bem duro — diz, com a sobrancelha erguida. Ele tira uma colher cheia e a leva até a boca. — Delicioso — murmura, lambendo os lábios. — É incrível como um bom e velho sorvete de baunilha pode ser tão bom. — Abaixa a cabeça, olhando para mim. — Quer um pouco? — brinca.

Christian está tão gostoso, jovem e despreocupado, sentado em cima de mim, comendo sorvete do pote, os olhos alegres, o rosto radiante. Ah, que diabo vai fazer comigo? Como se eu não soubesse. Tímida, faço que sim com a cabeça.

Ele enfia a colher no pote de novo e me oferece, então abro a boca, mas ele a leva depressa de volta para a própria boca.

— Está bom demais para dividir — diz, sorrindo maliciosamente.

— Ei — reclamo.

— O que foi, Srta. Steele, gosta de sorvete de baunilha?

— Gosto — digo de um jeito mais sério do que gostaria e tento, em vão, lutar com o peso dele.

— Ficando agitada, é? — Ele ri. — Eu não faria isso se fosse você.

— Sorvete — imploro.

— Bem, como você me deu tanto prazer hoje, Srta. Steele. — Christian cede e me oferece outra colherada. Desta vez, ele me deixa comer o sorvete.

Quero rir. Ele está realmente se divertindo, e seu bom humor é contagiante. Tira outra colherada e me dá um pouco mais, e de novo. *Ok, já chega.*

— Hum, essa é uma boa maneira de fazer você comer: à força. Eu poderia me acostumar com isso.

Ele pega outra colherada e a leva até a minha boca. Desta vez, eu a mantenho fechada e nego com a cabeça, então ele deixa o sorvete derreter lentamente na colher até pingar em meu pescoço e em meu peito. Ele se inclina e, bem devagar, lambe o sorvete derretido. Meu corpo se acende de desejo.

— Hum. Fica ainda mais gostoso em você, Srta. Steele.

Puxo os braços, e a cama range ameaçadoramente, mas eu nem ligo, estou ardendo de desejo, isso está me consumindo. Ele dá outra colherada e deixa o sorvete pingar em meus seios. Então, com as costas da colher, espalha-o sobre os mamilos.

Ai... é gelado. Meus mamilos se enrijecem sob o sorvete.

— Está com frio? — pergunta Christian baixinho e se inclina para mais uma vez lamber e chupar todo o sorvete de mim; sua boca está quente, comparada ao frio do sorvete.

Isso é tortura. À medida que começa a derreter, o sorvete escorre do meu corpo para a cama, formando rios. Seus lábios continuam a tortura lenta, chupando com força, suavemente sondando o meu corpo. *Ah, por favor!* Estou ofegante.

— Quer um pouco?

Antes que eu possa confirmar ou negar, sua língua está em minha boca, fria e habilidosa, com gosto de Christian e de baunilha. É delicioso.

Exatamente quando estou começando a me acostumar com a sensação, ele se senta de novo e deixa um rastro de sorvete ao longo do meu corpo, cruzando a barriga até o umbigo, onde deposita uma grande bola. *Ai, está mais gelado do que antes, mas estranhamente o sorvete me queima.*

— Bem, você já fez isso antes. — Os olhos de Christian brilham. — Vai ter que ficar bem paradinha, ou vai espalhar sorvete pela cama toda. — E ele beija cada um dos meus seios e chupa os meus mamilos com força, e então segue o rastro pelo meu corpo, chupando e lambendo ao descer.

Eu tento, tento muito ficar parada, apesar da combinação inebriante do frio com o seu toque quente. Mas meus quadris começam a se movimentar involuntariamente, movendo-se no seu próprio ritmo, dominados pelo feitiço gelado. Ele desce um pouco mais e começa a comer o sorvete em minha barriga, rodopiando a língua dentro e em torno de meu umbigo.

Solto um gemido. *Puta merda.* É frio, é quente, é enlouquecedor, mas ele não para. Arrasta o sorvete mais para baixo em meu corpo, até meus pelos pubianos, meu clitóris. E eu grito, bem alto.

— Silêncio — diz Christian suavemente e sua língua sedutora começa a trabalhar, lambendo o sorvete; agora estou gemendo baixinho.

— Ah... por favor... Christian.

— Eu sei, baby, eu sei — sussurra ele enquanto sua língua faz a mágica. Ele não para, não para, e meu corpo está subindo, mais e mais alto. Ele enfia um dedo dentro de mim, depois outro, e os mexe com uma lentidão agonizante, para dentro e para fora.

— Bem aqui — murmura ele e acaricia ritmicamente a parede da frente de minha vagina, continuando o delicioso e implacável ato de lamber e chupar.

Explodo de repente num orgasmo alucinante que atordoa todos os meus sentidos, eclipsando tudo o que está acontecendo fora de meu corpo, enquanto eu me contorço e grito. *Minha mãe do céu,* esse foi rápido.

Percebo vagamente que ele interrompe suas investidas. Está sobre mim, colocando uma camisinha, e, então, me penetra, duro e rápido.

— Ah, sim! — geme ao meter em mim.

Está grudento; o resto de sorvete derretido se espalhando entre nós. É uma distração estranha, mas não me demoro muito pensando nela, já que Christian de repente sai de mim e me vira de costas.

— Assim — murmura ele e, de repente, está dentro de mim de novo.

Mas não inicia de cara seu ritmo costumeiro. Ele se inclina, solta as minhas mãos, e me puxa para junto de si de forma que fico praticamente sentada sobre seu corpo. Suas mãos se deslocam até meus seios, e ele os segura, puxando delicadamente os mamilos. Solto um gemido e jogo a cabeça para trás, apoiando-a em seu ombro. Ele enfia o rosto em meu pescoço, mordendo-me ao flexionar os quadris, deliciosamente devagar, preenchendo-me de novo e de novo.

— Você sabe o quanto significa para mim? — sussurra em meu ouvido.

— Não.

Ele sorri na minha nuca, os dedos se enroscando ao redor do meu queixo e do pescoço, apertando-me por um momento.

— Ah, sabe sim. Não vou deixar você ir embora.

Solto um gemido, e ele acelera.

— Você é minha, Anastasia.

— Sim, sua — sussurro.

— E eu cuido do que é meu — murmura ele e morde a minha orelha.

Eu grito.

— Isso, quero ouvir.

Ele passa uma das mãos ao redor de minha cintura e com a outra segura meu quadril, enfiando com cada vez mais força dentro de mim, fazendo-me gritar de novo. E o ritmo cadenciado começa. Sua respiração se acelera, ofegante, sintonizando-se com a minha. Eu sinto o formigamento familiar dentro de mim. *De novo!*

Sou apenas sensação. Isto é o que ele faz comigo: pega o meu corpo e me possui por inteira para que eu não pense em nada além dele. Sua magia é poderosa, inebriante. Eu sou uma borboleta presa em sua rede, incapaz de escapar, sem vontade escapar. *Sou dele... totalmente dele.*

— Goze para mim, baby — rosna ele com os dentes cerrados, e no mesmo instante, como aprendiz de feiticeiro que sou, deixo-me levar, e nós gozamos juntos.

ESTOU DEITADA, ENROLADA em seus braços em meio a lençóis pegajosos. Sua testa está pressionando minhas costas, o nariz enfiado em meu cabelo.

— O que eu sinto por você me assusta — sussurro.

Ele fica quieto.

— Também me assusta, baby — diz baixinho.

— E se você me deixar? — O pensamento é horrível.

— Eu não vou a lugar algum. Acho que nunca vou me cansar de você, Anastasia.

Viro-me e olho para ele. Sua expressão é séria, sincera. Eu me inclino e o beijo com ternura. Ele sorri e ajeita meu cabelo por trás da minha orelha.

— Eu nunca tinha me sentido do jeito que me senti quando você foi embora, Anastasia. Eu moveria o céu e a terra para evitar ter aquela sensação de novo. — Ele soa tão triste, atordoado até.

Eu o beijo mais uma vez. Quero amenizar nosso estado de espírito de alguma forma, mas Christian faz isso por mim.

— Você pode ir comigo à festa de verão do meu pai, amanhã? É um evento de caridade que acontece todo ano. Eu disse que iria.

Sorrio, sentindo-me tímida de repente.

— Claro. — Ah, merda. Não tenho nada para vestir.

— O quê foi?

— Nada.

— Fale — insiste ele.

— Não tenho roupa.

Christian parece desconfortável por um instante.

— Não fique brava, mas ainda estou com todas aquelas roupas lá em casa para você. Tenho certeza de que há pelo menos uns dois vestidos lá.

Pressiono os lábios.

— Ah, é mesmo? — murmuro, a voz sarcástica. Não quero brigar com ele hoje. Preciso de um banho.

A GAROTA QUE se parece comigo está do lado de fora da SIP. Espere aí, ela sou eu. Estou pálida e suja, e todas as minhas roupas estão muito largas; eu a encaro, e ela está usando a minha roupa, feliz e saudável.

— O que você tem que eu não tenho? — pergunto a ela.

— Quem é você?

— Não sou ninguém... Quem é você? Ninguém também...?

— Então somos duas. Não conte para ninguém, eles nos expulsariam... — Ela sorri devagar, um esgar maligno que se espalha por todo o seu rosto, e é tão frio que começo a gritar.

— MEU DEUS, ANA! — Christian me sacode para me acordar.

Estou desorientada. *Estou em casa... no escuro... na cama, com Christian.* Balanço a cabeça, tentando clarear as ideias.

— Ana, você está bem? Você estava tendo um pesadelo.

— Ah.

Ele acende o abajur, e somos banhados por sua luz tépida. Ele me olha, o rosto marcado de preocupação.

— A garota — sussurro.

— O que houve? Que garota? — pergunta ele com calma.

— Tinha uma garota do lado de fora da SIP quando saí do trabalho hoje. Ela se parecia comigo... mas não exatamente.

Christian não se move, e à medida que a luz do abajur aquece, vejo que seu rosto está pálido.

— Quando foi isso? — pergunta ele, consternado. Ele se senta e continua olhando para mim.

— Hoje à tarde, quando saí do trabalho. Você sabe quem ela é?

— Sei. — Ele passa a mão pelo cabelo.

— Quem é?

Christian aperta os lábios e não responde.

— Quem é? — insisto.

— Leila.

Engulo em seco. A ex-submissa! Lembro-me de Christian falando sobre ela antes de voarmos no planador. De repente, ele está irradiando tensão. Tem algo errado.

— Aquela que colocou a música "Toxic" no seu iPod?

Ele olha para mim, ansioso.

— É — responde. — Ela disse alguma coisa?

— Ela falou: "O que você tem que eu não tenho?" E quando eu perguntei quem ela era, ela respondeu: "Ninguém."

Christian fecha os olhos como se sentisse dor. O que aconteceu? O que ela significa para ele?

Meu couro cabeludo se arrepia e pontadas de adrenalina atravessam meu corpo. *E se ela for importante para ele? Talvez ele sinta falta dela? Eu sei tão pouco sobre seus... hum, antigos relacionamentos.* Ela deve ter assinado um contrato, e deve ter feito tudo o que ele queria, deve ter saciado as necessidades dele com prazer.

Ah, não, exatamente quando eu não sou capaz de fazer o mesmo. O pensamento me dá náuseas.

Pulando para fora da cama, Christian veste a calça jeans e segue até a sala. Pelo meu relógio são cinco da manhã. Eu me levanto, visto sua camisa branca e vou atrás dele.

Puta merda, ele está ao telefone.

— Isso, na frente da SIP, ontem... no fim da tarde — diz calmamente. Ele se vira para mim enquanto caminho na direção da cozinha e me pergunta: — Que horas, exatamente?

— Tipo dez para as seis — resmungo.

Com quem ele está falando a esta hora? O que será que Leila fez? Ele repassa a informação para a pessoa do outro lado da linha, quem quer que seja, sem tirar os olhos de mim, uma expressão séria e sombria no rosto.

— Descubra como... Isso... Eu diria que não, mas eu não imaginava que ela seria capaz disso. — Ele fecha os olhos com uma expressão de desgosto. — Eu não sei como isso vai acabar... Certo, eu falo com ela... Certo... Eu sei... Descubra e me avise. Descubra onde ela está, Welch... Ela está em apuros. Descubra onde ela está. — E desliga.

— Você quer um chá? — pergunto.

Chá, a resposta de Ray para qualquer crise e a única coisa que ele sabe fazer direito na cozinha. Encho a chaleira de água.

— Na verdade, eu queria voltar para a cama. — Seu olhar me diz que não é para dormir.

— Bem, eu preciso de um pouco de chá. Vai querer também?

Quero saber o que está acontecendo. E não vou me deixar ser distraída por sexo. Ele passa a mão pelo cabelo, exasperado.

— Sim, por favor — responde, mas percebo que está irritado.

Coloco a chaleira no fogo e me ocupo pegando as xícaras e um bule. Meu nível de ansiedade disparou para o alerta máximo. Será que ele vai me contar qual é o problema? Ou vou ter que insistir?

Sinto seus olhos em mim. Sua insegurança e sua raiva são palpáveis. Ergo o olhar, e seus olhos estão brilhando com apreensão.

— O que houve? — pergunto com calma.

Ele balança a cabeça.

— Você não vai me dizer?

Ele suspira e fecha os olhos.

— Não.

— Por quê?

— Porque não tem nada a ver com você. Não quero que você se envolva nisso.

— Tem a ver comigo, sim. Ela me encontrou e me abordou na porta do meu trabalho. Como ela sabe a meu respeito? Como ela sabe onde eu trabalho? Acho que tenho o direito de ser informada sobre o que está acontecendo.

Ele passa a mão pelo cabelo novamente, irradiando frustração como se travasse alguma batalha interna.

— Por favor — peço delicadamente.

Ele contrai os lábios e revira os olhos para mim.

— Está bem — diz, resignado. — Não tenho ideia de como ela encontrou você. Talvez a nossa fotografia em Portland, não sei. — Ele suspira de novo, e eu percebo que sua frustração é dirigida a ele mesmo.

Espero com paciência, despejando a água fervente no bule enquanto ele caminha de um lado para o outro. Após um curto intervalo, ele continua.

— Quando eu estava na Geórgia com você, Leila apareceu do nada no meu apartamento e fez uma cena na frente de Gail.

— Gail?

— A Sra. Jones.

— Como assim, "fez uma cena"?

Ele me encara, avaliando-me.

— Conte. Você está escondendo alguma coisa. — Minha entonação é mais enérgica do que eu pretendia.

Ele pisca para mim, surpreso.

— Ana, eu... — E para.

— Por favor?

Ele suspira, derrotado.

— Ela fez uma tentativa desastrada de cortar uma veia.

— Ai, não! — Isso explica o curativo no pulso.

— Gail a levou para o hospital. Mas Leila fugiu antes que eu pudesse chegar lá.

Droga. O que isso significa? Suicida? Por quê?

— O psiquiatra que a atendeu disse que é uma forma típica de chamar a atenção. Ele não acha que ela estivesse realmente correndo perigo. Ela estava a um passo da idealização suicida, como ele mesmo disse. Mas não estou convencido. Venho tentando localizá-la desde então, para ver se posso ajudar.

— Ela disse alguma coisa à Sra. Jones?

Ele me olha, e parece muito desconfortável.

— Nada demais — responde, afinal, mas sei que não está me contando tudo.

Eu me distraio servindo o chá em nossas xícaras. Então Leila quer entrar de novo na vida de Christian e decidiu tentar o suicídio para atrair sua atenção? *Uau... assustador*. Mas eficaz. Christian voltou da Geórgia para vê-la, mas ela desapareceu antes que ele chegasse? *Que estranho*.

— Mas você não consegue encontrá-la? E a família dela?

— Não sabem onde ela está. Nem o marido sabe.

— Marido?

— É — diz ele, distraído —, ela está casada há uns dois anos.

O quê?

— Ela já era casada enquanto estava com você? — *Puta merda*. Ele realmente não conhece limites.

— Não! Meu Deus, claro que não. Ela esteve comigo há quase três anos. Ela me deixou e se casou com esse cara pouco depois.

Ah.

— Então, por que ela está tentando chamar sua atenção agora?

Ele balança a cabeça, entristecido.

— Não sei. Tudo o que conseguimos descobrir é que ela largou o marido há uns quatro meses.

— Deixe-me ver se entendi. Já faz três anos que ela não é mais sua submissa?

— Dois anos e meio, mais ou menos.

— E ela queria mais.

— Isso.

— Mas você não?

— Você já sabe disso.

— E aí ela deixou você.

— Isso.

— Então, por que ela está correndo atrás de você agora?

— Eu não sei. — E o tom de sua voz me diz que ele tem ao menos uma teoria.

— Mas você suspeita...

Ele aperta os olhos, visivelmente irritado.

— Eu suspeito que tenha alguma coisa a ver com você.

Comigo? O que ela quer comigo? "*O que você tem que eu não tenho?*"

Eu encaro Christian, maravilhosamente nu da cintura para cima. Eu o tenho; ele é meu. É isso que eu tenho, e ainda assim ela se parecia tanto comigo: o mesmo cabelo escuro e a mesma pele pálida. Franzo a testa diante desse pensamento. *Pois é... o que eu tenho que ela não tem?*

— Por que você não me contou ontem? — pergunta ele em voz baixa.

— Esqueci. — Dou de ombros, num pedido de desculpas. — Você sabe como é, sair para beber depois do trabalho, ao fim da minha primeira semana. Você ter aparecido no bar e a sua... competição de testosterona com Jack, e depois, a gente veio para cá. Esqueci totalmente. Você tem o hábito de me fazer esquecer as coisas.

— Competição de testosterona? — Ele contrai os lábios.

— É. O concurso de mijo.

— Eu vou lhe mostrar o que é uma competição de testosterona.

— Não prefere uma xícara de chá?

— Não, Anastasia, não prefiro. — Seus olhos me queimam por dentro, com aquela expressão de "eu quero você e quero agora". *Merda... é tão excitante.* — Esqueça ela. Venha. — Ele estende a mão para mim.

Minha deusa interior dá três saltos mortais para trás quando seguro a mão dele.

ACORDO, ESTÁ MUITO quente, e estou enrolada em um Christian Grey nu. Apesar de estar dormindo, ele me segura perto de si. A luz suave da manhã ilumina o quarto através das cortinas. Minha cabeça está em seu peito, minha perna, enroscada na dele, e o meu braço, em sua barriga.

Ergo a cabeça um pouco, com medo de acordá-lo. Ele parece tão jovem, tão relaxado em seu sono, e é meu.

Hum... Estico o braço e, com cuidado, acaricio o peito dele, correndo os dedos por seus pelos, e ele não se mexe. Mal posso acreditar. Ele é mesmo meu — por mais alguns instantes muito preciosos ele é meu. Eu me inclino e carinhosamente beijo uma de suas cicatrizes. Ele geme baixinho, mas não acorda, e eu sorrio. Beijo outra, e seus olhos se abrem.

— Oi. — Sorrio para ele, com um olhar culpado.

— Oi — responde ele com cautela. — O que está fazendo?

— Olhando para você. — Corro meus dedos por seu caminho da felicidade. Ele segura a minha mão, estreita os olhos, e então abre um lindo sorriso de "Christian à vontade", e eu relaxo. Meu toque secreto permanece em segredo.

Ah... por que ele não me deixa tocá-lo?

De repente, está em cima de mim, pressionando-me contra o colchão, as mãos nas minhas, numa espécie de alerta. Encosta o nariz no meu.

— Acho que você estava aprontando, Srta. Steele — acusa ele, mas mantém o sorriso.

— Gosto de aprontar quando estou com você.

— Ah, é? — Ele me beija de leve nos lábios. — Sexo ou café da manhã? — pergunta, os olhos sombrios, mas bem-humorados.

Sinto sua ereção e inclino a pélvis para encontrá-la.

— Boa escolha — murmura ele contra o meu pescoço, deixando uma trilha de beijos na direção dos meus seios.

ESTOU DIANTE DA minha cômoda, olhando-me no espelho e tentando convencer meu cabelo a ter alguma coisa que se pareça com estilo. Na verdade, está comprido demais. Estou de calça jeans e camiseta, e Christian, recém-saído do banho, está se vestindo atrás de mim. Olho, faminta, para o corpo dele.

— Quantas vezes por semana você malha? — pergunto.

— Todo dia útil — diz ele, fechando o botão da calça.

— O que você faz?

— Corro, levanto peso e faço kickboxing. — Ele dá de ombros.

— Kickboxing?

— É, tenho um personal trainer, um ex-atleta olímpico que me dá aula. O nome dele é Claude. É muito bom. Você iria gostar dele.

Eu me viro para olhá-lo enquanto ele começa a abotoar a camisa branca.

— Como assim, eu iria gostar dele?

— Você iria gostar da aula dele.

— Para que um personal trainer, se eu tenho você para me manter em forma?

Ele caminha pelo quarto e me envolve em seus braços, os olhos escuros encontrando os meus no espelho.

— Mas eu preciso de você em forma, baby, para fazer as coisas que tenho em mente. Vou precisar que você acompanhe o meu ritmo.

Fico vermelha, as memórias do quarto de jogos tomam conta de minha mente. Sim... o Quarto Vermelho da Dor é extenuante. Será que ele vai me deixar entrar lá de novo? Será que quero entrar lá de novo?

Claro que sim! Minha deusa interior grita.

Encaro seus olhos cinzentos insondáveis e hipnotizantes.

— Você sabe que quer — ele faz com os lábios para mim.

Fico ainda mais vermelha, e o detestável pensamento de que Leila provavelmente era capaz de acompanhar o ritmo dele invade minha mente sem ser convidado. Pressiono os lábios e Christian faz uma cara feia para mim.

— O que foi? — pergunta, preocupado.

— Nada. — Balanço a cabeça. — Tudo bem, quero conhecer o Claude.

— Quer? — O rosto de Christian se ilumina, pego de surpresa. Sua expressão me faz sorrir. Parece que ele acabou de ganhar na loteria, embora o mais provável é que nunca tenha comprado um bilhete... ele não precisa.

— É. Se isso faz você tão feliz — zombo.

Ele aperta os braços em volta de mim e beija minha bochecha.

— Você não tem ideia — sussurra. — E então, o que gostaria de fazer hoje? — Ele roça o rosto contra o meu pescoço, enviando arrepios deliciosos através de meu corpo.

— Eu queria cortar o cabelo, e hum... Preciso descontar um cheque e comprar um carro.

— Ah — diz ele com um ar cúmplice, mordendo o lábio.

Ele solta uma das mãos de mim, enfia-a no bolso e puxa a chave do meu pequeno Audi.

— Aqui está — diz, calmamente, com uma expressão incerta.

— Como assim, aqui está? — Meu Deus. Pareço irritada. Droga. *Estou* irritada. *Como ele se atreve!*

— Taylor trouxe de volta ontem.

Abro a boca e fecho de novo, e repito o processo umas duas vezes, mas estou sem palavras. Ele está me devolvendo o carro. Puta merda. Como não previ isso? Bem, também posso jogar esse jogo. Enfio a mão no bolso da minha calça jeans e puxo o envelope com o cheque.

— Aqui, isto é seu.

Christian me olha intrigado, e então reconhece o envelope, ergue as mãos e se afasta de mim.

— Ah, não. Esse dinheiro é seu.

— Não, não é. Eu gostaria de comprar o carro de você.

Sua expressão muda completamente. Fúria, sim, a fúria invade seu rosto.

— Não, Anastasia. Seu dinheiro, seu carro — rebate ele.

— Não, Christian. Meu dinheiro, seu carro. Eu compro de você.

— Eu lhe dei o carro de presente de formatura.

— Se você tivesse me dado uma caneta... teria sido um presente de formatura adequado. Mas você me deu um Audi.

— Você realmente quer discutir isso?

— Não.

— Ótimo, aqui estão as chaves. — Ele as coloca sobre a cômoda.

— Não foi isso o que eu quis dizer!

— Fim de papo, Anastasia. Não me provoque.

Faço uma cara feia para ele, e então tenho uma ideia. Segurando o envelope, eu o rasgo em dois, depois em dois de novo e jogo os pedaços na lixeira. Ah, que sensação boa.

Christian me olha, impassível, mas sei que acabei de cutucar a fera e devo manter a distância. Ele acaricia o queixo.

— Como sempre, Srta. Steele, você é muito desafiadora — diz secamente.

Ele se vira e segue para a sala. Não é a reação que eu esperava. Eu estava prevendo um Armagedom em todas as suas proporções. Dou uma olhada no espelho e encolho os ombros, decidindo-me por um rabo de cavalo.

Minha curiosidade é aguçada. O que meu Cinquenta Tons está fazendo? Eu o sigo até a sala, e ele está ao telefone.

— Sim, vinte e quatro mil dólares. Diretamente.

Ele me olha, ainda impassível.

— Ótimo... Segunda-feira? Excelente... Não, é só isso, Andrea. — E desliga.

— Vai entrar na sua conta na segunda-feira. Não brinque assim comigo. — Ele está fervendo de raiva, mas eu não ligo.

— Vinte e quatro mil dólares! — estou quase gritando. — E como você sabe o número da minha conta? — Minha ira pega Christian de surpresa.

— Eu sei tudo a seu respeito, Anastasia — diz calmamente.

— Meu carro não valia vinte e quatro mil dólares de jeito nenhum.

— Concordo com você, mas o negócio é conhecer o mercado, não importa se você está comprando ou vendendo. Tinha um maluco que queria aquela banheira e estava disposto a pagar esse dinheiro todo. Aparentemente, é um clássico. Pergunte a Taylor, se não acredita em mim.

Eu o encaro e ele me encara de volta, dois bobos furiosos e teimosos olhando um para o outro.

Até que eu sinto: a energia entre nós, tangível, atraindo-nos um para o outro. De repente, ele me agarra e me empurra contra a porta, a boca na minha, reivindicando-me avidamente, uma mão na minha bunda, apertando-me contra a sua virilha, e a outra na nuca, puxando minha cabeça para trás. Meus dedos estão em seu cabelo, puxando com força, segurando-o junto a mim. Ele roça o corpo contra o meu, aprisionando-me, a respiração ofegante. Eu o sinto. Ele me quer, e eu fico excitada e inebriada ao me dar conta da necessidade que ele tem de mim.

— Por que, por que você tem que me desafiar? — balbucia ele entre seus beijos quentes.

O sangue esquenta em minhas veias. Será que ele sempre vai ter esse efeito sobre mim? E eu sobre ele?

— Porque eu posso. — Estou ofegante. E sinto seu sorriso em meu pescoço mais do que o vejo. Ele pressiona a testa contra a minha.

— Deus do céu, eu quero muito comer você agora, mas as camisinhas acabaram. Eu nunca consigo me saciar de você. Você é enlouquecedora, enlouquecedora.

— E você me deixa maluca — sussurro. — Em todos os sentidos.

Ele balança a cabeça.

— Venha. Vamos tomar café da manhã na rua. Conheço um lugar onde você pode cortar o cabelo.

— Está bem. — Aceito, e assim a nossa briga acaba.

— Eu pago. — Pego a conta do café da manhã antes dele.

Ele franze a testa.

— Você precisa ser rápido comigo, Grey.

— Você tem razão, preciso mesmo — diz amargamente, embora eu ache que seja só provocação.

— Não fique com essa cara. Estou vinte e quatro mil dólares mais rica do que quando acordei. Posso pagar — dou uma conferida na conta — vinte e dois dólares e sessenta e sete centavos de café da manhã.

— Obrigado — responde ele a contragosto. Ah, a criança mal-humorada está de volta.

— E agora, para onde vamos?

— Você quer mesmo cortar o cabelo?

— Quero, olhe só como ele está.

— Para mim, você está linda. Sempre.

Eu fico vermelha e encaro meus dedos entrelaçados no colo.

— E ainda tem essa festa do seu pai hoje à noite.

— Lembre-se, é black-tie.

— Onde é?

— Na casa dos meus pais. Eles têm uma tenda no jardim. Você sabe...

— Qual é a caridade?

Christian esfrega as mãos nas coxas, parecendo desconfortável.

— É um programa de reabilitação de drogas para pais com filhos pequenos, chama-se Superando Juntos.

— Parece uma boa causa — digo baixinho.

— Venha, vamos embora. — Deliberadamente interrompendo o assunto, ele fica de pé e me estende a mão. Quando a seguro, ele a aperta com força.

É estranho. Christian pode ser tão caloroso às vezes e, ainda assim, tão fechado em determinados aspectos. Ele me conduz para fora do restaurante, e caminhamos pela rua. A manhã está linda, um clima ameno. O sol está brilhando, e o ar cheira a café e a pão fresquinho.

— Aonde vamos?

— Surpresa.

Certo. Não gosto muito de surpresas.

Andamos dois quarteirões, e as lojas vão se tornando decididamente mais caras. Ainda não tive a oportunidade de explorar a região, mas isto aqui fica literalmente na esquina de onde moro. Kate vai gostar de saber. Tem várias lojinhas de roupa para alimentar sua fome de moda. Aliás, preciso comprar umas saias soltinhas para trabalhar.

Christian para diante de um grande e elegante salão de beleza e abre a porta para mim. Chama-se Esclava. O interior é todo branco e de couro. Atrás do balcão branco da recepção está sentada uma jovem loura em um uniforme branco impecável. Ela ergue os olhos quando entramos.

— Bom dia, Sr. Grey — diz, animada, as bochechas coradas enquanto pisca os cílios para ele. É o efeito Grey, só que ela o conhece! Como pode?

— Oi, Greta.

E ele também a conhece. O que é isso?

— O de sempre, senhor? — pergunta ela educadamente. Está usando um batom muito cor-de-rosa.

— Não — diz ele rapidamente, com um olhar nervoso para mim.

O de sempre? O que significa isso?

Puta merda! É a regra número 6, a merda do salão de beleza. Toda aquela loucura de depilação... droga!

Era para cá que ele trazia suas submissas? Quem sabe ele trouxe Leila aqui também? O que estou fazendo aqui?

— A Srta. Steele vai dizer o que quer.

Eu o encaro. Ele está introduzindo suas regras de forma dissimulada. Eu já concordei com o personal trainer, e agora isso?

— Por que aqui? — sussurro para ele.

— Sou dono deste lugar, e de mais três iguais a este.

— Você é dono do salão? — pergunto, espantada. Bem, isso é inesperado.

— Sou. É uma atividade paralela. Enfim, você pode fazer o que quiser aqui, de graça. Todos os tipos de massagem: sueca, shiatsu, pedras quentes, reflexologia, banho de algas, limpeza de pele, todas essas coisas que as mulheres gostam... tudo. Eles fazem aqui. — Ele acena os longos dedos com certo desdém.

— Depilação?

Ele ri.

— Depilação também. Em todas as partes do corpo — sussurra ele, com um olhar conspiratório de quem está se divertindo à custa do meu desconforto.

Fico vermelha e me viro para Greta, que está me olhando em expectativa.

— Eu gostaria de cortar o cabelo, por favor.

— Claro, Srta. Steele.

Ao checar os horários no computador, Greta é inteiramente batom rosa e eficiência germânica.

— Franco vai estar livre daqui a cinco minutos.

— Franco é ótimo — diz Christian, tranquilizando-me.

Ainda estou tentando digerir a situação. Christian Grey, CEO, é dono de uma cadeia de salões de beleza.

Dou uma olhada para ele, e, de repente, está pálido. Acabou de ver alguma coisa, ou alguém. Viro-me para ver o que é, e, no fundo do salão, à direita, surge uma loura platinada, fechando a porta atrás de si e falando com um dos cabeleireiros.

Loura Platinada é alta, bronzeada, encantadora, tem em torno dos trinta e muitos ou quarenta e poucos anos, é difícil dizer. E usa um uniforme igual ao de Greta, só que preto. Ela é deslumbrante. O cabelo, cortado num chanel curtinho, brilha incrivelmente. Ao se virar, ela nota a presença de Christian e sorri para ele, um sorriso estontante e cálido de quem o reconheceu.

— Com licença — murmura Christian às pressas.

Ele atravessa o salão, passando pelos cabeleireiros, todos de branco, e pelas auxiliares junto às pias, até que se aproxima dela, longe demais para que eu possa ouvi-los. Loura Platinada o cumprimenta com dois beijinhos e um afeto óbvio, as mãos descansando em seus braços, e os dois conversam animadamente.

— Srta. Steele?

Greta, a recepcionista, tenta chamar minha atenção.

— Um momento, por favor. — Observo Christian, fascinada.

Loura Platinada se vira, olha para mim e me dirige o mesmo sorriso estonteante, como se me conhecesse. Sorrio de volta educadamente.

Christian parece chateado com alguma coisa. Ele está argumentando com ela, e ela concorda, erguendo as mãos e sorrindo para ele. Ele sorri de volta, é evidente que se conhecem bem. Será que trabalham juntos há muito tempo? Talvez ela seja a gerente do salão, afinal, ela parece ter certo ar de autoridade.

E então, eu me dou conta. Lá no fundo do meu ser, de uma forma visceral, eu sei quem ela é. É ela. *Deslumbrante, mais velha, linda.*

É Mrs. Robinson.

CAPÍTULO CINCO

—Greta, com quem o Sr. Grey está conversando? — Meu couro cabeludo parece estar adquirindo vida própria. Pinica de apreensão, e meu inconsciente grita comigo para segui-lo. Mas consigo soar indiferente o bastante.

— Ah, é a Sra. Lincoln. É a sócia do Sr. Grey. — Greta parece mais do que feliz em me informar.

— Sra. Lincoln? — Eu pensava que Mrs. Robinson fosse divorciada. Talvez ela tenha se casado com algum pobre coitado.

— Sim. Ela normalmente não vem aqui, mas um dos nossos funcionários está doente hoje e ela veio cobri-lo.

— Você sabe o primeiro nome da Sra. Lincoln?

Greta franze a testa para mim e pressiona os lábios cor-de-rosa, perguntando-se o porquê de minha curiosidade. Merda, talvez eu tenha ido longe demais.

— Elena — responde ela, quase relutante.

Sou inundada por uma estranha sensação de alívio de que meu radar não me decepcionou.

Radar? Meu inconsciente bufa para mim. *Só se for radar de pedófilas.*

Eles ainda estão imersos em uma discussão. Christian fala com Elena depressa, e ela parece preocupada, assentindo, franzindo o cenho e balançando a cabeça. Ela estica a mão e acaricia gentilmente o braço dele, mordendo o lábio. Outro aceno de cabeça, e ela olha para mim e me lança um pequeno sorriso tranquilizador.

Tudo o que posso fazer é olhar para ela com o rosto impassível. Acho que estou em choque. Como ele tem coragem de me trazer aqui?

Ela murmura algo para Christian, e ele me olha de relance; em seguida, volta-se para ela e responde. Ela balança a cabeça, acho que desejando-lhe sorte, mas as minhas habilidades de leitura labial não são muito boas.

Christian caminha de volta para mim, a ansiedade aparente em suas feições. É, *isso mesmo*. Mrs. Robinson retorna para a sala nos fundos do salão, fechando a porta atrás de si.

— Você está bem? — pergunta Christian, franzindo a testa. Seu tom é tenso e cauteloso.

— Na verdade, não. Você não quis me apresentar? — Minha voz soa fria e rígida. Ele fica boquiaberto, como se eu tivesse lhe tirado o chão.

— Mas eu pensei...

— Para um homem inteligente, você às vezes... — Faltam-me as palavras. — Eu quero ir embora, por favor.

— Por quê?

— Você sabe por quê. — Reviro os olhos.

Ele me encara, os olhos em chamas.

— Sinto muito, Ana. Eu não sabia que ela estaria aqui. Ela nunca está aqui. Abriu uma filial nova no Bravern Center, e normalmente fica lá. Parece que tinha alguém doente hoje.

Eu me viro e caminho em direção à saída.

— Não vamos precisar de Franco, Greta — avisa Christian ao sairmos do salão.

Tenho que me controlar para não correr. Quero fugir rápido e para bem longe. Estou com uma vontade imensa de chorar. Só preciso me afastar de toda essa merda.

Christian caminha silenciosamente ao meu lado enquanto tento digerir tudo isso. Cruzando os braços protetoramente ao meu redor, mantenho a cabeça baixa, evitando as árvores da Segunda Avenida. Sabiamente, ele não tenta encostar em mim. Minha mente está fervilhando de perguntas sem respostas. Será que o Sr. Evasivo vai admitir?

— Você costumava levar suas submissas lá? — disparo.

— Algumas, sim — responde ele calmamente, a voz curta.

— Leila?

— Sim.

— O lugar parece bem novo.

— Foi reformado recentemente.

— Entendi. Então Mrs. Robinson conhece todas as suas submissas.

— Conhece.

— E elas sabiam a respeito dela?

— Não. Nenhuma delas. Só você.

— Mas eu não sou sua submissa.

— Não, você definitivamente não é.

Eu paro e o examino. Seus olhos estão arregalados, amedrontados. Os lábios estão contraídos numa linha rígida e intransigente.

— Você não percebe a maluquice que é tudo isso? — Olho para ele, a voz baixa.

— Sim. Desculpe. — Ele tem a elegância de manter um olhar contrito.

— Quero cortar o cabelo, de preferência num lugar em que você não tenha comido nem as funcionárias nem a clientela.

Ele recua.

— Agora, com licença.

— Você não vai embora, vai? — pergunta.

— Não, eu só quero um maldito corte de cabelo. Em algum lugar em que eu possa fechar os olhos, com alguém para lavar o meu cabelo, e eu possa me esquecer de toda essa bagagem que vem junto com você.

Ele corre a mão pelo cabelo.

— Posso pedir ao Franco para ir até o meu apartamento, ou o seu — diz, em voz baixa.

— Ela é muito atraente.

— Sim, ela é. — Ele pisca.

— Ainda é casada?

— Não. Ela se separou há uns cinco anos.

— Por que você não está com ela?

— Porque nós terminamos. Eu já lhe contei isso. — Ele franze a testa de repente. Erguendo um dedo como quem pede silêncio, puxa o BlackBerry do bolso do paletó. Deve estar vibrando, porque não ouço tocar.

— Oi, Welch — atende, e passa a escutar.

Estamos de pé na Segunda Avenida, e eu olho na direção de uma muda de pinheiro à minha frente, as folhas num tom do mais novo verde.

As pessoas passam agitadas por nós, perdidas em suas tarefas de manhã de sábado, sem dúvida contemplando seus próprios dramas pessoais. Eu me pergunto se isso inclui ex-submissas perseguidoras, ex-Dominatrixes deslumbrantes e um homem que simplesmente não entende o conceito de privacidade tal qual previsto pela lei dos Estados Unidos.

— Morreu num acidente de carro? Quando? — Ele interrompe meu devaneio.

Ah, não. Quem? Ouço com mais atenção.

— É a segunda vez que aquele filho da mãe joga sujo com a gente. Ele deve saber. Será que ele não tem um pingo de sentimento por ela? — Christian balança a cabeça em desgosto. — Agora está começando a fazer sentido... Não... Explica por que, mas não onde...

Christian olha ao redor, como se estivesse procurando por alguma coisa, e eu me vejo imitando suas ações. Nada me chama a atenção. Só há as pessoas fazendo compras, o trânsito e as árvores.

— Ela está aqui — continua Christian. — Está nos observando... Sim... Não. Dois ou quatro, vinte e quatro horas por dia, sete dias por semana... — E Christian me olha diretamente: — Ainda não abordei a questão.

Que questão? Fecho a cara para ele e ele me observa com cautela.

— O quê... — sussurra ele e empalidece, arregalando os olhos. — Certo. Quando?... Tão recente assim? Mas como?... E ninguém checou o histórico?... Entendi. Passe para mim por e-mail o nome, o endereço e as fotos, se tiver os arquivos... Vinte e quatro horas por dia, sete dias por semana, a partir de agora. Entre em contato com Taylor. — Christian desliga.

— E aí? — pergunto, exasperada. Será que ele vai me dizer o que houve?

— Era Welch.

— Quem é Welch?

— Meu assessor de segurança.

— Certo. O que aconteceu?

— Leila deixou o marido há cerca de três meses e fugiu com um rapaz que foi morto em um acidente de carro há quatro semanas.

— Ah.

— O idiota do psiquiatra devia ter descoberto isso — diz ele, irritado. — Luto. É esse o problema. Venha. — Ele me estende a mão, e automaticamente coloco a minha sobre a dele, antes de puxá-la de volta.

— Espere aí. A gente estava no meio de uma discussão sobre "nós". Sobre ela, sua Mrs. Robinson.

As feições de Christian se fecham.

— Ela não é minha Mrs. Robinson. E a gente pode conversar sobre isso na minha casa.

— Eu não quero ir para a sua casa. Eu quero cortar o cabelo! — grito. Se eu conseguir me concentrar apenas em uma coisa...

Ele tira o BlackBerry de novo do bolso e disca um número.

— Greta, aqui é Christian Grey. Quero o Franco na minha casa em uma hora. Fale com a Sra. Lincoln... Ótimo. — E ele afasta o telefone. — Ele vai estar lá à uma da tarde.

— Christian...! — Explodo, exasperada.

— Anastasia, Leila obviamente está sofrendo um surto psicótico. Eu não sei se ela está atrás de você ou de mim, nem o que ela está disposta a fazer. Nós vamos até o seu apartamento pegar as suas coisas, e você pode ficar na minha casa até que ela tenha sido rastreada.

— E por que eu iria querer fazer isso?

— Para que eu possa manter você em segurança.

— Mas...

Ele me encara.

— Você vai comigo para o meu apartamento nem que eu tenha que arrastar você pelo cabelo.

Olho para ele, boquiaberta... isso é inacreditável. Cinquenta Tons ao vivo e a cores.

— Acho que você está exagerando.

— Não estou. A gente pode continuar essa discussão na minha casa. Ande.

Cruzo os braços e o encaro. Isso já foi longe demais.

— Não — respondo, teimosa. Preciso manter minha posição.

— Você pode ir andando ou eu posso carregar você. Para mim, não faz diferença, Anastasia.

— Você não se atreveria. — Faço uma cara feia para ele. Ele não teria coragem de fazer uma cena no meio da Segunda Avenida, teria?

Ele me lança um meio sorriso, mas seus olhos não o acompanham.

— Ah, baby, nós dois sabemos que se você me chamar para a briga eu vou correndo.

Nós nos encaramos e, de repente, ele se abaixa, agarra-me pelas coxas e me levanta. Antes que eu me dê conta, estou em seu ombro.

— Ponha-me no chão! — grito. Ah, é bom gritar.

Ele começa a caminhar pela Segunda Avenida, ignorando-me. Com uma das mãos me segurando firme pelas coxas, ele usa a mão livre para me dar um tapa na bunda.

— Christian — grito. As pessoas estão olhando para a gente. Existe coisa mais humilhante? — Eu vou sozinha! Eu vou sozinha!

Ele me coloca no chão, e antes que possa se ajeitar, saio, pisando firme, na direção do meu apartamento, morrendo de raiva e ignorando-o. Claro que ele me alcança em segundos, mas continuo a ignorá-lo. O que eu posso fazer? Estou com tanta raiva, mas nem sei mais de quê — é tanta coisa.

Enquanto me apresso na direção de casa, faço uma lista mental:

1. Ser carregada no colo: inaceitável para qualquer um com mais de seis anos.
2. Ser levada ao salão de beleza do qual ele é sócio com a ex-amante: quão estúpido ele é?
3. E é o mesmo lugar onde ele levava suas submissas: a mesma estupidez operando aqui.
4. Nem se deu conta de que é uma péssima ideia: e isso porque supostamente é um sujeito inteligente.

5. Ter ex-namoradas malucas. Posso culpá-lo por isso? Estou com tanta raiva; posso, sim.
6. Saber o número da minha conta corrente: isso já é perseguição demais para o meu gosto.
7. Comprar a SIP: tem mais dinheiro do que noção.
8. Insistir que eu fique na casa dele: Leila oferece um risco maior do que ele imaginava... e ele não me falou isso ontem.

E então eu me dou conta. Alguma coisa mudou. O que poderia ser? Eu paro, e Christian para ao meu lado.

— O que aconteceu? — exijo saber.

Ele franze a testa.

— Como assim?

— Com a Leila.

— Eu já disse.

— Não, você não disse. Tem mais alguma coisa nessa história. Ontem você não insistiu que eu fosse para sua casa. E então, o que aconteceu?

Ele se mexe desconfortavelmente.

— Christian! Fale! — exclamo.

— Ela tirou uma licença para porte de arma ontem.

Ai, merda. Olho para ele, piscando e sentindo o sangue fugir da minha cabeça enquanto absorvo a notícia. Sinto como se fosse desmaiar. E se ela quiser matá-lo? *Não!*

— Isso significa que ela pode simplesmente comprar uma arma — sussurro.

— Ana — diz ele, a voz preocupada, e coloca as mãos sobre os meus ombros, puxando-me para perto —, eu acho que ela não vai fazer nada de estúpido, mas... simplesmente não quero que você corra esse risco.

— Eu, não... e você? — sussurro.

Ele franze a testa, e eu o envolvo em meus braços, abraçando-o com força, o rosto contra o seu peito. Ele não parece se importar.

— Vamos voltar — murmura ele e beija o meu cabelo, e isso é tudo.

Toda a minha fúria desaparece, mas eu não esqueci. A raiva apenas se dissipou sob a ameaça de que algum mal pudesse acontecer a Christian. O pensamento é insuportável.

CIRCUNSPECTA, FAÇO UMA mala pequena e enfio numa mochila o Mac, o Black-Berry, o iPad e o balão *Charlie Tango*.

— *Charlie Tango* vai também? — pergunta ele.

Faço que sim com a cabeça e Christian me lança um sorriso breve e indulgente.

— Ethan vai chegar na terça-feira — murmuro.

— Ethan?

— O irmão de Kate. Ele vai ficar aqui até encontrar um lugar para morar em Seattle.

Christian me olha imperturbável, mas noto a frieza apoderando-se de seu olhar.

— Bem, que bom que você vai estar comigo. Ele vai ter mais espaço — diz, calmamente.

— Não sei se ele tem as chaves. Vou precisar voltar na terça.

Christian não diz nada.

— Isso é tudo.

Ele pega a mala, e nós saímos. Enquanto caminhamos até os fundos do prédio para o estacionamento, percebo que estou o tempo todo olhando para trás. Não sei se a paranoia tomou conta de mim ou se realmente tem alguém me observando. Christian abre a porta do carona do Audi e me olha em expectativa.

— Não vai entrar? — pergunta.

— Achei que eu fosse dirigir.

— Não. Eu dirijo.

— Algum problema com o jeito como eu dirijo? Não me diga que você sabe qual foi minha nota na prova de direção... Eu não ficaria surpresa, dadas as suas tendências para perseguição.

Talvez ele saiba que eu passei raspando no exame escrito.

— Entre no carro, Anastasia — diz ele irritado.

— Ok.

Entro às pressas. *Francamente, você não vai se acalmar?*

Talvez ele esteja sentindo o mesmo desconforto que eu. Esse espião sombrio que nos observa... Quer dizer, uma morena pálida e de olhos castanhos que se parece inacreditavelmente comigo mesma e que, possivelmente, carrega uma arma de fogo.

Christian dá partida no carro.

— As suas submissas eram todas morenas?

Ele franze a testa.

— Eram — murmura. Soa inseguro, e o imagino ponderando: *aonde ela quer chegar com isso?*

— Só curiosidade.

— Eu já falei. Prefiro morenas.

— Mrs. Robinson não é morena.

— Talvez seja por isso — diz ele baixinho. — Ela fez com que eu criasse uma aversão a louras.

— Você está brincando! — exclamo.

— Sim. Estou brincando — responde ele, exasperado.

Olho, impassível, pela janela: espiãs morenas por todos os lados, mas nenhuma delas é Leila.

Então, ele só gosta de morenas. Eu me pergunto por quê. Será que Mrs. Maravilhosamente Glamorosa Apesar de Velha Robinson realmente fez com que ele criasse uma aversão a louras? Balanço a cabeça. Sr. Christian Perturbado Grey.

— Conte-me sobre ela.

— O que você quer saber? — Christian fecha a cara, e seu tom de voz é uma espécie de alerta.

— Como é o acordo de negócios de vocês?

Ele relaxa visivelmente, feliz em falar de trabalho.

— Sou um sócio passivo. Não tenho nenhum interesse especial no ramo da beleza, mas ela construiu um negócio de sucesso. Eu só investi e a ajudei a começar.

— Por quê?

— Devia isso a ela.

— Ah, é?

— Quando larguei Harvard, ela me emprestou cem mil dólares para eu abrir meu próprio negócio.

Puta merda... ela também é rica.

— Você largou a faculdade?

— Não era a minha praia. Cursei dois anos. Infelizmente, meus pais não foram tão compreensivos.

Franzo a testa. O Sr. Grey e a Dra. Grace Trevelyan não sendo compreensivos, não consigo imaginar.

— Não parece ter sido um mal negócio para você abandonar a faculdade. Que curso você fazia?

— Política e economia.

Hum... explicado.

— Então ela é rica? — pergunto.

— Ela era uma esposa-troféu entediada, Anastasia. O marido era rico, um cara importante no ramo madeireiro. — Ele me lança um sorrisinho. — Ele não a deixava trabalhar. Sabe como é, um sujeito controlador. Tem alguns homens que são assim. — E abre um rápido sorriso torto.

— Não me diga? Um sujeito controlador? Sem dúvida é uma criatura mítica... — Não acho que eu seja capaz de enfatizar mais o sarcasmo de minha resposta.

O sorriso de Christian aumenta.

— Ela lhe emprestou dinheiro do marido?

Ele assente com a cabeça e um pequeno sorriso malicioso surge em seus lábios.

— Que coisa horrível.

— Ele se vingou à altura — responde Christian com um ar sombrio ao entrar na garagem subterrânea do Escala.

Ah?

— Como?

Christian balança a cabeça como se isso o lembrasse de um episódio particularmente amargo, e estaciona ao lado do Audi Quattro SUV.

— Vamos, Franco vai chegar daqui a pouco.

NO ELEVADOR, CHRISTIAN me olha.

— Ainda está com raiva de mim? — pergunta, trivialmente.

— Muita.

Ele faz que sim com a cabeça.

— Certo — diz, e olha para a frente.

Taylor está no saguão, esperando por nós. Como é que ele sempre sabe a hora que Christian vai chegar? Ele pega a minha mala.

— Welch entrou em contato? — pergunta Christian.

— Sim, senhor.

— E?

— Tudo combinado.

— Excelente. Como está a sua filha?

— Bem, senhor, obrigado.

— Ótimo. Vai chegar um cabeleireiro daqui a pouco, Franco De Luca.

— Srta. Steele. — Taylor acena para mim.

— Oi, Taylor. Você tem uma filha?

— Sim, senhora.

— Quantos anos ela tem?

— Sete.

Christian me olha, impaciente.

— Ela mora com a mãe — esclarece Taylor.

— Ah, entendi.

Taylor sorri para mim. Isso é inesperado. Taylor é pai? Sigo Christian até a sala de estar, intrigada com a novidade.

Olho ao redor. Não voltava aqui desde que o deixei.

— Está com fome?

Nego com a cabeça. Christian olha para mim por um instante e decide não discutir.

— Tenho que dar alguns telefonemas. Sinta-se em casa.

— Ok.

Ele desaparece em seu escritório, deixando–me em pé no meio da enorme galeria de arte que ele chama de casa, e fico me perguntando o que fazer.

As roupas! Pego minha mochila e subo até o meu quarto para dar uma conferida no closet. Ainda está cheio de roupas: todas novas e ainda com as etiquetas. Três vestidos longos de festa, três vestidos de noite e mais três para o dia a dia. Devem ter custado uma fortuna.

Confiro a etiqueta de um dos vestidos de festa: dois mil novecentos e noventa e oito dólares. *Puta merda.* Desabo no chão.

Isso não sou eu. Levo as mãos à cabeça, tentando digerir as últimas horas. É tão cansativo. Por quê, meu Deus, por que eu fui me apaixonar por alguém tão completamente maluco... lindo, sexy para cacete, mais rico que Creso e louco com L maiúsculo?

Tiro o BlackBerry da mochila e ligo para minha mãe.

— Ana, querida! Há quanto tempo. Como você está, meu bem?

— Ah, você sabe...

— O que houve? Ainda não acertou as coisas com Christian?

— É complicado, mãe. Acho que ele é louco. Esse é o problema.

— Nem me conte. Tem horas em que simplesmente não dá para entender os homens. Bob está na dúvida se a mudança para a Geórgia foi uma boa.

— O quê?

— Pois é, ele está falando em voltar para Las Vegas.

Ah, então eu não sou a única que tem problemas.

Christian aparece na porta:

— Aí está você. Achei que tinha fugido. — Seu alívio é claro.

Levanto a mão para indicar que estou no telefone.

— Desculpe, mãe, tenho que ir. Eu ligo para você depois.

— Ok, meu bem, se cuide. Amo você!

— Também amo você, mãe.

Desligo e olho para o meu Cinquenta Tons. Ele franze a testa, e parece pouco à vontade.

— Por que você está se escondendo aí? — pergunta.

— Não estou me escondendo. Estou me desesperando.

— Desesperando?

— Com tudo isso, Christian. — Aponto para as roupas.

— Posso entrar?

— O closet é seu.

Ele franze a testa de novo e se senta no chão à minha frente, de pernas cruzadas.

— São só roupas. Se você não gostar eu mando devolver.

— Você é muito complicado, sabia?

Ele alisa o queixo... a barba por fazer. Meus dedos coçam de vontade de tocá-lo.

— Eu sei. Mas estou tentando — murmura.

— Está tentando mesmo.

— Você também, Srta. Steele.

— Por que está fazendo isso?

Ele arregala os olhos e a expressão cautelosa retorna.

— Você sabe por quê.

— Não, eu não sei.

Ele passa a mão pelo cabelo.

— Você é uma mulher frustrante.

— Você poderia ter uma bela submissa morena. Uma mulher que perguntaria "a que altura?" todas as vezes em que você dissesse "pule", isso se ela tivesse permissão para falar, é claro. Então, por que eu, Christian? Simplesmente não entendo.

Ele me olha por um instante, e não tenho ideia do que está pensando.

— Você me faz olhar para o mundo de forma diferente, Anastasia. Você não me quer pelo dinheiro. Você me dá... esperança — diz ele baixinho.

O quê? O Sr. Enigmático está de volta.

— Esperança de quê?

Ele encolhe os ombros.

— De mais. — Sua voz é baixa e calma. — E você está certa. Estou acostumado a mulheres que fazem exatamente o que eu mando, quando eu mando, tudo o que eu quiser. Isso enjoa rápido. Existe algo em você, Anastasia, que me toca em algum nível profundo que eu não sou capaz de compreender. É como um canto de sereia. Eu não consigo resistir a você, e não quero perdê-la. — Ele se aproxima e pega minha mão. — Não vá embora, por favor. Tenha um pouco de fé em mim e um pouco de paciência. Por favor.

Ele parece tão vulnerável... *É perturbador.* Apoio-me em meus joelhos e me curvo para a frente, dando-lhe um beijo suave nos lábios.

— Tudo bem. Fé e paciência, posso fazer isso.

— Ótimo. Porque Franco chegou.

Franco é baixinho, moreno e gay. E eu o adoro.

— Seu cabelo é tão lindo! — exclama ele com um sotaque italiano escandaloso e provavelmente falso. Aposto que é de Baltimore ou qualquer outro lugar, mas seu entusiasmo é contagiante. Christian nos leva até o banheiro e sai às pressas, voltando com uma cadeira do quarto.

— Vou deixar vocês à vontade — resmunga.

— *Grazie*, Sr. Grey. — Franco se vira para mim: — *Bene*, Anastasia, o que vamos fazer hoje?

CHRISTIAN ESTÁ SENTADO no sofá, analisando o que parecem ser planilhas. Uma música clássica suave preenche o ambiente, vinda da sala de estar. Uma mulher canta apaixonadamente, despejando sua alma na canção. É de tirar o fôlego. Christian ergue o olhar e sorri, distraindo-me da música.

— Está vendo! Eu disse que ele ia gostar — anima-se Franco.

— Você está linda, Ana — diz Christian, admirando-me.

— Meu trabalho aqui está feito — exclama Franco.

Christian se levanta e caminha em nossa direção.

— Obrigado, Franco.

Franco se vira, aperta-me em um abraço forte e me dá dois beijinhos.

— Nunca deixe outra pessoa cortar seu cabelo, *bellissima* Ana!

Eu rio, um tanto envergonhada com toda essa intimidade. Christian o conduz ao saguão e retorna um instante depois.

— Que bom que você manteve o cabelo comprido — diz ele, caminhando na minha direção, os olhos reluzentes. Ele pega uma mecha entre os dedos. — Tão macio — murmura, olhando para mim. — Ainda está brava comigo?

Faço que sim com a cabeça, e ele sorri.

— Por que motivo, exatamente?

Reviro os olhos.

— Você quer a lista completa?

— Tem uma lista?

— Uma bem comprida.

— A gente pode falar disso na cama?

— Não. — Faço beicinho, feito uma criança.

— Na mesa do almoço, então. Estou com fome, e não é só de comida. — Ele me lança um sorriso lascivo.

— Não vou deixar você me seduzir com sua expertise sexual.

Ele reprime um sorriso.

— O que está incomodando você, especificamente, Srta. Steele? Bote para fora. *Ok.*

— O que está me incomodando? Bem, tem essa brutal invasão de privacidade, o fato de que você me levou no trabalho da sua ex-amante e de que você costumava levar todas as suas submissas para depilar as partes lá, o jeito como você me tratou na rua, como se eu tivesse seis anos, e, para fechar com chave de ouro, você deixa sua Mrs. Robinson tocar em você! — minha voz vai subindo num crescendo.

Ele ergue as sobrancelhas, e seu bom humor desaparece.

— É uma bela lista. Mas só para esclarecer mais uma vez, ela não é *minha* Mrs. Robinson.

— Ela pode tocar em você — repito.

— Ela sabe onde. — Ele contrai os lábios.

— O que isso quer dizer?

Ele leva as mãos até o cabelo e fecha os olhos por um instante, como se estivesse esperando alguma espécie de orientação divina. Engole em seco.

— Você e eu não temos nenhum tipo de regra. Eu nunca tive uma relação sem regras, e nunca sei onde você vai me tocar. Isso me deixa nervoso. O seu toque significa... — Ele para, procurando as palavras. — Significa... mais, muito mais.

Mais? É uma resposta completamente inesperada, que me deixa perturbada, e essa palavrinha com um significado enorme fica pairando de novo entre nós.

Meu toque significa... mais. Como eu posso ser capaz de resistir quando ele diz esse tipo de coisa? Olhos cinzentos procuram os meus, observando-me, apreensivos.

Com cuidado, estico a mão, e sua apreensão se transforma em sobressalto. Christian dá um passo para trás, e deixo o braço cair.

— Limite rígido — sussurra ele depressa, uma expressão de dor e pânico no rosto.

Não consigo evitar uma frustração esmagadora.

— Como você se sentiria se não pudesse me tocar?

— Arrasado e privado de um direito — responde ele imediatamente.

Ah, meu Cinquenta Tons. Balançando a cabeça, eu lhe ofereço um pequeno sorriso para tranquilizá-lo, e ele relaxa.

— Um dia você vai ter que me explicar direitinho porque esse é um limite rígido.

— Um dia — murmura ele e sai da sua zona de vulnerabilidade em um milésimo de segundo.

Como ele consegue mudar tão depressa? É a pessoa mais inconstante que já conheci.

— Bom, e o resto de sua lista. Invadir sua privacidade. — Ele contorce a boca ao contemplar a questão. — É porque eu sei o número da sua conta?

— Sim, isso é revoltante.

— Eu sempre verifico o histórico das minhas submissas. Posso mostrar a você. — Ele dá meia-volta e caminha em direção ao escritório.

Eu o sigo, obediente e atordoada. De um arquivo trancado a chave, ele puxa uma pasta suspensa com uma etiqueta: ANASTASIA ROSE STEELE.

Puta que pariu. Eu o encaro. Ele encolhe os ombros, como quem pede desculpas.

— Tome, pode ficar com isso — diz, baixinho.

— Puxa, muito obrigada — rebato.

Folheio o conteúdo. Há uma cópia da minha certidão de nascimento, pelo amor de Deus, a lista dos meus limites rígidos, o termo de confidencialidade, o contrato... *minha nossa*... o número do meu seguro social, meu currículo, meu histórico profissional.

— Então você sabia que eu trabalhava na Clayton's?

— Sabia.

— Não foi coincidência. Você não apareceu lá por acaso?

— Não.

Não sei se fico com raiva ou lisonjeada.

— É muita maluquice. Você tem noção disso?

— Não vejo as coisas dessa forma. Para fazer o que eu faço, tenho que ser muito cuidadoso.

— Mas isso é particular.

— Eu não faço uso indevido dessas informações. Qualquer um com o mínimo de esforço pode descobrir isso, Anastasia. Para ter controle, é preciso informação. Eu sempre operei assim. — Ele me olha, uma expressão cuidadosa e inescrutável.

— Você usa essas informações indevidamente, sim. Você depositou vinte e quatro mil dólares que eu não queria na minha conta.

Ele pressiona os lábios numa linha rígida.

— Eu já falei. Foi o valor que o Taylor conseguiu pelo seu carro. É inacreditável, eu sei, mas é verdade.

— Mas o Audi...

— Anastasia, você tem alguma ideia de quanto dinheiro eu ganho?

Enrubesço.

— Por que eu teria? Não preciso saber quanto você tem em sua conta bancária, Christian.

Seu olhar se suaviza.

— Eu sei. E essa é uma das coisas que eu amo em você.

Olho para ele, chocada. *Que ele ama em mim?*

— Anastasia, eu ganho uns cem mil dólares por hora.

Fico boquiaberta. A quantia é obscena.

— Vinte e quatro mil dólares não são nada. O carro, os livros, as roupas, isso não é nada — sua voz é suave.

Olho para ele. Ele realmente não tem ideia. Extraordinário.

— Se você estivesse no meu lugar, como você se sentiria, com toda essa... generosidade vindo de bandeja para você? — pergunto.

Ele me olha fixamente, e lá está, a síntese do seu problema: empatia, ou a falta dela. O silêncio se estende entre nós.

Finalmente, ele dá de ombros.

— Não sei — responde, parecendo genuinamente confuso.

Meu coração amolece. É isso... sem dúvida é esse o cerne de seus Cinquenta Tons. Ele não pode se colocar no meu lugar. Bem, agora eu sei.

— Não é legal. Quer dizer, você é muito generoso, mas isso me deixa desconfortável. Já falei isso várias vezes.

Ele suspira.

— Eu quero lhe dar o mundo, Anastasia.

— Eu só quero você, Christian. Não quero os extras.

— Mas eles estão incluídos no pacote. Fazem parte do que sou.

Ah, essa discussão não vai dar em nada.

— Vamos comer? — pergunto. A tensão entre nós é exaustiva.

Ele franze a testa.

— Claro.

— Eu cozinho.

— Ótimo. Se não quiser, tem comida pronta na geladeira.

— A Sra. Jones tira folga nos fins de semana? E aí você come congelados na maior parte deles?

— Não.

— Hum?

Ele suspira.

— Minhas submissas cozinham, Anastasia.

— Ah, claro. — Fico vermelha. Como pude ser tão burra? Sorrio com ternura para ele: — O que o senhor gostaria de comer?

— Qualquer coisa que a senhorita encontre na cozinha — diz, sombriamente.

Após uma conferida no impressionante conteúdo da geladeira, decido por fritada espanhola. Tem até batata congelada: perfeito. É rápido e fácil. Christian ainda está no escritório, na certa invadindo a privacidade de algum pobre coitado inocente e compilando informações. O pensamento é desagradável e me deixa um gosto amargo na boca. Minha cabeça dá voltas. Ele realmente não conhece limites.

Se vou cozinhar, preciso de música, e não vou ser uma submissa na cozinha! Caminho até a caixa de som ao lado da lareira e pego o iPod de Christian. Aposto que tem outras músicas escolhidas por Leila aqui... A simples ideia me apavora.

Onde ela está?, pergunto-me. *O que ela quer?*

Tremo. Que passado. Minha cabeça nem é capaz de dar conta.

Dou uma olhada na extensa lista. Quero algo animado. Hum, Beyoncé... não parece muito o gosto musical de Christian. "Crazy in Love". Ah, *sim*! Que adequado. Aperto o botão de repetir e ligo a música bem alto.

Volto rebolando até a cozinha, pego uma tigela, abro a geladeira e retiro os ovos. Quebro os ovos na tigela e começo a bater, dançando o tempo todo.

Abrindo a geladeira mais uma vez, tiro as batatas, presunto e — *isso!* — ervilhas do congelador. Isso basta. Encontro uma frigideira, ponho no fogo, coloco um pouco de azeite e volto a bater os ovos.

Falta de empatia, fico pensando. Será que isso é exclusivo do Christian? Talvez todos os homens sejam assim, incapazes de compreender as mulheres. Eu simplesmente não sei. Talvez essa nem seja uma grande descoberta.

Queria que Kate estivesse em casa, ela saberia. Está em Barbados há tempo demais. Deve voltar no final da semana, depois das férias adicionais que tirou com Elliot. Gostaria de saber se o caso deles ainda é desejo à primeira vista.

Uma das coisas que eu amo em você.

Paro de bater. Ele disse isso. Significa que existem outras coisas? Sorrio pela primeira vez desde que vi Mrs. Robinson, um sorriso genuíno, sincero, de orelha a orelha.

Christian passa os braços em volta de mim, e dou um pulo.

— Interessante escolha de música — ronrona ao me beijar abaixo da orelha. — Seu cabelo está com um cheiro bom. — Ele mergulha o rosto no meu cabelo e inspira fundo.

O desejo se espalha por minha barriga. *Não.* Fujo de seu abraço.

— Ainda estou brava com você.

Ele franze a testa.

— Quanto tempo você vai continuar com isso? — pergunta, passando a mão pelo cabelo.

Dou de ombros.

— Pelo menos até que eu tenha comido.

Ele contorce os lábios, achando graça. Virando-se, pega o controle remoto na bancada e desliga a música.

— Foi você que colocou essa música no seu iPod? — pergunto.

Ele nega com a cabeça, o olhar sombrio, e eu sei que foi ela... a Garota--Fantasma.

— Você não acha que ela estava tentando lhe dizer alguma coisa, na época?

— Bem, pensando agora, acho que sim, provavelmente — responde, baixinho.

Como se queria demonstrar. Zero empatia. Meu inconsciente cruza os braços e aperta os lábios, revoltado.

— Por que você não apagou?

— Gosto da música. Mas se isso ofende você, eu apago.

— Não, tudo bem. Gosto de cozinhar ouvindo música.

— O que você quer ouvir?

— Surpreenda-me.

Ele caminha até o iPod, e volto a bater os ovos. Momentos depois, a voz celestial, doce e comovente de Nina Simone preenche a sala. É uma das preferidas de Ray: "I Put a Spell on You".

Enrubesço e me viro para Christian. O que ele está tentando me dizer? Já tem muito tempo que ele me enfeitiçou. Meu Deus... seu olhar mudou, o ar brincalhão desapareceu, e seus olhos estão escuros, intensos.

Eu o observo, encantada, enquanto lentamente, como o predador que é, ele caminha na minha direção, acompanhando o ritmo da música. Está descalço, vestindo apenas uma camisa para fora da calça jeans, e tem um olhar ardente.

Nina canta "você é meu" no exato instante em que Christian me alcança, sua intenção bastante clara.

— Christian, por favor — sussurro, o batedor sobrando em minha mão.

— Por favor, o quê?

— Não faça isso.

— Isso o quê?

— Isso.

Ele está de pé na minha frente, olhando para mim.

— Tem certeza? — Ele solta o ar e se aproxima, tirando o batedor da minha mão e colocando-o de volta na tigela. Meu coração sobe até a boca. Eu não quero... eu quero... desesperadamente.

Ele é tão frustrante. Tão sensual e tão desejável. Afasto os olhos de seu olhar hipnotizante.

— Quero você, Anastasia — murmura ela. — Eu amo e odeio, e eu amo discutir com você. É tudo muito novo. Preciso saber que estamos bem. E esse é o único jeito que conheço para descobrir.

— O que eu sinto por você não mudou — sussurro.

Sua proximidade é irresistível, excitante. A atração já tão conhecida está lá, todas as minhas sinapses incitam-me para ele, minha deusa interior no máximo da libido. Encarando os pelos na abertura de sua camisa, mordo o lábio, impotente, impulsionada pelo desejo — eu quero prová-lo.

Ele está muito perto, mas não me toca. Seu calor aquece minha pele.

— Não vou tocar você até que me diga que sim — sussurra ele. — Mas neste instante, depois desta manhã de merda, eu só quero me enterrar em você e esquecer tudo que não seja nós dois.

Ai... *Nós dois*. A combinação mágica, duas palavrinhas simples, mas tão poderosas, capazes de selar o acordo. Ergo a cabeça para olhar suas belas feições, ainda sérias.

— Vou tocar seu rosto. — Expiro e, por um instante, vejo a surpresa refletida em seus olhos antes de ele concordar.

Levanto a mão e acaricio sua bochecha, correndo os dedos em sua barba por fazer. Ele fecha os olhos e solta o ar, oferecendo o rosto para o meu toque. Inclina--se devagar, e meus lábios automaticamente se erguem para receber os seus. Ele paira sobre mim.

— Sim ou não, Anastasia? — sussurra.

— Sim.

Sua boca suavemente toca a minha, persuadindo, abrindo meus lábios enquanto seus braços se fecham em volta de mim, puxando-me para si. Sua mão sobe por minhas costas, os dedos se enroscam em meu cabelo por trás de minha cabeça e puxam suavemente, a outra mão alcançando o meu quadril, comprimindo-me contra ele. Solto um gemido baixinho.

— Sr. Grey. — Taylor tosse de leve, e Christian me solta imediatamente.

— Taylor — responde ele, a voz gélida.

Eu me viro e vejo um Taylor desconfortável na entrada da sala. Christian e Taylor se encaram, em algum tipo de comunicação silenciosa.

— Escritório — diz Christian, e Taylor atravessa a sala apressado. — Continuamos daqui a pouco — sussurra para mim antes de seguir Taylor para fora da cozinha.

Respiro fundo e com força. Será que não consigo resistir a ele nem por um minuto? Balanço a cabeça, com raiva de mim mesma e agradecida pela interrupção de Taylor, por mais embaraçosa que tenha sido.

O que mais Taylor deve ter interrompido no passado? O que será que ele viu? Não quero nem pensar nisso. Almoço. Vou fazer o almoço. Ocupo-me cortando as batatas. O que será que Taylor veio dizer? Minha mente dá voltas... será que é sobre Leila?

Dez minutos depois, eles voltam, bem quando a fritada fica pronta. Christian parece preocupado.

— Falo com eles daqui a dez minutos — diz a Taylor.

— Estaremos prontos — responde Taylor, deixando a enorme sala.

Pego dois pratos aquecidos e os coloco no balcão da cozinha.

— Almoço?

— Por favor — responde Christian, sentando-se em um dos bancos. Agora ele está me observando atentamente.

— Algum problema?

— Não.

Faço uma cara feia. Está escondendo alguma coisa. Sirvo os pratos e me sento a seu lado, resignada.

— Está gostoso — murmura Christian, dando mais uma garfada. — Quer uma taça de vinho?

— Não, obrigada. — *Preciso manter as ideias em ordem quando estou com você, Grey.*

A comida realmente está gostosa, embora eu não esteja com muita fome. Mas como mesmo assim, sabendo que Christian vai reclamar se eu não comer. Por fim, ele interrompe o nosso silêncio e coloca para tocar a música clássica que ouvi antes.

— Qual é essa? — pergunto.

— Canteloube, *Canções de Auvergne*. Essa se chama "Bailero".

— É linda. Que língua é essa?

— Francês antigo... Occitano, na verdade.

— Você fala francês; consegue entender a letra? — Lembro-me do francês impecável que falou no jantar com os pais...

— Algumas palavras, sim. — Christian sorri, relaxando visivelmente. — Minha mãe tinha um mantra: um instrumento musical, uma língua estrangeira, uma arte marcial. Elliot fala espanhol; Mia e eu falamos francês. Elliot toca guitarra, eu toco piano, e Mia, violoncelo.

— Uau. E as artes marciais?

— Elliot luta judô. Mia bateu o pé e se recusou aos doze anos. — Ele sorri com a lembrança.

— Eu queria que minha mãe tivesse sido assim tão organizada.

— Dra. Grace é formidável quando se trata das realizações de seus filhos.

— Ela deve ter muito orgulho de você. Eu teria.

Uma expressão sombria passa pelo rosto de Christian, e ele parece momentaneamente desconfortável. Ele me olha com cautela, como se estivesse em território desconhecido.

— Já decidiu o que vai usar esta noite? Ou eu vou ter que escolher? — Seu tom de repente se torna brusco.

Uau! Ele parece irritado. *Por quê? O que foi que eu disse?*

— Hum... ainda não. Foi você quem escolheu todas aquelas roupas?

— Não, Anastasia, não fui eu. Dei uma lista e seu tamanho a uma personal shopper na Neiman Marcus. Elas devem servir em você. Só para que você saiba, eu contratei segurança adicional para a noite de hoje e para os próximos dias. Com Leila imprevisível e escondida em algum lugar pelas ruas de Seattle, acho que é uma boa precaução. Não quero que você saia sozinha, está bem?

Pisco para ele.

— Ok. — O que aconteceu com o Grey "quero você agora"?

— Ótimo. Vou avisar a eles. Não vou demorar.

— Eles estão aqui?

— Estão.

Onde?

Christian pega o prato, coloca-o na pia e desaparece da cozinha. Que diabo foi isso? É como se ele fosse um monte de pessoas diferentes num só corpo. Isso não é um sintoma de esquizofrenia? Preciso pesquisar no Google.

Termino de comer, lavo o prato depressa e volto para o *meu* quarto carregando a pasta que diz ANASTASIA ROSE STEELE. No closet, pego os três vestidos longos. E agora, qual deles?

DEITADA NA CAMA, encaro o Mac, o iPad e o BlackBerry. Estou sobrecarregada de tecnologia. Começo a transferir a seleção de músicas de Christian do iPad para o Mac e, em seguida, abro o Google e começo a navegar pela internet.

ESTOU ATRAVESSADA NA cama, olhando o Mac, quando Christian entra.

— O que está fazendo? — pergunta ele baixinho.

Fico em pânico por um instante, perguntando-me se eu deveria deixá-lo ver o site em que estou — Transtorno de Personalidade Múltipla: Sintomas.

Esticando-se ao meu lado, ele dá uma olhada no site, achando graça.

— Entrou nesse site por um motivo específico? — pergunta como quem não quer nada.

O Christian brusco se foi e o Christian brincalhão está de volta. De que jeito eu vou ser capaz de acompanhar isso?

— Estou pesquisando. Para entender uma personalidade difícil. — Eu lhe ofereço o meu olhar mais inexpressivo. Seus lábios se contorcem num sorriso reprimido.

— Uma personalidade difícil?

— Meu projeto nas horas vagas.

— Então eu virei um projeto para suas horas vagas? Um hobby? Uma espécie de experimento científico, talvez? E eu achando que era tudo. Srta. Steele, assim você me magoa.

— Como você sabe que é você?

— É só um palpite. — Ele sorri.

— É verdade que você é a única pessoa problemática, inconstante e maníaca por controle que eu conheço intimamente.

— Achei que eu fosse a única pessoa que você conhecia intimamente. — Ele arqueia uma sobrancelha.

Fico vermelha.

— É. Isso também.

— E aí, já chegou a alguma conclusão?

Eu me viro e olho para ele. Está deitado de lado, a cabeça apoiada no cotovelo, a expressão suave, divertida.

— Acho que você precisa muito se tratar.

Ele se aproxima e coloca meu cabelo atrás da orelha, com carinho.

— Acho que preciso muito de você. Tome. — Ele me entrega um batom.

Faço uma careta, perplexa. É vermelho-sangue, nem um pouco a minha cara.

— Você quer que eu use isto? — murmuro. Ele ri.

— Não, Anastasia, a menos que você queira. Acho que não é muito a sua cor — conclui secamente.

Ele se senta na cama, cruza as pernas e tira a camisa. *Ai, meu Deus.*

— Gostei da sua ideia de fazer um mapa.

Olho para ele, sem entender. Mapa?

— Um mapa das áreas proibidas — explica-se.

— Ah. Eu estava brincando.

— Eu, não.

— Você quer que eu desenhe em você com batom?

— O batom sai. Depois de um tempo.

Isso significa que eu poderia tocá-lo livremente. Um pequeno sorriso surge em meus lábios quando começo a imaginar.

— E se eu usasse algo mais permanente, um marcador, por exemplo?

— Posso fazer uma tatuagem. — Seus olhos se acendem com humor.

Christian Grey com uma tatuagem? Estragando seu corpo maravilhoso já marcado de tantas maneiras? De jeito nenhum!

— Não, nada de tatuagem! — Rio para esconder meu horror.

— Batom, então. — Ele sorri.

Fecho o Mac e o empurro de lado. Isso pode ser divertido.

— Venha. — Ele me estende a mão. — Sente no meu colo.

Tiro as sapatilhas, ergo o corpo até me sentar e me arrasto na direção dele. Ele se deita sobre a cama, mas mantém os joelhos flexionados.

— Recoste-se contra as minhas pernas.

Subo em cima dele e me sento, uma perna de cada lado, do jeito que ele falou. Seus olhos estão arregalados e cautelosos. Mas ele também está se divertindo.

— Você parece... empolgada com a ideia — comenta, ironicamente.

— Estou sempre aberta a novas informações, Sr. Grey, e isso significa que você vai relaxar, porque eu vou saber onde ficam os limites.

Ele concorda com a cabeça, como se não pudesse acreditar que está prestes a me deixar desenhar em todo o seu corpo.

— Abra o batom — ordena.

Hum, ele está no modo ultra-autoritário, mas não me importo.

— Deixe eu pegar sua mão.

Estico a mão livre.

— A que está segurando o batom. — Ele revira os olhos para mim.

— Está revirando os olhos para mim?

— Estou.

— Isso é uma grosseria, Sr. Grey. Conheço algumas pessoas que ficam realmente violentas diante de um revirar de olhos.

— Ah, conhece, é? — seu tom é irônico.

Ofereço-lhe a mão com o batom, e, de repente, ele se levanta, de modo que ficamos cara a cara.

— Pronta? — pergunta ele num murmúrio baixo e suave que torna tudo tenso e retesado dentro de mim. *Uau.*

— Pronta — sussurro.

Sua proximidade é sedutora, seu corpo musculoso tão próximo, o cheiro de Christian misturado ao meu gel de banho. Ele guia minha mão até a curva do ombro.

— Faça força para baixo — diz.

Minha boca fica seca à medida que ele conduz minha mão do alto de seu ombro para baixo, até a lateral do peito, passando ao redor da clavícula. O batom deixa uma linha vermelha larga e forte no seu rastro. Ele para na base do tórax e então me conduz ao longo de sua barriga. Fica tenso e olha no fundo dos meus olhos, aparentemente impassível, mas, sob o olhar cauteloso e imperturbável, vejo que está se controlando.

Ele contém sua aversão, a mandíbula retesada, e há sinais de tensão ao redor dos olhos. Quando chegamos à metade de sua barriga, ele solta a minha mão e murmura:

— E agora até o outro lado.

Repito a linha que desenhei no lado esquerdo. A confiança que ele está depositando em mim é inebriante, mas, temperada pelo fato de que posso, conto sua dor: sete cicatrizes pequenas, redondas e brancas marcam seu peito. Ver essa profanação terrível de seu lindo corpo é como um purgatório sombrio e profundo. Quem faria isso a uma criança?

— Pronto, terminei — sussurro, contendo a emoção.

— Não, não terminou — responde ele, e traça uma linha com o indicador ao redor da base do pescoço. Sigo a linha do seu dedo deixando uma faixa escarlate. Ao terminar, mergulho nas profundezas de seus olhos cinzentos. — Agora as costas — murmura.

Christian se mexe, de forma que tenho que sair de cima dele, e, em seguida, vira-se na cama e se senta de pernas cruzadas, de costas para mim.

— Repita nas costas a linha que você fez em meu peito — sua voz é baixa e rouca.

Obedeço, e vou atravessando suas costas com uma linha vermelha, e, à medida que o faço, conto mais cicatrizes marcando seu corpo. Nove ao todo.

Puta merda. Preciso conter a necessidade premente de beijar cada uma delas e deter as lágrimas que enchem meus olhos. Que tipo de animal faria isso? Sua cabeça está abaixada, seu corpo tenso à medida que finalizo o circuito em suas costas.

— Ao redor da nuca, também? — pergunto.

Ele faz que sim com a cabeça, e desenho mais uma linha que se junta à primeira na base de sua nuca, logo abaixo do cabelo.

— Pronto — murmuro, e ele parece estar usando um colete bizarro, cor de pele com uma bainha vermelho-sangue.

Seus ombros relaxam, e ele se vira lentamente de frente para mim uma vez mais.

— Esses são os limites — diz de mansinho, os olhos escuros e as pupilas dilatadas... de medo? Luxúria? Quero me jogar em cima dele, mas me seguro e olho-o com admiração.

— Posso lidar com isso. Agora, quero me jogar em cima de você — sussurro.

Ele me lança um sorriso malicioso e abre as mãos, num gesto silencioso de consentimento.

— Bem, Srta. Steele, sou todo seu.

Solto um gritinho de prazer infantil e me lanço em seus braços, derrubando-o na cama. Ele gira o corpo, soltando uma gargalhada de menino repleta de alívio de que o calvário tenha terminado. E, de alguma forma, acabo debaixo dele na cama.

— Agora, aquela conversa que a gente estava tendo antes do almoço... — sussurra e, mais uma vez, sua boca exige a minha.

CAPÍTULO SEIS

Minhas mãos estão em seu cabelo, e minha boca febril devora a dele, saboreando a sensação de sua língua na minha. E ele faz o mesmo, devorando-me. É divino.

De repente, ele ergue o meu corpo e agarra a barra da minha camiseta, puxando-a sobre a minha cabeça e jogando-a no chão.

— Quero sentir você — diz avidamente contra a minha boca enquanto suas mãos movem-se atrás de mim para abrir meu sutiã. Num movimento rápido, o sutiã solta, e ele o joga para o lado.

Ele me empurra de volta na cama, pressionando-me contra o colchão, a boca e a mão correndo até meus seios. Meus dedos se enroscam em seu cabelo quando ele alcançar um de meus mamilos com os lábios e o puxa com força. Grito bem alto à medida que a sensação percorre meu corpo, atingindo e enrijecendo todos os músculos ao redor da virilha.

— Isso, baby, quero ouvir você — murmura ele em minha pele superaquecida.

Nossa, quero ele dentro de mim, agora. Sua boca brinca com meu mamilo, puxando-o, fazendo-me contorcer e ansiar por ele. Sinto seu desejo misturado com... o quê? Veneração. É como se ele estivesse me adorando.

Ele me provoca com os dedos, meu mamilo crescendo e endurecendo sob seu toque habilidoso. Sua mão desce até minha calça jeans, e ele abre o botão com habilidade, puxando o zíper para baixo e deslizando a mão para dentro de minha calcinha, os dedos contra meu sexo.

Sua respiração fica ofegante quando ele enfia o dedo em mim. Empurro a pélvis para cima, para junto da palma da mão dele, e ele responde, esfregando-a em mim.

— Ah, baby — ofega ele pairando em cima de mim, os olhos vidrados nos meus. — Você está tão molhada — sua voz é cheia de admiração.

— Quero você — murmuro.

Sua boca se junta novamente à minha, e sinto seu desespero faminto, sua necessidade de mim.

Isso é novidade — nunca foi desse jeito, exceto talvez quando voltei da Geórgia — e suas palavras de hoje mais cedo me vêm à cabeça... *Preciso saber que estamos bem. E esse é o único jeito que conheço para descobrir.*

O pensamento me ilumina. Saber que tenho esse efeito sobre ele, que posso lhe oferecer tanto conforto ao fazer isso... Ele se senta, agarra a parte de baixo da minha calça jeans e a puxa, tirando depois minha calcinha.

Mantendo os olhos fixos nos meus, ele se levanta, saca um envelopinho de papel laminado do bolso e o joga para mim, em seguida, tira a calça jeans e a cueca num movimento rápido.

Rasgo o pacote com voracidade, e quando ele se deita ao meu lado de novo, coloco a camisinha nele. Ele pega minhas mãos e gira o corpo, deitando-se de costas.

— Você. Em cima — ordena, montando-me sobre si. — Quero olhar para você.

Ah.

Ele conduz meu corpo, e, hesitante, solto o peso em cima dele. Christian fecha os olhos e flexiona os quadris ao encontro dos meus, preenchendo-me, abrindo-me, sua boca formando um O perfeito ao soltar o ar.

Ah, isso é tão bom — eu possuindo-o, ele me possuindo.

Ele segura minhas mãos, e não sei se é para me dar apoio ou para evitar que eu o toque, mesmo que eu já tenha meu mapa.

— Você é uma delícia — murmura.

Eu me levanto de novo, inebriada com o poder que tenho sobre ele, observando Christian Grey lentamente desfazer-se embaixo de mim. Ele solta minhas mãos e agarra meus quadris, e coloco as mãos em seus braços. Ele investe com força dentro de mim, fazendo-me gritar.

— Isso, baby, sinta-me — diz, a voz tensa.

E é exatamente isso o que eu faço, jogando a cabeça para trás. Ele faz isso tão bem.

Eu me mexo — contrapondo o ritmo dele em perfeita simetria —, entorpecendo todos os meus pensamentos e minha razão. Sou só sensação, perdida nesse vazio de prazer. *Para cima e para baixo... de novo e de novo... Ah, sim...* Abro os olhos e o encaro, a respiração ofegante, e ele está me encarando também, os olhos reluzentes.

— Minha Ana — gesticula com os lábios.

— Sim — digo, rouca. — Sempre.

Ele geme alto, fechando de novo os olhos, jogando a cabeça para trás. Ver Christian atingindo o clímax é o suficiente, e gozo de forma barulhenta, exaustiva, desmoronando sobre ele.

— Ah, baby — geme ele, chegando ao orgasmo e deixando-se levar.

MINHA CABEÇA ESTÁ em seu peito, na área proibida, minha bochecha aninhada nos pelos enrolados. Estou ofegante, radiante, e resisto à vontade de beijá-lo.

Fico ali, deitada em cima dele, recuperando o fôlego. Ele alisa meu cabelo, e sua mão desliza ao longo de minhas costas, acariciando-me enquanto sua respiração se acalma.

— Você é tão linda.

Ergo a cabeça para olhar para ele, com a expressão cética. Ele franze a testa em resposta e se senta depressa, pegando-me de surpresa, o braço correndo ao redor de mim, para me manter no lugar. Ficamos cara a cara, e eu aperto seu bíceps.

— Você. É. Linda — diz ele novamente, num tom enfático.

— E você é incrivelmente gentil, às vezes. — Eu o beijo suavemente.

Ele me levanta e sai de dentro de mim. Eu estremeço. Inclinando-se para a frente, ele me beija com ternura.

— Você não tem ideia de como é atraente, tem?

Fico vermelha. O que ele quer com isso agora?

— Todos aqueles caras atrás de você... isso não lhe dava nenhuma pista?

— Caras? Que caras?

— Você quer a lista? — Christian faz uma careta. — O fotógrafo, ele é louco por você; aquele sujeito da loja de ferragens; o irmão mais velho da sua amiga com quem você divide o apartamento. Seu chefe — acrescenta ele amargamente.

— Ah, Christian, não é verdade.

— Pode acreditar. Eles querem você. Eles querem o que é meu. — Ele me puxa para si, e eu levo os braços até seus ombros, minhas mãos em seu cabelo, observando-o, deliciada. — Minha — repete, os olhos brilhando, possessivos.

— Sim, sua — tranquilizo-o, sorrindo.

Ele relaxa, e me sinto perfeitamente à vontade, nua em seu colo, em plena luz do dia, num sábado à tarde. Quem poderia imaginar? As marcas de batom permanecem em seu belo corpo. Reparo, no entanto, que há algumas manchas no edredom, e me pergunto brevemente o que a Sra. Jones vai fazer com elas.

— A linha ainda está intacta — murmuro e, corajosamente, sigo o trajeto em seu ombro com o indicador. Ele se enrijece, piscando de repente. — Quero explorar.

Ele me olha, cético.

— O apartamento?

— Não. Eu estava pensando no mapa do tesouro que desenhamos em você.
— Meus dedos coçam de vontade de tocá-lo.

Ele ergue as sobrancelhas, surpreso e indeciso, piscando para mim. Esfrego o nariz no dele.

— E o que isso envolveria exatamente, Srta. Steele?

Retiro a mão de seu ombro e corro meus dedos por seu rosto.

— Só quero tocar você em todos os lugares em que estou autorizada.

Christian pega meu indicador com os dentes, mordendo de leve.

— Ai — protesto, e ele sorri, um rosnado baixo vindo da garganta.

— Tudo bem — diz, soltando meu dedo, mas sua voz está repleta de apreensão. — Espere. — Ele se inclina para trás, levantando-me novamente, e retira a camisinha, deixando-a, sem a menor cerimônia, no chão ao lado da cama. — Odeio essas coisas. Estou pensando em chamar a Dra. Greene para dar uma injeção em você.

— E você acha que é só chamar, que a obstetra e ginecologista mais famosa de Seattle vai vir correndo?

— Posso ser muito persuasivo — murmura ele, colocando meu cabelo atrás da orelha. — Franco fez um ótimo trabalho. Gostei dessas camadas.

O quê?

— Pare de mudar de assunto.

Ele me puxa de volta, de modo que fico sentada sobre ele, recostada em seus joelhos erguidos, um pé de cada lado de seus quadris. Ele se reclina para trás, sobre os braços.

— Pode tocar à vontade — diz, sério. Parece nervoso, mas está tentando esconder.

Mantendo meus olhos fixos nos dele, ergo a mão e corro o dedo logo abaixo da linha de batom, ao longo de seus músculos abdominais finamente esculpidos. Ele recua e eu paro.

— Não tenho que fazer isso — sussurro.

— Não, tudo bem. Só preciso de uma... readaptação. Faz tempo que ninguém me toca — murmura ele.

— Mrs. Robinson? — As palavras saem espontâneas de minha boca, e, surpreendentemente, consigo afastar toda a amargura e o rancor de minha voz.

— Não quero falar dela. Só vai estragar seu bom humor — responde ele, balançando a cabeça, o desconforto aparente.

— Eu aguento.

— Não, você não aguenta, Ana. Você fica possessa toda vez que eu a menciono. Meu passado é meu passado. É um fato. Não posso mudá-lo. Tenho sorte que você não tenha um, porque eu ficaria louco se tivesse.

Faço uma cara feia, mas não quero brigar.

— Ficaria louco? Mais do que já é? — Sorrio, na esperança de aliviar o clima entre nós.

— Louco por você — sussurra ele e contrai os lábios.

Meu coração se incha de alegria.

— Quer que eu chame o Dr. Flynn?

— Acho que não vai ser necessário — diz ele secamente.

Chego meu corpo para trás, de modo que ele estica as pernas; coloco meus dedos novamente em sua barriga e os deixo percorrer sua pele. Ele fica parado mais uma vez.

— Gosto de tocar em você.

Meus dedos descem até o umbigo e continuam, seguindo pelo caminho da felicidade. Ele abre os lábios e sua respiração se altera, os olhos escurecem e sua ereção se mexe debaixo de mim. *Caramba. Segunda rodada.*

— De novo? — murmuro.

— Ah, sim, Srta. Steele, de novo. — Ele sorri.

QUE JEITO DELICIOSO de passar uma tarde de sábado. Sob o chuveiro, tomo banho distraída, com cuidado para não molhar o cabelo preso, contemplando as últimas horas. Christian e baunilha parecem estar se dando muito bem, obrigada.

Ele revelou muito hoje. É desconcertante tentar assimilar todas as informações e refletir sobre o que descobri: os detalhes do salário dele... *Uau, ele é podre de rico, e para alguém tão jovem, é simplesmente extraordinário...* e as pastas que ele tem sobre minha vida e sobre a vida de todas as suas submissas morenas. Será que todas elas estão naquele arquivo?

Meu inconsciente pressiona os lábios e balança a cabeça... *Nem pense em ir até lá.* Faço uma careta. *Nem uma olhadinha?*

E então tem essa Leila — possivelmente com uma arma, solta por aí — e seu péssimo gosto musical ainda no iPod dele. Pior ainda, a pedófila Mrs. Robinson, não consigo entender essa mulher, e nem quero. Não quero que ela e aquele cabelo brilhoso sejam um espectro em nosso relacionamento. Ele tem razão, eu morro de raiva quando penso nela, então talvez seja melhor não pensar.

Saio do chuveiro, seco-me e, de repente, sou tomada por um ódio inesperado.

Mas quem não morreria de raiva? Que pessoa normal e em sã consciência faria aquilo com um garoto de quinze anos? Quanto será que ela contribuiu para a piração dele? Não consigo entendê-la. E, pior ainda, ele diz que ela o ajudou. Mas como?

Penso nas cicatrizes, a manifestação física e gritante de uma infância terrível e um lembrete revoltante das cicatrizes mentais que ele deve carregar. Meu doce e triste Cinquenta Tons. Ele disse tantas coisas românticas hoje. *Ele é louco por mim.*

Olhando para o meu reflexo, lembro-me de suas palavras, meu coração enchendo-se mais uma vez, e meu rosto se transforma com um sorriso ridículo. Talvez a gente consiga fazer isso dar certo. Mas por quanto tempo até que ele queira me dar uma surra porque desrespeitei alguma linha arbitrária?

Meu sorriso se desfaz. Isso é o que eu não sei. É a nuvem que paira sobre nós. Umas trepadas sacanas, sim, eu posso fazer isso, e o que mais?

Meu inconsciente me encara impassível, dessa vez sem nenhuma crítica ou palavra de sabedoria para me oferecer. Volto para o quarto para me vestir.

Christian está se arrumando no primeiro andar, fazendo sei lá o quê, então tenho o quarto todo para mim. Além dos vestidos no closet, as gavetas estão cheias de lingerie nova. Escolho um espartilho preto com uma etiqueta que diz quinhentos e quarenta dólares. Ele tem um bordado de prata feito uma filigrana e a menor das calcinhas combinando. Pego também meias sete oitavos, cor da pele, uma seda tão fina, tão elegante. *Uau, elas são... provocantes... e bem sensuais.*

Estou me esticando para pegar o vestido quando Christian entra sem aviso. *Ei, você podia bater na porta!* Ele fica paralisado, olhando-me, os olhos cinzentos brilhando famintos. Sinto como se todo o meu corpo tivesse enrubescido. Ele está usando uma calça preta de terno e uma camisa branca, o colarinho aberto. E ainda posso ver a linha de batom. Continua me encarando.

— Precisa de alguma coisa, Sr. Grey? Imagino que você tenha algum propósito nessa visita além de ficar me encarando feito um bobo de boca aberta.

— Obrigado, Srta. Steele, mas estou me divertindo muito aqui, feito um bobo de boca aberta — murmura ele sombrio, entrando no quarto e se embevecendo com a minha visão. — Lembre-me de mandar um bilhete de agradecimento a Caroline Acton.

Franzo a testa. *Quem é essa?*

— A personal shopper da Neiman — acrescenta ele em resposta, embora eu não tenha formulado a pergunta em voz alta.

— Ah.

— Estou bastante distraído.

— Estou vendo. O que você quer, Christian? — Lanço-lhe um olhar de quem não está para brincadeiras.

Ele revida com seu sorriso torto e tira do bolso as bolas prateadas, pegando-me completamente desprevenida. Puta merda! Ele quer me bater? Agora? Por quê?

— Não é o que você está pensando — diz depressa.

— Esclareça — sussurro.

— Achei que você podia usar isto hoje à noite.

E as implicações dessa frase permanecem entre nós enquanto a informação é assimilada.

— Durante a festa? — Fico chocada.

Ele confirma lentamente com a cabeça, seus olhos escurecendo.

Meu Deus.

— Você vai me bater depois?

— Não.

Por um momento, sinto uma pontadinha fugaz de decepção. Ele ri.

— Quer que eu bata?

Engulo em seco. Simplesmente não sei.

— Bem, pode ter certeza de que não vou bater em você daquele jeito, nem que você implore.

Hum! Isso é novidade.

— Quer brincar disso? — continua ele, segurando as bolas. — Você pode tirá-las a qualquer momento, se for demais.

Olho para ele. Parece tão perversamente tentador... o cabelo despenteado pós-foda, os olhos escuros dançando com pensamentos eróticos, os belos lábios curvados num sorriso sensual e brincalhão.

— Está bem — concordo suavemente. *É isso aí!* Minha deusa interior recuperou a voz e está gritando aos quatro ventos.

— Boa menina. — Christian sorri. — Venha aqui, e eu vou colocá-las em você depois que calçar os sapatos.

Os sapatos? Viro-me e olho os saltos agulha de camurça cor de gelo que combinam com o vestido que escolhi para usar.

Faça o que ele está pedindo!

Ele estende a mão para me apoiar enquanto calço os sapatos Christian Louboutin, uma bagatela de três mil duzentos e noventa e cinco dólares. Eu devo estar, pelo menos, uns doze centímetros mais alta.

Ele me conduz até a beirada da cama e não se senta: caminha até a única cadeira do quarto e a pega, posicionando-a diante de mim.

— Quando eu acenar com a cabeça, você se abaixa e se segura na cadeira. Entendeu? — Sua voz soa áspera.

— Entendi.

— Ótimo. Agora abra a boca — ordena, a voz ainda baixa.

Eu obedeço, imaginando que ele vai enfiar as bolas na minha boca, para lubrificá-las. Mas não, ele enfia o indicador.

Ah...

— Chupe — diz ele.

Aperto sua mão, segurando-o firme e acatando suas ordens. Está vendo? Posso ser obediente, quando quero.

Ele tem gosto de sabonete... hum. Chupo com força, e sou recompensada ao ver seus olhos se arregalando e sua boca se abrindo ao inspirar. Desse jeito, não vou precisar de lubrificante nenhum. Ele coloca as bolas na boca enquanto chupo seu dedo, girando a língua ao redor dele. Quando ele tenta retirá-lo, cravo os dentes.

Ele sorri e balança a cabeça, advertindo-me, e eu o deixo tirar o dedo. Ele acena, e eu me abaixo, segurando nas laterais da cadeira. Christian puxa a minha calcinha para o lado e, bem devagar, desliza o dedo para dentro de mim, fazendo movimentos circulares, de forma que eu o sinto por todos os lados. Não consigo reprimir o gemido que me escapa dos lábios.

Ele retira o dedo momentaneamente e, com cuidado, insere as bolas, uma de cada vez, empurrando-as para dentro de mim. Uma vez que estão lá dentro, ele desliza minha calcinha de volta para o lugar e beija minha bunda. Correndo as mãos por minhas pernas, do tornozelo até a coxa, gentilmente me beija no alto de cada uma de minhas coxas.

— Você tem belas pernas, Srta. Steele — murmura.

De pé, ele me agarra pelo quadril e me puxa para ele. Sinto sua ereção.

— Talvez quando a gente voltar eu coma você desse jeito, Anastasia. Pode ficar de pé agora.

O peso das bolas subindo e descendo dentro de mim me deixa tonta, mais do que excitada. Atrás de mim, Christian se abaixa para beijar meu ombro.

— Comprei isto para você usar na festa de gala do sábado passado. — Ele passa os braços ao meu redor e estende a mão. Nela, repousa uma pequena caixa vermelha com o nome *Cartier* na tampa. — Mas você me deixou, então perdi a oportunidade.

Ah!

— Esta é a minha segunda chance — murmura ele, a voz embargada por alguma emoção desconhecida. Está nervoso.

Com cuidado, abro a caixa. Dentro brilha um par de brincos pendentes. Cada um com quatro diamantes, um na base, então um pequeno espaço e depois três diamantes pendurados e perfeitamente espaçados, um depois do outro. São lindos, simples e clássicos. O tipo de coisa que eu escolheria, se algum dia tivesse a oportunidade de fazer compras na Cartier.

— São lindos — sussurro, e porque representam uma segunda chance, eu os adoro. — Obrigada.

Ele relaxa junto ao meu corpo à medida que a tensão se dissipa, e beija meu ombro de novo.

— Você vai usar o vestido de cetim prateado? — pergunta.

— Vou. Tudo bem?

— Claro. Vou deixar você terminar de se arrumar. — E sai pela porta sem olhar para trás.

ENTREI EM UMA espécie de universo paralelo. A jovem que está me olhando do espelho merece um tapete vermelho. O vestido longo tomara que caia, de cetim prateado, é simplesmente deslumbrante. Talvez eu mesma escreva para Caroline Acton. É justo e realça as poucas curvas que tenho.

Meu cabelo cai em ondas suaves ao redor do rosto, escorrendo dos ombros até os seios. Num dos lados, passo-o por trás da orelha, revelando o brinco da segunda chance. Optei por manter uma maquiagem mínima, um visual mais natural. Delineador, rímel, um pouco de blush rosa e batom rosa pálido.

Na verdade, nem preciso de blush. Já estou levemente corada pelo movimento constante das bolas de prata. Sim, elas vão garantir um pouco de cor em meu rosto esta noite. Balançando a cabeça ao pensar na audácia das ideias eróticas de Christian, eu me abaixo para pegar meu lenço de cetim e minha carteira prateada e saio em busca de meu Cinquenta Tons.

Ele está conversando com Taylor e outros três homens no corredor, de costas para mim. Suas expressões de surpresa e admiração alertam Christian para minha presença. Ele se vira enquanto espero por ele, meio sem jeito.

Minha boca fica seca. Ele está lindo... Smoking preto, gravata-borboleta preta e uma expressão de assombro. Ele caminha na minha direção e beija meu cabelo.

— Anastasia. Você está de tirar o fôlego.

Fico vermelha com o elogio na frente de Taylor e dos outros homens.

— Uma taça de champanhe antes de irmos?

— Por favor — murmuro, muito rapidamente.

Christian acena para Taylor, que se dirige ao saguão com os três seguranças. Na sala de estar, pega uma garrafa de champanhe da geladeira.

— Equipe de segurança? — pergunto.

— Guarda-costas. Estão sob orientação de Taylor. Ele também é treinado nisso. — Christian me entrega uma taça de champanhe.

— Ele é muito versátil.

— Sim, é. — Christian sorri. — Você está linda, Anastasia. Saúde. — Ele ergue a taça e encosto a minha na dele. O champanhe tem um tom rosa pálido. E um sabor deliciosamente fresco e leve.

— Como você está se sentindo? — pergunta, os olhos em chamas.

— Ótima, obrigada. — Sorrio docemente, sem revelar nada, sabendo muito bem que ele está se referindo às bolas de prata.

Ele dá um sorrisinho.

— Tome, você vai precisar disto. — Ele me entrega uma bolsa grande de veludo que estava sobre a bancada da cozinha. — Abra — diz, entre goles de champanhe. Intrigada, enfio a mão na abertura e puxo uma intrincada máscara prateada com penas azul-cobalto e uma pluma no topo. — É um baile de máscaras — diz com naturalidade.

— Entendi.

A máscara é linda. Tem uma fita prateada costurada na ponta e uma filigrana de prata primorosa ao redor dos olhos.

— Vai realçar seus lindos olhos, Anastasia.

Sorrio para ele, timidamente.

— Você também vai usar uma?

— Claro. São muito libertadoras, de certa forma — acrescenta, levantando uma sobrancelha.

Hum. Isso vai ser divertido.

— Venha. Quero lhe mostrar uma coisa. — Estendendo a mão, Christian me conduz por um corredor e uma porta junto às escadas. Abre a porta, revelando um cômodo grande, mais ou menos do mesmo tamanho que o quarto de jogos, que deve estar bem acima de nós. Este é forrado de livros. *Uau*, uma biblioteca, cada uma das paredes repletas de livros do chão ao teto. No centro, uma mesa de sinuca iluminada por um longo abajur Tiffany triangular, em forma de prisma.

— Você tem uma biblioteca! — exclamo, admirada, tomada pela emoção.

— Sim, a sala da sinuca, como Elliot chama. O apartamento é bem grande. Quando você falou hoje de "explorar", eu me dei conta de que nunca fiz um tour com você. Agora não temos tempo, mas pensei em lhe mostrar esta sala e, quem sabe, desafiá-la para uma partida de sinuca num futuro próximo.

Sorrio para ele.

— Combinado. — Isso me enche de alegria. José e eu fortalecemos nossa amizade em torno de uma mesa de sinuca. Jogamos juntos há três anos. Sou craque no taco. José é um bom professor.

— O que foi? — pergunta Christian, divertindo-se.

Ai, eu realmente preciso parar de expressar todas as emoções que sinto no instante em que as sinto, repreendo-me.

— Nada — respondo depressa.

Christian estreita os olhos.

— Bem, talvez o Dr. Flynn possa descobrir seus segredos. Você vai encontrá-lo esta noite.

— O charlatão caro? — *Puta merda.*
— Ele mesmo. Está morrendo de vontade de conhecê-la.

CHRISTIAN SEGURA MINHA mão e acaricia suavemente meus dedos com o polegar quando nos sentamos na parte de trás do Audi, seguindo para o norte. Eu me contorço com a sensação em minha virilha. Resisto à vontade de gemer, já que Taylor está bem à frente, sem o iPod, ao lado de um dos seguranças que acho que se chama Sawyer.

Estou começando a sentir uma dor leve e agradável no fundo da barriga, causada pelas bolas. Distraída, pergunto-me quanto tempo vou ser capaz de aguentar sem um instante de, hum... alívio? Cruzo as pernas. E então, algo que estava no fundo de minha mente vem à tona.

— Onde você conseguiu o batom? — pergunto a Christian em voz baixa.
Ele sorri para mim e aponta para a frente.
— Taylor — gesticula com a boca.
Dou uma gargalhada.
— Ui. — E paro imediatamente... as bolas.
Mordo o lábio. Christian sorri para mim, os olhos brilhando maliciosamente. Ele sabe exatamente o que está fazendo, animal sexual que é.
— Relaxe — sussurra. — Se for demais... — sua voz diminui, e ele suavemente beija cada um de meus dedos, em seguida, suga com gentileza a ponta do mindinho.

Agora sei que está fazendo isso de propósito. Fecho os olhos enquanto um desejo sombrio toma conta do meu corpo. Eu me rendo brevemente à sensação, os músculos retesando-se dentro de mim.

Quando abro os olhos de novo, Christian está me fitando de perto, um príncipe sombrio. Deve ser o smoking e a gravata borboleta, mas ele parece mais velho, sofisticado, um libertino devastadoramente lindo e com intenções licenciosas. Ele me tira o fôlego. Eu sou seu brinquedinho sexual, e, para falar a verdade, ele é o meu. O pensamento traz um sorriso ao meu rosto, e o sorriso de resposta que surge no dele é deslumbrante.

— Então, o que podemos esperar deste evento?
— Ah, o de sempre — diz Christian com desdém.
— Não para mim — lembro-o.
Christian sorri e mais uma vez beija com carinho minha mão.
— Um monte de gente esbanjando dinheiro. Leilão, rifa, jantar, dança... minha mãe sabe como dar uma festa. — Ele sorri, e pela primeira vez durante todo o dia, eu me permito ficar um pouco animada com a festa.

Há uma fila de veículos caros diante da mansão dos Grey. Lanternas de papel compridas e de um rosa pálido iluminam a entrada, e, à medida que nos aproximamos, de dentro do Audi, reparo que elas estão por toda parte. Na luz do fim do dia, parecem mágicas, como se estivéssemos adentrando um reino encantado. Olho para Christian. Muito adequado para o meu príncipe, e minha empolgação infantil floresce, suplantando todos os outros sentimentos.

— Hora de colocar a máscara. — Christian sorri, vestindo sua máscara preta simples, e o meu príncipe se torna mais sombrio, mais sensual.

Tudo o que posso ver de seu rosto é a linda boca e a mandíbula forte. Meu coração acelera com a simples visão dele. Coloco minha máscara e sorrio, ignorando o desejo profundo dentro de mim.

Taylor encosta o carro, e um manobrista abre a porta de Christian. Sawyer corre para abrir a minha.

— Pronta? — pergunta Christian.

— Tanto quanto é possível.

— Você está linda, Anastasia. — Ele beija minha mão e sai do carro.

Um tapete verde-escuro atravessa o gramado e segue ao longo da lateral da casa, conduzindo-nos ao impressionante jardim nos fundos. Christian passa o braço protetoramente em volta do meu corpo, descansando a mão em minha cintura, e seguimos o tapete verde junto a figurões da elite de Seattle vestindo suas melhores roupas e usando todos os tipos de máscaras, as lanternas iluminando o caminho. Dois fotógrafos guiam os convidados para posar diante de uma treliça coberta de heras.

— Sr. Grey! — chama um deles.

Christian acena para ele e me puxa para junto de si, enquanto posamos rapidamente para uma foto. Como eles sabem que é ele? O cabelo rebelde cor de cobre, só pode ser.

— Dois fotógrafos? — pergunto a Christian.

— Um é do *Seattle Times*, o outro é para produzir um souvenir. Nós vamos poder comprar uma cópia no final da festa.

Hum, minha foto vai aparecer nos jornais de novo. Por um instante, Leila invade meus pensamentos. Foi assim que ela me encontrou, após eu posar com Christian. A ideia é perturbadora, embora o fato de que estou irreconhecível debaixo dessa máscara seja reconfortante.

Ao final do tapete, garçons em ternos brancos carregam bandejas com taças transbordantes de champanhe, e fico feliz quando Christian me passa uma delas, distraindo-me com eficiência dos pensamentos sombrios.

Nós nos aproximamos de uma grande pérgula branca adornada com versões menores das lanternas de papel. Sob ela, brilha uma pista de dança quadriculada em preto e branco e delimitada por uma cerca baixa com entradas em três dos lados. Em cada uma das entradas ostentam-se duas elaboradas esculturas de cisnes feitas de gelo. O quarto lado da pérgula é ocupado por um palco no qual um quarteto de cordas toca suavemente uma música melancólica e etérea que não reconheço. O palco parece preparado para receber uma *big band*, mas, como não há sinal dos músicos, imagino que seja para mais tarde. Segurando minha mão, Christian me conduz entre os cisnes até a pista de dança onde os outros convidados estão reunidos, conversando e bebendo champanhe.

Na direção da baía há uma enorme tenda aberta no lado mais próximo de nós, e posso ver as mesas e cadeiras organizadas formalmente. *São tantas!*

— Quantas pessoas foram convidadas? — pergunto a Christian, assustada pelo tamanho da tenda.

— Acho que umas trezentas. Você vai ter que perguntar à minha mãe. — Ele sorri para mim.

— Christian!

Uma jovem aparece saindo da multidão e joga os braços ao redor de seu pescoço; e imediatamente sei que se trata de Mia. Ela está usando um vestido longo elegante de chiffon rosa-claro e uma elaborada máscara veneziana deslumbrante, combinando com o vestido. Está linda. Por um momento, sinto-me muito grata pelo vestido que Christian me deu.

— Ana! Ai, querida, você está linda! — Ela me dá um abraço rápido. — Você tem que conhecer minhas amigas. Nenhuma delas consegue acreditar que Christian finalmente tem uma namorada.

Dirijo um rápido olhar de pânico para Christian, que encolhe os ombros como quem diz eu-sei-que-ela-é-impossível-tive-que-conviver-com-ela-durante-anos, e deixo Mia me conduzir até um grupo de quatro jovens, todas vestidas com roupas caras e impecavelmente arrumadas.

Mia nos apresenta rapidamente. Três delas são simpáticas e gentis, mas uma, acho que se chama Lily, olha para mim de forma amarga por debaixo de sua máscara vermelha.

— Claro que todo mundo pensava que Christian era gay — diz ela, cheia de sarcasmo e escondendo o rancor num sorriso largo e falso.

— Lily, comporte-se — resmunga Mia para ela. — É evidente que ele tem um ótimo gosto para mulheres. Só estava esperando a pessoa certa aparecer, e não era você!

Lily fica da mesma cor que a máscara, assim como eu. Tem algo mais desconfortável que isso?

— Meninas, vocês se importam se eu roubar meu par de volta? — Passando o braço em volta de minha cintura, Christian me puxa para junto de si.

Todas as quatro sorriem, enrubescem e se alvoroçam; é o sorriso deslumbrante de Christian fazendo o que sempre faz. Mia revira os olhos para mim, e tenho que rir.

— Prazer em conhecê-las — digo enquanto ele me arrasta para longe. — Obrigada — gesticulo com os lábios para Christian quando estamos a certa distância.

— Vi que Lily estava com Mia. Que criatura desagradável.

— Ela gosta de você — murmuro secamente.

Ele estremece.

— Bem, o sentimento não é recíproco. Venha, deixe-me apresentá-la a algumas pessoas.

Passo a meia hora seguinte em um turbilhão de apresentações. Conheço dois atores de Hollywood, mais dois CEOs e vários médicos importantes. *De jeito nenhum vou ser capaz de lembrar todos os nomes.*

Christian me mantém junto de si, e fico feliz por isso. Francamente, a riqueza, o glamour, as proporções e a luxuosidade do evento me intimidam. Nunca fui a nada parecido na vida.

Os garçons de branco movem-se sem esforço por entre a multidão crescente de convidados com garrafas de champanhe, enchendo minha taça com uma regularidade preocupante. *Não posso beber demais. Não posso beber demais*, repito para mim mesma, mas estou começando a me sentir meio zonza, e não sei se é o champanhe, a atmosfera carregada de mistério e excitação criada pelas máscaras, ou as bolas prateadas secretas. A dor silenciosa abaixo da minha cintura está se tornando impossível de ignorar.

— Então você trabalha na SIP? — pergunta um senhor careca que usa uma meia-máscara de urso... ou será um cachorro? — Ouvi rumores de uma aquisição hostil.

Fico vermelha. Sim, *houve* uma aquisição hostil, por parte de um homem que tem mais dinheiro do que noção e é um perseguidor por excelência.

— Sou só uma assistente, Sr. Eccles. Não saberia desse tipo de coisa.

Christian fica quieto e sorri tranquilamente para Eccles.

— Senhoras e senhores! — O mestre de cerimônias, vestindo uma impressionante máscara de arlequim preta e branca, nos interrompe. — Queiram tomar seus assentos. O jantar será servido.

Christian segura minha mão, e seguimos a multidão que vai conversando até a tenda.

O interior é deslumbrante. Três lustres enormes e baixos irradiam luzes coloridas sobre o forro de seda marfim do teto e das paredes. Deve haver, pelo menos, trinta mesas, e elas me lembram da sala de jantar privada do Hotel Heathman... taças de cristal, toalhas impecáveis de linho branco sobre as mesas e, no centro, um arranjo primoroso de peônias cor-de-rosa em torno de um candelabro de prata. Ao lado, uma cesta de guloseimas embrulhada em papel de seda.

Christian verifica a organização dos lugares e me leva até uma mesa no centro. Mia e Grace Trevelyan-Grey já estão sentadas, absortas numa conversa com um rapaz que não conheço. Grace está usando um vestido verde brilhante com uma máscara veneziana combinando. Está radiante, nem um pouco tensa, e me cumprimenta efusivamente.

— Ana, que bom ver você de novo! Está tão linda.

— Mãe — Christian a cumprimenta com austeridade, e eles trocam dois beijos.

— Ah, Christian, tão formal! — ela o repreende, provocando-o.

Os pais de Grace, o Sr. e a Sra. Trevelyan, juntam-se a nós na mesa. Parecem exuberantes e jovens, embora seja difícil dizer por causa das máscaras cor de bronze idênticas que estão usando. Estão muito felizes em ver Christian.

— Vovó, vovô, gostaria de apresentar Anastasia Steele.

A Sra. Trevelyan praticamente se joga em cima de mim.

— Ah, finalmente ele encontrou alguém, que maravilha, e você é tão bonita! Espero que dê em casamento — exclama, apertando minha mão.

Puta merda. Ainda bem que estou de máscara.

— Mãe, não deixe Ana sem graça — Grace me socorre.

— Não ligue para essa velha indiscreta, minha querida. — O Sr. Trevelyan aperta minha mão. — Ela acha que, só porque tem mais idade, tem o direito divino de dizer qualquer disparate que passa por essa cabeça branca.

— Ana, este é Sean. — Mia apresenta timidamente seu jovem par. Ele me lança um sorriso caloroso, e seus olhos castanhos brilham com diversão quando apertamos as mãos.

— Prazer em conhecê-lo, Sean.

Christian aperta a mão de Sean, encarando-o astuciosamente. Não me diga que a pobre Mia também sofre com a arrogância de seu irmão. Sorrio para ela com simpatia.

Lance e Janine, amigos de Grace, são o último casal a se sentar à mesa, mas ainda não há nenhum sinal do Sr. Carrick Grey.

De repente, ouço o silvo de um microfone, e a voz do Sr. Grey no sistema de som toma conta do ambiente, fazendo com que o burburinho desapareça. Carrick está de pé em um pequeno palco numa das extremidades da tenda, usando uma impressionante máscara dourada de Punchinello.

— Bem-vindos, senhoras e senhores, ao nosso baile anual de caridade. Espero que vocês aproveitem o que preparamos para esta noite e que abram bem esses bolsos para ajudar o fantástico trabalho que a nossa equipe tem feito com a Superando Juntos. Como vocês sabem, trata-se de uma causa muito importante tanto para minha esposa como para mim.

Olho nervosa para Christian, que, acho, está encarando o palco impassível. Ele retribui o olhar e sorri.

— Agora vou passar a palavra para o nosso mestre de cerimônias. Por favor, sentem-se e aproveitem a noite — finaliza Carrick.

Após aplausos educados, o burburinho na tenda recomeça. Estou sentada entre Christian e seu avô, admirando o pequeno cartão branco com a caligrafia fina em tinta prateada que ostenta meu nome, enquanto um garçom acende o candelabro com uma vela longa. Carrick se junta a nós, surpreendendo-me com dois beijinhos.

— Bom ver você de novo, Ana — murmura. Ele está realmente muito bonito com sua extraordinária máscara dourada.

— Senhoras e senhores, por favor, escolham um representante em cada mesa — diz o mestre de cerimônias.

— Uh... eu, eu! — diz Mia imediatamente, quicando com entusiasmo em seu assento.

— No centro da mesa, vocês vão encontrar um envelope — continua o mestre. — Cada um de vocês deve arrumar, implorar, pedir emprestado ou roubar uma nota do valor mais alto possível, escrever o nome nela e colocá-la dentro do envelope. Os representantes da mesa, por favor, devem guardar esses envelopes com cuidado. Vamos precisar deles mais tarde.

Merda. Não trouxe dinheiro comigo. *Que idiota... é um evento de caridade!*

Christian pega a carteira e tira duas notas de cem dólares.

— Aqui — diz ele.

O quê?

— Devolvo depois — sussurro.

Ele contorce a boca, e sei que não está feliz, mas não argumenta. Assino o meu nome usando sua caneta-tinteiro — preta com motivos florais brancos na tampa —, e Mia passa o envelope pela mesa.

Na minha frente vejo outro cartão, também escrito com tinta prateada: o menu da noite.

BAILE DE MÁSCARAS EM APOIO À SUPERANDO JUNTOS
MENU

TARTARE DE SALMÃO COM CRÈME FRAÎCHE E
PEPINO SERVIDO EM TORRADA DE BRIOCHE
ALBAN ESTATE ROUSSANNE 2006

PEITO DE PATO SELVAGEM ASSADO,
PURÊ DE GIRASSOL-BATATEIRO,

CEREJAS ASSADAS COM TOMILHO E FOIE GRAS
CHÂTEAUNEUF-DU-PAPE VIEILLES VIGNES 2006
DOMAINE DE LA JANASSE

BOLO CHIFFON DE NOZES E COBERTURA DE AÇÚCAR CRISTALIZADO,
FIGOS EM CALDA, ZABAGLIONE, SORVETE DE BORDO
VIN DE CONSTANCE 2004 KLEIN CONSTANTIA

SELEÇÃO DE PÃES E QUEIJOS LOCAIS
ALBAN ESTATE GRENACHE 2006

CAFÉ E PETITS FOURS

Bem, está explicado o número de taças de cristal de tamanhos variados que preenchem o espaço à minha frente. Nosso garçom está de volta, oferecendo vinho e água. Atrás de mim, as aberturas da tenda pelas quais entramos estão sendo fechadas, e à nossa frente dois garçons erguem o toldo, revelando o pôr do sol sobre a baía Meydenbauer.

A vista é de tirar o fôlego: as luzes cintilantes de Seattle a distância e a calmaria alaranjada e sombria da baía refletindo o céu azul. Uau. É um cenário sereno e pacífico.

Dez garçons, cada um segurando um prato, surgem entre nossos assentos. Numa largada silenciosa, servem as entradas em completa sincronia, em seguida desaparecem novamente. O salmão parece delicioso, e percebo que estou faminta.

— Com fome? — murmura Christian de forma que só eu possa ouvir. Sei que ele não está se referindo à comida, e os músculos dentro de mim respondem.

— Muita — sussurro, ousadamente mirando seus olhos; ele entreabre os lábios e inspira.

Rá! Está vendo? Também sei brincar.

Imediatamente, o avô de Christian começa a conversar comigo. É um senhor incrível, orgulhoso da filha e dos três netos.

É estranho pensar em Christian quando criança. A memória de suas queimaduras me vem espontaneamente à cabeça, mas eu a afasto depressa. Não quero pensar nisso agora, embora, ironicamente, elas sejam a razão por trás desta festa.

Queria que Kate estivesse aqui com Elliot. Ela iria se enturmar tão bem — o impressionante número de garfos e facas diante dela não a assustaria —, iria comandar a mesa. Eu a imagino disputando com Mia quem deveria ser a representante. A ideia me faz sorrir.

A conversa na mesa tem seus altos e baixos. Mia é divertida, como sempre, e praticamente ofusca o pobre Sean, que fica quieto a maior parte do tempo, como eu. A avó de Christian é a que mais fala. Também tem um senso de humor ácido, geralmente às custas do marido. Sinto um pouco de pena do Sr. Trevelyan.

Christian e Lance falam animadamente sobre um aparelho que a empresa de Christian está desenvolvendo, inspirado no conceito de E. F. Schumacher de que o Pequeno É Bonito. É difícil acompanhar. Christian parece decidido a capacitar comunidades carentes em todo o mundo usando tecnologia a corda: aparelhos que não precisam de eletricidade ou de baterias e requerem manutenção mínima.

Vê-lo tão à vontade é surpreendente. Ele é apaixonado e dedicado a melhorar a vida dos menos afortunados. Por meio de sua empresa de telecomunicações, está decidido a ser o primeiro no mercado a lançar um celular a corda.

Uau. Eu não tinha ideia. Quer dizer, eu sabia de sua paixão por alimentar o mundo, mas isso...

Lance parece incapaz de compreender o plano de Christian de distribuir a tecnologia sem patenteá-la. Pergunto-me vagamente como Christian conseguiu tanto dinheiro, sendo tão disposto a dar tudo de bandeja.

Durante o jantar, um fluxo constante de homens em smokings elegantes e máscaras escuras passa por nossa mesa, interessados em conhecer Christian, cumprimentá-lo e trocar amenidades. Ele me apresenta a alguns, mas não a todos. Fico intrigada, querendo saber como e por que ele faz a distinção.

Durante uma dessas conversas, Mia se debruça sobre a mesa e sorri para mim.

— Ana, você pode ajudar no leilão?

— Claro — respondo, muito animada.

No momento em que a sobremesa é servida, já anoiteceu, e eu me sinto realmente desconfortável. Preciso me livrar dessas bolas. Antes que eu possa pedir licença, o mestre de cerimônias aparece em nossa mesa, e com ele, se não estou enganada, vem a Srta. Europeia das Maria-Chiquinhas.

Qual é o nome dela? Hansel, Gretel... Gretchen.

Ela está de máscara, é claro, mas sei quem é porque não tira os olhos de Christian. Ela fica vermelha, e, em meu egoísmo, sinto-me mais do que feliz em ver que ele não parece nem notar sua presença.

O mestre de cerimônias pede o nosso envelope e, com um floreio muito praticado e espalhafatoso, pede a Grace que sorteie o vencedor. É Sean, e ele ganha a cesta embrulhada em papel de seda.

Aplaudo educadamente, mas estou achando impossível me concentrar em qualquer coisa.

— Com licença — murmuro para Christian.

Ele me olha atentamente.

— Você precisa ir ao toalete?

Concordo com a cabeça.

— Eu lhe mostro onde fica — diz ele, sombrio.

Quando me levanto, todos os homens da mesa se levantam comigo. *Nossa, quanta educação.*

— Não, Christian! Você não vai levar Ana... Deixe que eu vou.

Mia fica de pé antes que Christian possa protestar. Ele cerra a mandíbula, sei que está contrariado. Francamente, eu também estou. *Tenho... necessidades.* Dou de ombros, desculpando-me com ele, e ele se senta depressa, resignado.

Ao voltarmos, sinto-me um pouco melhor, embora o alívio de remover as bolas não tenha sido tão imediato quanto eu esperava. Agora elas estão guardadas na segurança de minha carteira.

Como eu pude achar que poderia aguentar a noite inteira? Ainda estou ardendo de desejo... talvez possa convencer Christian a me levar até o ancoradouro mais tarde. A ideia me faz corar, e lanço um olhar para ele enquanto me sento. Ele me encara, a sombra de um sorriso cruzando seus lábios.

Ufa... não está mais com raiva pela oportunidade perdida, embora eu talvez esteja. Sinto-me frustrada, irritada mesmo. Christian aperta minha mão, e nós ouvimos atentamente o discurso de Carrick, que voltou ao palco para falar da Superando Juntos. Christian me passa mais um cartão, com a lista dos prêmios em leilão. Dou uma olhada rápida.

Itens e gentis doadores do leilão
para a Superando Juntos

Bastão de beisebol assinado pelos jogadores do Seattle Mariners
— Dra. Emily Mainwaring

Bolsa, Carteira e Chaveiro Gucci — Andrea Washington

Cupom de um dia grátis para duas pessoas no Esclava, Bravern Center
— Elena Lincoln

Paisagismo e decoração de jardim — Gia Matteo

Caixa com seleção de perfumes e produtos de beleza Coco de Mer
— Elizabeth Austin

Espelho veneziano — Sr. e Sra. J. Bailey

DUAS CAIXAS DE VINHO ALBAN ESTATES À ESCOLHA — ALBAN ESTATES

DOIS INGRESSOS VIP PARA *XTY IN CONCERT* — SRA. L. YESYOV

CORRIDA AUTOMOBILÍSTICA EM DAYTONA — EMC BRITT INC.

PRIMEIRA EDIÇÃO DE *ORGULHO E PRECONCEITO*, DE JANE AUSTEN
— DR. A. F. M. LACE-FIELD

DIRIGIR UM ASTON MARTIN DB7 POR UM DIA — SR. & SRA. L.W. NORA

INTO THE BLUE, ÓLEO SOBRE TELA DE J. TROUTON — KELLY TROUTON

AULA DE PILOTAGEM EM PLANADOR
— SOCIEDADE DE PLANADORES DE SEATTLE

FIM DE SEMANA A DOIS NO HOTEL HEATHMAN, PORTLAND
— HOTEL HEATHMAN

FIM DE SEMANA EM ASPEN, COLORADO (PARA SEIS) — SR. C. GREY

UMA SEMANA A BORDO DO IATE *SUSIECUE* (SEIS LEITOS),
ATRACADO EM SANTA LÚCIA — DR. E SRA. LARIN

UMA SEMANA NO LAGO ADRIANA, MONTANA (PARA OITO) — SR. & DRA. GREY

∞

Puta merda. Olho assustada para Christian.

— Você tem uma propriedade em Aspen? — sussurro. O leilão já começou, então tenho que manter a voz baixa.

Ele faz que sim com a cabeça, surpreso e irritado, acho, com meu espanto. Com o dedo nos lábios, pede-me silêncio.

— Você tem mais algum imóvel? — pergunto.

Ele faz que sim de novo e inclina a cabeça, numa advertência.

O salão inteiro explode em gritos e aplausos, um dos prêmios foi vendido por doze mil dólares.

— Eu lhe conto depois — diz Christian em voz baixa. — Queria ter ido lá com você — acrescenta, aborrecido.

Bem, mas não foi. Fico amuada e percebo que ainda estou irritadiça, sem dúvida é o efeito frustrante das bolas. Meu humor piorou depois que vi o nome da Mrs. Robinson na lista de generosos doadores.

Olho ao redor, procurando por ela, mas não consigo identificar o cabelo revelador. Certamente Christian teria me avisado se ela tivesse sido convidada para a festa. Fico me remoendo, aplaudindo quando necessário, enquanto cada lote é vendido por quantias chocantes.

O leilão passa para o fim de semana na casa de Christian, em Aspen, e já chegou a vinte mil dólares.

— Dou-lhe uma, dou-lhe duas — grita o mestre de cerimônias.

E então, não sei o que dá em mim, mas de repente ouço minha própria voz soar claramente por sobre a multidão.

— Vinte e quatro mil dólares!

Cada uma das máscaras na mesa se vira para mim, com espanto, e a maior reação de todas vem do meu lado. Ouço sua inspiração profunda e sinto sua ira me dominar como uma onda.

— Vinte e quatro mil dólares, para a bela senhorita de vestido prata, dou-lhe uma, dou-lhe duas... Vendido!

CAPÍTULO SETE

Puta merda, eu realmente fiz isso? Deve ser o álcool. Tomei champanhe e quatro taças de quatro vinhos diferentes. Dou uma olhada em Christian, que está ocupado aplaudindo.

Droga, ele vai ficar com tanta raiva, e estamos nos dando tão bem. Meu inconsciente finalmente decide dar as caras, e parece o sujeito do quadro *O grito*, de Edvard Munch.

Christian se debruça em minha direção, um enorme sorriso falso plantado na cara. Ele me dá um beijo na bochecha e se aproxima do meu ouvido para sussurrar numa voz muito fria e controlada:

— Não sei se caio de joelhos em adoração por você ou se lhe dou umas boas palmadas.

Ah, eu sei o que eu quero neste exato instante. Ergo o olhar para ele, piscando através da máscara. Queria poder ler seus olhos.

— Opção dois, por favor. — Suspiro, tomada por um frenesi, à medida que os aplausos vão morrendo.

Ele entreabre os lábios e inspira fundo. *Ah, essa boca maravilhosa... eu quero ela em mim, agora.* Anseio por ele. Ele me lança um sorriso radiante e sincero que me tira o fôlego.

— Está sofrendo, é? Vamos ver o que podemos fazer a respeito — murmura, correndo os dedos ao longo do meu queixo.

Seu toque ressoa fundo dentro de mim, lá onde aquela dor surgiu e cresceu. Quero pular em cima dele aqui e agora, mas nós ficamos sentados e assistimos ao leilão do lote seguinte.

Mal consigo ficar parada. Christian passa o braço ao redor de mim, acariciando ritmicamente minhas costas com o polegar, provocando arrepios deliciosos por minha coluna. Sua mão livre segura a minha e a leva até os lábios, e então a pousa em seu colo.

Lenta e sorrateiramente, de forma que eu não perceba seu jogo até que seja tarde demais, ele conduz minha mão ao longo de sua coxa até sua ereção. Engasgo, e meus olhos correm a mesa em pânico; no entanto, todos estão atentos ao palco. *Ainda bem que estou de máscara.*

Aproveitando-me totalmente, acaricio-o de mansinho, deixando meus dedos explorarem. Christian mantém a mão sobre a minha, encobrindo meus ousados dedos, enquanto seu polegar brinca suavemente em minha nuca. Ele abre a boca num leve suspiro, e é a única reação a meu toque inexperiente que consigo notar. Mas significa muito. Ele me quer. Todos os músculos abaixo do meu umbigo se contraem. Está ficando insuportável.

Uma semana no lago Adriana, em Montana, é o último item do leilão. É claro que o Sr. e a Dra. Grey têm uma casa em Montana, e os lances sobem rapidamente, mas mal reparo no que está acontecendo. Eu o sinto crescer sob meus dedos, e isso me faz sentir tão poderosa.

— Vendido, por cento e dez mil dólares! — declara, vitorioso, o mestre de cerimônias.

Todos aplaudem, e, relutante, eu os acompanho, e Christian também, estragando nossa diversão.

Ele se vira para mim e sua boca se contrai.

— Pronta? — gesticula com os lábios por sobre o barulho das pessoas.

— Pronta — gesticulo de volta.

— Ana! — chama Mia. — Está na hora!

O quê? Não. De novo, não!

— Hora de quê?

— O leilão da primeira dança. Venha! — Ela se levanta e estende a mão.

Olho para Christian, que está, acho, fazendo uma cara feia para Mia, e não sei se choro ou se rio, mas é o riso que vence. Eu me deixo levar por uma onda catártica de gargalhadas infantis, enquanto somos mais uma vez detidos pelo furacão alto e cor-de-rosa que é Mia Grey. Christian olha para mim e, depois de um instante, vejo um rastro de sorriso em seus lábios.

— A primeira dança é minha, viu? E não vai ser na pista — murmura ele lascivamente em minha orelha.

Minhas risadas se acalmam à medida que a expectativa alimenta as chamas de meu desejo. *Ah, sim!* Minha deusa interior dá uma pirueta tripla em seus patins.

— Mal posso esperar. — Eu me inclino e deixo um beijo comportado e leve em seus lábios.

Olhando ao redor, percebo que os outros convidados da mesa estão espantados. É claro, nunca viram Christian com uma namorada antes.

Ele abre um amplo sorriso. E parece... feliz.

— Venha, Ana — insiste Mia.

Pego sua mão estendida e a sigo até o palco, onde outras dez jovens se reuniram, e percebo, um tanto inquieta, que Lily está entre elas.

— Senhores, o ponto alto da noite! — exclama o mestre de cerimônias por sobre o burburinho de vozes. — O momento pelo qual todos vocês estavam esperando! Essas doze lindas jovens concordaram em vender sua primeira dança pelo lance mais alto!

Ah, não. Fico vermelha da raiz do cabelo até o dedinho do pé. Eu não tinha entendido que era isso. Que humilhante!

— É por uma boa causa — sussurra Mia para mim, percebendo meu desconforto. — Além do mais, Christian vai ganhar. — Ela revira os olhos. — Não consigo imaginá-lo deixando alguém dar um lance mais alto que o dele. Ele não tirou os olhos de você a noite toda.

Isso, concentre-se na boa causa, e Christian vai ganhar, com certeza. Afinal de contas, não é como se a grana estivesse curta para ele.

Mas isso significa gastar mais dinheiro com você!, meu inconsciente rosna para mim. Mas eu não quero dançar com mais ninguém — eu não posso dançar com mais ninguém —, e ele não está gastando dinheiro comigo, está doando para caridade. *Que nem os vinte e quatro mil dólares que ele já gastou?* Meu inconsciente estreita os olhos.

Merda. Acho que me deixei levar por um lance impulsivo. Por que estou discutindo comigo mesma?

— Agora, senhores, por favor aproximem-se e deem uma boa olhada naquela que pode ser a sua primeira dança de hoje: doze jovens doces e graciosas.

Meu Deus! Estou me sentindo num açougue. Observo, horrorizada, enquanto pelo menos vinte homens andam na direção do palco, Christian entre eles, caminhando com elegância por entre as mesas e parando uma vez ou outra para cumprimentar alguém. Uma vez que todos se reuniram, o mestre de cerimônias começa.

— Senhoras e senhores, seguindo a tradição do baile de máscaras, vamos manter o mistério por trás dos disfarces e revelar apenas o primeiro nome. Para começar, temos a jovem Jada.

Jada está gargalhando feito uma colegial. Talvez eu não esteja assim tão deslocada. Ela está usando um vestido longo de tafetá azul-marinho e máscara combinando. Dois rapazes se aproximam em expectativa. Sorte dela.

— Jada fala japonês fluente, é habilitada para pilotar aviões de caças e é ginasta olímpica... hum — O mestre de cerimônias pisca para a multidão. — E então, senhores, qual é o lance?

Jada arqueja, surpreendida pela apresentação; é claro que ele está inventando tudo. Ela se volta para os dois candidatos e sorri, tímida.

— Mil dólares! — grita um deles.

Muito rapidamente o lance sobe para cinco mil dólares.

— Dou-lhe uma... dou-lhe duas... vendida! — declara o mestre de cerimônias a plenos pulmões — ...para o rapaz de máscara! — E claro, como todos estão de máscara, a multidão ri, grita e aplaude. Jada dá um sorriso radiante para o seu comprador e rapidamente deixa o palco.

— Está vendo? É divertido! — sussurra Mia. — Só espero que Christian ganhe você... A gente não vai querer uma briga, não é? — acrescenta ela.

— Uma briga? — pergunto, horrorizada.

— Ah, é. Ele era muito esquentadinho quando era mais novo. — Ela estremece.

Christian arrumando briga? O refinado e sofisticado Christian, que adora música coral da época Tudor? Não consigo imaginar. O mestre de cerimônias me distrai com a apresentação seguinte: uma jovem de vestido vermelho e cabelo muito preto e longo.

— Senhores, eu lhes apresento a maravilhosa Mariah. O que vamos fazer com Mariah? Ela é uma toureira experiente, toca violoncelo tão bem que poderia integrar qualquer orquestra e é campeã de salto com vara... e então, senhores? Qual vai ser o lance para uma dança com a encantadora Mariah?

Mariah olha para o mestre de cerimônias.

— Três mil dólares! — grita bem alto um mascarado de cabelo e barba louros.

Mais um lance, e Mariah é vendida por quatro mil dólares.

Christian me observa feito um gavião. Sr. Briguento Trevelyan-Grey... quem diria?

— Quando?

Mia me olha, confusa.

— Em que época Christian era esquentadinho?

— No início da adolescência. Levou nossos pais à loucura, voltava para casa com o lábio cortado, o olho roxo. Foi expulso de dois colégios. Machucava feio os adversários.

Fico boquiaberta.

— Ele não contou para você? — Ela suspira. — Tinha uma péssima reputação entre os meus amigos. Foi mesmo *persona non grata* por alguns anos. Mas depois parou, quando completou uns quinze, dezesseis anos. — Ela dá de ombros.

Minha nossa. Mais uma peça do quebra-cabeça que se encaixa.

— Então, qual vai ser o lance para a exuberante Jill?

— Quatro mil dólares — grita uma voz grave à direita. Jill guincha de emoção.

Paro de prestar atenção ao leilão. Então Christian teve problemas na escola, brigas. Pergunto-me por quê. Olho para ele. Lily está nos observando com atenção.

— E agora, deixe-me apresentar a bela Ana.

Ai, merda, sou eu. Olho nervosa para Mia e ela me empurra para o centro do palco. Graças a Deus eu não caio, mas fico morrendo de vergonha diante do público. Quando vejo Christian, ele está sorrindo para mim. Filho da mãe.

— A bela Ana toca seis instrumentos musicais, fala mandarim fluentemente e é adepta da ioga... muito bem, senhores — e antes que ele possa terminar a frase, Christian o interrompe, encarando-o através da máscara:

— Dez mil dólares.

Ouço Lily arquejar de incredulidade atrás de mim. *Puta merda.*

— Quinze.

O quê? Todos nos viramos para um homem alto e impecavelmente vestido, de pé à esquerda do palco. Pisco para Christian. Merda, o que ele vai fazer agora? Mas ele está coçando o queixo e lançando um olhar irônico para o estranho. Está claro que o conhece. O estranho acena educadamente para ele.

— Bem, senhores! É uma noite de lances altos.

A empolgação do mestre de cerimônias emana de sua máscara de arlequim quando ele se vira com um sorriso para Christian. É um espetáculo e tanto, mas à minha custa. Estou com vontade de chorar.

— Vinte — acrescenta Christian calmamente.

O burburinho do público cerrou. A esta altura, todos estão de olho em mim, em Christian e no Sr. Misterioso ao lado do palco.

— Vinte e cinco — diz o estranho.

Isso poderia ser mais constrangedor.

Christian o encara impassível, mas achando graça. Todos os olhos estão nele. O que ele vai fazer? Meu coração está saindo pela boca. Estou enjoada.

— Cem mil dólares — diz ele, alto e bom som, para toda a tenda ouvir.

— Que merda é essa? — resmunga Lily atrás de mim, e um suspiro de assombro e diversão percorre o público.

O estranho ergue a mão em sinal de derrota, rindo, e Christian sorri afetadamente em resposta. Do canto do olho vejo Mia quicando de felicidade.

— Cem mil dólares pela formosa Ana! Dou-lhe uma... dou-lhe duas... — Ele encara o estranho, que balança a cabeça num pesar simulado e acena com um galanteio. — Vendida! — grita o mestre de cerimônias em triunfo.

Em meio a uma salva de aplausos e gritos, Christian estende a mão para me ajudar a sair do palco. Ele me olha com um sorriso divertido enquanto eu desço e beija as costas de minha mão antes de colocá-la em seu braço e me conduzir para fora da tenda.

— Quem era? — pergunto.

— Alguém que você pode conhecer mais tarde. — Ele olha para mim. — Agora, quero lhe mostrar uma coisa. Temos uns trinta minutos até que o leilão da primeira dança termine. Depois, teremos que estar de volta à pista para que eu possa desfrutar da dança pela qual paguei.

— Uma dança caríssima — murmuro em desaprovação.

— Tenho certeza de que vai valer cada centavo. — Ele sorri para mim perversamente. Ah, ele tem um sorriso maravilhoso, e a dor está de volta, tomando conta de meu corpo.

Estamos no gramado. Achei que íamos para o ancoradouro, mas, infelizmente, parece que estamos seguindo para a pista de dança onde a *big band* já começa a se preparar. São pelo menos vinte músicos, e alguns convidados estão perambulando, fumando discretamente. Mas, como a maior parte da ação ainda acontece na tenda, não atraímos muita atenção.

Christian me leva para os fundos da casa e abre uma porta que dá para uma sala de estar confortável que nunca vi antes. Ele atravessa a sala vazia a caminho de uma escada em espiral com um elegante corrimão de madeira. Tirando minha mão de seu braço, conduz-me até o segundo andar e depois por mais um lance de escadas, até o terceiro. Abre uma porta branca e entramos em um dos quartos da casa.

— Este era o meu quarto — diz, em voz baixa, de pé junto da porta, trancando-a atrás de si.

É um cômodo grande, inóspito e com pouca mobília. As paredes são brancas, assim como os móveis; uma cama de casal, uma escrivaninha com uma cadeira, prateleiras cheias de livros e troféus, ao que parece, de kickboxing. Nas paredes, pôsteres de filmes: *Matrix, O clube da luta, O show de Truman* e dois pôsteres enquadrados com fotos de lutadores. Um deles se chama Giuseppe DeNatale — nunca ouvi falar.

Mas o que me chama a atenção é um mural de cortiça sobre a escrivaninha, salpicado de fotos, flâmulas dos Mariners e canhotos de bilhetes. É um pedaço do jovem Christian. Meus olhos se voltam para o homem maravilhoso agora de pé no centro do quarto. Ele me fita com olhos sombrios, taciturnos e sensuais.

— Nunca trouxe uma garota aqui — murmura.

— Nunca? — pergunto num sussurro.

Ele balança a cabeça.

Engulo em seco, e a dor que vinha me incomodando nas últimas horas agora está berrando, implacável e ardente. Vê-lo aqui, de pé, no carpete azul-marinho, usando essa máscara... é para lá de erótico. Eu o quero. Agora. De qualquer jeito. Tenho que me segurar para não me jogar em cima dele e rasgar suas roupas. Ele caminha em minha direção, fazendo um lento passo de valsa.

— Não temos muito tempo, Anastasia, e do jeito que estou me sentindo neste instante, não precisamos de muito tempo. Vire de costas. Deixe-me tirar esse vestido.

Eu me viro e encaro a porta, agradecida pelo fato de que esteja trancada. Inclinando-se sobre mim, ele sussurra baixinho em meu ouvido:

— Fique de máscara.

Solto um gemido, e meu corpo se enrijece em resposta. Ele nem me tocou ainda.

Ele segura a parte de cima do meu vestido, os dedos deslizando pela minha pele, e o toque reverbera por todo meu corpo. Com um movimento rápido, abre o zíper. Segurando o vestido, ele me ajuda a sair dele, depois se vira e, com cuidado, dobra-o sobre uma cadeira. Tira o paletó e o ajeita sobre meu vestido. E então me olha por um momento, sorvendo-me. Estou com o espartilho e a calcinha combinando, e me deleito com seu olhar sensual.

— Sabe, Anastasia — diz ele gentilmente e caminha em minha direção, soltando a gravata, que fica pendendo ao redor de seu pescoço, e abrindo o botão mais alto da camisa. — Fiquei com tanta raiva quando você comprou o meu item no leilão. As mais variadas ideias invadiram a minha mente. Eu tive de lembrar a mim mesmo que punição é uma carta fora do baralho. Mas aí você veio e se ofereceu. — Ele me encara através da máscara. — Por que fez isso? — sussurra.

— Eu me ofereci? Não sei. Frustração... excesso de álcool... uma boa causa — gaguejo, submissa, encolhendo os ombros. Talvez para atrair a atenção dele?

Eu precisava dele naquele instante. Preciso mais ainda agora. A dor aumentou, e sei que ele pode amenizá-la, acalmar esse grito, esse monstro salivante que tenho dentro de mim, com o monstro dentro dele. Ele aperta a boca numa linha fina e, bem devagar, umedece o lábio superior. Quero essa língua em mim.

— Eu jurei a mim mesmo que não bateria em você de novo, nem que você me implorasse.

— Por favor — imploro.

— Mas então eu me dei conta de que você estava provavelmente muito desconfortável naquele momento, e que não está acostumada com isso. — Ele abre um sorriso cúmplice, cretino, arrogante, mas não ligo, porque ele está absolutamente certo.

— Isso. — Expiro.

— Então, talvez haja certa... liberdade. Se eu for fazer isso, você tem que me prometer uma coisa.

— Qualquer coisa.

— Você vai usar a palavra de segurança se precisar dela, e eu só vou fazer amor com você, tudo bem?

— Tudo. — Estou ofegante. Quero as mãos dele em mim.

Ele inspira, e então pega minha mão e caminha até a cama. Jogando o edredom de lado, ele se senta, pega um travesseiro e o coloca junto ao corpo. Olha para mim, de pé diante dele, e, de repente, puxa meu braço com força, de forma que caio no colo dele. Ele tira o corpo para que eu fique deitada na cama, meu peito sobre o travesseiro, a cabeça de lado. Debruçando-se, ele tira meu cabelo dos ombros e corre os dedos pelas plumas de minha máscara.

— Coloque as mãos para trás — murmura.

Ah! Ele tira a gravata borboleta e a usa para amarrar rapidamente meus pulsos nas costas, junto da curva da coluna.

— Você quer mesmo isso, Anastasia?

Fecho os olhos. Essa é a primeira vez desde que o conheci que realmente quero. Preciso disso.

— Quero — respondo.

— Por quê? — pergunta ele baixinho, acariciando minha bunda com a palma da mão.

Gemo só de sentir o contato de sua mão em minha pele. *Não sei por quê... Você me disse para não pensar demais. Depois de um dia como o de hoje... discutir a respeito de dinheiro, Leila, Mrs. Robinson, meu arquivo, o mapa feito de batom, esta festa extravagante, as máscaras, o álcool, as bolas prateadas, o leilão... Eu quero.*

— Preciso de um motivo?

— Não, baby — diz ele. — Só estou tentando entender você.

Sua mão esquerda envolve minha cintura, mantendo-me firme no lugar, enquanto a palma de sua mão direita pousa com força logo acima das minhas coxas. A dor da palmada se conecta diretamente com a dor dentro de mim.

Minha nossa... Solto um gemido alto. Ele me bate de novo, exatamente no mesmo lugar. Outro gemido.

— Dois — murmura. — Vamos até o doze.

Meu Deus! Desta vez a sensação é diferente: é tão carnal, tão... urgente. Ele acaricia minha bunda com seus longos dedos, e estou impotente, amarrada e pressionada contra o colchão, à mercê dele, e por vontade própria. Ele me bate de novo, um pouquinho mais para o lado, e de novo, do outro lado, e então para e tira minha calcinha bem devagar. Com gentileza, acaricia minha bunda com a palma da mão, antes de continuar a me bater, cada tapa ardente desbastando o meu desejo — ou alimentando-o, não sei. Eu me entrego ao ritmo das palmadas, absorvendo cada uma delas, saboreando-as.

— Doze — murmura ele em sua voz grave e rígida. E acaricia minha bunda de novo, correndo os dedos até meu sexo e, lentamente, enfia dois dedos dentro de mim, movendo-os em círculos, de novo e de novo e de novo, torturando-me.

Solto um gemido alto, meu corpo se apoderando de mim, e eu gozo, contorcendo-me em torno de seus dedos. É tão intenso, inesperado e rápido.

— Muito bem, baby — murmura, condescendente. Ele solta meus pulsos, mantendo os dedos dentro de mim enquanto permaneço deitada por cima dele, exausta, ofegante. — Ainda não terminei com você, Anastasia — diz e se vira, sem tirar os dedos de mim. Pousa meus joelhos no chão, de forma que fico debruçada na cama, se ajoelha atrás de mim e abre o zíper. Tira os dedos de dentro de mim, e eu ouço o já conhecido barulho de papel laminado sendo rasgado. — Abra as pernas — rosna, e eu obedeço. Ele acaricia minha bunda e desliza para dentro de mim. — Isso não vai demorar — murmura e, segurando meus quadris, sai e entra de novo com força.

— Ah! — grito, mas a sensação de plenitude é divina.

Ele está atingindo em cheio o ponto da minha dor, de novo e de novo, erradicando-a a cada investida suave e cortante. A sensação é inebriante, exatamente o que preciso. Eu me mexo na direção dele, os dois investindo um contra o outro.

— Ana, não — geme ele, tentando me manter parada. Mas eu quero mais, e me esfrego nele, mantendo o ritmo. — Ana. Merda! — sussurra ele e goza, e seu murmúrio torturado desencadeia um segundo orgasmo, um gozo de cura que se prolonga, saindo de mim à força e me deixando exausta e sem fôlego.

Christian se debruça para a frente e me beija no ombro, e então sai de dentro de mim. Passando os braços ao meu redor, descansa a cabeça em minhas costas, e ficamos ali, ambos ajoelhados junto à cama, por quanto tempo? Segundos? Minutos, talvez, até que nossas respirações se acalmam. A dor em minha barriga desapareceu, e tudo o que eu sinto é uma serenidade consoladora e satisfatória.

Christian se mexe e beija minhas costas.

— Acho que você me deve uma dança, Srta. Steele — murmura.

— Hum — respondo, saboreando a ausência de dor e me deleitando de júbilo. Ele se senta sobre os calcanhares e me puxa da cama para junto de si.

— Não temos muito tempo. Vamos. — Ele beija meu cabelo e me força a ficar de pé.

Resmungo, mas me sento na cama e pego a calcinha do chão, vestindo-a. Preguiçosamente, caminho até a cadeira para pegar o vestido e reparo que não tirei os sapatos durante nosso encontro secreto. Christian já se arrumou e ajeitou a cama, e está dando o nó na gravata.

Enquanto coloco o vestido, dou uma olhada nas fotografias do quadro de cortiça. Mesmo como um adolescente soturno, Christian já era lindo: com Elliot e Mia na rampa de esqui; sozinho em Paris, o Arco do Triunfo indicando a localização da foto; em Londres; Nova York; no Grand Canyon; diante do Opera House de Sydney; até na muralha da China. O Sr. Grey já era viajado quando jovem.

Há também entradas para diversos shows: U2, Metallica, The Verve, Sheryl Crow, Filarmônica de Nova York tocando *Romeu e Julieta*, de Prokofiev — que mistura eclética! E no canto, uma foto três por quatro de uma jovem. Em preto e branco. Ela me parece familiar, mas por mais que eu tente, não consigo identificar quem é. Graças a Deus, não é Mrs. Robinson.

— Quem é essa? — pergunto.

— Ninguém importante — murmura ele, vestindo o paletó e ajeitando a gravata. — Posso fechar o seu zíper?

— Então por que ela está no seu quadro de fotos?

— Um descuido de minha parte. Como está a minha gravata? — Ele ergue o queixo, feito um menino, e eu sorrio e a ajeito para ele.

— Agora está perfeita.

— Como você — sussurra ele, e me segura, beijando-me com fervor. — Está se sentindo melhor?

— Muito, obrigada, Sr. Grey.

— O prazer é todo meu, Srta. Steele.

Os convidados estão se reunindo na pista de dança. Christian sorri para mim — chegamos bem a tempo — e me conduz até a pista quadriculada.

— E agora, senhoras e senhores, é hora da primeira dança. Sr. e Dra. Grey, estão prontos? — Carrick faz que sim com a cabeça, o braço ao redor de Grace. — Senhoras e senhores do leilão da primeira dança, todos prontos? — Todos acenamos com a cabeça. Mia está com alguém que não reconheço. O que será que aconteceu com Sean? — Então, vamos começar. É com você, Sam!

Um jovem rapaz caminha até o palco em meio a aplausos calorosos, vira-se para a banda atrás de si e estala os dedos. Os acordes familiares de "I've Got You Under My Skin" preenchem a noite.

Christian sorri para mim, pega-me em seus braços e começa a me conduzir. Ah, ele dança tão bem, é fácil seguir. Nós sorrimos um para o outro, feito dois bobos, enquanto ele me gira pela pista.

— Adoro essa música — murmura ele, olhando-me nos olhos. — Parece muito apropriada. — Ele não está mais rindo, ficou sério.

— Você também está sob a minha pele — respondo. — Ou estava, lá no seu quarto.

Ele pressiona os lábios, mas não consegue disfarçar que está se divertindo.

— Srta. Steele — adverte-me de brincadeira —, eu não tinha ideia de que você podia ser tão vulgar.

— Nem eu, Sr. Grey. Acho que são minhas experiências recentes. Foram muito educativas.

— Para nós dois. — Christian está sério de novo, e poderíamos ser só os dois e a banda ali. Estamos em nossa própria bolha.

Quando a música termina, aplaudimos. O cantor, Sam, se curva em agradecimento e apresenta a banda.

— A senhorita me concederia a próxima dança?

Reconheço o homem que fez as ofertas em mim durante o leilão. Relutante, Christian me solta, mas parece achar graça também.

— Fique à vontade. Anastasia, este é John Flynn. John, Anastasia.

Merda!

Christian sorri e se encaminha para fora da pista.

— Como vai, Anastasia? — pergunta Dr. Flynn suavemente, e eu reparo que ele é inglês.

— Oi — gaguejo.

A banda começa outra música, e Dr. Flynn me segura em seus braços. Ele parece muito mais jovem do que eu imaginava, embora eu não consiga ver seu rosto. Está usando uma máscara parecida com a de Christian. É alto, mas não tanto quanto Christian, nem se move com a mesma elegância.

O que posso perguntar a ele? Por que Christian é tão maluco? Por que ele ofereceu um lance para dançar comigo? É a única coisa que quero saber, mas, de alguma forma, parece grosseiro.

— Fico feliz de finalmente poder conhecê-la, Anastasia. Está se divertindo? — pergunta ele.

— Estava — suspiro.

— Ah. Espero que eu não seja o responsável por essa mudança de sentimento. — Ele me lança um sorriso cálido e ligeiro que me deixa mais à vontade.

— Você é o psicólogo, Dr. Flynn. Você é quem deve me dizer.

Ele sorri.

— Esse é o problema, não é? O fato de eu ser psicólogo?

Dou um risinho.

— Tenho medo do que posso lhe revelar, então me sinto um pouco encabulada e intimidada. E, na verdade, tudo o que quero fazer é perguntar a respeito de Christian.

— Primeiro, estamos numa festa. — Ele sorri. — Portanto, não estou trabalhando. — Sussurra em tom conspiratório. — E segundo, eu realmente não posso falar de Christian com você. Além do mais, ficaríamos aqui até o Natal — brinca ele.

Arquejo, chocada.

— É uma piada de psicólogo, Anastasia.

Fico vermelha, envergonhada, e então me sinto ligeiramente ressentida. Ele está fazendo uma piada a respeito de Christian.

— Você acaba de confirmar o que eu venho dizendo para ele... que você é um charlatão muito caro — repreendo-o.

— Talvez você tenha um pouco de razão nesse ponto — Dr. Flynn solta uma gargalhada.

— Você é inglês?

— Sim. De Londres, originalmente.

— Como veio parar aqui?

— Uma circunstância fortuita.

— Você não revela muito, não é?

— Não tenho muito a revelar. Sou uma pessoa maçante, na verdade.

— Isso é bem autodepreciativo.

— É um traço inglês. Faz parte de nossa identidade nacional.

— Ah.

— E eu poderia acusá-la da mesma coisa, Anastasia.

— Está dizendo que também sou uma pessoa maçante, Dr. Flynn?

— Não, Anastasia. — Ele ri com desdém. — Que você não revela muita coisa.

— Não tenho muito a revelar. — Sorrio.

— Honestamente, duvido. — Ele franze a testa de modo inesperado.

Fico vermelha, mas a música termina e Christian está de volta ao meu lado. Dr. Flynn me solta.

— Foi um prazer conhecê-la, Anastasia. — Ele me lança um sorriso caloroso e eu me sinto como se tivesse passado numa espécie de teste secreto.

— John. — Christian acena para ele.

— Christian. — Dr. Flynn acena de volta, vira-se e desaparece na multidão. Christian me puxa para junto de si, para a próxima dança.

— Ele é muito mais jovem do que eu esperava — murmuro. — E terrivelmente indiscreto.

— Indiscreto? — Christian inclina a cabeça.

— Ah, sim, ele me contou tudo — brinco com ele.

Christian fica tenso.

— Bom, nesse caso, vou pegar sua bolsa. Imagino que você não queira mais nada comigo — diz de mansinho.

Eu paro.

— Ele não me contou nada! — Minha voz sai cheia de pânico.

Christian pisca antes de o alívio tomar seu rosto. Ele me puxa para seus braços de novo.

— Então, vamos aproveitar esta dança. — Ele me olha, confortando-me e me fazendo rodopiar.

Por que ele acha que eu iria querer deixá-lo? Não faz sentido.

Dançamos as duas músicas seguintes, e eu me dou conta de que preciso ir ao banheiro.

— Não vou demorar.

A caminho do banheiro, percebo que deixei minha bolsa na mesa do jantar, e volto até a tenda. Quando entro, vejo que as luzes ainda estão acesas, embora o salão esteja deserto, exceto por um casal lá no fundo, que deveria procurar um quarto! Pego minha bolsa.

— Anastasia?

Uma voz suave me assusta. E eu me viro e vejo uma mulher num vestido longo preto, de veludo bem justo. Sua máscara é peculiar. Cobre o rosto até o nariz, e também o cabelo. É linda, com um filete de ouro elaborado.

— Que bom que está sozinha — acrescenta ela delicadamente. — Passei a noite toda querendo falar com você.

— Desculpe, não sei quem você é.

Ela tira a máscara e solta o cabelo.

Merda! É Mrs. Robinson.

— Desculpe, assustei você?

Fico boquiaberta. *Puta que pariu — que diabo essa mulher quer?*

Não sei como a convenção social diz que devemos nos comportar com molestadores de crianças. Ela está sorrindo gentilmente e me convidando a me sentar a uma mesa. E porque não tenho nenhuma referência a respeito do que fazer, obedeço só por educação, agradecida pelo fato de ainda estar de máscara.

— Vou ser breve, Anastasia. Sei o que você pensa de mim... Christian me contou.

Eu a fito, impassível, não revelando nada, mas fico feliz que ela saiba. Isso me poupa o trabalho de ter que falar, e ela pode ir direto ao assunto. Parte de mim está mais do que intrigada em saber o que ela poderia ter para me dizer.

Ela faz uma pausa e volta o olhar para além de mim, por cima de meu ombro.

— Taylor está nos observando.

Viro a cabeça e o vejo vigiando a tenda da entrada. Sawyer está com ele e os dois olham para todos os lados, menos para nós.

— Não temos muito tempo — diz ela, depressa. — Já deve estar claro para você que Christian a ama. Eu nunca o vi desse jeito, *nunca* — enfatiza a última palavra.

O quê? Ele me ama? Não. Por que ela está me falando isso? Para me reconfortar? Não consigo entender.

— Ele não vai dizer a você, porque provavelmente nem se dá conta disso, apesar de tudo o que eu disse para ele, mas ele é assim. Não é muito conectado com nenhum sentimento ou emoção positiva que possa ter. Ele se concentra demais no negativo. Em todo caso, você já deve ter percebido isso sozinha. Ele acha que não merece.

Estou em parafuso. *Christian me ama?* Ele não disse isso, e essa mulher disse a ele como ele se sente? Que bizarro.

Centenas de imagem varrem a minha cabeça: o iPad, o planador, viajar para me ver, todas as suas atitudes, a possessividade dele, cem mil dólares por uma dança. Isso é amor?

E, francamente, ouvir isso dessa mulher não é nada bem-vindo. Eu preferiria ouvir isso dele.

Meu coração se aperta. Ele acha que não merece? Por quê?

— Eu nunca o vi tão feliz, e está claro que você também tem sentimentos por ele. — Um sorriso rápido passa por seus lábios. — Isso é ótimo, e eu desejo toda a felicidade do mundo aos dois. Mas eu queria avisar que se você o machucar de novo, mocinha, eu vou encontrá-la onde quer que esteja, e não vai ser nada agradável quando isso acontecer.

Ela me encara, os gélidos olhos azuis cravados em meu crânio, tentando penetrar debaixo de minha máscara. A ameaça é tão surpreendente, tão inesperada, que deixo escapar uma risada involuntária e de descrença. De todas as coisas que ela podia me dizer, essa é a mais inesperada.

— Você está achando graça, Anastasia? — balbucia ela, descrente. — Você não o viu no sábado passado.

Minha expressão se desfaz e fica sombria. A ideia de Christian infeliz não é nem um pouco agradável, e sábado passado foi o dia em que eu o deixei. Ele deve ter corrido para ela. O pensamento me enjoa. Por que eu estou sentada aqui, ouvindo essa baboseira, logo dessa mulher? Eu me levanto devagar, fitando-a com intensidade.

— Eu estou rindo da sua audácia, Sra. Lincoln. Christian e eu não temos nada a ver com você. E se eu o deixar, e você vier me procurar, eu estarei esperando, não tenha dúvidas. E talvez você prove o gosto do próprio veneno, em nome da criança de quinze anos de idade de quem você abusou e cuja cabeça você provavelmente perturbou ainda mais do que já era perturbada.

Ela fica boquiaberta.

— Agora, se me dá licença, tenho coisa melhor a fazer do que desperdiçar meu tempo com você. — Eu me viro, a raiva e a adrenalina possuindo meu corpo, e caminho na direção de Taylor, para a saída da tenda, no mesmo instante em que Christian chega, aparentando confusão e preocupação.

— Aí está você — murmura ele, e então fecha a cara ao ver Elena.

Passo por ele sem responder, dando-lhe a oportunidade de escolha: ela ou eu. Ele toma a decisão correta.

— Ana — chama Christian. Eu paro e me viro para ele, que me alcança. — Qual o problema? — Ele me olha, a preocupação entalhada em suas feições.

— Por que você não pergunta para a sua ex? — respondo, acidamente.

Ele contorce a boca e arregala os olhos.

— Estou perguntando a você — diz, a voz suave, mas com uma insinuação bem mais ameaçadora.

Nós nos encaramos.

Tá legal, eu sei que vamos terminar brigando se eu não contar a ele.

— Ela está ameaçando vir atrás de mim se eu magoar você de novo. Provavelmente com um chicote — digo, irritada.

O alívio toma conta de seu rosto, suavizando a expressão de sua boca com um toque de humor.

— Tenho certeza que você é capaz de apreciar a ironia nisso — diz, e vejo que está se esforçando muito para conter o riso.

— Não tem graça, Christian!

— Não. Você está certa. Vou falar com ela. — Ele assume uma expressão séria, embora ainda esteja tentando conter o riso.

— Você não vai fazer nada disso. — Cruzo os braços, a raiva crescendo novamente.

Ele pisca para mim, surpreso com meu ataque.

— Olhe, eu sei que você está amarrado a ela financeiramente, não leve a mal o trocadilho, mas... — Eu paro. O que estou pedindo? Que ele a deixe? Pare de vê-la? Posso fazer isso? — Preciso ir ao banheiro. — Olho para ele, minha boca fechada numa linha rígida.

Ele suspira e inclina a cabeça. Dá para ser mais gato do que isso? Será a máscara ou só ele?

— Por favor, não fique brava. Eu não sabia que ela estava aqui. Ela disse que não viria. — Seu tom é pacificador, como se ele estivesse falando com uma criança. Ele estica o braço e corre o polegar ao longo de meu lábio inferior trêmulo. — Não deixe Elena estragar a nossa noite, por favor, Anastasia. Ela é notícia velha.

"Velha" sendo a palavra principal da sua frase, penso duramente, e ele levanta meu queixo e gentilmente toca os lábios nos meus. Suspiro, concordando e piscando para ele. Ele se ajeita e me segura pelo cotovelo.

— Eu vou acompanhar você até o banheiro para que não seja interrompida de novo.

Ele me conduz pelo gramado em direção aos banheiros de luxo que foram instalados temporariamente no jardim. Mia disse que foram encomendados para a festa, mas eu não tinha ideia de que vinham em versões tão chiques.

— Eu espero por você aqui fora, baby — murmura ele.

Quando saio, meu humor está um pouco melhor. Decidi não deixar Mrs. Robinson arruinar minha noite, pois é provavelmente tudo o que ela quer. Christian está ao telefone a certa distância, evitando um grupo de pessoas que ri e conversa perto da entrada dos banheiros. À medida que me aproximo, posso ouvi-lo. Está muito ríspido.

— Por que você mudou de ideia? Achei que tínhamos um acordo. Bem, deixe ela em paz... Esse é o primeiro relacionamento normal que eu tenho, e não quero que estrague tudo por causa de alguma preocupação inoportuna que você tem por mim. Deixe. Ela. Em. Paz. Estou falando sério, Elena. — Ele faz uma pausa por um instante, ouvindo. — Não, claro que não. — Fecha a cara seriamente ao dizer isso. Erguendo o olhar, ele me vê. — Tenho que ir. Boa noite. — E desliga.

Inclino a cabeça e ergo uma sobrancelha para ele. Por que está telefonando para ela?

— Como vai a sua notícia velha?

— Mal-humorada — responde ele, sarcástico. — Você quer dançar mais? Ou quer ir embora? — E confere o relógio. — Os fogos de artifício vão começar em cinco minutos.

— Adoro fogos de artifício.

— Então a gente fica para ver. — Ele passa o braço ao meu redor e me puxa para junto de si. — Não deixe que ela se intrometa na nossa vida, por favor.

— Ela se preocupa com você — balbucio.

— Sim, e eu com ela... como amigo.

— Acho que é mais do que amizade para ela.

— Anastasia. — Christian franze a testa. — Elena e eu... é complicado. Nós temos uma história em comum. Mas é só uma história. Eu já falei um milhão de vezes, ela é uma amiga. É só isso. Por favor, esqueça esse assunto. — Ele beija meu cabelo e, para não estragar a noite, deixo para lá. Só estou tentando entender.

Caminhamos de mãos dadas até a pista de dança. A banda ainda está tocando.

— Anastasia.

Viro-me e vejo Carrick atrás de nós.

— Será que você me concederia a honra da próxima dança? — Ele estende a mão para mim.

Christian dá de ombros e sorri, soltando minha mão, e eu deixo Carrick me conduzir até a pista. Sam começa a cantar "Come Fly with Me", Carrick passa o braço ao redor de minha cintura e, gentilmente, me faz rodopiar em meio à multidão.

— Eu queria agradecer pela sua generosa contribuição à nossa caridade, Anastasia.

Pelo tom de sua voz, suspeito que seja só um jeito educado de me perguntar se posso bancar tal contribuição.

— Sr. Grey...

— Pode me chamar de Carrick, por favor, Ana.

— Fico muito feliz de poder contribuir. Recebi um dinheiro inesperado há pouco tempo. Não preciso dele. E é uma causa tão importante.

Ele sorri para mim, e eu aproveito a oportunidade para fazer umas perguntas inocentes. *Carpe diem*, meu inconsciente sussurra para mim.

— Christian me contou um pouco sobre o passado dele, então acho que é apropriado apoiar seu trabalho — acrescento, na esperança de que isso possa incentivar Carrick a me dar uma pequena luz sobre o mistério que é seu filho.

— Contou, foi? — Carrick parece surpreso. — Isso não é comum. Você sem dúvida teve um efeito muito positivo sobre ele, Anastasia. Acho que nunca o vi tão, tão... animado.

Fico vermelha.

— Desculpe, não queria envergonhá-la.

— Bem, em minha limitada experiência, já vi que ele não é um homem comum.

— Não, não é — concorda Carrick em voz baixa.

— O início da infância dele me pareceu terrivelmente traumático, pelo que ele me contou.

Carrick franze a testa, e me pergunto se fui longe demais.

— Minha esposa era a médica de plantão quando a polícia chegou com ele. Ele era pele e osso, e estava muito desidratado. Não falava. — Carrick franze a testa novamente, perdido na memória terrível, apesar da música animada que nos rodeia. — Na verdade, ele não falou por quase dois anos. Foi tocando piano que ele finalmente se soltou. Ah, e com a chegada de Mia, é claro. — Ele sorri para mim, com carinho.

— Ele toca lindamente. E realizou tantas coisas, vocês devem se orgulhar muito dele. — Soo distraída. *Caramba. Não falou por dois anos.*

— Imensamente. Ele é muito determinado, muito talentoso, um jovem muito inteligente. Mas cá entre nós, Anastasia, é vê-lo como está esta noite, despreocupado, agindo conforme sua idade, que nos faz verdadeiramente felizes. Eu estava comentando sobre isso com Grace hoje. E creio que devemos agradecer a você por isso.

Acho que coro até o dedinho do pé. O que devo responder?

— Ele sempre foi tão solitário. Pensei que nunca o veria com alguém. O que quer que você esteja fazendo, por favor, continue. Nós queremos vê-lo feliz. — Carrick para de repente, como se *ele* tivesse ido longe demais. — Sinto muito, não era minha intenção deixá-la desconfortável.

Nego com a cabeça.

— Também quero vê-lo feliz — murmuro, sem saber o que mais dizer.

— Bem, estou muito satisfeito que você tenha vindo esta noite. Foi um verdadeiro prazer ver vocês dois juntos.

Assim que os acordes finais de "Come Fly with Me" silenciam, Carrick me solta e me cumprimenta com uma reverência. Respondo com uma mesura, refletindo sua cortesia.

— Já chega de dançar com homens velhos. — Christian está ao meu lado novamente. Carrick ri.

— Sem essa de "velho", filho. Já tive meus momentos, todo mundo sabe. — Carrick pisca para mim de brincadeira e caminha pela multidão.

— Acho que meu pai gosta de você — murmura Christian, observando-o se misturar com as pessoas.

— E por que não haveria de gostar? — Lanço um olhar debochado através dos cílios.

— É um bom argumento, bem colocado, Srta. Steele. — Ele me puxa num abraço, e a banda começa a tocar "It Had to Be You". — Dance comigo — sussurra, sedutoramente.

— Com prazer, Sr. Grey — sorrio em resposta, e ele me leva por toda a pista uma vez mais.

À MEIA-NOITE, CAMINHAMOS em direção à praia, entre a tenda e o ancoradouro, onde os demais convidados estão reunidos para assistir aos fogos de artifício. De volta ao comando, o mestre de cerimônias permitiu a remoção das máscaras, para facilitar a visão. Christian está com o braço ao meu redor, mas estou ciente de que Taylor e Sawyer estão por perto, provavelmente porque estamos no meio da multidão. Eles olham para todos os lados, exceto para o cais, onde dois técnicos vestidos de preto fazem os últimos preparativos. Ver Taylor me faz lembrar de Leila. Talvez ela esteja aqui. *Merda.* O pensamento me dá calafrios, e eu me aninho mais em Christian. Ele me olha e me puxa mais para perto.

— Tudo bem? Está com frio?

— Estou bem. — Olho rapidamente ao redor e vejo os outros dois seguranças, cujos nomes não consigo lembrar, perto de nós. Coloco-me diante de Christian e ele passa os braços sobre meus ombros.

De repente, uma música clássica empolgante toma conta do cais e dois foguetes se projetam no ar, explodindo com um estrondo ensurdecedor sobre a baía e iluminando tudo em um dossel deslumbrante de laranja e branco cintilante, que se transforma em uma chuva brilhosa sobre a água calma. Fico boquiaberta à medida que mais foguetes se lançam ao ar e explodem em um caleidoscópio de cor.

Não me lembro de ter visto um espetáculo de fogos tão impressionante, exceto talvez na televisão, e nunca é assim tão bonito na tevê. É tudo sincronizado com a música. Salva após salva, estrondo após estrondo, luz e mais luz, as pessoas respondem com suspiros e *oohs* e *aahs*. É algo de outro mundo.

Na balsa, na baía, diversas faixas de luz prateada iluminam o céu, até uns seis metros de altura, mudando de cor para azul, vermelho, laranja e de volta para o prata... e ainda mais foguetes explodem à medida que a música atinge o seu auge.

Meu rosto está começando a doer por causa do sorriso ridículo de admiração que tenho engessado na cara. Olho para Christian, e ele está do mesmo jeito, maravilhado feito uma criança diante do espetáculo. Para encerrar, uma saraivada de seis foguetes que, disparados no escuro, explodem simultaneamente, iluminando-nos com um tom dourado maravilhoso, enquanto a multidão irrompe em aplausos frenéticos e entusiasmados.

— Senhoras e senhores — exclama o mestre de cerimônias à medida que os aplausos e assobios diminuem. — Tenho apenas um aviso para acrescentar ao final desta noite maravilhosa: a generosidade de vocês arrecadou um total de um milhão, oitocentos e cinquenta e três mil dólares!

Aplausos espontâneos irrompem de novo, e, da balsa, uma mensagem se acende em fagulhas prateadas, formando as palavras "A Superando Juntos Agradece a Todos", que brilham sobre a água.

— Nossa, Christian... isso foi maravilhoso. — Sorrio para ele e ele se inclina para me beijar.

— Hora de ir — murmura, um largo sorriso em seu belo rosto, e suas palavras prometem muito.

De repente, sinto-me cansada.

Ele ergue o olhar de novo. Taylor está próximo, a multidão se dispersa em torno de nós. Eles não se falam, mas algo se passa entre os dois.

— Fique aqui comigo um momento. Taylor quer que a gente espere até que as pessoas tenham se dispersado.

Ah.

— Acho que esses fogos de artifício provavelmente o envelheceram uns cem anos — acrescenta.

— Ele não gosta de fogos de artifício?

Christian me olha com carinho e balança a cabeça, mas não desenvolve o assunto.

— Então, Aspen — diz ele, e sei que ele está tentando me distrair. E funciona.

— Ih... Não paguei minha oferta — engasgo.

— Você pode mandar um cheque. Eu tenho o endereço.

— Você ficou com muita raiva.

— Sim, fiquei.

Sorrio.

— A culpa é sua e dos seus brinquedinhos.

— Você se entregou completamente, Srta. Steele. Um resultado dos mais satis-fatórios, se me lembro bem. — Ele sorri, provocante. — Aliás, onde estão?

— As bolas? Na minha carteira.

— Eu gostaria de tê-las de volta. Elas são um dispositivo potente demais para serem deixadas em suas mãos inocentes.

— Preocupado de que eu me entregue de novo, talvez para outra pessoa?

Seus olhos brilham perigosamente.

— Espero que isso não aconteça, Ana — diz ele, a frieza transparecendo em sua voz. — Quero todo o seu prazer.

Uau.

— Você não confia em mim?

— Implicitamente. Agora, posso ter as bolas de volta?

— Vou pensar no seu caso.

Ele estreita os olhos para mim.

A música recomeça na pista de dança, mas agora é um DJ tocando uma músi-ca pulsante, o baixo se sobressaindo numa batida repetitiva.

— Quer dançar?

— Estou muito cansada, Christian. Gostaria de ir embora, se estiver tudo bem para você.

Christian olha de relance para Taylor, que acena com a cabeça, e partimos em direção à casa, seguindo dois convidados meio bêbados. Fico feliz que ele esteja segurando minha mão — meus pés estão doendo, os sapatos são muito altos e apertados.

Mia se aproxima toda animada.

— Vocês não estão indo embora, estão? A música de verdade acabou de come-çar. Vamos, Ana. — Ela agarra a minha mão.

— Mia — adverte Christian —, Anastasia está cansada. Nós estamos indo para casa. Além disso, temos um dia cheio amanhã.

Temos?

Mia faz beicinho, mas, surpreendentemente, não pressiona Christian.

— Você tem que voltar na semana que vem. Quem sabe nós duas não fazemos compras juntas?

— Claro, Mia. — Sorrio, embora no fundo da minha mente eu não tenha ideia de como, já que preciso trabalhar para viver.

Ela me dá um beijo rápido e abraça Christian com força, surpreendendo a nós dois. E mais inesperado ainda: ela coloca as mãos diretamente nas lapelas de seu paletó, e tudo o que ele faz é olhar para ela, indulgente.

— Gosto de ver você feliz assim — diz ela com ternura, e lhe dá um beijo na bochecha. — Tchau. Divirtam-se. — Ela se afasta e se junta aos amigos que a esperam, entre eles, Lily, que parece ainda mais azeda sem a máscara.

Pergunto-me vagamente onde será que Sean está.

— Vamos dar boa-noite aos meus pais antes de sair. Venha. — Christian me leva através de um grupo de convidados até Grace e Carrick, que se despedem de nós calorosamente.

— Ah, Anastasia, volte outro dia, por favor. Foi ótimo recebê-la aqui — diz Grace com gentileza.

Fico um pouco sem jeito com a reação dela e de Carrick. Felizmente, os pais de Grace já foram dormir, então, pelo menos, sou poupada do entusiasmo deles.

Descontraídos e cansados, Christian e eu caminhamos de mãos dadas até a frente da casa, onde os incontáveis carros estão em fila à espera dos convidados. Olho para meu Cinquenta Tons. Ele parece feliz. É um verdadeiro prazer vê-lo desse jeito, embora eu suspeite de que seja incomum após um dia tão extraordinário.

— Você está bem aquecida? — pergunta ele.

— Sim, obrigada. — Enrolo o lenço de cetim ao meu redor.

— Eu me diverti muito esta noite, Anastasia. Obrigado.

— Eu também, em alguns momentos mais do que em outros — sorrio.

Ele sorri de volta e concorda com a cabeça, e então franze a testa.

— Não morda o lábio — adverte de uma maneira que faz meu sangue gelar.

— O que você quis dizer com ter um dia cheio amanhã? — pergunto para distrair a mim mesma.

— A Dra. Greene vai vir para dar um jeito em você. Além disso, tenho uma surpresa.

— A Dra. Greene! — exclamo, num sobressalto.

— É.

— Por quê?

— Porque eu odeio camisinha — responde ele baixinho. Avaliando minha reação, seus olhos brilham na luz suave das lanternas de papel.

— O corpo é meu — resmungo, irritada por ele não ter me consultado.

— É meu também — sussurra ele.

Eu o encaro, e vários convidados passam por nós, ignorando-nos. Ele parece muito sério. Sim, meu corpo é dele... ele sabe disso melhor do que eu.

Levanto os braços em sua direção, e ele se encolhe ligeiramente, mas permanece no mesmo lugar. Segurando a gravata borboleta pela ponta, desato o nó, revelando o botão de cima de sua camisa. Gentilmente, o desabotoo.

— Você fica sexy assim — sussurro.

Na verdade, ele é sexy o tempo todo, mas assim fica ainda mais sexy. Ele sorri.

— Preciso levar você para casa. Venha.

Junto do carro, Sawyer passa um envelope para Christian. Ele franze a testa e me olha enquanto Taylor abre a porta para mim, parecendo aliviado por algum motivo. Christian entra no carro e me entrega o envelope fechado. Taylor e Sawyer se sentam à nossa frente.

— É para você. Um dos funcionários entregou a Sawyer. Com certeza é de mais um dos seus admiradores. — Christian torce a boca. Fica claro que é uma ideia desagradável para ele.

Olho o envelope. De quem é? Abro e leio rapidamente sob a luz fraca. Puta merda, é *dela*! Por que ela não me deixa em paz?

Talvez eu não tenha feito um julgamento correto a seu respeito. E você certamente formou uma ideia errada de mim. Ligue para mim se tiver alguma dúvida que gostaria de esclarecer, poderíamos combinar um almoço. Christian não quer que eu fale com você, mas eu ficaria mais do que feliz em ajudar. Não me leve a mal, eu aprovo a relação de vocês, acredite em mim. Mas... se você machucá-lo... Ele já se machucou o suficiente. Ligue para mim: (206) 279-6261
Mrs. Robinson

Porra, ela assinou Mrs. Robinson! Ele contou a ela. O filho da mãe.

— Você contou a ela?

— Contei o quê a quem?

— Que a chamo de Mrs. Robinson — respondo irritada.

— É da Elena? — Christian fica chocado. — Isso é ridículo — resmunga ele, correndo a mão pelo cabelo, e dá para ver que está irritado. — Amanhã eu falo com ela. Ou segunda-feira — murmura amargamente.

E embora eu tenha vergonha de admitir, uma pequena parte de mim está satisfeita. Meu inconsciente concorda sabiamente. Elena está deixando Christian furioso, e isso só pode ser bom, com certeza. Decido ficar quieta por enquanto, mas enfio o bilhete na bolsa, e, num gesto que é uma garantia de aliviar seu humor, devolvo-lhe as bolas.

— Até a próxima — murmuro.

Ele me olha, e é difícil ver seu rosto no escuro, mas acho que está sorrindo. Ele pega a minha mão e a aperta.

Olho pela janela, para a escuridão, refletindo sobre o longo dia de hoje. Descobri tantas coisas sobre ele, recolhendo aqui e ali detalhes que estavam faltando: os salões de beleza, o mapa de seu corpo, sua infância. No entanto, ainda há muito a descobrir. E Mrs. R? Sim, ela tem carinho por ele, um carinho profundo, ao que parece. Percebo isso, e ele também tem carinho por ela, mas não da mesma maneira. Não sei mais o que pensar. Toda essa informação faz minha cabeça doer.

CHRISTIAN ME ACORDA assim que estacionamos diante do Escala.

— Vou precisar carregar você? — pergunta gentilmente.

Sonolenta, nego com a cabeça. De jeito nenhum.

Dentro do elevador, apoio-me nele, encostando a cabeça em seu ombro. Sawyer está diante de nós, mexendo-se de maneira desconfortável.

— Foi um longo dia, hein, Anastasia?

Concordo com a cabeça.

— Cansada?

Concordo com a cabeça.

— Você não está muito falante.

Concordo com a cabeça, e ele sorri.

— Venha. Vou botar você na cama. — Ele pega minha mão ao sairmos do elevador, mas paramos no saguão assim que Sawyer ergue a mão. Em uma fração de segundo, estou bem acordada de novo. Sawyer fala em sua manga. Não sabia que estava usando um rádio.

— Certo, T — diz ele e se vira para nós. — Sr. Grey, os pneus do Audi da Srta. Steele foram cortados e jogaram tinta nele.

Puta merda. Meu carro! Quem faria isso? E no instante em que a pergunta se materializa na minha mente, já sei a resposta. Leila. Olho para Christian, e ele está pálido.

— Taylor receia que alguém possa ter entrado no apartamento e que ainda esteja lá. Ele quer ter certeza.

— Entendo — sussurra Christian. — Qual é o plano de Taylor?

— Ele está subindo pelo elevador de serviço com Ryan e Reynolds. Vão fazer uma busca e depois liberar a entrada. Aguardarei aqui com o senhor.

— Obrigado, Sawyer — Christian aperta o braço em torno de mim. — Este dia só melhora. — Ele suspira amargamente e enfia o rosto em meu cabelo. — Olhe, não posso ficar aqui esperando. Sawyer, tome conta da Srta. Steele. Não deixe que ela entre até que você tenha recebido um ok. Imagino que Taylor esteja exagerando. Não tem como ela ter entrado no apartamento.

O quê?

— Não, Christian... você tem que ficar aqui comigo — imploro.

Ele me solta.

— Obedeça, Anastasia. Espere aqui.

Não!

— Sawyer? — pede Christian.

Sawyer abre a porta do saguão, liberando a entrada de Christian no apartamento. Em seguida, fecha a porta atrás de si e se põe de pé na frente dela, olhando-me impassível.

Puta merda. Christian! Os mais variados desfechos horripilantes passam por minha cabeça, mas tudo o que posso fazer é ficar aqui e esperar.

CAPÍTULO OITO

S awyer fala em sua manga novamente.

— Taylor, o Sr. Grey entrou no apartamento. — Ele tem um sobressalto, afastando o fone da orelha, provavelmente recebeu uma bronca de Taylor.

Ah, não, se Taylor está preocupado...

— Por favor, deixe-me entrar — imploro.

— Desculpe, Srta. Steele. Isso não vai demorar muito. — Sawyer ergue as mãos em um gesto defensivo. — Taylor e os outros estão entrando agora.

Ah, sinto-me tão impotente. Imóvel, permaneço escutando, ávida pelo menor ruído, mas tudo o que ouço é minha respiração acelerada. Está alta e curta, meu couro cabeludo coça, minha boca está seca, e eu me sinto fraca. *Por favor, que Christian esteja bem*, rezo em silêncio.

Não tenho ideia de quanto tempo se passou, e continuamos sem ouvir nada. Claro que o fato de não haver som algum é bom: não há tiros. Começo a caminhar ao redor da mesa no saguão e a examinar as pinturas nas paredes para me distrair.

Nunca tinha olhado de verdade para elas antes: são todas figurativas, todas religiosas — Nossa Senhora com o menino, em todos os dezesseis quadros. *Que estranho.*

Christian não é religioso, é? Todos os quadros na sala de estar são pinturas abstratas, já estes são tão diferentes. Mas eles não me distraem por muito tempo. *Onde está Christian?*

Olho para Sawyer, e ele me observa, impassível.

— O que está acontecendo?

— Sem notícias, Srta. Steele.

De repente, a maçaneta se move. Sawyer vira-se com um salto e saca a arma do coldre no ombro.

Fico paralisada. Christian aparece na porta.

— Tudo certo — diz ele, franzindo a testa para Sawyer, que baixa a arma depressa e dá um passo para trás para me deixar entrar. — Taylor está exagerando — resmunga Christian ao me estender a mão.

Fico ali de pé, olhando para ele, incapaz de me mover, assimilando cada pequeno detalhe: o cabelo rebelde, a tensão ao redor dos olhos, a mandíbula rígida, os dois primeiros botões da camisa abertos. Acho que devo ter envelhecido uns dez anos. Christian franze a testa para mim, preocupado, o olhar sombrio.

— Está tudo bem, baby. — Ele se move na minha direção, envolvendo-me em seus braços e beijando meu cabelo. — Vamos lá, você está cansada. Cama.

— Eu fiquei tão preocupada — digo, regozijando-me em seu abraço e inalando o perfume doce, a cabeça em seu peito.

— Eu sei. Estamos todos nervosos.

Sawyer sumiu, presumivelmente está dentro do apartamento.

— Cá entre nós, essas suas ex-namoradas estão se mostrando um desafio e tanto, Sr. Grey — murmuro ironicamente.

Christian relaxa.

— Sim. Estão.

Ele me solta e segura minha mão, conduzindo-me ao longo do corredor até a sala de estar.

— Taylor e sua equipe estão verificando todos os closets e armários. Não acho que ela esteja aqui.

— Por que estaria? — Não faz sentido.

— Pois é.

— Ela conseguiria entrar?

— Não vejo como. Mas Taylor às vezes é cuidadoso demais.

— Você já conferiu o quarto de jogos? — sussurro.

Christian me olha de soslaio, a testa enrugada.

— Já, está trancado, mas Taylor e eu checamos.

Respiro fundo para me acalmar.

— Você quer uma bebida ou alguma coisa? — pergunta Christian.

— Não. — O cansaço toma conta de mim, tudo o que quero é ir para a cama.

— Venha. Deixe-me colocar você na cama. Você parece exausta. — A expressão de Christian se suaviza.

Franzo a testa. E ele, não pretende dormir também? Será que ele quer dormir sozinho?

Fico aliviada quando ele me leva para seu quarto. Coloco minha carteira sobre a cômoda e a esvazio. Dou uma olhada no bilhete de Mrs. Robinson.

— Aqui — entrego-o a Christian. — Não sei se você quer ler isso. Eu prefiro ignorar.

Christian dá uma olhada rápida e contrai a mandíbula.

— Não sei bem que dúvidas ela poderia esclarecer — diz com desdém. — Preciso falar com Taylor. — Ele olha para mim. — Deixe-me abrir seu vestido.

— Você vai dar queixa do carro para a polícia? — pergunto, virando-me de costas.

Ele afasta meu cabelo e abre o zíper, os dedos roçando de leve em minhas costas nuas.

— Não. Não quero envolver a polícia. Leila precisa de ajuda, não de intervenção policial, e não quero a polícia aqui. Só precisamos redobrar nossos esforços para encontrá-la. — Ele se inclina e beija meu ombro com carinho. — Vá para a cama — ordena ele, deixando o quarto.

EU ME DEITO, olhando para o teto, esperando que ele volte. Aconteceu tanta coisa hoje, há tanto para assimilar. Por onde começar?

Acordo num sobressalto, desorientada. Estava dormindo? Piscando por causa da luz tênue vinda do corredor, que invade o quarto pela porta entreaberta, percebo que Christian não está comigo. Onde ele está? Ergo os olhos. Há uma sombra de pé na beira da cama. Uma mulher, talvez? Vestida de preto? É difícil dizer.

No meu estado confuso, estico-me e acendo a luz da cabeceira. Volto a olhar, mas não há ninguém ali. Balanço a cabeça. Será que foi só minha imaginação? Um sonho?

Sento-me e passo os olhos pelo quarto, um mal-estar indistinto e insidioso tomando conta de mim, mas estou realmente sozinha.

Esfrego o rosto. Que horas são? Onde está Christian? O despertador marca duas e quinze da manhã.

Saio da cama meio tonta e começo a procurá-lo, desconcertada por minha imaginação fértil. Dei para ver coisas agora. Deve ser uma reação aos eventos dramáticos da noite.

A sala está vazia, exceto pela luz que emana dos três lustres sobre o balcão de café da manhã. Mas a porta do escritório de Christian está entreaberta, e eu o ouço ao telefone.

— Não sei por que você está me ligando a esta hora. Não tenho nada a dizer para você... bem, pode me contar agora. Não precisa deixar recado.

Fico imóvel junto à porta, sentindo-me culpada por estar escutando. Com quem ele está falando?

— Não, escute você. Eu já pedi, agora estou mandando. Deixe-a em paz. Ela não tem nada a ver com você. Entendeu?

Ele soa agressivo e irritado. Hesito em bater.

— Eu sei que você se preocupa. Mas estou falando sério, Elena. Deixe-a em paz, merda. Preciso dizer uma terceira vez? Você está me ouvindo?... Ótimo. Boa noite. — Ele bate o telefone na mesa.

Merda. Bato de leve na porta.

— O que foi? — rosna Christian, e a minha vontade é de correr e me esconder.

Ele está sentado atrás da mesa, a cabeça entre as mãos. Ergue o olhar, com uma expressão feroz no rosto que se suaviza logo que me vê. Seus olhos estão arregalados e cautelosos. De repente, ele parece muito cansado, e meu coração se comprime.

Ele pisca, descendo o olhar ao longo de minhas pernas e voltando até meu rosto. Estou usando uma de suas camisetas.

— Você só devia usar cetim ou seda, Anastasia. — Ele solta um suspiro. — Mas até com minha camiseta fica linda.

Ah, um elogio inesperado.

— Senti sua falta. Venha para a cama.

Ele levanta lentamente da cadeira, ainda está com a camisa branca e a calça preta do smoking. Mas agora seus olhos estão brilhando, cheios de promessas... ainda que haja também um resquício de tristeza. Ele está diante de mim, encarando-me atentamente sem me tocar.

— Você sabe o que significa para mim? — murmura ele. — Se alguma coisa acontecesse com você por minha causa... — Sua voz diminui, e sua testa se franze, a dor que perpassa seu rosto é quase palpável. Ele parece tão vulnerável, seu medo tão aparente.

— Nada vai acontecer comigo. — Eu o tranquilizo, mantendo a voz calma. Acaricio seu rosto, correndo os dedos pela barba. É inesperadamente macia. — Sua barba cresce muito rápido — sussurro, incapaz de esconder em minha voz a admiração que sinto por este belo e complicado homem que está diante de mim.

Traço a linha de seu lábio inferior, em seguida, corro os dedos até a base do pescoço, para a mancha leve de batom que começa a desaparecer. Ele me olha, ainda sem me tocar, e entreabre os lábios. Corro o indicador ao longo da linha, e ele fecha os olhos. Sua respiração suave se acelera. Meus dedos encostam em sua camisa, e desço a mão para abrir o próximo botão ainda fechado.

— Não vou tocar em você. Só quero abrir sua camisa — sussurro.

Ele arregala os olhos e me encara assustado. Mas não se move nem me interrompe. Muito lentamente, abro o botão, mantendo o tecido longe de sua pele, e desço a mão com cuidado até o próximo botão, repetindo o processo devagar, concentrando-me no que estou fazendo.

Não quero tocá-lo. *Bem, quero tocá-lo... mas não vou fazer isso.* No quarto botão, a linha vermelha reaparece, e eu sorrio timidamente para ele.

— De volta a território seguro. — Corro os dedos ao longo da linha antes de abrir o último botão. Abro sua camisa e passo para os punhos, tirando as abotoaduras pretas de pedra polida, uma de cada vez. — Posso tirar sua camisa? — pergunto, em voz baixa.

Ele faz que sim com a cabeça, os olhos ainda arregalados, enquanto desço a camisa por seus ombros. Ele solta as mãos e então está parado à minha frente, nu da cintura para cima. Sem a camisa, parece recuperar o equilíbrio. Sorri para mim.

— E minha calça, Srta. Steele? — pergunta, levantando uma sobrancelha.

— No quarto. Quero você na sua cama.

— Quer, é? Srta. Steele, você é insaciável.

— Não imagino por quê. — Seguro a mão de Christian, puxo-o para fora do escritório e o levo até o quarto. Está frio dentro do cômodo.

— Você abriu a porta da varanda? — pergunta ele, franzindo a testa para mim ao entrar.

— Não. — Não me lembro de ter feito isso. Lembro-me de ter dado uma olhada ao redor do quarto ao acordar. Definitivamente, a porta estava fechada.

Merda... Todo o sangue foge do meu rosto, e encaro Christian, boquiaberta.

— O que foi? — pergunta ele, olhando para mim.

— Quando acordei... tinha alguém aqui — sussurro. — Pensei que eu estivesse imaginando coisas.

— O quê? — Ele me olha horrorizado, corre para a porta da varanda e dá uma olhada para fora, em seguida entra de novo no quarto e tranca a porta atrás de si.
— Tem certeza? Quem? — pergunta, a voz firme.

— Uma mulher, acho. Estava escuro. Eu tinha acabado de acordar.

— Vista-se — rosna ele para mim. — Agora!

— Minhas roupas estão lá em cima — choramingo.

Ele abre uma das gavetas da cômoda e puxa uma calça de moletom.

— Coloque isto.

A calça é grande demais, mas é melhor não discutir com ele agora.

Ele pega uma camiseta e a veste depressa. Agarrando o telefone na mesinha de cabeceira, aperta dois botões.

— Ela ainda está aqui, porra — sussurra ao telefone.

Aproximadamente três segundos depois, Taylor e um dos seguranças adentram o quarto. Christian faz um resumo detalhado do que aconteceu.

— Faz quanto tempo? — pergunta Taylor, encarando-me de forma profissional. Ainda está de paletó. Será que esse homem nunca dorme?

— Cerca de dez minutos — murmuro, sentindo-me culpada por algum motivo.

— Ela conhece o apartamento como a palma da mão — diz Christian. — Vou sair com Anastasia. Ela está escondida em algum lugar aqui dentro. Encontre-a. Quando Gail volta?

— Amanhã à noite, senhor.

— Ela não deve voltar até que este lugar esteja seguro. Entendido? — diz Christian.

— Sim, senhor. O senhor vai para Bellevue?

— Não vou levar esse problema para a casa dos meus pais. Faça uma reserva para mim em algum lugar.

— Certo. Eu ligo para o senhor.

— Não estamos todos exagerando um pouco? — pergunto.

Christian olha para mim de cara feia.

— Ela pode ter uma arma — rosna.

— Christian, ela estava ao pé da cama. Teria atirado em mim naquele momento, se quisesse mesmo fazer isso.

Christian faz uma pausa por um instante, talvez para conter a raiva. Numa voz ameaçadoramente baixa, ele diz:

— Não estou preparado para assumir o risco. Taylor, Anastasia precisa de sapatos.

Christian entra em seu closet e o segurança fica de vigia. Não consigo me lembrar do nome dele, Ryan talvez. Ele olha alternadamente para o corredor e para a porta da varanda. Christian retorna dois minutos depois com uma bolsa de couro, vestindo uma calça jeans e o paletó de risca de giz. Ele coloca uma jaqueta jeans sobre meus ombros.

— Venha. — Ele aperta minha mão com força, e eu praticamente tenho que correr para acompanhá-lo até a sala de estar.

— Não acredito que ela poderia se esconder aqui dentro — murmuro, olhando para fora pela porta da varanda.

— O lugar é grande. Você ainda não viu tudo.

— Por que você não liga para ela... não diz que quer conversar?

— Anastasia, ela está instável, e talvez armada — diz ele, irritado.

— Então a gente simplesmente foge?

— Por enquanto, sim.

— E se ela tentar atirar em Taylor?

— Taylor conhece e entende armas — diz, com desgosto. — Vai ser mais rápido que ela.

— Ray foi do exército. Ele me ensinou a atirar.

Christian ergue as sobrancelhas e por um momento parece perplexo.

— Você, com uma arma? — pergunta, incrédulo.

— Sim — digo, ofendida. — Sei atirar, Sr. Grey, então é melhor você tomar cuidado. Não é só com as suas ex-submissas que precisa se preocupar.

— Vou me lembrar disso, Srta. Steele — responde ele secamente, mas acha graça, e é bom saber que mesmo nesta situação ridiculamente tensa, sou capaz de fazê-lo sorrir.

Taylor nos encontra no saguão de entrada e me entrega uma pequena mala e meu All Star preto. Fico surpresa de que tenha separado algumas roupas para mim. Sorrio timidamente para ele com gratidão, e seu sorriso de resposta é rápido e tranquilizador. Antes que eu possa evitar, abraço-o com força. Ele é tomado de surpresa, e quando o solto, vejo que está com o rosto vermelho.

— Tenha cuidado — murmuro.

— Sim, Srta. Steele — balbucia ele, envergonhado.

Christian franze a testa para mim e depois volta o olhar interrogativamente para Taylor, que sorri de leve e ajusta a gravata.

— Avise-me para onde estou indo — diz Christian.

Taylor enfia a mão no casaco, tira a carteira e entrega um cartão de crédito a Christian.

— Talvez precise disto quando chegar lá.

— Bem pensado. — Christian concorda com a cabeça.

Ryan se junta a nós.

— Sawyer e Reynolds não encontraram nada — diz a Taylor.

— Acompanhe o Sr. Grey e a Srta. Steele até a garagem — ordena Taylor.

A garagem está deserta. Bem, são quase três da manhã. Christian abre a porta do carona do R8 para mim e coloca minha mala e sua bolsa no bagageiro da frente do carro. O Audi ao nosso lado está uma bagunça completa: todos os pneus cortados, coberto de tinta branca. É arrepiante, e fico feliz que Christian esteja me levando daquele lugar.

— Vai chegar outro na segunda-feira — diz Christian, desolado, ao se sentar ao meu lado.

— Como ela sabia que o carro era meu?

Ele me olha nervoso e suspira.

— Ela tinha um Audi A3. Eu compro um para todas as minhas submissas. É um dos carros mais seguros da categoria.

Ah.

— Então, não foi bem um presente de formatura.

— Anastasia, ao contrário do que eu esperava, você nunca foi minha submissa, então, tecnicamente, *é* um presente de formatura. — Ele liga o carro e acelera até a saída do estacionamento.

Ao contrário do que ele esperava. Ai, não... Meu inconsciente balança a cabeça, com tristeza. Este é o ponto ao qual a gente sempre retorna.

— E você ainda espera por isso? — sussurro.

O telefone embutido do carro vibra.

— Grey — atende Christian.

— Fairmont Olympic. Em meu nome.

— Obrigado, Taylor. E, Taylor, tenha cuidado.

Taylor faz uma pausa.

— Sim, senhor — responde calmamente, e Christian desliga.

As ruas de Seattle estão vazias, e Christian corre pela Quinta Avenida em direção à Interestadual 5. Uma vez na rodovia, ele pisa no acelerador, no sentido norte. Está correndo tanto que por um instante sou jogada contra o encosto do banco.

Olho de relance para ele. Está mergulhado em pensamentos, irradiando um silêncio mortal e taciturno. Não respondeu a minha pergunta. Ele dirige o olhar para o retrovisor com frequência, e percebo que está verificando se não estamos sendo seguidos. Talvez seja por isso que estamos na I-5. Achei que o Fairmont ficava em Seattle.

Olho pela janela, tentando raciocinar com minha mente exausta e hiperativa. Se Leila quisesse me machucar, teve uma oportunidade mais do que suficiente no quarto.

— Não. Não é o que eu espero, não mais. Pensei que fosse óbvio. — Christian interrompe meus pensamentos, a voz macia.

Pisco para ele, apertando a jaqueta jeans em volta de mim. Não sei se o frio que sinto vem de mim ou de fora.

— Eu me preocupo que, você sabe... que eu não seja suficiente.

— Você é mais do que suficiente. Pelo amor de Deus, Anastasia, o que eu tenho que fazer?

Fale-me de você. Diga que me ama.

— Por que você achou que eu o largaria quando eu disse que o Dr. Flynn tinha me contado tudo o que havia para saber a seu respeito?

Ele suspira pesadamente, fechando os olhos por um instante, e demora muito tempo para responder.

— Você não pode nem começar a entender as profundezas da minha depravação, Anastasia. E não é algo que eu queira compartilhar com você.

— E você realmente acha que eu o deixaria se soubesse? — Minha voz é alta, incrédula. Ele não entende que eu o amo? — É essa a ideia que faz de mim?

— Eu sei que você me deixaria — responde, com tristeza na voz.

— Christian... Acho que isso é muito pouco provável. Não posso imaginar ficar sem você — *nunca*...

— Você já me deixou uma vez... não quero passar por isso de novo.

— Elena disse que encontrou você no sábado passado — sussurro baixinho.

— Não encontrou, nada. — Ele franze a testa.

— Você não foi vê-la depois que eu saí?

— Não — responde ele, irritado. — Já disse que não, e não gosto que duvidem de mim — ele me repreende. — Não fui a lugar algum no fim de semana passado. Eu me sentei e montei o planador que você me deu. Levei uma eternidade — acrescenta, em voz baixa.

Meu coração se contrai de novo. Mrs. Robinson disse que o viu no sábado. Viu ou não viu? Está mentindo. Por quê?

— Ao contrário do que Elena pensa, não corro para ela toda vez que tenho um problema, Anastasia. Não corro para ninguém. Você já deve ter notado, não sou muito de conversar. — Ele aperta as mãos no volante.

— Carrick me contou que você não falou por dois anos.

— Contou, é? — Christian pressiona os lábios.

— Eu meio que tentei obter informações. — Encaro meus dedos, envergonhada.

— Então, o que mais meu pai lhe contou?

— Que a sua mãe foi a médica que o examinou quando você chegou ao hospital. Depois que o encontraram no apartamento.

A expressão de Christian permanece vazia... cuidadosa.

— Ele disse que aprender a tocar piano ajudou. E Mia.

Ao ouvir o nome, seus lábios se curvam num sorriso carinhoso. Depois de um momento, ele diz:

— Ela tinha uns seis meses quando chegou. Fiquei muito feliz, Elliot menos. Ele já tivera de aceitar a minha chegada. Ela era perfeita. — A reverência gentil e triste em sua voz é envolvente. — Claro, não é mais tão perfeita hoje em dia — resmunga, e eu recordo suas tentativas bem-sucedidas de impedir nossas intenções lascivas durante a festa. O que me faz rir. — Você acha isso engraçado, Srta. Steele? — Christian me lança um olhar de soslaio.

— Ela parecia determinada a nos manter afastados.

Ele ri sem alegria.

— É, e teve bastante sucesso. — Ele estica o braço e aperta meu joelho. — Mas no final a gente acabou conseguindo. — Sorri e, em seguida, olha novamente pelo retrovisor. — Acho que não estamos sendo seguidos. — E pega uma saída da rodovia, voltando para o centro de Seattle.

— Posso perguntar uma coisa sobre Elena? — Estamos parados em um sinal de trânsito.

Christian me olha com cautela.

— Se for realmente necessário — resmunga, emburrado, mas não deixo sua irritação me deter.

— Você me disse há muito tempo que ela o amava de uma maneira que você achou aceitável. O que isso quer dizer?

— Não é óbvio? — pergunta ele.

— Não para mim.

— Eu estava fora de controle. Não suportava ser tocado. Ainda não suporto. Para um adolescente de quatorze, quinze anos com os hormônios em fúria, era uma época difícil. Ela me mostrou uma maneira de colocar minha energia para fora.

Ah.

— Mia disse que você arrumava muita briga.

— Meu Deus, o que deu nessa família tagarela? Na verdade, é você. — Paramos em mais um sinal, e ele estreita os olhos para mim. — Você arranca informação das pessoas. — Ele balança a cabeça com um desgosto simulado.

— Mia ofereceu essa informação livremente — resmungo, indignada. — Na verdade, ela foi muito comunicativa. Estava preocupada que você fosse começar uma briga na tenda, caso não me ganhasse no leilão.

— Ah, baby, não havia esse perigo. De jeito nenhum eu deixaria alguém dançar com você.

— Você deixou o Dr. Flynn.

— Ele é sempre a exceção à regra.

Christian conduz o carro pela impressionante e arborizada entrada de veículos do Hotel Fairmont Olympic e encosta junto à porta da frente, ao lado de uma exótica fonte de pedra.

— Venha. — Ele salta do carro e pega nossa bagagem.

Um manobrista corre em nossa direção, parecendo surpreso, sem dúvida pela nossa chegada tardia. Christian lhe lança as chaves do carro.

— Está em nome de Taylor — diz.

O manobrista acena com a cabeça e não consegue conter a alegria ao entrar no R8 e partir. Christian pega minha mão e caminhamos em direção ao lobby.

De pé ao lado dele junto ao balcão da recepção, sinto-me completamente ridícula. Aqui estou, no hotel mais luxuoso de Seattle, vestindo uma jaqueta jeans larga demais, uma calça de moletom larga demais e uma camiseta velha, ao lado deste elegante deus grego. Não é de espantar que a recepcionista olhe de um para o outro, como se a soma de nós dois não fizesse sentido. Claro que está intimidada por Christian. Reviro os olhos enquanto ela enrubesce e gagueja. *Até suas mãos estão tremendo.*

— O senhor... precisa de ajuda... com as malas, Sr. Taylor? — pergunta ela, corando novamente.

— Não, a Sra. Taylor e eu damos conta sozinhos.

A *Sra. Taylor!* Mas não tenho aliança. Escondo as mãos atrás de mim.

— Os senhores estão na Suíte Cascade, Sr. Taylor, décimo primeiro andar. O rapaz vai ajudá-los com as malas.

— Não precisa — responde Christian secamente. — Onde ficam os elevadores?

A Srta. Bochechas Rosadas indica o caminho, e Christian pega minha mão uma vez mais. Dou uma olhada de relance pelo saguão suntuoso, repleto de cadeiras estofadas e completamente vazio, exceto por uma mulher de cabelo escuro sentada em um sofá aconchegante, dando biscoitinhos a seu cachorro. Ela ergue a cabeça e sorri para nós enquanto caminhamos até os elevadores. Então o hotel permite animais de estimação? Muito estranho para um local tão sofisticado!

A suíte tem dois quartos, uma sala de jantar formal e até um piano de cauda. A lareira está acesa na enorme sala principal. Essa suíte é maior que o meu apartamento.

— Bem, Sra. Taylor, não sei quanto a você, mas eu realmente gostaria de uma bebida — murmura Christian, trancando a porta da frente.

Ele coloca minha mala e sua bolsa sobre o móvel ao pé da cama king size com dossel e me leva pela mão até a sala, onde o fogo arde reluzente. É uma visão bem--vinda. Fico diante da lareira aquecendo as mãos, e Christian nos prepara uma bebida.

— Armagnac?

— Por favor.

Depois de um momento, ele se junta a mim diante do fogo e me passa uma taça de cristal com o conhaque.

— Foi um dia cheio, hein?

Concordo com a cabeça e seus olhos cinzentos me analisam, preocupados.

— Estou bem — eu o tranquilizo. — E você?

— Bem, neste instante gostaria de beber isto e, depois, se você não estiver muito cansada, gostaria de levá-la para a cama e me perder em você.

— Acho que posso fazer isso pelo senhor, Sr. Taylor. — Sorrio-lhe timidamente enquanto ele tira os sapatos e as meias.

— Sra. Taylor, pare de morder o lábio — sussurra ele.

Fico vermelha por dentro. O armagnac é delicioso, desliza suavemente por minha garganta, deixando um ardor cálido. Quando volto os olhos para Christian, ele está bebendo e me observando, o olhar escuro e faminto.

— Você nunca deixa de me surpreender, Anastasia. Mesmo depois de um dia como hoje, ou, no caso, ontem, você não está choramingando nem fugindo e gritando por aí. Estou impressionado. É uma mulher muito forte.

— Você é um bom motivo para ficar — murmuro. — Já falei, Christian, não vou a lugar algum, não importa o que você tenha feito. Você sabe o que sinto por você.

Sua boca se contorce, como se ele duvidasse de minhas palavras, e sua testa se franze como se fosse doloroso ouvir o que estou dizendo. Ah, Christian, o que eu tenho que fazer para que entenda o que eu sinto por você?

Deixe que ele bata em você, meu inconsciente zomba de mim. Interiormente, faço uma cara feia para ele.

— Onde você vai pendurar os retratos de mim que José tirou? — Tento melhorar o clima da conversa.

— Depende. — Ele contrai os lábios. Trata-se obviamente de um tópico muito mais agradável para ele.

— De quê?

— Das circunstâncias — responde com um ar misterioso. — A exposição ainda não terminou, então não tenho que decidir de imediato.

Inclino a cabeça e estreito os olhos.

— Pode fazer essa cara pelo tempo que quiser, Sra. Taylor. Não vou contar nada — brinca ele.

— Posso arrancar a verdade de você sob tortura.

Ele ergue uma sobrancelha.

— Sério, Anastasia, acho que você não deveria fazer promessas que não pode cumprir.

Meu Deus, é isso que ele pensa? Coloco meu copo no console sobre a lareira, me aproximo e, para sua surpresa, pego o copo dele e o deixo junto ao meu.

— É isso que a gente vai descobrir — murmuro.

Muito corajosa, sem dúvida impulsionada pelo conhaque, seguro a mão de Christian e o puxo na direção do quarto. Paro ao pé da cama. Christian está tentando esconder seu divertimento.

— Agora que me trouxe até aqui, Anastasia, o que vai fazer comigo? — brinca, mantendo a voz baixa.

— Vou começar tirando sua roupa. Quero terminar o que comecei mais cedo — seguro seu paletó pelas lapelas, com cuidado para não tocá-lo, e ele não recua, mas prende a respiração.

Gentilmente, tiro o paletó por sobre os ombros, e ele me encara, todo e qualquer traço de humor desaparecendo de seus olhos à medida que eles se arregalam, queimando dentro dos meus, cautelosos e... urgentes? Há tantas interpretações para esse olhar. *O que ele está pensando?* Coloco o paletó sobre a poltrona.

— Agora a camiseta — sussurro e levanto-a pela barra. Ele me ajuda, erguendo os braços e recuando, para facilitar sua retirada. Uma vez sem a camisa, ele me olha intensamente, vestindo apenas a calça jeans que pende provocativa de seus quadris, expondo o elástico da cueca.

Meus olhos movem-se avidamente por sua barriga musculosa até o que sobrou da linha de batom, desbotada e manchada, e então para o seu peito. Tudo o que quero é correr a língua em meio aos pelos em seu peito, saborear seu gosto.

— E agora? — sussurra ele, os olhos brilhando.

— Quero beijar você aqui — deslizo o dedo de um lado a outro de seu quadril. Ele entreabre os lábios e inspira fundo.

— Não a estou impedindo. — Ele solta o ar.

Seguro sua mão.

— Então é melhor você se deitar — murmuro e o levo para junto da cama com dossel. Ele parece perplexo, e me dou conta de que talvez ninguém tenha tomado as rédeas com ele desde... ela. *Não, não pense nisso.*

Levantando as cobertas, ele se senta na beirada da cama e olha para mim, esperando, a expressão cautelosa e séria. Fico diante dele e deixo a jaqueta jeans escorregar de meus ombros até cair no chão, depois tiro o moletom.

Ele esfrega o polegar nas pontas dos dedos. Sei que está se coçando para me tocar, mas suprime o desejo. Tomo fôlego e, reunindo toda a coragem que tenho, tiro a camiseta por sobre a cabeça, ficando nua diante dele. Seus olhos não deixam os meus, mas ele inspira e entreabre os lábios.

— Anastasia, você é a própria Afrodite — murmura.

Seguro seu rosto nas mãos, erguendo sua cabeça, e me debruço para beijá-lo. Ele solta um gemido grave, no fundo da garganta.

Assim que minha boca toca a dele, ele me agarra pelos quadris, e, antes que eu possa me dar conta, estou presa sob o seu corpo, suas pernas forçando as minhas a se separarem, ele se aninhando entre minhas pernas. E ele está me beijando, atacando minha boca, nossas línguas entrelaçadas. Sua mão corre de minha coxa até o quadril, e então para em minha barriga e sobe até meus seios, apertando e puxando meu mamilo sedutoramente.

Solto um gemido e flexiono o quadril involuntariamente contra ele, encontrando um delicioso atrito contra o fecho de sua calça e sua ereção crescente. Ele para de me beijar e me olha perplexo e sem fôlego. E então move o quadril, empurrando sua ereção contra mim... *Isso. Bem aí.*

Fecho os olhos e solto outro gemido, e ele repete, mas desta vez eu respondo, movendo-me com ele, deliciando-me com seus gemidos ao me beijar de novo. Christian continua a lenta e deliciosa tortura, esfregando-se em mim, eu me esfregando nele. E ele tem razão, nós nos perdemos um no outro, e é inebriante ao ponto de me fazer esquecer todo o resto. Todas as minhas preocupações desaparecem. Estou aqui, neste momento, com ele, o sangue correndo em minhas veias, vibrando alto nos ouvidos, misturado ao som de nossa respiração ofegante. Enterro as mãos em seu cabelo, segurando-o junto à minha boca, consumindo-o, minha língua tão faminta quanto a dele. Corro os dedos ao longo de seus braços e da parte inferior das costas até o cós da calça jeans e enfio minhas mãos atrevidas e gananciosas dentro dela, instando-o a continuar, mais e mais, esquecendo-me de tudo, exceto de nós.

— Você vai acabar comigo, Ana — sussurra ele de repente, soltando-se de mim e ajoelhando-se. Ele se desvencilha da calça num instante e me estende um envelopinho de papel laminado. — Você me quer, baby, e eu com certeza quero você. Você sabe o que fazer.

Com dedos ansiosos e hábeis, rasgo o pacote e coloco a camisinha nele. Christian sorri para mim, a boca aberta, os olhos cinzentos nebulosos e cheios de promessas carnais. Debruçando-se sobre meu corpo, ele esfrega o nariz no meu, os olhos fechados, e, deliciosamente, bem devagar, entra em mim.

Agarro seus braços e jogo o queixo para cima, entregando-me à plenitude extraordinária que é estar sob seu domínio. Ele corre os dentes ao longo do meu queixo, sai de mim e desliza de novo para dentro, tão lento, tão gentil, tão carinhoso, seu corpo pressionando o meu, os cotovelos e as mãos dos dois lados do meu rosto.

— Você me faz esquecer de tudo. Você é a melhor terapia — suspira ele, movendo-se a um ritmo dolorosamente lento, saboreando cada centímetro de mim.

— Por favor, Christian, mais rápido — murmuro, querendo mais.

— Ah, não, baby. Quero devagar. — Ele me beija com ternura, mordendo suavemente meu lábio inferior e absorvendo meus gemidos suaves.

Passo as mãos em seu cabelo e me entrego ao seu ritmo enquanto meu corpo lentamente sobe mais e mais, até cair, rápido e pesado, atingindo o orgasmo.

— Ah, Ana. — Ele suspira, entregando-se, meu nome uma bênção em seus lábios quando ele atinge o clímax.

Sua cabeça repousa em minha barriga, os braços em volta de mim. Meus dedos passeiam por seu cabelo rebelde, e ficamos ali, por quanto tempo não sei. Está tão tarde, e estou tão cansada, mas tudo o que quero é desfrutar do sereno esplendor de fazer amor com Christian Grey, porque foi isso que fizemos: amor delicado e carinhoso.

Ele evoluiu muito, assim como eu, em tão pouco tempo. É quase coisa demais para digerir. Em meio a toda essa maluquice, estou perdendo de vista a jornada simples e honesta que ele está percorrendo comigo.

— Nunca vou me cansar de você. Não me deixe — murmura ele e beija minha barriga.

— Não vou a lugar algum, Christian, e pelo que me lembro eu que queria beijar sua barriga — resmungo, sonolenta.

Ele sorri junto à minha pele.

— Agora não tem nada impedindo você, baby.

— Acho que não sou capaz de me mexer... Estou tão cansada.

Christian suspira e, relutante, move o corpo, deitando-se ao meu lado, a cabeça apoiada no cotovelo, puxando as cobertas sobre nós. Ele olha para mim, os olhos reluzentes, cálidos e amorosos.

— Durma. — Ele beija o meu cabelo e passa o braço em volta de mim, e eu apago.

QUANDO ABRO OS OLHOS, o quarto está iluminado, fazendo-me piscar. Estou tonta de sono. *Onde estou? Ah, no hotel...*

— Oi — murmura Christian, sorrindo carinhosamente para mim. Está na cama, deitado ao meu lado, completamente vestido. Há quanto tempo está aqui? Estava me analisando? De repente, sinto-me incrivelmente tímida, e meu rosto esquenta sob seu olhar firme.

— Oi — respondo, feliz por estar de bruços. — Há quanto tempo você está me olhando?

— Eu poderia ver você dormir por horas, Anastasia. Mas estou aqui só há uns cinco minutos. — Ele se inclina e me dá um beijo suave. — A Dra. Greene vai chegar daqui a pouco.

— Ah. — Eu havia me esquecido da intromissão inadequada de Christian.

— Dormiu bem? — pergunta ele, com gentileza. — Deve ter dormido, com todo aquele ronco.

Ah, o Christian brincalhão e provocador.

— Eu não ronco! — respondo petulante, fazendo beicinho.

— Não. Não ronca. — Ele sorri para mim. A linha tênue de batom vermelho ainda visível ao redor de seu pescoço.

— Você tomou banho?

— Não. Estava esperando por você.

— Ah... tudo bem. Que horas são?

— Dez e quinze. Não tive coragem de acordar você antes, estava tão cansada... de partir o coração.

— Você me disse que nem sequer tinha coração.

Ele sorri com tristeza, mas não responde.

— O café da manhã está servido: panquecas e bacon para você. Venha, levante-se, estou começando a me sentir sozinho aqui. — Ele se levanta da cama, dando-me um tapa na bunda, o que me faz dar um pulo.

Hum... Essa é a ideia que Christian faz de afeto.

Ao me espreguiçar, todo o meu corpo dói... sem dúvida, é o resultado de todo o sexo e toda a dança e de tanto tempo me equilibrando em cima de sapatos de salto alto caríssimos. Caio para fora da cama e me arrasto até o suntuoso banheiro, repassando os acontecimentos do dia anterior em minha cabeça. Ao sair, estou usando um dos roupões de banho supermacios que estavam pendurados no cabide de bronze no banheiro.

Leila, a garota que se parece comigo, é a imagem mais surpreendente que meu cérebro invoca, isso e a sua presença fantasmagórica no quarto de Christian. O que ela queria? Eu? Christian? Para fazer o quê? E por que diabo ela destruiu o meu carro?

Christian disse que eu ganharia outro Audi, como todas as suas submissas. Não é um pensamento bem-vindo. Mas agora que fui tão generosa com o dinheiro que ele me deu, não há muito que eu possa fazer.

Caminho até o quarto principal da suíte: nenhum sinal de Christian. Finalmente o encontro na sala de jantar. Eu me sento à mesa, feliz com o impressionante café da manhã que encontro diante de mim. Christian está lendo os jornais de domingo e tomando café, já terminou de comer. Ele sorri para mim.

— Coma. Você vai precisar de energia hoje — brinca.

— Ah, é? E por quê? Vai me trancar no quarto? — De repente, minha deusa interior acorda num salto, toda desgrenhada e com uma aparência de quem acabou de transar.

— Por mais tentadora que seja essa ideia, achei que a gente podia sair hoje. Tomar um pouco de ar.

— É seguro? — pergunto com ar inocente, tentando afastar a ironia de minha voz, mas não consigo.

A expressão de Christian se desmancha, e ele contrai a boca em uma linha rígida.

— Para onde vamos, é. E isso não é assunto para brincadeira — acrescenta severamente, estreitando os olhos.

Fico vermelha e olho para meu café da manhã. Não estou com a mínima vontade de levar bronca depois de todo o drama que passamos, e de ter ido dormir tão tarde. Então como em silêncio, sentindo-me petulante.

Meu inconsciente balança a cabeça para mim, em sinal de reprovação. Christian não brinca quando o assunto é minha segurança. Eu já deveria saber disso. Minha vontade é de revirar os olhos para ele, mas me seguro.

Certo, estou cansada e irritada. O dia de ontem foi cheio, e não dormi o suficiente. Por que, meu Deus, ele tem que estar com essa aparência tão limpa e descansada? A vida não é justa.

Alguém bate à porta.

— Deve ser a médica — resmunga Christian, na certa ainda chateado com minha ironia. Ele se afasta da mesa.

Será que não se pode ter direito a uma manhã calma e normal? Suspiro com força, deixando metade do meu café da manhã e me levantando para cumprimentar a Dra. Anticoncepcional Injetável.

ESTAMOS NO QUARTO, e a Dra. Greene está me olhando boquiaberta. Está menos formal do que da última vez, usando um twin-set de cashmere rosa-claro e calça preta, além de ter deixado os finos cabelos louros soltos.

— E você simplesmente parou de tomar? Do nada?

Fico vermelha, sentindo-me uma idiota.

— É. — É possível falar mais baixo do que isso?

— Existe uma chance de você estar grávida — diz ela, com naturalidade.

O *quê*! O mundo desmorona sob meus pés. Meu inconsciente se joga no chão, com ânsias de vômito, e acho que também vou passar mal. *Não!*

— Aqui, faça xixi neste potinho. — Hoje ela está em modo superprofissional, sem tempo para gentilezas.

Obediente, pego o pequeno recipiente de plástico que ela me estende e caminho até o banheiro. Não. Não. *Não.* De jeito nenhum... De jeito nenhum... Por favor, não. Não.

O que Christian vai fazer? Fico pálida. Ele vai enlouquecer.

Não, por favor! Faço uma oração silenciosa.

Entrego a amostra à Dra. Greene, e, com cuidado, ela mergulha um palito branco dentro do potinho.

— Quando foi a sua última menstruação?

Como é que eu posso pensar nessas minúcias, quando tudo o que consigo fazer é olhar ansiosamente para o palito branco?

— Hum... Quarta-feira? Não essa agora, antes dessa. Dia primeiro de junho.

— E quando você parou de tomar a pílula?

— Domingo. Domingo passado.

Ela franze os lábios.

— Deve estar tudo bem — diz bruscamente. — Pela sua cara imagino que uma gravidez não planejada não seria uma boa notícia. — Então a injeção é uma boa ideia se você não consegue se lembrar de tomar a pílula todos os dias. — Ela me lança um olhar severo, e eu hesito diante de sua autoridade. Erguendo o palito branco, ela dá uma olhada nele. — Tudo certo. Você não ovulou ainda, então desde que tenha tomado as devidas precauções não deve estar grávida. Agora, deixe-me explicar a respeito da injeção. A gente não optou por ela da última vez por causa dos efeitos colaterais, mas, franca-mente, os efeitos colaterais de se ter uma criança são muito mais persistentes, e duram anos. — Ela sorri, satisfeita com a própria piada, mas não sou nem capaz de começar a reagir, estou atordoada demais.

Então a Dra. Greene começa a discorrer sobre os efeitos colaterais, e eu fico ali, paralisada de alívio, sem ouvir uma palavra sequer. Acho que preferiria infini-tas mulheres fantasmagóricas ao pé da minha cama a ter de confessar a Christian que poderia estar grávida.

— Ana! — exclama a Dra. Greene. — Vamos fazer logo isso. — Ela me arran-ca de meu devaneio, e, de bom grado, arregaço a manga.

CHRISTIAN FECHA A porta atrás dela e me olha com cautela.

— Tudo bem? — pergunta.

Em silêncio, faço que sim, e ele inclina a cabeça, o rosto tenso de preo-cupação.

— Anastasia, o que foi? O que a Dra. Greene falou?

Balanço a cabeça.

— Em sete dias, você não vai mais precisar de camisinha — murmuro.

— Sete dias?

— Isso.

— Ana, o que houve?

Engulo em seco.

— Não há nada com que se preocupar. Por favor, Christian, deixe para lá.

Christian surge na minha frente. Ele segura meu queixo, inclinando minha cabeça para trás, e me olha firme nos olhos, tentando decifrar meu pânico.

— Fale! — exclama.

— Não tem nada para falar. Quero me vestir. — Solto meu queixo de suas mãos.

Ele suspira e passa a mão pelo cabelo, franzindo a testa para mim.

— Vamos tomar banho — diz, afinal.

— Claro — murmuro, distraída, e ele torce a boca.

— Venha — diz ele, amuado, apertando minha mão com força. Ele caminha até o banheiro, arrastando-me atrás de si. Parece que não sou a única de mau humor. Christian liga o chuveiro e se despe antes de se virar para mim. — Não sei se algo deixou você chateada ou se é só mau humor por ter dormido pouco — diz ele, abrindo meu roupão. — Mas quero que você me diga. Minha imaginação está dando voltas aqui, e não gosto disso.

Reviro os olhos para ele, e ele me encara de volta, fazendo uma cara feita. *Merda! Tudo bem... lá vai.*

— A Dra. Greene me repreendeu por ter parado de tomar a pílula. Ela disse que eu poderia estar grávida.

— O quê? — Ele empalidece, e suas mãos congelam enquanto me encara, subitamente lívido.

— Mas não estou. Ela fez um teste. Foi um choque, só isso. Não acredito que pude ser tão burra.

Ele relaxa visivelmente.

— Tem certeza de que não está grávida?

— Tenho.

Ele exala profundamente.

— Ótimo. É, dá pra imaginar que seja perturbador ouvir esse tipo de notícia.

Faço uma careta... *perturbador?*

— Eu estava mais preocupada com a sua reação.

Ele franze o cenho para mim, confuso.

— Com a minha reação? Bem, naturalmente, estou aliviado... teria sido o cúmulo do descuido e da falta de educação engravidar você.

— Então, talvez seja melhor a gente se abster — revido.

Ele me olha por um instante, perplexo, como se eu fosse algum tipo de experimento científico.

— Você acordou de mau humor hoje.

— Foi só um choque, só isso — repito, petulante.

Segurando as abas do meu roupão, ele me puxa para um abraço, beijando o meu cabelo e pressionando minha cabeça contra seu peito. Eu me distraio com as cócegas que o pelo do seu peito faz em meu rosto. Ah, se ao menos eu pudesse acariciá-lo!

— Ana, não estou acostumado com isso — murmura ele. — Minha tendência natural é arrancar as informações de você a tapa, mas duvido seriamente que você queira isso.

Puta merda.

— Não, não quero. Isso aqui ajuda — aperto Christian com força, e ficamos séculos ali, num abraço estranho, Christian nu, eu de roupão, mais uma vez chocada com sua honestidade. Ele não sabe nada de relacionamentos, e nem eu, exceto o que aprendi com ele. Bem, ele me pediu para ter fé e paciência; talvez eu devesse fazer isso mesmo.

— Venha, vamos tomar banho — diz Christian afinal, soltando-me.

Dando um passo para trás, ele tira meu roupão, e eu o sigo até o chuveiro, erguendo o rosto para o jato d'água. A ducha é gigantesca e tem espaço para nós dois. Christian pega o xampu e começa a lavar o cabelo. Ele me passa o frasco, e eu repito o gesto.

Ah, isso é bom. Fechando os olhos, eu me entrego àquela água purificadora e cálida. Ao enxaguar o xampu, sinto suas mãos ensaboando meu corpo: ombros, braços, axilas, seios, costas.

Delicadamente, ele me gira e me puxa contra si, à medida que vai descendo: tórax, barriga, seus dedos hábeis entre minhas pernas — *hum* —, minha bunda. Ah, isso é tão bom, e tão íntimo. Ele me vira mais uma vez de frente para ele.

— Aqui — diz de mansinho, entregando-me a loção de banho. — Quero que você limpe o resto do batom.

Meus olhos se abrem em um turbilhão e, afoitos, fitam os dele. Ele está me encarando atentamente, lindo e encharcado, os olhos cinzentos maravilhosos e reluzentes sem revelar absolutamente nada.

— Por favor, não desvie muito da linha — resmunga ele com firmeza.

— Tudo bem — murmuro, tentando absorver a enormidade do que ele acabou de me pedir para fazer: tocá-lo nos limites da zona proibida.

Ponho um pouquinho de sabonete nas mãos e as esfrego uma na outra, para fazer espuma, em seguida as coloco sobre seus ombros e suavemente limpo a linha de batom em cada um dos lados. Ele fica rígido e fecha os olhos, o rosto impassível, mas está ofegante, e sei que não é de luxúria, mas de medo. E isso me dói o coração.

Com os dedos trêmulos e com muito cuidado, sigo a linha ao longo da lateral de seu peito, ensaboando e esfregando suavemente; ele inspira, a mandíbula tensa, os dentes cerrados. *Ah!* Meu coração se aperta e minha garganta dá um nó. *Droga, vou chorar.*

Paro para colocar mais sabonete na mão e o sinto relaxar diante de mim. Não posso olhar para ele. Não posso suportar ver sua dor, é demais. Minha vez de inspirar fundo.

— Pronto? — pergunto, e a tensão é alta e clara em minha voz.

— Pronto — sussurra ele, a voz rouca, cheia de medo.

Gentilmente, coloco as mãos em cada lado de seu peito, e ele se enrijece de novo.

É demais. Estou impressionada com a confiança que ele está depositando em mim, impressionada pelo seu medo, pelos danos causados a este homem belo, abatido e problemático.

Meus olhos se enchem d'água e lágrimas escorrem por meu rosto, perdidas na água do chuveiro. *Ah, Christian! Quem fez isso com você?*

Seu peito se move depressa a cada respiração curta, seu corpo está rígido, a tensão irradiando em ondas à medida que minhas mãos se movem ao longo da linha, apagando-a. Ah, se eu pudesse apagar sua dor, eu o faria — eu faria qualquer coisa —, e tudo o que quero é beijar cada cicatriz que vejo, afastar com meus beijos aqueles terríveis anos de descuido. Mas sei que não posso, e minhas lágrimas caem espontaneamente por meu rosto.

— Não. Por favor, não chore — pede ele, a voz angustiada ao me apertar com força em seus braços. — Por favor, não chore por mim. — E eu explodo em um turbilhão de soluços, enterrando meu rosto em seu pescoço, enquanto penso num menino perdido em meio a um mar de medo e dor, assustado, abandonado, abusado... machucado além de toda a resistência.

Afastando-me, ele segura meu rosto com as mãos, inclina-o para trás e se aproxima para me beijar.

— Não chore, Ana, por favor — murmura ele contra a minha boca. — Foi há muito tempo. Estou doido para que você me toque, mas simplesmente não consigo suportar. É demais para mim. Por favor, por favor, não chore.

— Também quero tocar você. Mais do que imagina. Ver você assim... tão machucado e com medo, Christian... me fere profundamente. Eu amo tanto você.

Ele desliza o polegar por meu lábio inferior.

— Eu sei. Eu sei — sussurra ele.

— Você é muito fácil de amar. Você não enxerga isso?

— Não, baby, não enxergo.

— Mas você é. E eu amo você, e sua família também ama. E Elena e Leila também... elas têm um jeito estranho de demonstrar isso, mas elas amam você. E você merece.

— Pare. — Ele coloca o dedo sobre meus lábios e balança a cabeça, uma expressão angustiada em seu rosto. — Não posso ouvir isso. Não sou nada, Anastasia. Sou a casca de um homem. Não tenho coração.

— Você tem, sim. E eu o quero para mim, por inteiro. Você é um homem bom, Christian, um homem muito bom. Nunca duvide disso. Olhe para o que você fez... o que você conquistou — soluço. — Olhe o que você fez por mim... o que você deixou para trás, por mim — sussurro. — Eu sei. Eu sei o que você sente por mim.

Ele me olha, os olhos arregalados e em pânico, e tudo o que podemos ouvir é o fluxo contínuo da água que flui sobre nós no chuveiro.

— Você me ama — digo.

Seus olhos se arregalam ainda mais, e sua boca se abre. Ele inspira fundo, como se tomasse fôlego. E parece torturado, vulnerável.

— Sim — murmura. — Amo.

CAPÍTULO NOVE

Não posso conter minha alegria. Meu inconsciente me encara em um silêncio atordoado, e meu rosto se abre em um sorriso de orelha a orelha enquanto observo, ansiosa, os olhos torturados de Christian.

Sua confissão doce e suave me toca em um nível profundo e elementar, como se ele estivesse buscando uma absolvição; suas duas palavrinhas são meu maná do céu. Lágrimas enchem meus olhos mais uma vez. *Sim, ama. Eu sei que me ama.*

É uma revelação libertadora, como se um peso enorme fosse tirado de mim. Esse homem lindo e fodido, a quem já considerei meu herói romântico — forte, solitário, misterioso: ele possui todas essas características —, também é frágil, estranho e cheio de desprezo por si mesmo. Meu coração se enche de alegria, mas também de dor por seu sofrimento. E sei neste momento que meu coração é grande o suficiente para nós dois. *Espero* que seja grande o suficiente para nós dois.

Eu me inclino para pegar seu querido e belo rosto entre as mãos e beijá-lo suavemente, derramando todo o amor que sinto nesse contato suave. Quero devorá-lo debaixo da ducha quente. Christian geme e me envolve em seus braços, segurando-me como se eu fosse o ar que ele precisa para respirar.

— Ah, Ana — sussurra, a voz rouca. — Quero você, mas não aqui.

— Sim — murmuro fervorosamente junto a sua boca.

Ele desliga o chuveiro e pega minha mão, levando-me para fora do box e me envolvendo no roupão. Christian enrola uma toalha na cintura, pega uma menor e começa a secar meu cabelo com delicadeza. Quando termina, envolve minha cabeça com a toalha de forma que, diante do grande espelho sobre a pia, pareço usar um véu. Ele está de pé atrás de mim, e nossos olhos se encontram no espelho, olhos cinzentos fumegantes mergulhando em olhos azuis reluzentes, e isso me dá uma ideia.

— Posso retribuir? — pergunto.

Ele faz que sim com a cabeça, mas franze a testa. Procuro outra toalha em meio à enorme quantidade de toalhas felpudas empilhadas ao lado da penteadeira e, diante dele, na ponta dos pés, começo a secar seu cabelo. Ele se inclina para a frente, facilitando o processo, e, a cada vislumbre de seu rosto que capturo por sob o tecido, percebo que está sorrindo feito um garotinho.

— Faz tempo que ninguém faz isso comigo. Muito tempo — murmura ele, mas, em seguida, franze a testa. — Na verdade, acho que ninguém nunca secou meu cabelo.

— Certamente Grace já deve ter feito isso, não? Secado seu cabelo quando você era pequeno?

Ele nega com a cabeça, atrapalhando meu trabalho.

— Não. Ela respeitou meus limites desde o primeiro dia, apesar de ter sido doloroso para ela. Fui uma criança muito autossuficiente — diz baixinho.

Sinto uma pontada nas costelas ao imaginar uma criança de cabelo cor de cobre cuidando de si mesma, porque ninguém mais se importa. O pensamento é tão triste que me faz ficar enjoada. Mas não quero que minha melancolia interrompa esse princípio de intimidade.

— Bem, eu me sinto honrada — brinco, com gentileza.

— Com certeza, Srta. Steele. Ou talvez seja eu quem se sinta honrado.

— Isso nem precisa ser dito, Sr. Grey — respondo, com mordacidade.

Termino de secar seu cabelo, pego outra toalha pequena e dou a volta, ficando de pé atrás dele. Nossos olhos se encontram de novo no espelho, e seu olhar vigilante e interrogativo me impele a falar.

— Posso tentar uma coisa?

Depois de um momento, ele faz que sim com a cabeça. Com cuidado e muito suavemente, corro o tecido macio ao longo de seu braço esquerdo, absorvendo a água sobre sua pele. Erguendo o olhar, verifico a expressão dele no espelho. Ele pisca para mim, os olhos queimando os meus.

Eu me aproximo e beijo seu bíceps, ele entreabre os lábios bem de leve. Seco o outro braço de modo semelhante, deixando beijos em torno do bíceps, e um pequeno sorriso se abre em seus lábios. Cuidadosamente, seco suas costas sob a tênue linha de batom ainda visível. Não cheguei a lavar as costas dele.

— Ao longo das costas — diz ele em voz baixa —, com a toalha.

Ele respira fundo e fecha os olhos com força enquanto eu o seco depressa, tomando cuidado para tocá-lo apenas com a toalha.

Ele tem as costas tão bonitas: ombros largos e esculturais, todos os pequenos músculos bem definidos. Realmente cuida do próprio corpo. A bela visão é prejudicada apenas por suas cicatrizes.

Com dificuldade, eu as ignoro e reprimo a vontade irresistível de beijar cada uma. Quando termino, ele solta o ar e eu me inclino para a frente e o recompenso com um beijo no ombro. Passando os braços ao redor dele, seco sua barriga. Nossos olhos se encontram mais uma vez no espelho, sua expressão divertida, mas também cautelosa.

— Segure isto. — Eu lhe passo uma toalha de rosto, e ele faz uma cara feia, confuso. — Lembra de quando estávamos na Geórgia? Você fez com que eu me tocasse usando suas mãos — acrescento.

Seu rosto escurece, mas ignoro a reação e coloco meus braços em torno dele. Olhando para nós dois no espelho — sua beleza, sua nudez, minha cabeça coberta —, parecemos quase personagens bíblicos, como numa pintura barroca do Antigo Testamento.

Procuro sua mão, que ele me entrega de bom grado, e a levo até seu peito, para secá-lo, esfregando a toalha devagar e de forma um tanto desajeitada ao longo de seu corpo. Uma vez, duas vezes, e de novo. Christian está completamente imobilizado, rígido com a tensão, exceto por seus olhos, que seguem minha mão segurando a dele.

Meu inconsciente olha com aprovação, sorrindo em vez de contrair a boca como de costume. E eu sou como uma mestra de marionetes. Sua ansiedade se esvai em ondas, mas ele mantém contato visual, embora seus olhos estejam mais escuros, mais mortais... refletindo seus segredos, talvez.

Será que quero mesmo me meter nisso? Confrontar seus demônios?

— Acho que você já está seco — sussurro, ao soltar a mão, olhando para as profundezas cinzentas dos olhos refletidos no espelho. A respiração dele está acelerada, seus lábios, entreabertos.

— Preciso de você, Anastasia — sussurra ele.

— Também preciso de você. — E, ao dizer essas palavras, percebo como são verdadeiras. Não consigo me imaginar sem Christian, nunca mais.

— Deixe-me amar você — diz ele, a voz rouca.

— Deixo — respondo, e, virando-se, ele me pega em seus braços, seus lábios buscando os meus, suplicando por mim, adorando-me, acalentando-me... e me amando.

ELE CORRE OS DEDOS de cima a baixo em minha coluna enquanto nos encaramos, deleitando-nos na felicidade e na plenitude pós-coito. Estamos deitados juntos, eu, de bruços, abraçando o travesseiro, ele, de lado, e me delicio com seu toque delicado. Sei que neste momento ele precisa me tocar. Sou um bálsamo para ele, uma fonte de conforto, e como eu poderia lhe negar isso? Sinto exatamente o mesmo por ele.

— Então, você é capaz de ser delicado — murmuro.

— Hum... é o que parece, Srta. Steele.

— Não foi bem assim na primeira vez em que... hum, fizemos isso. — Sorrio.

— Não? — Ele solta um risinho. — Quando roubei sua virtude.

— Não acho que você tenha roubado — resmungo, arrogante. *Não sou uma donzela indefesa.* — Acho que minha virtude foi oferecida muito livremente e de bom grado. Eu também queria você e, se me lembro bem, aproveitei bastante. — Sorrio timidamente para ele, mordendo o lábio.

— Eu também, se me lembro bem, Srta. Steele. Nosso objetivo é satisfazer — fala ele devagar, e seu rosto se suaviza, sério. — E isso significa que você é minha, completamente. — Todos os resquícios de humor desaparecem à medida que ele me olha.

— Sim, sou sua — respondo. — Eu queria perguntar uma coisa.

— Vá em frente.

— Seu pai biológico... você sabe quem ele era? — O pensamento vinha me incomodando.

Sua testa se enruga e, em seguida, ele balança a cabeça.

— Não tenho ideia. Não era o animal do cafetão, pelo menos.

— Como você sabe?

— Algo que meu pai... algo que Carrick me disse.

Olho para o meu Cinquenta Tons com ansiedade, aguardando.

— Tão sedenta por informação, Anastasia. — Ele suspira, balançando a cabeça. — O cafetão encontrou o corpo da prostituta drogada e avisou às autoridades. Mas levou quatro dias para fazer a descoberta. Fechou a porta quando saiu... e me deixou com ela... com o corpo. — Seus olhos ficam nublados com a lembrança.

Inspiro fundo. Pobre menininho, a história é terrível demais até para imaginar.

— A polícia o interrogou mais tarde. Ele negou incisivamente que eu tivesse qualquer coisa a ver com ele, e Carrick disse que ele não se parecia nada comigo.

— Você se lembra de como ele era?

— Anastasia, essa é uma parte da minha vida que não revisito com frequência. Sim, eu me lembro. Nunca vou esquecê-lo. — A expressão de Christian se fecha, o rosto tornando-se rígido e mais angular, os olhos encobertos pela ira. — Podemos falar de outra coisa?

— Desculpe. Não queria deixar você triste.

Ele balança a cabeça.

— Tudo isso é passado, Ana. Não é algo sobre o que quero pensar.

— E qual é a minha surpresa, então? — Preciso mudar de assunto antes que ele volte à antiga atitude. Sua expressão se ilumina imediatamente.

— Você topa sair para pegar um pouco de ar fresco? Quero mostrar uma coisa.

— Claro.

Fico espantada com a rapidez com que ele se altera, inconstante como sempre. Ele sorri para mim com seu sorriso infantil, despreocupado, de "tenho apenas vinte e sete anos", e meu coração pula até a boca. Então, é alguma coisa importante para ele, dá para perceber. Ele me dá um tapa na bunda, brincalhão.

— Vá se vestir. Calça jeans está bom. Espero que Taylor tenha separado uma para você.

Ele se levanta e veste uma cueca. Ah... Eu poderia ficar aqui o dia todo, observando-o passear pelo quarto.

— Ande — repreende-me, mandão como sempre. Eu sorrio para ele.

— Só admirando a vista.

Ele revira os olhos para mim.

Enquanto nos vestimos, percebo que nos movemos com a sincronia de duas pessoas que se conhecem bem, um prestando atenção ao outro, trocando de vez em quando um sorriso tímido e um toque gentil. E me dou conta de que isso é tão novo para mim quanto é para ele.

— Seque o cabelo — ordena Christian, depois que nos vestimos.

— Autoritário como sempre. — Sorrio, e ele se inclina para beijar meu cabelo.

— Isso nunca vai mudar, baby. Não quero que você fique doente.

Reviro os olhos, e ele contorce a boca, divertindo-se.

— Você sabe que as palmas das minhas mãos ainda coçam, não sabe, Srta. Steele?

— Fico feliz em ouvir isso, Sr. Grey. Estava começando a achar que você estava perdendo o jeito.

— Eu posso facilmente demonstrar que esse não é o caso, se você assim o desejar.

Christian retira de sua bolsa um grande suéter creme de malha grossa e o coloca sobre os ombros. De calça jeans, camiseta branca e com o cabelo magistralmente desgrenhado, parece saído das páginas de uma revista de moda.

Ninguém deveria ser tão bonito. E não sei se é a distração momentânea de sua aparência perfeita ou se é porque sei que ele me ama, mas as ameaças dele já não me enchem de pavor. Esse é o meu Cinquenta Tons; é assim que ele é.

Ao pegar o secador de cabelo, uma sensação quase tangível de esperança floresce. Vamos encontrar um meio-termo. Só precisamos reconhecer as necessidades um do outro e equilibrá-las. *Sou capaz disso, não sou?*

Olho para mim mesma no espelho da penteadeira. Estou vestindo a camisa azul-clara que Taylor comprou e lembrou de colocar na mala para mim. Meu cabelo está uma bagunça, o rosto corado, os lábios inchados. Eu os toco, lembran-do-me dos beijos escaldantes de Christian, e não consigo evitar um pequeno sor-riso diante do espelho. *Sim, amo*, ele disse.

— PARA ONDE ESTAMOS indo, exatamente? — pergunto enquanto esperamos pelo manobrista no saguão do hotel.

Christian pisca para mim com ar conspiratório, tentando desesperadamente conter a alegria. Sinceramente, essa atitude é totalmente nova.

Ele estava assim quando saímos para voar no planador. Talvez seja isso que a gente vá fazer agora. Dou uma olhada nele. Ele me encara de volta daquele seu jeito superior, o sorriso torto, e se inclina para me dar um beijo de leve.

— Você tem alguma ideia de como me faz feliz? — murmura.

— Tenho... Sei exatamente. Porque você faz o mesmo por mim.

O manobrista aparece trazendo o carro de Christian e exibindo um sorriso gigante. Nossa, está todo mundo tão feliz hoje.

— Belo carro, senhor — murmura ele ao entregar as chaves. Christian lhe dá uma piscadela e uma gorjeta obscenamente alta.

Faço cara feia. Francamente.

À MEDIDA QUE AVANÇAMOS pelo tráfego, Christian mergulha profundamente em seus pensamentos. Uma voz jovem de mulher vem dos alto-falantes. É um timbre bonito, rico e suave, e me perco na tristeza comovente daquela voz.

— Preciso fazer um desvio. Não deve demorar muito — diz ele, distraído, afastando-me da música.

Ah, por quê? Estou curiosa para saber qual é a surpresa. Minha deusa interior está pulando feito uma criança de cinco anos.

— Claro — murmuro. Tem alguma coisa errada. De repente, ele parece som-briamente determinado.

Christian entra no estacionamento de uma enorme concessionária de veícu-los, encosta o carro e se vira para mim, a expressão cautelosa.

— Precisamos comprar um carro novo para você.

Fico boquiaberta.

Agora? Em um domingo? Que diabo é isso? E esta é uma concessionária da Saab.

— Não vai ser um Audi? — É, estupidamente, a única coisa que consigo pen-sar em dizer, e, graças a Deus, ele chega a ficar corado.

Christian, envergonhado. Mais uma primeira vez!

— Achei que você poderia gostar de outra coisa — balbucia ele. Está quase se contorcendo.

Ah, por favor... A oportunidade é valiosa demais para não provocá-lo. Sorrio para ele:

— Um Saab?

— É. Um 9-3. Venha.

— O que você tem com carros estrangeiros?

— Os alemães e os suecos fazem os carros mais seguros do mundo, Anastasia.

Ah, é?

— Pensei que você já tinha mandado substituírem o A3.

Ele me lança um olhar sombrio e divertido.

— Posso cancelar isso. Venha. — Saltando do carro, caminha até o lado do carona e abre a porta para mim. — Estou lhe devendo um presente de formatura — diz em voz baixa, estendendo a mão para mim.

— Christian, você realmente não tem que fazer isso.

— Sim, eu tenho. Por favor. Venha. — Seu tom diz que ele não está para brincadeiras.

Resigno-me ao meu destino. Um Saab? Eu quero um Saab? Eu bem que gostava do meu Audi Especial de Submissa. Era tão chique.

Claro, agora ele está sob uma tonelada de tinta branca... Estremeço. E ela ainda está solta por aí.

Seguro a mão de Christian, e entramos na loja.

Troy Turniansky, o vendedor, praticamente pula em cima de Christian, feito um carrapato. Sabe detectar uma venda garantida. Ele tem um sotaque estranho, não definido, talvez britânico? É difícil dizer.

— Um Saab, senhor? Usado? — Ele esfrega as mãos de contentamento.

— Novo — Christian contrai os lábios.

Novo!

— Você tem algum modelo em mente, senhor? — E é um bajulador, também.

— 9-3, 2.0T, modelo esporte, sedã.

— Excelente escolha, senhor.

— Que cor, Anastasia? — Christian inclina a cabeça.

— Hum... preto? — Dou de ombros. — Você realmente não precisa fazer isso.

Ele franze a testa.

— Preto não é muito visível à noite.

Ah, pelo amor de Deus. Resisto à tentação de revirar os olhos.

— Seu carro é preto.

Ele franze as sobrancelhas para mim.

— Amarelo, então. — Dou de ombros.

Christian faz cara feia. Amarelo obviamente não é a cor preferida dele.

— Que cor você quer que eu escolha, então? — pergunto como se ele fosse uma criança, o que ele não deixa de ser, em muitos sentidos. O pensamento não é bem-vindo. Triste e circunspecto ao mesmo tempo.

— Prata ou branco.

— Prata, então. Você sabe que eu posso ficar com o Audi — acrescento, reprimida por meus pensamentos.

Troy empalidece, sentindo que está perdendo a venda.

— Que tal o conversível, senhora? — pergunta, batendo uma mão na outra com entusiasmo.

Meu inconsciente está se remoendo de desgosto por todo esse negócio de compra de carros, mas minha deusa interior o derruba no chão. *Conversível? Nossa!*

Christian franze a testa e me olha de relance.

— Conversível? — pergunta, erguendo uma sobrancelha.

Fico vermelha. É como se ele tivesse uma conexão direta com minha deusa interior, o que ele obviamente tem. E pode ser bem inconveniente às vezes. Olho para minhas mãos.

Christian se vira para Troy.

— Quais são as estatísticas de segurança do conversível?

Percebendo a vulnerabilidade de Christian, Troy dá o bote, desfiando todos os tipos de estatísticas.

É claro que Christian me quer em segurança. É uma religião para ele, e, como o maníaco por controle que é, ele ouve atentamente a lenga-lenga bem afiada de Troy. Ele realmente se preocupa.

Sim. Amo. Lembro-me de suas palavras sussurradas esta manhã, e um brilho derretido se espalha por minhas veias como mel aquecido. Este homem — uma dádiva de Deus para as mulheres — me ama.

Então me dou conta de que estou rindo para ele feito uma idiota, e quando ele me olha de volta, acha graça, ainda que pareça intrigado por minha expressão. Estou tão feliz que minha vontade é abraçar a mim mesma.

— Quero um pouco desse entorpecente que você tomou, Srta. Steele — murmura ele assim que Troy volta para seu computador.

— O entorpecente é você, Sr. Grey.

— Sério? Bem, você sem dúvida parece alterada. — Ele me dá um beijo rápido. — E obrigado por aceitar o carro. Foi mais fácil do que da última vez.

— Bem, não é um A3.

Ele sorri.

— Aquele não é o carro certo para você.

— Eu gostava dele.

— Senhor, sobre o 9-3? Localizei um na concessionária de Beverly Hills. Podemos trazê-lo para cá em dois dias — diz Troy, radiante.

— Topo de linha?

— Sim, senhor.

— Excelente. — Christian saca seu cartão de crédito, ou será o de Taylor? O pensamento é inquietante. Eu me pergunto como Taylor está, e se encontrou Leila no apartamento. Massageio a testa. Sim, Christian também vem com toda essa bagagem.

— Se puder me acompanhar, Sr... — Troy olha o nome no cartão — ...Grey.

CHRISTIAN ABRE A PORTA para mim, e eu me sento de novo no banco do passageiro.

— Obrigada — digo, quando ele se senta ao meu lado. Ele sorri.

— Não há de quê. — A música recomeça assim que Christian liga o motor.

— Quem está cantando? — pergunto.

— Eva Cassidy.

— Tem uma voz linda.

— Tem, tinha.

— Ah.

— Morreu jovem.

— Ah.

— Está com fome? Você não terminou o café da manhã. — Ele me lança um olhar rápido, a desaprovação estampada no rosto.

Xi.

— Estou.

— Então primeiro vamos almoçar.

Christian conduz o carro na direção da orla e depois segue para o norte, ao longo do viaduto Alaskan Way. Mais uma vez o dia em Seattle está lindo. Nas últimas semanas o tempo tem se mantido incomumente bom.

Christian parece feliz e descontraído enquanto ouvimos a voz doce e triste de Eva Cassidy e seguimos pela estrada. Alguma vez já me senti tão tranquila em sua companhia antes? Não sei.

Sinto-me menos tensa a respeito de seu temperamento, confiante de que ele não vai me castigar, e ele também parece mais à vontade. Ele vira à esquerda, seguindo pela orla, e entra num estacionamento em frente a uma ampla marina.

— Vamos comer aqui. Vou abrir a porta para você — diz de um jeito que indica que é melhor eu não me mover, e o vejo dando a volta no carro. Será que um dia vou me acostumar a isso?

* * *

ANDAMOS DE MÃOS dadas até a orla, onde a marina se estende diante de nós.

— Quantos barcos — murmuro, admirada.

São centenas deles, de todos os formatos e tamanhos, subindo e descendo nas águas tranquilas da marina. No estuário de Puget, dezenas de velas deslizam ao vento, de um lado para o outro. É uma vista extraordinária. O vento aumentou um pouco, então aperto o casaco em meu corpo.

— Frio? — pergunta ele, abraçando-me com força.

— Não, só admirando a vista.

— Poderia admirá-la o dia inteiro. Venha, por aqui.

Christian me leva até um bar à beira-mar e se dirige ao caixa. A decoração é mais típica da Nova Inglaterra do que da Costa Oeste: paredes brancas, móveis azul-claros e enfeites náuticos pendurados por toda parte. É um lugar iluminado e alegre.

— Sr. Grey! — O *barman* cumprimenta Christian calorosamente. — O que vai querer hoje?

— Boa tarde, Dante. — Christian sorri enquanto nos sentamos nos bancos do bar. — Esta bela moça é Anastasia Steele.

— Bem-vinda ao SP's Place. — Dante me lança um sorriso amigável. Ele é negro e lindo, os olhos escuros me avaliando e, ao que parece, aprovando. Um grande diamante em sua orelha pisca para mim. Gosto dele imediatamente. — O que vai querer beber, Anastasia? — Viro-me para Christian, que me encara em expectativa. Ah, ele vai me deixar escolher.

— Por favor, pode me chamar de Ana, e vou beber o mesmo que Christian. — Sorrio timidamente para Dante. Christian é muito melhor do que eu para escolher vinhos.

— Vou tomar uma cerveja. Este é o único bar em Seattle que tem Adnams Explorer.

— Cerveja?

— É. — Ele sorri para mim. — Duas Adnams Explorers, por favor, Dante.

Dante concorda e coloca as cervejas no balcão.

— Eles fazem um ensopado de frutos do mar delicioso aqui — diz Christian. Ele está perguntando minha opinião.

— Ensopado e cerveja parece ótimo. — Sorrio para ele.

— Dois ensopados? — pergunta Dante.

— Por favor. — Christian sorri.

Conversamos durante a refeição como nunca fizemos antes. Christian está relaxado e calmo; parece jovem, feliz e animado apesar de tudo que aconteceu ontem. Ele me conta a história da Grey Enterprises Holdings, Inc. e, quanto mais revela, mais sinto sua paixão por dar um jeito em empresas com problemas, as esperanças que tem na tecnologia que está desenvolvendo e os sonhos de tornar a terra no terceiro mundo mais produtiva. Ouço, extasiada. Ele é engraçado, inteligente, filantrópico e bonito, e me ama.

Por sua vez, Christian me atormenta com perguntas sobre Ray e minha mãe, sobre como foi crescer nas florestas exuberantes de Montesano e minhas passagens breves pelo Texas e por Las Vegas. Ele quer saber quais são meus livros e filmes preferidos, e fico surpresa com o quanto temos em comum.

Enquanto conversamos, percebo que ele está deixando de ser o Alec do livro de Thomas Hardy para se transformar em Angel. Da vilania à perfeição em tão pouco tempo.

Já passam de duas da tarde quando terminamos de comer. Christian acerta a conta com Dante, que se despede de nós calorosamente.

— Esse lugar é ótimo. Obrigada pelo almoço — digo. Christian pega minha mão, e deixamos o bar.

— Voltaremos aqui — diz ele, e caminhamos à beira-mar. — Queria lhe mostrar uma coisa.

— Eu sei... e mal posso esperar para ver o que é.

CAMINHAMOS DE MÃOS dadas ao longo da marina. É uma tarde muito agradável. As pessoas estão aproveitando o domingo: passeando com o cachorro, admirando os barcos, vendo os filhos correrem pelo calçadão.

À medida que avançamos pela marina, os barcos vão ficando maiores. Christian me leva até o cais e para diante de um catamarã enorme.

— Pensei que a gente podia velejar hoje. Este é o meu barco.

Puta merda. Deve ter no mínimo uns quinze metros. Dois cascos brancos e elegantes, um deck, uma cabine espaçosa e, estendendo-se até lá no alto, um mastro impressionante. Não sei nada de barcos, mas dá para perceber que este é especial.

— Uau... — murmuro, admirada.

— Construído por minha empresa — diz ele, com orgulho, e meu coração se infla. — Foi concebido do zero pelos melhores arquitetos navais do mundo e construído aqui em Seattle, no meu quintal. Motor elétrico híbrido, bolinas assimétricas, vela mestra de topo quadrado.

— Certo... está me deixando tonta, Christian.

Ele sorri.

— É um belo barco.

— Realmente parece imponente, Sr. Grey.

— E é, Srta. Steele.

— Qual é o nome?

Ele me leva até a lateral do barco para que eu possa ver por mim mesma: *The Grace*. Fico surpresa.

— Você deu o nome de sua mãe?

— Dei. — Ele inclina a cabeça, confuso. — Por que você acha isso estranho?

Dou de ombros. Estou surpresa, ele sempre parece ambíguo na presença dela.

— Adoro minha mãe, Anastasia. Por que não daria o nome dela ao meu barco? Fico vermelha.

— Não, não é isso... é só... — Droga, como vou colocar isso em palavras?

— Anastasia, Grace Trevelyan-Grey salvou minha vida. Devo tudo a ela.

Olho para ele e deixo que a suave reverência em sua voz ao proferir essa confissão tome conta de mim. Fica claro, pela primeira vez, que ele ama a mãe. Por que então essa ambivalência estranha e tensa que ele tem em relação a ela?

— Quer subir a bordo? — pergunta ele, os olhos brilhantes, animados.

— Sim, por favor. — Sorrio.

Ele parece contente e, segurando minha mão, caminha até a pequena prancha, conduzindo-me a bordo. Chegamos a um convés sob um toldo rígido.

De um lado há uma mesa e um banco em forma de U forrado de couro azul-claro que deve acomodar pelo menos oito pessoas. Dou uma olhada através das portas de correr para o interior da cabine e levo um susto ao perceber que tem alguém lá dentro. Um homem alto e louro abre as portas e emerge: bronzeado, o cabelo encaracolado e os olhos castanhos, ele está vestindo uma camisa polo rosa desbotada de manga curta, bermuda e mocassins. Deve ter uns trinta anos.

— Mac. — Christian sorri.

— Sr. Grey! Bem-vindo de volta. — Eles apertam as mãos.

— Anastasia, este é Liam McConnell. Liam, minha namorada, Anastasia Steele.

Namorada! Minha deusa interior dá um passo rápido de balé. Ela ainda está toda boba com o conversível. Tenho que me acostumar. Não é a primeira vez que ele diz isso, mas ouvi-lo ainda é emocionante.

— Como vai? — Liam aperta minha mão. — Pode me chamar de Mac — diz ele calorosamente, e não consigo identificar de onde vem seu sotaque. — Bem-vinda a bordo, Srta. Steele.

— Pode me chamar de Ana, por favor — murmuro, corando. Ele tem olhos castanhos profundos.

— Como ela está, Mac? — Christian nos interrompe depressa, e, por um momento, acho que está falando de mim.

— Prontinha para mandar ver, senhor. — Mac sorri. *Ah, o barco*, The Grace. *Sua bobinha.*

— Vamos lá, então.

— Vai sair com ela?

— Vou. — Christian lança um sorriso breve para Mac. — Quer fazer um tour rápido, Anastasia?

— Sim, por favor.

Eu o sigo para dentro da cabine. Bem em frente a nós há um sofá em L de couro creme e, acima dele, uma janela enorme e curva oferece uma vista panorâmica para a marina. À esquerda fica a cozinha, muito bem equipada, toda em madeira clara.

— Este é o salão principal. E a cozinha ao lado — diz Christian, fazendo um gesto com a mão na direção da cozinha.

Ele pega minha mão e me leva pelo salão principal. É surpreendente, de tão grande. O chão é forrado com a mesma madeira clara. Tem um ar moderno e elegante, transmitindo uma sensação leve e arejada, mas é tudo muito funcional, como se ele não passasse muito tempo ali.

— Banheiros dos dois lados. — Christian aponta duas portas, em seguida, abre uma porta pequena e de formato estranho diante de nós e entra num cômodo. É um quarto de luxo. *Ah...*

Uma cama king size, lençóis de linho azul-claro e madeira clara, exatamente como seu quarto no Escala. É evidente que quando Christian escolhe um padrão, permanece fiel a ele.

— E aqui, a cabine principal. — Ele me encara, os olhos cinzentos brilhando. — Você é a primeira garota que vem aqui, tirando as da família. — Ele sorri. — Elas não contam.

Fico vermelha sob seu olhar abrasador, e meu pulso acelera. *Sério? Mais uma primeira vez.* Ele me puxa para seus braços, os dedos enrolados em meu cabelo, e me beija com força por um longo tempo. Quando me solta, estamos os dois sem fôlego.

— Talvez a cama tenha que ser batizada — sussurra em minha boca.

Ah, no mar!

— Mas não agora. Vamos, Mac deve estar zarpando.

Ignoro a pontada de decepção quando ele pega minha mão e me leva de volta pelo salão. Ele indica outra porta.

— O escritório, e ali na frente, mais duas cabines.

— Quantas pessoas podem dormir a bordo?

— Seis. Mas nunca trouxe mais ninguém além da família. Gosto de velejar sozinho. Mas não com você aqui. Preciso ficar de olho em você.

Ele abre uma gaveta e puxa um colete salva-vidas de um vermelho berrante.

— Aqui — passando-o por sobre minha cabeça, ele aperta as tiras, um leve sorriso brincando em seus lábios.

— Você adora me amarrar, não é?

— De todos os jeitos — responde ele, com um sorriso maldoso.

— Você é um pervertido.

— Eu sei. — Ele ergue as sobrancelhas e amplia o sorriso.

— Meu pervertido — sussurro.

— Sim, seu.

Uma vez que está bem preso, ele segura as laterais do colete e me beija.

— Para sempre. — Suspira e me solta antes que eu possa responder.

Para sempre! Puta merda.

— Venha. — Ele pega minha mão e me leva para fora. Nós subimos alguns degraus e chegamos ao convés superior, onde uma cabine pequena abriga um timão grande e um banco alto. Na proa do barco, Mac está mexendo nas cordas.

— Foi aqui que você aprendeu todos os seus truques com cordas? — pergunto a Christian inocentemente.

— Nós de marinheiro são bem úteis — responde ele, avaliando-me. — Srta. Steele, você parece curiosa. Gosto de você curiosa. Eu ficaria mais do que feliz em demonstrar o que posso fazer com uma corda. — Ele sorri para mim, e eu o encaro de volta, impassível, como se ele tivesse me chateado.

A decepção em seu rosto é aparente.

— Peguei você — sorrio.

Sua boca se contorce e ele aperta os olhos.

— Talvez eu tenha que dar um jeito em você mais tarde, mas agora preciso conduzir meu barco. — Ele se senta aos controles, aperta um botão e liga os motores barulhentos.

Mac volta correndo pela lateral do barco, sorrindo para mim, e salta para o convés lá embaixo, onde começa a desatar um nó. Talvez ele também conheça alguns truques com corda. A ideia indesejada invade minha cabeça, e fico vermelha.

Meu inconsciente me encara. Mentalmente, dou de ombros para ele e olho para Christian. Culpa dele. Ele pega o fone e fala com a Guarda Costeira enquanto Mac grita que estamos prontos para partir.

Mais uma vez, fico espantada com a competência de Christian. Não há nada que esse homem não possa fazer? Então me lembro de sua tentativa sincera de cortar e picar um pimentão em meu apartamento na sexta passada. O pensamento me faz sorrir.

Lentamente, Christian conduz *The Grace* para fora do ancoradouro e em direção à entrada da marina. Atrás de nós, uma pequena multidão se reuniu junto às docas para assistir a nossa partida. Crianças pequenas acenam, e eu aceno de volta.

Christian me olha por sobre o ombro e, em seguida, coloca-me entre suas pernas e aponta os vários mostradores e dispositivos no painel.

— Pegue o timão — ordena ele, mandão como sempre, mas obedeço.

— Sim, sim, capitão! — Dou uma risadinha.

Colocando as mãos confortavelmente sobre as minhas, ele continua a conduzir o barco para fora da marina, e, em poucos minutos, estamos em mar aberto, nas águas frias e azuis do estuário de Puget. Longe do abrigo do muro de proteção da marina, o vento é mais forte, e o mar sussurra e se agita abaixo de nós.

Não consigo parar de sorrir, sentindo a empolgação de Christian: é tão divertido. Fazemos uma curva aberta e seguimos em direção ao oeste, para a península Olympic, o vento atrás de nós.

— Hora de velejar — diz Christian, animado. — Aqui, sua vez. Mantenha-a neste curso.

O quê? Ele sorri, vendo o pavor estampado em meu rosto.

— Baby, é muito fácil. Segure o timão e mantenha os olhos no horizonte, sobre a proa. Você vai se sair muito bem, como sempre. Quando as velas subirem, você vai sentir uma puxada no timão. Apenas segure firme. Quando eu fizer assim — e ele faz um sinal com a mão como se estivesse cortando a garganta —, você pode desligar o motor. Este botão aqui — aponta um grande botão preto. — Entendeu?

— Entendi. — Aceno com a cabeça freneticamente, sentindo-me em pânico. *Meu Deus, achei que eu não fosse ter que fazer nada!*

Ele me dá um beijo rápido e sai de sua cadeira de capitão, seguindo para a frente do barco, onde se junta a Mac e começa a desenrolar as velas, a desatar cordas e a girar manivelas e polias. Eles trabalham bem em equipe, gritando vários termos náuticos um para o outro, e é comovente assistir Christian interagindo com outra pessoa de forma tão despreocupada.

Talvez Mac seja amigo de Christian. Ele não parece ter muitos amigos, até onde sei, mas bem, eu também não tenho. Pelo menos não aqui em Seattle. A única amiga que tenho está de férias, tomando sol em Saint James, na costa oeste de Barbados.

Sinto uma pontada súbita por Kate. Estou com mais saudade dela do que achei que sentiria quando ela partiu. Espero que mude de ideia e volte para casa com o irmão, Ethan, em vez de prolongar a viagem com Elliot, o irmão de Christian.

Christian e Mac içam a vela grande. Ela se infla assim que o vento toma conta dela, faminto, e o barco dá uma guinada brusca, acelerando. Posso senti-lo no timão. *Uau!*

Eles começam a abrir a vela de proa, e eu a observo, fascinada, subir o mastro. O vento a atinge em cheio, esticando-a.

— Segure firme e desligue os motores! — grita Christian para mim por sobre o barulho do vento, fazendo o sinal. Mal posso ouvir sua voz, mas aceno com entusiasmo, olhando para o homem que amo, eufórico em meio ao vento, segurando-se por causa do balanço do barco.

Aperto o botão, o rugido dos motores cessa e *The Grace* segue em direção à península Olympic, cortando as águas como se estivesse voando. Quero gritar e celebrar: com certeza esta é uma das experiências mais emocionantes da minha vida, exceto talvez pelo planador, e quem sabe o Quarto Vermelho da Dor.

Uau. Este barco é rápido! Mantenho-me firme, segurando o timão, lutando contra o leme, e mais uma vez Christian está atrás de mim, as mãos sobre as minhas.

— E aí, o que está achando? — grita ele por cima do som do vento e do mar.

— Christian! É maravilhoso.

Ele abre um sorriso de orelha a orelha.

— Espere só até a bujarrona estar aberta. — Ele aponta com o queixo para Mac, que está desenrolando a tal bujarrona: uma vela de um vermelho-escuro muito intenso. Isso me lembra as paredes do quarto de jogos.

— Bela cor — grito.

Ele me lança um sorriso feroz e dá uma piscadela. Ah, é de propósito.

A vela se abre num estranho formato elíptico, acelerando o barco. E *The Grace* segue cortando as águas do estuário.

— A vela assimétrica. Para ganhar velocidade. — Christian responde à minha pergunta silenciosa.

— É incrível. — Não consigo pensar em nada melhor para dizer.

Estou com o sorriso mais idiota estampado no rosto ao furarmos a água, rumo à maravilha que são as montanhas Olympic e a ilha de Bainbridge. Olhando para trás, vejo Seattle encolhendo, o monte Rainier a distância.

Nunca tinha notado como a paisagem de Seattle e seus arredores é selvagem e bonita: verde, viçosa e típica do clima temperado, árvores altas e penhascos se sobressaindo aqui e ali. É uma beleza primitiva, mas serena, numa maravilhosa tarde ensolarada que me tira o fôlego. A quietude é impressionante se comparada à velocidade com que cortamos a água.

— A que velocidade estamos agora?

— Uns quinze nós.

— Não tenho ideia do que isso significa.

— Mais ou menos vinte e oito quilômetros por hora.

— Só? Parece muito mais rápido.

Ele aperta minhas mãos, sorrindo.

— Você está linda, Anastasia. É bom ver um pouco de cor em suas boche-chas... e não por estar envergonhada. Você está como nas fotos do José.

Eu me viro e lhe dou um beijo.

— Você sabe como agradar uma garota, Sr. Grey.

— Nosso objetivo é satisfazer, Srta. Steele. — Ele levanta meu cabelo e beija minha nuca, provocando arrepios deliciosos ao longo de minha coluna. — Gosto de ver você feliz — murmura, apertando os braços em volta de mim.

Fito a imensidão azul, perguntando-me o que fiz no passado para o destino ter sorrido para mim e me presenteado com esse homem lindo.

Sim, você é uma sortuda filha da mãe, meu inconsciente exclama. *Mas você ainda tem um longo caminho pela frente. Ele não vai querer essa porcaria de baunilha para sempre... você vai ter que ceder.* Mentalmente, fito seu rosto insolente e crítico, e descanso a cabeça no peito de Christian. Lá no fundo sei que meu inconsciente tem razão, no entanto, afasto o pensamento. Não quero estragar meu dia.

UMA HORA DEPOIS, estamos ancorados em uma enseada pequena e isolada da ilha de Bainbridge. Mac foi até a praia no bote inflável, fazer o quê, não sei, mas tenho minhas suspeitas, porque assim que Mac liga o motor de popa, Christian agarra minha mão e praticamente me arrasta para sua cabine, um homem com uma missão.

Ele para diante de mim, exalando sua sensualidade embriagante enquanto seus dedos habilidosos soltam depressa as tiras do meu colete salva-vidas. Christian o joga para um lado e me encara fixamente, os olhos escuros e dilatados.

Já estou completamente entregue e ele mal me tocou. Ele leva a mão até meu rosto, e seus dedos se movem para meu queixo, meu pescoço, meu colo, queimando-me com seu toque, até o primeiro botão da minha blusa azul.

— Quero ver você — sussurra ele e, com destreza, abre o botão. Inclinando-se, deixa um beijo suave em meus lábios entreabertos. Estou ofegante e ansiosa, excitada pela combinação poderosa de sua beleza envolvente, a sexualidade crua encarcerada nesta cabine e o balanço suave do barco. Ele chega para trás. — Tire a roupa para mim. — Suspira, os olhos em chamas.

Ah, meu Deus. Fico mais do que feliz em obedecer. Sem tirar os olhos dele, abro cada botão lentamente, saboreando seu olhar abrasador. Ah, isso é inebriante. Posso ver seu desejo, está evidente em seu rosto... e em outros lugares.

Deixo minha camisa cair no chão e alcanço o botão da calça jeans.

— Pare — ordena ele. — Sente-se.

Sento-me na borda da cama, e, em um movimento ligeiro, ele está de joelhos na minha frente, desamarrando o cadarço de um dos meus tênis, depois o outro, e então os tira, e depois minhas meias. Ele pega meu pé esquerdo e o levanta, dando um beijo suave embaixo do dedão, roçando os dentes nele.

— Ah! — gemo ao sentir o efeito que aquilo produz em minha virilha. Ele fica de pé e me levanta da cama.

— Continue — diz, afastando-se para me observar.

Abro o zíper e enfio os polegares no cós da calça, enquanto rebolo para deslizá--la pelas pernas. Um leve sorriso brinca em seus lábios, mas seus olhos permanecem escurecidos.

E não sei se é porque ele fez amor comigo esta manhã, e realmente quero dizer fez amor, com suavidade, gentileza, ou se foi sua declaração apaixonada — *sim... amo* —, mas não me sinto nada envergonhada. Quero ser sensual para esse homem. Ele merece isso, ele me faz me sentir sensual. Tá, é tudo novidade para mim, mas estou aprendendo sob sua tutela especializada. E bom, muito disso é novidade para ele também. O que equilibra as coisas entre a gente um pouco, acho.

Estou usando um dos conjuntos novos de calcinha branca de renda e sutiã combinando: itens de marca com uma etiqueta de preço condizente. Livro-me da calça jeans e fico ali diante dele, com a lingerie pela qual ele pagou, mas já não me sinto barata. Eu me sinto sua.

Abro o sutiã, deslizo as alças por meus braços e o deixo cair sobre minha blusa. Lentamente, tiro a calcinha, deixando-a escorregar até os tornozelos, e me desvencilho dela com um passo para o lado, surpresa com minha elegância.

De pé diante dele, estou nua e não me sinto envergonhada, e sei que é porque ele me ama. Não preciso mais me esconder. Ele não diz nada, apenas me olha. Tudo o que vejo é o seu desejo, sua adoração até, e algo mais, a profundidade de sua necessidade, a profundidade do seu amor por mim.

Ele segura a barra do seu suéter cor de creme e o puxa por sobre a cabeça, depois tira a camiseta, revelando seu peito, sem tirar os olhos cinzentos e destemidos dos meus. Tira os sapatos, as meias e por último segura o botão da calça jeans.

Eu me aproximo e sussurro:

— Deixe que eu faço isso.

Seus lábios se entreabrem por um instante, e ele sorri.

— À vontade.

Dou um passo na direção dele, deslizo meus dedos ousados para dentro do cós da calça e o puxo de modo que ele é obrigado a dar um passo em minha direção. Ele suspira involuntariamente ante a minha audácia inesperada, em seguida sorri. Abro o botão, mas antes de descer o zíper, deixo meus dedos brincarem por ali, acompanhando sua ereção através do brim macio. Ele flexiona os quadris contra a minha mão e fecha os olhos por um instante, saboreando o toque.

— Você está ficando tão ousada, Ana, tão corajosa — sussurra ele e segura meu rosto com ambas as mãos, inclinando-se para um beijo profundo.

Coloco minhas mãos em seu quadril — metade em sua pele fria, metade na cintura da calça.

— Você também — murmuro contra seus lábios enquanto meus polegares massageiam círculos lentos em sua pele, e ele sorri.

— Estamos chegando lá.

Deslizo as mãos até a frente da calça e abro o zíper. Meus dedos intrépidos percorrem os pelos pubianos dele até a sua ereção, e eu o agarro com firmeza.

Ele solta um gemido baixo na garganta, seu hálito doce me envolvendo, e me beija de novo, com ternura. Minha mão se move sobre ele, em torno dele, acariciando-o, apertando-o com força, e ele me envolve em seus braços, a mão direita espalmada contra o meio das minhas costas, os dedos abertos. A mão esquerda está no meu cabelo, segurando-me junto à sua boca.

— Ah, Ana, eu quero tanto você — ofega ele, dando um passo brusco para trás e tirando a calça e a cueca num movimento rápido e ágil. Ele é lindo, com ou sem roupa, cada centímetro dele.

É perfeito. *A única profanação de sua beleza são as cicatrizes*, penso, com tristeza. E elas vão muito além da sua pele.

— O que foi, Ana? — murmura ele, acariciando meu rosto com os nós dos dedos, com gentileza.

— Nada. Faça amor comigo, agora.

Ele me puxa em seus braços, beijando-me, enfiando as mãos no meu cabelo. Nossas línguas entrelaçadas, ele me conduz de costas até a cama e suavemente me deita sobre ela, juntando-se a mim, ao meu lado.

Ele corre o nariz ao longo do meu queixo, e minhas mãos acariciam seu cabelo.

— Você tem alguma ideia de como o seu cheiro é delicioso, Ana? É um perfume irresistível.

Suas palavras fazem o que sempre fazem: inflamam meu sangue, aceleram minha pulsação. E ele esfrega o nariz em meu pescoço, meus seios, beijando-me com reverência.

— Você é tão linda — murmura ao envolver um dos meus mamilos em sua boca e chupá-lo suavemente.

Solto um gemido e jogo a cabeça para trás.

— Quero ouvir você, baby.

Sua mão segue até minha cintura, e eu me regozijo com a sensação de seu toque, pele contra pele, sua boca sedenta em meus seios e seus longos dedos habilidosos em mim, acariciando-me, afagando-me. Ele desce a mão por meus quadris, minha bunda e ao longo de minha perna até o joelho, e durante todo esse tempo está beijando e chupando meus seios.

Segurando meu joelho, ele de repente ergue minha perna, passando-a sobre seu quadril, fazendo-me suspirar, e eu sinto, mais do que vejo, seu sorriso de resposta contra minha pele. Ele gira o corpo, de forma que fico montada nele, e me passa um envelopinho de papel laminado.

Chego para trás e o seguro entre as mãos. Simplesmente não consigo resistir a ele, em toda a sua glória. E me curvo para beijá-lo, enfiando-o na boca, brincando com a língua a seu redor e, então, chupando com força. Ele geme e flexiona o quadril, entrando ainda mais em minha boca.

Hum... que gosto bom. Quero ele dentro de mim. Eu me sento e o encaro; está ofegante, observando-me atento e boquiaberto.

Depressa, rasgo o papel laminado e coloco a camisinha nele. Ele me estende as mãos. Seguro uma delas e, com a mão livre, posiciono-me sobre ele, lentamente, reivindicando-o como meu.

Ele geme baixinho, fechando os olhos.

A sensação dele dentro de mim... me abrindo... me preenchendo, solto um gemido baixo, *é divina.* Ele coloca as mãos na minha cintura e me move para cima e para baixo, metendo em mim. *Ah... é tão bom.*

— Ah, baby — sussurra ele e, de repente, ergue-se, de forma que ficamos cara a cara, e a sensação é extraordinária, de plenitude.

Suspiro, agarrando seus braços enquanto ele segura minha cabeça entre as mãos e me olha nos olhos... os dele intensos e cinzentos, ardendo de desejo.

— Ana. O que você me faz sentir — murmura e me beija apaixonadamente, com ardor fervoroso.

Eu o beijo de volta, tonta com a deliciosa sensação dele dentro de mim.

— Eu amo você — murmuro.

Ele geme como se doesse ouvir minhas palavras sussurradas, e rola, levando-me com ele, sem interromper nosso precioso contato, de modo que fico debaixo de seu corpo. Envolvo as pernas em sua cintura.

Ele me olha com uma adoração maravilhada, e tenho certeza de que sua expressão se espelha em minha face à medida que acaricio seu belo rosto. Muito lentamente, ele começa a se mover, fechando os olhos e gemendo baixinho.

O balanço suave do barco e a tranquilidade da cabine são quebrados apenas pelas nossas respirações misturadas enquanto, lentamente, ele entra e sai de mim, tão controlado e tão gostoso: é divino. Ele coloca o braço por cima de minha cabeça, a mão em meu cabelo, e acaricia meu rosto com a outra mão ao se inclinar para me beijar.

Estou aninhada nele, e ele faz amor comigo, entrando e saindo devagar, saboreando-me. Eu o toco, atendo-me aos limites: seus braços, seu cabelo, a parte inferior de suas costas, sua bunda. E minha respiração se acelera à medida que o

ritmo constante dele me dá mais e mais prazer. Ele beija minha boca, meu queixo, depois mordisca minha orelha. Posso ouvir sua respiração ofegante a cada investida suave de seu corpo.

Meu corpo começa a tremer. *Ah... Essa sensação que agora conheço tão bem...
Estou perto... Ah...*

— Isso, baby... goze para mim... por favor... Ana — murmura ele, e suas palavras são minha perdição.

— Christian — grito, e ele geme, e nós gozamos juntos.

CAPÍTULO DEZ

— Mac vai voltar daqui a pouco — murmura ele.

— Hum. — Pisco para ele, encontrando seu olhar cinzento e gentil. Meu Deus, seus olhos têm uma cor incrível, especialmente aqui, no mar, refletindo a luz que vem da água através das pequenas janelas da cabine.

— Por mais que eu quisesse ficar aqui com você pelo resto da tarde, ele vai precisar da minha ajuda com o bote. — Debruçando-se, Christian me beija com ternura. — Ana, você está tão linda, toda despenteada e sexy. Me faz querer você de novo. — Ele sorri e se levanta da cama. Fico ali, de bruços, admirando a vista.

— Você também não é nada mau, capitão. — Faço um beicinho em admiração e ele sorri.

Eu o observo caminhar pela cabine e se vestir. Esse homem que acabou de fazer amor gentil comigo mais uma vez. Mal posso acreditar na minha sorte. Mal posso acreditar que ele é meu. Ele se senta ao meu lado para calçar os sapatos.

— Capitão, é? — diz secamente. — Bem, sou o senhor deste navio.

Inclino a cabeça.

— Você é o senhor do meu coração, Sr. Grey. — *E do meu corpo... e da minha alma*.

Ele balança a cabeça, incrédulo, e se abaixa para me beijar.

— Vou estar no convés. Tem um chuveiro no banheiro, se você quiser. Precisa de alguma coisa? Uma bebida? — pergunta ele, solícito, e tudo o que posso fazer é sorrir. É o mesmo homem que está falando comigo? É mesmo aquele homem de Cinquenta Tons? — O que foi? — diz ele, reagindo ao meu sorriso idiota.

— Você.

— O que tem eu?

— Quem é você e o que fez com Christian?

Seus lábios se contorcem num sorriso triste.

— Ele não está muito longe, baby — diz, em voz baixa, e há um toque de melancolia em sua voz que imediatamente faz com que eu me arrependa de minha pergunta. Mas ele balança a cabeça, afastando a tristeza. — Você vai encontrá-lo em breve — ele sorri —, especialmente se não se levantar. — E, esticando-se, me dá um tapa forte na bunda, e eu rio e grito ao mesmo tempo.

— Estava ficando preocupada.

— Ah, é? — Christian franze a testa. — Você realmente me manda sinais contraditórios, Anastasia. Como é que um homem pode entendê-la? — Ele se inclina e me beija de novo. — Até mais, baby — acrescenta e, com um sorriso deslumbrante, levanta-se e me deixa só com meus pensamentos dispersos.

QUANDO APAREÇO NO deque, Mac está de volta a bordo, mas ele passa para o convés superior assim que abro as portas do salão. Christian está no BlackBerry. *Falando com quem?*, eu me pergunto. Ele caminha devagar e me puxa para perto, beijando meu cabelo.

— Ótima notícia... Ótimo. Isso... Sério? A escada de incêndio?... Entendi... É, hoje à noite.

Ele desliga o telefone, e o som de motores sendo acionados me assusta. Mac deve estar na cabine de pilotagem acima de nós.

— Hora de voltar — diz Christian, beijando-me mais uma vez ao colocar o colete salva-vidas em mim.

O SOL ESTÁ baixo no céu atrás de nós enquanto percorremos o caminho de volta para a marina, e eu reflito sobre esta tarde maravilhosa. Sob a tutela cuidadosa e paciente de Christian, já guardei a vela grande, uma vela de proa e uma bujarrona, e também aprendi a dar um nó direito, um nó volta do fiel e um nó catau. Seus lábios estavam trêmulos durante toda a lição.

— Talvez eu amarre você um dia — murmuro, mal-humorada.

Sua boca se contorce com humor.

— Você vai ter que me pegar primeiro, Srta. Steele.

Suas palavras me fazem lembrar dele me perseguindo por todo o apartamento, a emoção e o desfecho terrível. Faço uma cara feia e estremeço. Depois disso, eu o deixei.

Será que o deixaria de novo, agora que ele admitiu que me ama? Olho bem dentro de seus olhos claros e cinzentos. Será que poderia deixá-lo de novo, se ele me fizesse algo terrível? Eu seria capaz de traí-lo desse jeito? Não. Acho que não.

Ele dá uma volta mais completa comigo pelo barco, explicando todos os projetos e técnicas inovadores, e os materiais de alta qualidade usados para construí-

-lo. Lembro-me da entrevista na primeira vez em que nos encontramos; desde então percebi sua paixão por barcos. Eu pensava que seu amor era só pelos navios oceânicos que sua empresa constrói — e não por catamarãs elegantes e sensuais também.

E, claro, ele fez amor comigo, carinhosamente e sem pressa. Balanço a cabeça, lembrando do meu corpo contorcido e ardendo de desejo sob suas mãos experientes. Ele é um amante excepcional, tenho certeza — embora, é claro, eu não tenha parâmetros de comparação. Mas Kate teria se gabado mais se sexo fosse sempre assim. Não é muito do feitio dela poupar detalhes.

Porém, por quanto tempo isso vai ser suficiente para ele? Simplesmente não sei, e o pensamento é desconcertante.

E então, ele se senta, e eu fico no círculo de segurança de seus braços pelo que parecem horas, num silêncio confortável e companheiro, enquanto *The Grace* desliza, aproximando-se cada vez mais de Seattle. Estou ao timão, Christian aconselhando, fazendo um ou outro ajuste.

— Velejar tem uma poesia tão antiga quanto o mundo — murmura ele no meu ouvido.

— Parece uma citação. — Sinto seu sorriso.

— E é. Antoine de Saint-Exupéry.

— Ah...

JÁ É FIM DE TARDE quando Christian, as mãos ainda nas minhas, nos conduz para dentro da marina. As luzes dos barcos estão piscando, refletidas na água escura, mas ainda está claro... um início de noite ameno e brilhante, uma introdução para o que na certa será um pôr do sol espetacular.

Uma multidão se reúne no cais quando Christian lentamente gira o barco num espaço relativamente pequeno. Ele faz isso com facilidade e dá ré de mansinho, entrando no mesmo espaço do ancoradouro do qual saímos mais cedo. Mac salta para o cais e amarra *The Grace* com firmeza a um cabeço de amarração.

— Chegamos — murmura Christian.

— Obrigada — agradeço, tímida. — Foi uma tarde perfeita.

— Também achei. — Christian sorri. — Talvez a gente possa matricular você numa escola de vela, para sairmos juntos, só nós dois, por alguns dias.

— Eu adoraria. Podemos batizar o quarto de novo e de novo.

Ele se inclina e me beija debaixo da orelha.

— Hum... vou esperar ansioso, Anastasia — sussurra, fazendo cada pelo do meu corpo se arrepiar.

Como ele faz isso?

— Venha, o apartamento está liberado. Já podemos voltar.

— E as nossas coisas no hotel?

— Taylor já buscou.

Ah! Quando?

— Hoje cedo, depois de fazer uma varredura em *The Grace* com a equipe de segurança — Christian responde a minha pergunta silenciosa.

— O coitado não dorme nunca?

— Ele dorme. — Christian franze a sobrancelha para mim, intrigado. — Está só fazendo o trabalho dele, Anastasia, o que faz muito bem, aliás. Jason é um verdadeiro achado.

— Jason?

— Jason Taylor.

Achava que Taylor era o primeiro nome dele. Jason. Combina com ele: sólido, confiável. Por algum motivo isso me faz sorrir.

— Você gosta muito de Taylor — diz Christian, avaliando-me especulativo.

— Acho que sim. — Sua observação me pega de surpresa. Ele franze a testa. — Não sinto atração por ele, se é isso que está fazendo você franzir a testa. Pode parar.

Christian está praticamente fazendo beicinho, emburrado.

Nossa, às vezes ele é tão infantil.

— Acho que Taylor cuida muito bem de você. É por isso que gosto dele. Ele parece gentil, confiável e leal. É do caráter avuncular dele que eu gosto.

— Avuncular?

— É.

— Certo, avuncular. — Christian está testando a palavra e o significado. Eu rio.

— Ah, Christian, cresça, pelo amor de Deus.

Ele fica boquiaberto, surpreso com minha explosão, mas, em seguida, franze a testa como se estivesse ponderando a respeito de meu pedido.

— Estou tentando — diz, afinal.

— Isso é verdade. E muito — respondo baixinho, mas depois reviro os olhos para ele.

— As lembranças que você evoca quando revira os olhos para mim, Anastasia. — Ele sorri.

Sorrio em resposta.

— Bem, se você se comportar, talvez a gente possa reviver algumas delas.

— Se eu me comportar? — Sua boca se contorce com diversão. Ele ergue uma das sobrancelhas e acrescenta: — Sério, Srta. Steele, o que a faz achar que eu quero reviver tais memórias?

— Provavelmente, a forma como seus olhos se iluminaram feito luzes de Natal quando eu disse isso.

— Você já me conhece muito bem — diz ele, secamente.

— Gostaria de conhecê-lo melhor.

— E eu a você, Anastasia. — Ele sorri com gentileza.

— Obrigado, Mac. — Christian aperta a mão de McConnell e salta para o cais.

— É sempre um prazer, Sr. Grey, até a próxima. Ana, muito bom conhecer você.

Aperto sua mão timidamente. Ele deve saber o que Christian e eu estávamos aprontando no barco quando ele desembarcou.

— Tenha uma boa noite, Mac, e obrigada.

Ele sorri para mim e lança uma piscadela, fazendo-me corar. Christian segura minha mão, e caminhamos pelo cais até o calçadão da marina.

— De onde Mac é? — pergunto, curiosa sobre seu sotaque.

— Da Irlanda... Irlanda do Norte. — Christian se corrige.

— Ele é seu amigo?

— Mac? Ele trabalha para mim. Ele me ajudou a construir *The Grace*.

— Você tem muitos amigos?

Ele franze a testa.

— Na verdade, não. Fazendo o que faço... não cultivo amizades. Só tem a... — Ele para, faz uma careta, e sei que ia falar da Mrs. Robinson. — Está com fome? — pergunta, tentando mudar de assunto.

Faço que sim com a cabeça. Na verdade, estou faminta.

— Vamos comer lá onde deixei o carro. Venha.

Ao lado do SP's Place há um pequeno bistrô italiano chamado Bee's. Ele me faz lembrar do restaurante de Portland: poucas mesas e alguns nichos reservados junto às paredes, a decoração fria e moderna, com uma enorme fotografia em preto e branco de uma festa na virada do século servindo de mural.

Christian e eu estamos sentados em um dos reservados, debruçados sobre o cardápio e tomando um Frascati leve e delicioso. Quando ergo os olhos do menu, depois de ter feito minha escolha, vejo Christian me observando pensativo.

— O que foi? — pergunto.

— Você está linda, Anastasia. Pegar um pouco de ar faz bem a você.

Fico vermelha.

— Para falar a verdade, acho que minha pele está um pouco irritada por causa do vento. Mas foi uma tarde adorável. Uma tarde perfeita. Obrigada.

Ele sorri, seu olhar cálido.

— O prazer é todo meu — murmura.

— Posso perguntar uma coisa? — Decido embarcar numa missão para desencavar mais informações.

— Qualquer coisa, Anastasia. Você sabe disso. — Ele inclina a cabeça, tão bonito.

— Você não parece ter muitos amigos. Por quê?

Ele dá de ombros e franze a testa.

— Já falei, eu realmente não tenho tempo. Tenho sócios, embora isso seja muito diferente de amizade, imagino. Tenho minha família e é isso. Fora Elena.

Ignoro a menção àquela monstra filha da mãe.

— Nenhum amigo homem da mesma idade que você, com quem sair e gastar energia?

— Você sabe como eu gosto de gastar energia, Anastasia. — Christian contorce a boca. — E eu estive trabalhando, construindo meu negócio. — Ele parece intrigado. — É só o que eu faço, além de velejar e voar de vez em quando.

— Nem na faculdade?

— Não.

— Só Elena, então?

Ele faz que sim com a cabeça, a expressão desconfiada.

— Deve ser meio solitário.

Seus lábios se curvam num pequeno sorriso melancólico.

— O que você gostaria de comer? — pergunta, mudando de assunto mais uma vez.

— Vou querer o risoto.

— Boa escolha. — Christian chama o garçom, pondo fim à conversa.

Depois de fazermos o pedido, eu me ajeito, desconfortável, em meu assento, encarando meus dedos. Se ele está em um modo falante, preciso aproveitar.

Tenho que conversar com ele sobre suas expectativas, sobre suas... hum... necessidades.

— Anastasia, qual o problema? Fale.

Ergo o olhar para seu rosto preocupado.

— Fale — diz ele, com mais ênfase, e sua preocupação evolui para... o quê? Medo? Raiva?

Respiro fundo.

— Só estou preocupada que isso não seja suficiente para você. Você sabe, para gastar energia.

Ele contrai a mandíbula, e seu olhar endurece.

— Eu dei algum sinal de que isso não é o bastante?

— Não.

— Então por que você acha isso?

— Porque eu sei como você é. Do que você... hum... precisa — gaguejo.

Ele fecha os olhos e esfrega a testa com os longos dedos.

— O que eu tenho que fazer? — Sua voz é baixa e sinistra, como se ele estivesse com raiva, e meu coração afunda.

— Não, você não entendeu. Você tem sido incrível, e eu sei que foram só alguns dias, mas espero não estar forçando você a ser alguém que não é.

— Eu ainda sou eu, Anastasia, fodido em todos os meus cinquenta tons. Sim, eu tenho que conter meu desejo de ser controlador... mas essa é a minha natureza, o jeito como lidei com a minha vida. Sim, eu espero que você se comporte de determinada maneira, e quando você não o faz é ao mesmo tempo desafiador e estimulante. Nós ainda fazemos o que eu gosto. Você me deixou bater em você após seu lance absurdo de ontem. — Ele sorri com carinho pela memória. — Gosto de punir você. E não acho que um dia essa vontade vá esmorecer... mas estou tentando, e não é tão difícil quanto achei que seria.

Eu me contorço na cadeira e fico vermelha, lembrando o nosso encontro ilícito no quarto de sua infância.

— Eu gostei daquilo — sussurro, sorrindo timidamente.

— Eu sei. — Seus lábios se curvam num sorriso relutante. — Eu também. Mas preciso admitir, Anastasia, tudo isso é novo para mim, e estes últimos dias têm sido os melhores da minha vida. Não quero mudar nada.

Ah!

— Também foram os melhores da minha vida, sem dúvida — murmuro e o sorriso dele aumenta. Minha deusa interior concorda freneticamente com a cabeça e me cutuca com força. *Ok, ok.* — Então você não quer me levar para seu quarto de jogos?

Ele inspira e fica pálido, todos os resquícios de humor desaparecem.

— Não, não quero.

— Por que não? — sussurro. Não é a resposta que eu esperava.

E sim, lá está: aquela leve pontada de decepção. Minha deusa interior sai pisando duro e fazendo beicinho, de braços cruzados feito uma criança com raiva.

— Na última vez em que estivemos lá, você me deixou — diz, baixinho. — Vou me afastar de qualquer coisa que poderia fazer você me deixar de novo. Fiquei arrasado quando você foi embora. Já expliquei isso. Nunca mais quero me sentir daquele jeito. Já falei como me sinto a seu respeito. — Seus olhos cinzentos estão arregalados e intensos de sinceridade.

— Mas isso não parece justo. Não pode ser confortável para você ter que ficar constantemente preocupado com o que eu sinto. Você fez todas essas mudanças por mim, e eu... eu acho que deveria retribuir de alguma forma. Não sei... talvez... tentar... umas fantasias — gaguejo, o rosto tão vermelho quanto as paredes do quarto de jogos.

Por que é tão difícil falar sobre isso? Já fiz todo tipo de trepada sacana com esse homem, coisas de que eu nem sequer tinha ouvido falar há algumas semanas, coisas que eu nunca teria pensado serem possíveis, e ainda assim o mais difícil é falar com ele.

— Ana, você retribui, sim, mais do que imagina. Por favor, por favor, não se sinta assim.

E lá se foi o Christian descontraído. Seus olhos agora estão arregalados de preocupação, e é angustiante.

— Baby, faz só um fim de semana — continua ele. — Dê um tempo para a gente. Pensei muito em nós dois na semana passada, quando você foi embora. Nós precisamos de tempo. Você precisa confiar em mim, e eu em você. Talvez com o tempo a gente possa se aventurar, mas gosto de como você está agora. Gosto de ver você feliz assim, relaxada e descontraída, e de saber que eu sou a causa disso. Eu nunca... — Ele para e passa a mão pelo cabelo. — A gente precisa aprender a caminhar antes de correr. — E, de repente, sorri.

— Qual é a graça?

— Flynn. Ele diz isso o tempo todo. Nunca pensei que iria citar uma frase dele.

— Um Flynnismo.

— Isso mesmo. — Christian ri.

O garçom chega com as entradas e bruschettas, e a conversa muda de rumo à medida que Christian relaxa.

Mas quando os pratos descomunais são colocados diante de nós, não consigo deixar de refletir sobre minhas lembranças de Christian hoje: relaxado, feliz e despreocupado. Pelo menos ele está rindo agora, à vontade de novo.

Suspiro de alívio por dentro enquanto ele começa a me perguntar sobre lugares em que já estive. É uma conversa curta, já que nunca saí dos Estados Unidos. Christian, por outro lado, já conheceu o mundo. E nós mergulhamos numa conversa mais fácil, mais feliz, sobre os lugares que ele já visitou.

APÓS UMA REFEIÇÃO deliciosa e farta, Christian me leva de volta ao Escala, com a voz suave de Eva Cassidy saindo dos alto-falantes do carro. O que me dá um momento de paz para pensar. Tive um dia alucinante: a Dra. Greene, nosso banho juntos, a declaração de Christian, fazer amor no hotel e no barco, comprar o carro. Até o próprio Christian tem sido tão diferente. É como se ele estivesse deixando algo para trás ou redescobrindo algo... não sei o quê.

Quem imaginaria que ele poderia ser tão gentil? Será que ele próprio sabia disso?

Ao olhar para seu rosto, noto que ele também parece perdido em pensamentos. E me dou conta de que ele nunca teve uma adolescência, pelo menos não uma adolescência normal. Balanço a cabeça.

Minha mente volta para a festa e para minha dança com o Dr. Flynn, e o medo de Christian de que Flynn tivesse me contado tudo sobre ele. Christian ainda está escondendo algo. Como podemos seguir em frente, se ele se sente assim?

Ele acha que eu o deixaria se o conhecesse por inteiro. Acha que eu iria embora se fosse ele mesmo. *Ah, este homem é tão complicado.*

À medida que nos aproximamos da casa dele, Christian começa a irradiar tensão, até que seu nervosismo se torna palpável. Ele sonda as calçadas e ruas transversais, seus olhos disparando por todos os lados, e sei que está procurando por Leila. Começo a procurar também. Qualquer jovem morena é uma suspeita, mas não a avistamos.

Quando entra na garagem, sua boca está comprimida numa linha tensa e austera. Eu me pergunto por que viemos para cá, se ele vai ficar tão desconfiado e nervoso. Sawyer está na garagem, de patrulha. O Audi ferrado se foi. Ele caminha até a minha porta assim que Christian estaciona ao lado do SUV.

— Oi, Sawyer — cumprimento-o.

— Srta. Steele. — Ele acena com a cabeça. — Sr. Grey.

— Nenhum sinal? — pergunta Christian.

— Não, senhor.

Christian assente com a cabeça, segura minha mão e caminha até o elevador. Sei que seu cérebro está trabalhando, ele está distraído. Assim que entramos no elevador, ele se vira e me diz:

— Você não tem permissão para sair daqui sozinha. Entendeu?

— Entendi.

Minha nossa! Segure a onda. Mas sua preocupação me faz sorrir. Minha vontade é de abraçar a mim mesma: eu conheço esse homem autoritário e rude. É impressionante que o tenha achado tão ameaçador quando ele falava assim comigo há apenas uma semana. Agora eu o entendo melhor. Esse é o seu mecanismo de defesa. Ele está estressado com a história de Leila, ele me ama e quer me proteger.

— Qual é a graça? — murmura ele, uma pitada de diversão em sua expressão.

— Você.

— Eu? Srta. Steele? Por que sou engraçado? — pergunta, amuado.

Christian amuado é... tão sexy.

— Não faça essa carinha.

— Por quê? — Ele parece estar se divertindo ainda mais.

— Porque ela tem o mesmo efeito sobre mim que eu tenho sobre você quando faço isso. — Mordo o lábio inferior deliberadamente.

Ele ergue as sobrancelhas, surpreso e deliciado ao mesmo tempo.

— Sério? — E faz a mesma cara amuada de novo, inclinando-se para me dar um beijo rápido e inocente.

Ergo meus lábios ao encontro dos seus, e, no instante em que eles se tocam, a natureza do beijo muda: um fogo corre por minhas veias a partir desse ponto de contato íntimo, impelindo-me para junto dele.

De repente, meus dedos estão enrolados em seu cabelo enquanto ele me agarra e me empurra contra a parede do elevador, as mãos emoldurando meu rosto, apertando-me em seus lábios à medida que nossas línguas duelam. E não sei se é o confinamento do elevador que torna tudo muito mais real, mas eu sinto seu desejo, sua ansiedade, sua paixão.

Puta merda. Eu o quero, aqui, agora.

O elevador apita e para, as portas se abrem, e Christian afasta o rosto do meu, seu quadril ainda me pressionando contra a parede, sua ereção se enterrando em mim.

— Uau — murmura ele, ofegante.

— Uau — repito sua expressão, fazendo uma inspiração bem-vinda.

Ele me encara, os olhos brilhando.

— O que você faz comigo, Ana... — E acaricia meu lábio inferior com o polegar.

Pelo canto do olho, vejo Taylor dando um passo para trás até sair de meu campo de visão. Levanto o rosto e beijo o cantinho da boca lindamente delineada de Christian.

— O que você faz comigo, Christian.

Ele dá um passo para trás e pega minha mão, seus olhos agora escurecidos, nublados.

— Venha — ordena.

Taylor ainda está no hall de entrada, esperando discretamente por nós.

— Boa noite, Taylor — diz Christian, cordialmente.

— Sr. Grey, Srta. Steele.

— Ontem eu era a Sra. Taylor. — Sorrio para ele, que fica vermelho.

— Soa bem, Srta. Steele — responde Taylor com naturalidade.

— Também achei.

Christian aperta minha mão e faz cara feia.

— Quando vocês acabarem, gostaria de ouvir o relatório de Taylor. — Ele olha para Taylor, que agora parece desconfortável, e eu me encolho toda por dentro. Passei do ponto.

— Desculpe — gesticulo com a boca para Taylor, que dá de ombros e sorri com gentileza antes de eu me voltar e acompanhar Christian.

— Já falo com você. Só quero discutir uma coisa com a Srta. Steele — diz Christian a Taylor, e sei que estou em apuros.

Ele me leva até o seu quarto e fecha a porta.

— Não flerte com os funcionários, Anastasia — ele me repreende.

Abro a boca para me defender, mudo de ideia, depois abro de novo.

— Não estava flertando. Estava sendo simpática, há uma diferença.

— Não seja simpática com os funcionários nem flerte com eles. Não gosto disso.

Ah. Adeus, Christian despreocupado.

— Desculpe — murmuro e olho para meus dedos.

Ele não tinha feito com que eu me sentisse uma criança nenhuma vez, o dia todo. Segura meu queixo e ergue meu rosto, até nossos olhares se encontrarem.

— Você sabe como sou ciumento — sussurra.

— Você não tem razão nenhuma para ter ciúmes, Christian. Sou sua de corpo e alma.

Ele pisca como se isso fosse difícil de processar. E se aproxima, dando-me um beijo rápido, mas sem sinal da paixão de momentos atrás, no elevador.

— Não vou demorar. Sinta-se em casa — diz ele de mau humor, afastando-se e me deixando sozinha em seu quarto, atordoada e confusa.

Por que diabo ele teria ciúme de Taylor? Balanço a cabeça em descrença.

Pelo relógio da mesa de cabeceira, vejo que já passa das oito. Decido separar minhas roupas para o dia de trabalho, amanhã. Subo até meu quarto no segundo andar e abro as portas do closet. Está vazio. Todas as roupas sumiram. *Ah, não!* Christian me levou a sério e devolveu tudo. *Merda.*

Meu inconsciente me encara. *Você e sua boca grande.*

Por que ele me levou a sério? O conselho de minha mãe volta para me assombrar: "Os homens são criaturas literais." Faço beicinho, olhando o espaço vazio. Havia roupas lindas, o vestido prata que usei na festa, por exemplo.

Caminho desconsolada pelo quarto. *Espere um momento... o que é que está acontecendo?* O iPad sumiu. Cadê o meu Mac? *Ah, não.* A primeira coisa que me vem à cabeça é que Leila pode ter roubado tudo.

Desço correndo até o quarto de Christian. E na mesinha de cabeceira estão meu Mac, meu iPad e minha mochila. Está tudo aqui.

Abro a porta do closet. Minhas roupas estão ali — todas elas —, junto com as de Christian. Quando isso aconteceu? Por que ele nunca me avisa antes de fazer essas coisas?

Eu me viro, e ele está parado, junto à porta.

— Ah, eles conseguiram fazer a mudança — murmura, distraído.

— O que houve? — pergunto. Ele tem uma expressão desagradável no rosto.

— Taylor acha que Leila entrou pela escada de emergência. Ela devia ter uma chave. Todas as fechaduras foram trocadas. A equipe de Taylor fez uma busca em todos os cômodos do apartamento. Ela não está aqui. — Ele faz uma pausa e passa a mão pelo cabelo. — Queria saber onde está. Mas ela conseguiu fugir de todas as nossas tentativas de encontrá-la, quando tudo de que precisa é ajuda. — Ele franze a testa, e meu ressentimento anterior desaparece. Envolvo-o em meus braços. Abraçando-me de volta, ele beija meu cabelo.

— O que você vai fazer quando encontrá-la? — pergunto.

— Dr. Flynn conhece um lugar.

— E o marido?

— Ele lavou as mãos. — O tom de Christian é amargo. — A família dela é de Connecticut. Acho que ela está completamente sozinha.

— Isso é triste.

— Tudo bem se todas as suas coisas ficarem aqui? Quero dividir o quarto com você — murmura ele.

Uau, mudança rápida de direção.

— Tudo bem.

— Quero que você durma comigo. Não tenho pesadelos quando estamos juntos.

— Você tem pesadelos?

— Tenho.

Aperto-o mais em meu abraço. Mais bagagem. Meu coração se comprime por ele.

— Eu estava só separando minha roupa para o trabalho amanhã — murmuro.

— Trabalho! — exclama Christian como se fosse um palavrão e me solta, me encarando.

— Sim, trabalho — respondo, confusa com sua reação.

Ele me olha com total incompreensão.

— Mas Leila... ela está solta por aí — ele faz uma pausa. — Não quero que você vá para o trabalho.

O quê?

— Isso é ridículo, Christian. Eu tenho que ir trabalhar.

— Não, você não tem.

— Eu tenho um emprego novo, do qual gosto. Claro que tenho que ir trabalhar. — *O que ele quer dizer?*

— Não, você não tem — repete ele, enfaticamente.

— Você acha que eu vou ficar aqui fazendo nada enquanto você sai por aí sendo o Mestre do Universo?

— Para falar a verdade... acho.

Ah, Cinquenta, Cinquenta, Cinquenta... dai-me forças.

— Christian, eu preciso trabalhar.

— Não, você não precisa.

— Sim. Eu. Preciso — falo bem devagar, como se ele fosse uma criança.

— Não é seguro. — Ele faz cara feia para mim.

— Christian... Eu preciso trabalhar para viver, e vou ficar bem.

— Não, você não precisa trabalhar para viver... E como você sabe que vai ficar bem? — Ele está quase gritando.

O que ele quer dizer? Que vai me sustentar? Ah, isso já é mais que ridículo. A gente se conhece há o quê... umas cinco semanas?

Ele está com raiva agora, seus olhos cinzentos tempestuosos e ligeiros, mas não estou nem aí.

— Pelo amor de Deus, Christian, Leila estava aqui, ao pé da sua cama, e ela não me fez mal nenhum, e sim, eu preciso trabalhar. Não quero ficar em dívida com você. E tenho que pagar o empréstimo da faculdade.

Ele pressiona a boca numa linha sombria, e eu coloco as mãos no quadril. Não vou abrir mão disso. Quem ele pensa que é?

— Não quero que você vá para o trabalho.

— Isso não depende de você, Christian. Não é uma decisão que você possa tomar.

Ele corre os dedos pelo cabelo e me encara. Os segundos passam, minutos até, enquanto fitamos um ao outro.

— Sawyer vai com você.

— Christian, não precisa disso. Você está sendo irracional.

— Irracional? — rosna ele. — Ou ele vai com você ou eu vou ser realmente irracional e vou prender você aqui.

Ele não faria isso, faria?

— Como, exatamente?

— Ah, eu dou o meu jeito, Anastasia. Não me force.

— Certo! — cedo, erguendo as mãos para acalmá-lo.

Puta merda... Meu Cinquenta Tons está de volta com todas as forças.

Ficamos ali, fazendo cara feia um para o outro.

— Tudo bem, Sawyer pode vir comigo se isso fizer você se sentir melhor — aceito, revirando os olhos.

Christian estreita os dele e dá um passo ameaçador em minha direção. Imediatamente, dou um passo para trás. Ele para e respira fundo, fechando os olhos e correndo as mãos pelo cabelo. Ah, não. Ele está realmente furioso.

— Quer dar uma volta pelo apartamento?

Uma volta? Você está brincando comigo?

— Tudo bem — murmuro com cautela. Mais uma mudança de direção... O Sr. Inconstante está de volta. Ele me estende a mão, e quando eu a seguro, ele aperta a minha com carinho.

— Não queria assustar você.

— Você não me assustou. Eu estava me preparando para correr — brinco.

— Correr? — Christian arregala os olhos.

— É brincadeira! — *Caramba.*

Ele me leva para fora do closet, e eu preciso de um tempo para me acalmar. A adrenalina ainda está correndo por meu corpo. Uma briga com Christian nunca deve ser encarada levianamente.

Ele faz um tour comigo pelo apartamento, mostrando os diferentes cômodos. Além do quarto de jogos e dos três quartos extras do andar de cima, fico boba ao descobrir que Taylor e a Sra. Jones têm uma ala só para eles, com cozinha, uma sala de estar espaçosa e um quarto para cada um. A Sra. Jones ainda não voltou da visita à irmã, que vive em Portland.

No primeiro andar, o cômodo que me chama a atenção é o que fica em frente ao escritório dele: uma sala com uma tevê de plasma enorme e vários videogames. É aconchegante.

— Então você tem um Xbox? — sorrio.

— Tenho, mas sou uma porcaria. Elliot sempre ganha. Foi engraçado quando você pensou que este era o meu quarto de jogos. — Ele sorri para mim, seu acesso de raiva já esquecido. Graças a Deus ele está recuperando o bom humor.

— Que bom que você me acha engraçada, Sr. Grey — respondo, arrogante.

— Você é, Srta. Steele, quando não está sendo irritante, claro.

— Normalmente sou irritante quando você é irracional.

— Eu? Irracional?

— É, Sr. Grey. Irracional poderia ser seu nome do meio.

— Não tenho nome do meio.

— Então Irracional funciona direitinho.

— Acho que é uma questão de opinião, Srta. Steele.

— Gostaria de ouvir a opinião profissional do Dr. Flynn.

Christian sorri.

— Pensei que Trevelyan fosse seu nome do meio.

— Não. Sobrenome. Trevelyan-Grey.

— Mas você não usa.

— É muito longo. Venha — ordena ele.

Saio com ele da sala da tevê, atravessamos a sala de estar e o corredor principal, passando pela despensa e por uma adega impressionante, até chegarmos ao escritório grande e bem equipado de Taylor. Ele fica de pé assim que entramos. A sala é espaçosa o suficiente para uma mesa de reuniões com seis lugares. Acima de uma escrivaninha, há uma parede cheia de monitores. Não tinha ideia de que o apartamento tinha circuito interno de segurança. Aparentemente, ele controla a varanda, a escada, o elevador de serviço e o saguão.

— Oi, Taylor. Estou só mostrando o apartamento a Anastasia.

Taylor faz que sim com a cabeça, mas não sorri. Eu me pergunto se ele também levou uma bronca, e por que ainda está trabalhando. Quando sorrio para ele, ele acena com a cabeça educadamente. Christian segura minha mão mais uma vez e me leva até a biblioteca.

— E, claro, você já esteve aqui. — Christian abre a porta e eu dou uma olhada para o feltro verde da mesa de bilhar.

— Vamos jogar? — pergunto.

— Está bem. — Christian sorri, surpreso. — Você já jogou antes?

— Algumas vezes — minto, e ele estreita os olhos, inclinando a cabeça.

— Você é uma péssima mentirosa, Anastasia. Ou você nunca jogou antes ou...

— Com medo de um pouco de competição? — Passo a língua de leve pelos lábios.

— Eu? Com medo de uma menininha como você? — Christian zomba bem-humorado.

— Faça sua aposta, Sr. Grey.

— Você é assim tão confiante, Srta. Steele? — Ele sorri, divertido e incrédulo ao mesmo tempo. — O que você quer apostar?

— Se eu ganhar, você me leva de novo para o quarto de jogos.

Ele me olha como se não tivesse entendido o que acabei de dizer.

— E se eu ganhar? — pergunta ele expressando todo o seu choque.

— Aí a escolha é sua.

Ele contorce a boca ao pensar numa resposta.

— Fechado. — Sorri. — Quer jogar bilhar, sinuca ou bilhar francês?

— Bilhar, por favor. Não conheço os outros.

De um armário embaixo de uma das estantes de livros, Christian pega um estojo grande de couro. Dentro dele, as bolas de bilhar estão arrumadas sobre o forro de veludo. Com destreza, ele as coloca no triângulo sobre o feltro. Acho que nunca joguei bilhar numa mesa tão grande antes. Christian me passa um taco e um pouco de giz.

— Quer estourar? — pergunta ele com polidez fingida. Está se divertindo, acha que vai ganhar.

— Tudo bem. — Passo giz na ponta do taco e sopro o excesso, olhando Christian através dos cílios, e seus olhos escurecem.

Acerto a bola branca com uma tacada rápida e direta, atingindo-a no centro do triângulo com tanta força que uma bola listrada gira e mergulha na caçapa superior direita. Além de espalhar todas as bolas restantes.

— Fico com as listradas — digo inocentemente, lançando um sorriso tímido para Christian, que contorce a boca, divertindo-se.

— Como quiser — diz ele, educadamente.

Continuo, matando as próximas três bolas numa rápida sucessão. Por dentro, estou dando pulinhos. Nesse momento, sou muito grata a José por ter me ensinado a jogar, e a jogar bem. Christian assiste impassível, sem entregar nada, mas sua animação parece ter esmorecido. Erro a listrada verde por um fio.

— Sabe, Anastasia, eu poderia passar o dia inteiro aqui assistindo você se inclinar e se esticar em cima dessa mesa — diz ele, com um tom de apreciação.

Fico vermelha. Ainda bem que estou de calça jeans. Ele sorri. Está tentando me desconcertar, o filho da mãe. Ele tira o suéter creme e o joga no encosto de uma cadeira, sorrindo para mim ao caminhar até a mesa para sua primeira tacada.

Ele se inclina sobre a mesa. Minha boca fica seca. *Hum, entendi o que ele quer dizer.* Christian, numa calça apertada e numa camiseta branca, flexionando o corpo, desse jeito... é algo a se admirar. Quase perco a linha de raciocínio. Ele enfia quatro bolas rápidas, antes de cometer uma falta, matando a branca.

— Um erro básico, Sr. Grey — provoco.

— Ah, Srta. Steele — ele sorri —, sou apenas um simples mortal. Sua vez, creio. — Ele aponta para a mesa.

— Você não está tentando perder, está?

— Ah, não. Pelo prêmio que tenho em mente, Anastasia, quero ganhar. — Ele encolhe os ombros casualmente. — Mas, de qualquer forma, eu sempre quero ganhar.

Estreito os olhos para ele. *Bom, vamos lá...* Que bom que estou usando a blusa azul, que tem um belo de um decote. Caminho ao redor da mesa, abaixando-me a cada oportunidade disponível, oferecendo a Christian uma boa visão da minha bunda e do meu decote sempre que posso. Também sei jogar esse jogo. Lanço uma olhada para ele.

— Sei o que você está fazendo — sussurra ele, os olhos sombrios.

Inclino a cabeça para um lado, coquete, acariciando de leve o taco, e correndo minha mão para cima e para baixo bem devagar.

— Hum... Estou apenas tentando decidir onde vai ser minha próxima tacada — murmuro, distraída.

Debruçando-me sobre a mesa, acerto a listrada laranja, armando uma jogada melhor. Então, posiciono-me bem na frente de Christian e me apoio na mesa. Preparo minha próxima tacada, inclinando-me bem sobre a mesa. Ouço Christian inspirar fundo, e, claro, erro a tacada. *Merda.*

Ele se aproxima por trás de mim enquanto ainda estou debruçada sobre a mesa e coloca a mão em minha bunda. *Hum...*

— Você está tentando me provocar, Srta. Steele? — E dá um tapa com força na minha bunda.

Inspiro bruscamente.

— Estou — murmuro, porque é verdade.

— Cuidado com o que deseja, baby.

Passo a mão no ponto em que ele me bateu enquanto ele caminha até o outro lado da mesa e se inclina para dar a tacada. Ele mata a bola vermelha na caçapa esquerda. Em seguida, tenta acertar a amarela, no canto superior, mas erra. Abro um sorriso.

— Quarto Vermelho, aí vamos nós — ameaço.

Ele apenas ergue uma sobrancelha e faz um gesto para eu prosseguir. Mato a listrada verde com facilidade e, por um golpe de sorte, encaçapo a laranja, a última das bolas listradas.

— Você tem que cantar a bola — murmura Christian, e é como se ele estivesse falando de outra coisa, algo sombrio e devasso.

— Acima e à esquerda.

Miro na preta, acerto a bola, mas ela não cai. Bate longe da caçapa. *Droga.*

Christian abre um sorriso perverso ao se debruçar sobre a mesa e mata suas duas últimas bolas com facilidade. Estou praticamente ofegante, observando-o, seu corpo alongando-se sobre a mesa. Ele fica de pé e passa o giz no taco, os olhos ardendo nos meus.

— Se eu ganhar...

Ah, sim?

— Vou lhe dar umas palmadas e comer você em cima dessa mesa.

Puta merda. Cada músculo abaixo do meu umbigo se contrai de tensão.

— Acima, à direita — murmura ele, mirando na preta e se curvando para dar a tacada.

CAPÍTULO ONZE

Com elegância, Christian acerta a bola branca de forma que ela atravessa a mesa toca a preta, fazendo-a rolar bem devagarinho, bater numa quina e, finalmente, mergulhar na caçapa do alto à direita.

Droga.

Ele se levanta, e sua boca se abre num sorriso triunfante de "você é minha, Srta. Steele". Deixando o taco de lado, ele caminha despreocupado em minha direção, com o cabelo despenteado, a calça jeans e a camiseta branca. Nem parece um CEO, lembra muito mais um *bad boy* do subúrbio da cidade. Puta merda, ele é sexy demais.

— Você não vai dar uma de má perdedora agora, vai? — murmura ele, mal contendo o sorriso.

— Depende de quão forte você me bater — sussurro, apoiando-me no taco.

Ele pega o taco da minha mão e o coloca de lado, em seguida engancha o dedo no meu decote e me puxa para junto dele.

— Bem, vamos contar os seus delitos, Srta. Steele. — Ele estende os longos dedos. — Primeiro, provocar ciúmes em mim com meus próprios funcionários. Segundo, brigar comigo porque quer ir trabalhar. Terceiro, empinar esse traseiro delicioso para mim durante os últimos vinte minutos.

Seus olhos brilham com animação num tom suave de cinza, e, baixando o rosto, ele esfrega o nariz no meu.

— Quero que você tire a sua calça jeans e esta beleza de camisa. Agora. — Ele me dá um beijo suave nos lábios e caminha até a porta, trancando-a.

Ao se virar e me fitar, seus olhos estão ardendo. Fico paralisada feito um zumbi, o coração batendo forte, o sangue pulsando, incapaz de mover um único músculo. Em minha mente, tudo o que consigo pensar é: *isso é para ele*. E a frase se repete em minha cabeça como um mantra.

— A roupa, Anastasia. Você ainda está vestida. Tire a roupa ou eu que vou tirá-la para você.

— Você tira — finalmente encontro minha voz, e ela soa baixa e fogosa. Christian sorri.

— Ah, Srta. Steele. É um trabalho sujo, mas acho que dou conta do recado.

— Você normalmente dá conta da maioria dos recados, Sr. Grey. — Ergo uma sobrancelha para ele, e ele sorri.

— Ora, Srta. Steele, o que você quer dizer com isso?

Caminhando em minha direção, ele para junto a uma mesa pequena embutida numa das estantes, onde pega uma régua de acrílico de trinta centímetros. Segura suas duas extremidades e a flexiona, mantendo os olhos fixos nos meus.

Merda, ele escolheu sua arma. Minha boca fica seca.

De repente, sinto-me quente, alvoroçada e úmida em todos os lugares certos. Só mesmo Christian para me excitar apenas com um olhar e uma régua. Ele a coloca no bolso de trás da calça jeans e caminha na minha direção, os olhos sombrios cheios de promessas. Sem dizer uma palavra, ajoelha-se na minha frente e começa a desamarrar o cadarço dos meus tênis, de maneira rápida e eficiente, arrancando meus All Stars e as meias. Eu me apoio na mesa de bilhar para não cair. Olhando para baixo enquanto ele solta o cadarço, fico maravilhada com a profundidade dos sentimentos que tenho por este homem. Eu o amo.

Ele me segura pelo quadril, desliza os dedos pelo cós da minha calça e abre o botão e o zíper. Em seguida, olha para cima através de seus longos cílios, abrindo seu sorriso mais lascivo ao baixar lentamente minha calça. Desvencilho-me dela, contente por estar usando uma calcinha bonita de renda branca, e ele me agarra pela parte de trás das pernas e corre o nariz até o topo de minhas coxas. Quase derreto.

— Quero ser bem duro com você, Ana. Você vai ter que me dizer para parar se for demais — ofega ele.

Meu Deus. Ele me beija... lá. Gemo baixinho.

— Palavra de segurança? — murmuro.

— Não, nada de palavra de segurança, só me diga para parar, e eu paro. Entendeu? — Ele me beija de novo, enfiando o rosto em mim. *Ah, isso é bom.* Christian fica de pé, o olhar intenso. — Responda — ordena, com voz aveludada.

— Sim, sim, entendi. — Sua insistência me deixa intrigada.

— Você ficou dando dicas e me enviando sinais confusos durante todo o dia, Anastasia — diz ele. — Você disse que estava preocupada que eu tivesse perdido a mão. Não sei o que quis dizer com isso, e não sei o quão sério você estava falando, mas nós vamos descobrir. Ainda não quero voltar para o quarto de jogos, então nós podemos tentar isso agora, mas você tem que me prometer que, se não gostar, vai me avisar. — Uma intensidade ardente nascida de sua ansiedade substitui sua arrogância anterior.

Uau, por favor, não fique ansioso, Christian.

— Eu aviso. Nada de palavra de segurança — confirmo, para assegurá-lo.

— Nós somos amantes, Anastasia. Amantes não precisam de palavras de segurança. — Ele franze a testa. — Precisam?

— Acho que não — murmuro. *Como vou saber?* — Prometo.

Ele procura em meu rosto qualquer indício de que eu vá perder a coragem para pôr em prática minhas convicções, e eu estou nervosa, mas também animada. Fico muito mais feliz de fazer isso sabendo que ele me ama. É bem simples para mim, e neste instante, não quero pensar demais no assunto.

Um sorriso lento se estende por todo o seu rosto, e ele começa a desabotoar minha camisa, seus dedos habilidosos desempenhando o trabalho com facilidade, embora ele não a tire completamente. Ele se inclina e pega o taco.

Ah, não, o que ele vai fazer com isso? Um arrepio de medo atravessa meu corpo.

— Você joga bem, Srta. Steele. Tenho que admitir que estou surpreso. Por que não mata a preta para mim?

Esquecendo meu medo, faço beicinho, perguntando-me por que diabo ele deveria ficar surpreso. A sensualidade desse filho da mãe arrogante... Minha deusa interior está se aquecendo ao fundo, fazendo sua série de exercícios de solo, um sorriso enorme estampado no rosto.

Posiciono a bola branca. Christian dá a volta na mesa e fica bem atrás de mim quando me inclino para dar a tacada. Ele coloca a mão em minha coxa direita e corre os dedos para cima e para baixo ao longo de minha perna, chega até minha bunda e então volta para a perna, acariciando-me de leve.

— Vou errar, se você continuar fazendo isso — sussurro, fechando os olhos e saboreando a sensação de suas mãos em mim.

— Não me importo se você vai acertar ou errar, baby. Só queria ver você assim, semivestida, debruçada na minha mesa de bilhar. Você tem ideia de como está gostosa neste instante?

Fico vermelha, e minha deusa interior coloca uma rosa na boca e começa a dançar tango. Respirando fundo, tento ignorá-lo e alinhar minha tacada. É impossível. Ele continua a acariciar minha bunda, mais e mais.

— Acima, à esquerda — murmuro, e então acerto a bola branca. Ele me dá um tapa com força, e atinge em cheio meu traseiro.

É tão inesperado que solto um grito. A bola branca bate na preta, que faz uma tabela bem longe da caçapa. Christian acaricia minha bunda outra vez.

— Acho que você vai ter que tentar de novo — sussurra ele. — Concentre-se, Anastasia.

Estou ofegante agora, empolgada com o jogo. Ele caminha até o outro lado da mesa, posiciona a bola preta de novo e rola a branca na minha direção. Parece tão carnal, os olhos escuros, o sorriso lascivo. Como eu seria capaz de resistir? Pego a bola e a coloco no lugar, pronta para jogar novamente.

— Hã-hã — adverte ele. — Espere.

Ah, como ele adora prolongar a agonia. Ele volta para trás de mim. Fecho os olhos quando ele acaricia minha coxa esquerda dessa vez, e então volta a apalpar minha bunda.

— Agora. — Ele expira.

Não consigo conter o gemido à medida que o desejo dá voltas dentro de mim. E eu tento, tento de verdade, pensar em que ponto tenho que acertar a bola branca na preta. Movo o corpo ligeiramente para a direita, e ele me acompanha. Mais uma vez, debruço-me sobre a mesa. Usando meus últimos resquícios de força interior — que diminuíram consideravelmente, já que agora sei o que vai acontecer quando eu acertar a bola branca —, miro a bola e faço a tacada. Christian me bate mais uma vez, com força.

Ai! Erro de novo.

— Ah, não! — gemo.

— Mais uma, baby. E se errar essa, você vai ver só.

O quê? Ver o quê?

Mais uma vez ele posiciona a bola preta e volta, dolorosamente devagar, até estar de pé atrás de mim, acariciando de novo minha bunda.

— Você consegue — insiste ele.

Não... não com você me distraindo desse jeito. Empurro a mão dele com a minha bunda, e ele me dá um tapinha de leve.

— Ansiosa, Srta. Steele? — murmura.

Sim. Quero você.

— Bem, vamos tirar isso. — Ele desliza suavemente minha calcinha ao longo de minhas coxas e a tira. Não vejo o que ele faz com ela, mas me faz sentir completamente exposta ao dar um beijo de leve em cada nádega. — Dê a sua tacada, baby.

Quero chorar; não vou conseguir. Sei que vou errar. Alinho a branca, dou a tacada e, em minha impaciência, nem toco a bola preta. Espero o golpe, mas ele não vem. Em vez disso, ele se debruça sobre mim, espremendo-me de encontro à mesa, e tira o taco de minha mão, rolando-o na beirada da mesa. Eu o sinto, encostado em minha bunda, duro.

— Você errou — diz suavemente em meu ouvido. Meu rosto fica pressionado contra o feltro. — Espalme as mãos na mesa.

Obedeço.

— Muito bem. Vou bater em você agora e quem sabe na próxima vez você não erre mais. — Ele se move para a minha esquerda, de forma que fica de pé ao meu lado, a ereção forçando meu quadril.

Solto um gemido e meu coração salta até a boca. Estou ofegante e uma onda de excitação corre, densa e quente, por minhas veias. Ele acaricia minha bunda com ternura e envolve meu pescoço com a outra mão, seus dedos apertando meu cabelo em torno de minha nuca, o cotovelo em minhas costas, mantendo-me firme. Estou completamente indefesa.

— Abra as pernas — murmura ele e, por um momento, hesito. Ele me bate com força... com a régua! O barulho é mais forte que a pancada, e me pega de surpresa. Solto um gemido, e ele me bate de novo. — As pernas — ordena.

Abro as pernas, ofegante. E a régua me ataca de novo. Ai... isso dói, mas o som que faz contra a pele parece pior do que a dor.

Fecho os olhos e absorvo a dor. Não é tão ruim assim, e a respiração de Christian se torna mais rápida. Ele me bate de novo e de novo, e eu gemo. Não sei quantos golpes sou capaz de suportar. Mas ouvi-lo, saber o quanto está excitado, alimenta o meu desejo e a minha vontade de continuar. Estou adentrando o lado negro, um lugar em minha mente que não conheço bem, mas que já visitei antes, no quarto de jogos... com Tallis. A régua me acerta de novo, e eu grito alto; Christian geme em resposta. E me bate de novo e de novo... e uma vez mais... mais forte agora... e eu estremeço.

— Pare. — A palavra salta de minha boca antes que eu perceba.

Christian larga a régua imediatamente e me solta.

— Já chega? — sussurra.

— Chega.

— Quero comer você agora — diz ele, a voz tensa.

— Sim — murmuro, cheia de desejo.

Ele abre o zíper da calça enquanto permaneço deitada, ofegante, em cima da mesa, sabendo que ele vai ser bruto.

Mais uma vez eu me surpreendo por ter aguentado firme e, sim, por ter gostado do que ele fez comigo até agora. É tão sombrio, mas tão a cara dele.

Ele enfia dois dedos em mim e os mexe num movimento circular. A sensação é deliciosa. Fechando os olhos, entrego-me ao estímulo. Ouço o barulho revelador de um envelopinho sendo rasgado, e então ele está de pé atrás de mim, entre minhas pernas, afastando-as mais ainda.

Lentamente, ele entra em mim, preenchendo-me. Ouço seu gemido de puro prazer, e isso agita minha alma. Ele agarra meu quadril com força, sai de dentro de mim e volta, desta vez entrando com mais força, fazendo-me gritar. Ele para por um momento.

— De novo? — pergunta, em voz baixa.

— De novo... Estou bem. Pode se soltar... e me leve com você — murmuro sem fôlego.

Ele geme baixinho, sai de mim mais uma vez, e então entra com força, e repete isso de novo e de novo, bem devagar, deliberadamente, num ritmo punitivo, brutal e divino.

Ah, meu Deus... Minhas entranhas começam a se acelerar. Ele também sente e aumenta a cadência, empurrando-me, mais forte, mais rápido... e eu me entrego, explodindo em torno dele... um orgasmo esgotante, de paralisar a alma, que me deixa exausta.

Estou ligeiramente consciente de que Christian também está atingindo o clímax, gritando meu nome, seus dedos pressionando meu quadril; em seguida, ele para e desaba em cima de mim. Nós escorregamos até o chão, e ele me envolve em seus braços.

— Obrigado, baby — diz ele, ofegante, cobrindo meu rosto de beijos suaves. Abro os olhos e o encaro, ele aperta os braços ao meu redor. — Sua bochecha está vermelha por causa do feltro — murmura, acariciando minha face. — Como foi? — Seus olhos estão arregalados e cautelosos.

— Bom demais — murmuro. — Gosto quando você é bruto, Christian, e também gosto quando é gentil. Gosto que seja com você.

Ele fecha os olhos e me abraça ainda mais apertado.

Caramba, estou cansada.

— Você nunca falha, Ana. Você é linda, inteligente, estimulante, divertida, sensual, e todos os dias eu agradeço à Divina Providência ter sido você a me entrevistar, e não Katherine Kavanagh. — Ele beija meu cabelo. Sorrio e bocejo em seu peito. — Estou cansando você — continua ele. — Venha. Banho, depois cama.

ESTAMOS OS DOIS na banheira de Christian, um de frente para o outro, mergulhados na espuma até o queixo, o doce aroma de jasmim nos envolvendo. Christian está massageando meus pés, um de cada vez. É tão bom que deveria ser proibido.

— Posso perguntar uma coisa? — murmuro.

— Claro. Qualquer coisa, Ana, você sabe disso.

Respiro fundo e me sento, hesitando apenas ligeiramente.

— Amanhã, quando eu for trabalhar, Sawyer pode simplesmente me deixar na porta da frente do prédio e depois me pegar no final do dia? Por favor, Christian. Por favor — imploro.

Suas mãos interrompem a massagem e ele franze a testa.

— Achei que a gente tinha concordado — resmunga ele.

— Por favor — imploro.

— E o almoço?

— Eu preparo alguma coisa para levar daqui, assim eu não tenho que sair, por favor.

Ele beija o peito do meu pé.

— Acho muito difícil dizer não para você — murmura, como se achasse que isso fosse um defeito seu. — Você não vai sair?

— Não.

— Certo.

— Obrigada. — Sorrio para ele, e fico de joelhos, derramando água para todo canto e beijando-o.

— Não há de quê, Srta. Steele. Como vai a sua bunda?

— Dolorida. Mas nada de mais. A água alivia.

— Estou feliz que você tenha me pedido para parar — diz ele, olhando para mim.

— Minha bunda também.

Ele sorri.

EU ME ESPREGUIÇO na cama, esgotada. Ainda são dez e meia, mas é como se fossem três da manhã. Este deve ter sido um dos fins de semana mais cansativos da minha vida.

— A Sra. Acton não mandou nenhuma roupa de dormir? — pergunta Christian, a voz cheia de desaprovação ao olhar para mim.

— Não tenho ideia. Gosto de usar suas camisetas — murmuro, sonolenta.

Sua expressão se suaviza, e ele se inclina e beija minha testa.

— Preciso trabalhar. Mas não quero deixá-la sozinha. Posso usar o seu laptop para logar no escritório? Vou atrapalhar você se trabalhar daqui?

— O laptop não é meu — sussurro, adormecendo.

O ALARME TOCA, acordando-me com as notícias do trânsito. Christian ainda está dormindo ao meu lado. Esfregando os olhos, focalizo o relógio: seis e meia, cedo demais.

Está chovendo lá fora pela primeira vez em séculos, e a luz é suave e doce. Estou tão aquecida e confortável aqui neste enorme e moderno arranha-céu, com Christian ao meu lado. Eu me espreguiço e viro o corpo para o homem delicioso junto a mim. Ele abre os olhos, piscando, sonolento.

— Bom dia. — Sorrio e acaricio seu rosto, inclinando-me para beijá-lo.

— Bom dia, baby. Normalmente acordo antes de o alarme tocar — murmura ele, impressionado.

— Está programado para muito cedo.

— É verdade, Srta. Steele. — Christian sorri. — Tenho que me levantar. — Ele me beija, e então está de pé.

Eu me jogo de volta nos travesseiros. Uau, acordar em um dia de semana ao lado de Christian Grey. Como foi que isso aconteceu? Fecho os olhos e cochilo.

— Vamos, dorminhoca, acorde. — Christian se inclina sobre mim. Está barbeado e limpo... *Hum, ele cheira tão bem.* De camisa branca e terno preto, sem gravata; o CEO está de volta. — O que foi? — pergunta ele.

— Eu queria que você voltasse para a cama.

Ele entreabre os lábios, surpreso com a provocação, e sorri quase sem graça.

— Você é insaciável, Srta. Steele. Por mais que a ideia seja tentadora, tenho uma reunião às oito e meia, então preciso sair daqui a pouco.

Ah, dormi por mais uma hora ou algo assim. *Merda.* Pulo da cama, e Christian ri.

TOMO BANHO E me visto depressa, colocando as roupas que separei ontem: uma saia-lápis cinza, camisa de seda cinza-clara e sapatos de salto pretos, tudo do meu guarda-roupa novo. Escovo e prendo o cabelo, então caminho até a sala de estar, sem saber muito bem o que esperar. Como vou até o trabalho?

Christian está tomando café no balcão. A Sra. Jones está na cozinha fazendo panquecas e bacon.

— Você está linda — murmura ele.

Passando o braço em volta de mim, ele me beija embaixo da orelha. Com o canto do olho, vejo a Sra. Jones sorrir. Fico vermelha.

— Bom dia, Srta. Steele — diz ela, servindo-me um prato de panquecas e bacon.

— Ah, obrigada. Bom dia — murmuro. Eu bem que poderia me acostumar com isso.

— O Sr. Grey me disse que a senhora vai levar algo para almoçar no trabalho. O que gostaria de comer?

Olho de relance para Christian, que está fazendo muita força para não sorrir. Estreito os olhos para ele.

— Um sanduíche... uma salada. Pode ser qualquer coisa. — Sorrio para a Sra. Jones.

— Vou preparar um embrulho para a senhora.

— Por favor, Sra. Jones, pode me chamar de Ana.

— Ana. — Ela sorri e se vira para fazer chá.

Nossa... que legal.

Viro-me e inclino a cabeça para Christian, desafiando-o: vá em frente, acuse-me de flertar com a Sra. Jones.

— Tenho que ir, Ana. Taylor vai voltar e deixar você no trabalho com Sawyer.

— Só até a porta.

— É. Só até a porta. — Christian revira os olhos. — Mas tenha cuidado.

Dou uma olhada ao redor e vejo Taylor de pé junto à entrada. Christian se levanta e me dá um beijo, segurando meu queixo.

— Até mais, baby.

— Tenha um bom dia no escritório, querido — exclamo. Ele se vira, abre seu belo sorriso para mim e vai embora.

A Sra. Jones me passa uma xícara de chá, e, de repente, me sinto desconfortável sozinha ali com ela.

— Há quanto tempo você trabalha para Christian? — pergunto, sentindo-me na obrigação de puxar uma conversa.

— Há uns quatro anos, mais ou menos — responde ela com gentileza, enquanto prepara meu almoço.

— Sabe, eu mesma posso fazer isso — balbucio, envergonhada que ela esteja fazendo aquilo por mim.

— Tome seu café da manhã, Ana. Este é o meu trabalho. E gosto dele. É bom cuidar de alguém que não seja o Sr. Taylor e o Sr. Grey. — Ela sorri com doçura.

Minhas bochechas ficam rosadas de prazer, e eu quero bombardear essa mulher de perguntas. Ela deve saber muito sobre Christian, mas, embora seja acolhedora e simpática, é também muito profissional. Sei que só vou deixar nós duas envergonhadas se começar a interrogá-la, então termino meu café da manhã num silêncio razoavelmente confortável, interrompido apenas por suas perguntas a respeito de minhas preferências gerais com relação a comida.

Vinte e cinco minutos depois Sawyer aparece na entrada da sala de estar. Já escovei os dentes e estou pronta para sair. Segurando a sacola de papel pardo com meu almoço — acho que nem a minha mãe já fez isso por mim —, pego o elevador com Sawyer, até o primeiro andar. Ele é muito calado, não revela nada. Taylor está nos esperando no Audi, e eu me sento no banco de trás do carro assim que Sawyer abre a porta para mim.

— Bom dia, Taylor — cumprimento-o com vivacidade.

— Srta. Steele. — Ele sorri.

— Taylor, sinto muito por meus comentários inapropriados ontem à noite. Espero não ter criado problemas para você.

Pelo retrovisor, vejo Taylor franzir a testa espantando enquanto conduz o carro pelo trânsito de Seattle.

— Srta. Steele, raramente tenho problemas — responde ele com ar tranquilizador.

Ah, que bom. Talvez Christian não tenha dado uma bronca nele. Foi só comigo então, penso um tanto amarga.

— Fico feliz em ouvir isso, Taylor — sorrio.

JACK ME OLHA, avaliando minha aparência enquanto caminho até minha mesa.

— Bom dia, Ana. Teve um bom fim de semana?

— Sim, obrigada. E você?

— Foi bom. Sente-se... tenho trabalho para você.

Concordo com a cabeça e me sento diante do computador. Parece que passaram-se anos desde a última vez em que vim trabalhar. Ligo o computador e abro o e-mail e é claro que há uma mensagem de Christian.

De: Christian Grey
Assunto: Chefe
Data: 13 de junho de 2011 08:24
Para: Anastasia Steele

Bom dia, Srta. Steele,

Só queria agradecer pelo fim de semana maravilhoso, apesar de todo o drama.

Espero que você nunca mais vá embora, nunca.

E só para lembrar: a notícia da SIP permanece embargada por quatro semanas.

Apague este e-mail assim que o ler.

Seu,

Christian Grey
CEO, Grey Enterprises Holdings, Inc., e chefe do chefe do seu chefe

---

Espera que eu nunca mais vá embora? Será que ele quer que eu me mude de vez para a casa dele? Deus do céu... Mal o conheço. Deleto a mensagem.

De: Anastasia Steele
Assunto: Chefão
Data: 13 de junho de 2011 09:03
Para: Christian Grey

Caro Sr. Grey,

Você está me pedindo para morar com você? E, claro, sei que a maior prova de sua impressionante capacidade de perseguição permanece embargada pelas próximas quatro semanas. Devo fazer um cheque em nome da Superando Juntos e mandar para o seu pai? Por favor, não apague este e-mail. Por favor, responda a ele.

Amo você
Bj,

Anastasia Steele
Assistente de Jack Hyde, Editor, SIP

— Ana! — Jack me faz pular da cadeira.

— Sim? — Fico vermelha, e Jack franze a testa para mim.

— Tudo certo?

— Claro. — Reviro minhas coisas e pego meu bloquinho antes de correr até a sala dele.

— Ótimo. Como você provavelmente se lembra, vou participar daquele Simpósio de Ficção em Nova York na quinta-feira. Já tenho as entradas e as reservas, mas gostaria que você fosse comigo.

— Para Nova York?

— Sim. A gente vai ter que ir na quarta-feira e passar a noite lá. Acho que você vai aprender muito com a experiência. — Seus olhos escurecem ao dizer isso, mas seu sorriso é educado. — Você pode fazer os arranjos necessários para a viagem? E reservar mais um quarto no hotel em que vou ficar? Acho que Sabrina, minha assistente anterior, deixou os detalhes em algum lugar.

— Certo. — Lanço um sorriso lívido para Jack.

Merda. Volto para minha mesa. Christian não vai gostar muito disso... O problema é que quero ir. Parece uma oportunidade de verdade, e tenho certeza de que consigo manter Jack afastado, se é que ele tem mesmo alguma intenção nesse sentido. De volta à minha mesa, vejo que há uma resposta de Christian.

De: Christian Grey
Assunto: Chefão, eu?
Data: 13 de junho de 2011 09:07
Para: Anastasia Steele

E L JAMES

Sim. Por favor.

Christian Grey
CEO, Grey Enterprises Holdings Inc.

Ele realmente quer que eu me mude para a casa dele. Ah, Christian... é cedo demais. Apoio a cabeça nas mãos, tentando recuperar o juízo. Isso é tudo de que eu precisava depois de um fim de semana extraordinário. Nem tive um momento de tranquilidade para refletir e entender tudo o que experimentei e descobri nestes dois últimos dias.

De: Anastasia Steele
Assunto: Flynnismo
Data: 13 de junho de 2011 09:20
Para: Christian Grey

Christian,

O que aconteceu com aprender a caminhar antes de correr?

Podemos falar sobre isso hoje à noite, por favor?

Fui convidada a participar de uma conferência em Nova York, na quinta-feira.

Isso significa passar a noite de quarta lá.

Achei que você devia saber.

Bj,

Anastasia Steele
Assistente de Jack Hyde, Editor, SIP

De: Christian Grey
Assunto: O QUÊ?
Data: 13 de junho de 2011 09:21
Para: Anastasia Steele

Sim. Vamos conversar esta noite.

Você vai sozinha?

Christian Grey
CEO, Grey Enterprises Holdings Inc.

De: Anastasia Steele
Assunto: Nada de maiúsculas gritantes numa segunda de manhã!
Data: 13 de junho de 2011 09:30
Para: Christian Grey

Podemos falar sobre isso hoje à noite?

Bj,

Anastasia Steele
Assistente de Jack Hyde, Editor, SIP

De: Christian Grey
Assunto: Você ainda não me ouviu gritar
Data: 13 de junho de 2011 09:35
Para: Anastasia Steele

Fale agora.

Se for com essa criatura desprezível com quem você trabalha, então a resposta é não, nem por cima do meu cadáver.

Christian Grey
CEO, Grey Enterprises Holdings Inc.

Meu coração afunda. Merda... é como se ele fosse meu pai.

De: Anastasia Steele
Assunto: Não, VOCÊ ainda não me ouviu gritar
Data: 13 de junho de 2011 09:46
Para: Christian Grey

Sim. É com Jack.

Eu quero ir. É uma grande oportunidade para mim.

E nunca fui a Nova York.

Pare de se preocupar e de ficar arrancando os cabelos à toa.

Anastasia Steele
Assistente de Jack Hyde, Editor, SIP

De: Christian Grey
Assunto: Não, VOCÊ ainda não viu nada
Data: 13 de junho de 2011 09:50
Para: Anastasia Steele

Anastasia,

Não é com a merda dos meus cabelos que estou preocupado.

A resposta é NÃO.

Christian Grey
CEO, Grey Enterprises Holdings Inc.

— Não! — grito para o monitor, fazendo com que o escritório inteiro interrompa o que está fazendo para olhar para mim.

Jack coloca a cabeça para fora de sua sala.

— Tudo bem, Ana?

— Sim. Desculpe — murmuro. — Eu... só esqueci de salvar um documento.

Estou rubra de vergonha. Ele sorri para mim, mas com uma expressão intrigada. Respiro fundo várias vezes e rapidamente digito uma resposta. Estou com tanta raiva.

De: Anastasia Steele
Assunto: Cinquenta Tons
Data: 13 de junho de 2011 09:55
Para: Christian Grey

Christian,

Você precisa segurar a sua onda.

Eu NÃO vou dormir com Jack, nem que a vaca tussa.

AMO você. Isso é o que acontece quando as pessoas se amam.

Elas CONFIAM umas nas outras.

Não acho que você vá DORMIR COM, BATER, COMER ou AÇOITAR qualquer outra pessoa. Tenho FÉ e CONFIANÇA em você.

Por favor, tenha a COMPOSTURA de agir da mesma forma comigo.

Ana

Anastasia Steele
Assistente de Jack Hyde, Editor, SIP

Eu me sento, à espera de sua resposta. Nada chega. Ligo para a companhia aérea e marco minha passagem, com o cuidado de escolher o mesmo voo que Jack. Ouço o bip indicando a chegada de mais um e-mail.

De: Elena Lincoln
Assunto: Encontro para um almoço
Data: 13 de junho de 2011 10:15
Para: Anastasia Steele

Cara Anastasia,

Eu realmente gostaria de almoçar com você. Acho que começamos com o pé esquerdo, e eu gostaria de consertar isso. Você está livre em algum momento esta semana?

Elena Lincoln

Puta merda, Mrs. Robinson, não! Como ela descobriu meu e-mail? Levo as mãos à cabeça. Dá para este dia ficar pior?
O telefone toca e ergo a cabeça cansada para atendê-lo, olhando para o relógio. São apenas dez e vinte, e eu já desejo não ter deixado a cama de Christian.
— Escritório de Jack Hyde. Ana Steele falando.
Uma voz dolorosamente familiar grita do outro lado:

E L JAMES

— Você poderia apagar o último e-mail que me mandou e tentar ser um pouco mais cautelosa com as palavras que usa em seu e-mail de trabalho? Eu já falei, o sistema é monitorado. Vou tentar reduzir os danos do lado de cá. — E desliga.

Puta merda... Fico ali sentada, encarando o telefone. Christian desligou na minha cara. Esse homem está pisoteando a minha nova carreira e ainda desliga na minha cara? Fito o fone e, se não fosse um objeto inanimado, sei que ele murcharia apavorado sob meu olhar fulminante.

Abro meus e-mails e apago o que mandei para ele. Não é tão ruim assim. Eu só falei em bater e, bem, açoitar. Se ele tem tanta vergonha disso, não deveria fazer o que faz. Pego meu BlackBerry e ligo para o celular dele.

— O quê? — atende ele.

— Vou para Nova York quer você queira, quer não — respondo.

— Não vá contando...

Desligo, interrompendo-o no meio da frase. A adrenalina domina meu corpo. Pronto... Falei. Estou com muita raiva.

Respiro fundo, tentando me recompor. Fechando os olhos, imagino que estou em um lugar feliz. *Hum... uma cabine de barco com Christian.* Afasto a imagem, já que estou com muita raiva de Christian agora para deixá-lo se aproximar de meu lugar feliz.

Abrindo os olhos, alcanço calmamente meu bloco de anotações, repassando com cuidado a lista de coisas a fazer. Respiro fundo, recobrando o equilíbrio.

— Ana! — grita Jack, assustando-me. — Não marque a passagem!

— Tarde demais. Já marquei — respondo, enquanto ele caminha de sua sala em minha direção. Parece furioso.

— Olhe, aconteceu alguma coisa. Por alguma razão, de repente, todas as viagens e despesas de hotel para os funcionários têm que ser aprovadas pela direção. A ordem veio de cima. Vou falar com o Roach. Aparentemente, acabaram de aprovar uma proibição de todos os gastos. Não estou entendendo. — Jack aperta a ponte do nariz e fecha os olhos.

Todo o sangue me foge do rosto e meu estômago dá um nó. *Christian!*

— Atenda as minhas chamadas. Vou ver o que Roach tem a dizer — ele pisca para mim e segue para falar com seu chefe. Mas não o chefe do seu chefe.

Droga. Christian Grey... Meu sangue começa a ferver de novo.

De: Anastasia Steele
Assunto: O que você fez?
Data: 13 de junho de 2011 10:43
Para: Christian Grey

Por favor, me diga que você não vai interferir em meu trabalho.

Realmente quero ir a esta conferência.

Eu não deveria ter que lhe pedir isso.

Já apaguei o e-mail agressivo.

Anastasia Steele
Assistente de Jack Hyde, Editor, SIP

De: Christian Grey
Assunto: O que você fez?
Data: 13 de junho de 2011 10:46
Para: Anastasia Steele

Estou apenas protegendo o que é meu.

O e-mail que você tão imprudentemente me enviou já foi deletado do servidor da SIP, da mesma forma que os meus e-mails para você.

Aliás, confio em você implicitamente. É nele que não confio.

Christian Grey
CEO, Grey Enterprises Holdings, Inc.

Verifico se ainda tenho os e-mails dele, e eles desapareceram. A influência desse homem não conhece limites. Como ele faz isso? Quem ele conhece que pode furtivamente mergulhar nas profundezas dos servidores da SIP para deletar e-mails? Estou tão por fora aqui.

De: Anastasia Steele
Assunto: Cresça
Data: 13 de junho de 2011 10:43
Para: Christian Grey

Christian,

Não preciso de proteção contra meu próprio chefe.

Ele pode até dar em cima de mim, mas vou dizer não.

Você não pode interferir. Isso é errado e controlador em muitos níveis.

Anastasia Steele
Assistente de Jack Hyde, Editor, SIP

De: Christian Grey
Assunto: A resposta é NÃO
Data: 13 de junho de 2011 10:50
Para: Anastasia Steele

Ana,

Sei o quanto você é "eficaz" em lutar contra atenção indesejada. Lembro-me de que foi assim que tive o prazer de passar minha primeira noite com você.

Pelo menos o fotógrafo tem sentimentos por você. Já esse cretino, não. Ele é um mulherengo e vai tentar seduzi-la. Pergunte a ele o que aconteceu com a última assistente dele e com a outra antes dela.

Não quero brigar por isso.

Se você quer conhecer Nova York, eu a levo lá. Podemos ir neste fim de semana. Tenho um apartamento na cidade.

Christian Grey
CEO, Grey Enterprises Holdings, Inc.

Ah, Christian! Não é essa a questão. Isso é tão frustrante. E é óbvio que ele tem um apartamento em Nova York. Onde mais ele tem propriedades? Claro que tinha de voltar ao assunto José. Será que algum dia ele vai esquecer isso? Eu estava bêbada, pelo amor de Deus. Jamais ficaria bêbada com Jack.

Balanço a cabeça para o monitor, mas acho que não posso continuar a discutir com ele por e-mail. Terei de esperar até a noite.

Verifico a hora. Jack ainda não voltou da reunião com Jerry, e eu preciso lidar com Elena. Leio seu e-mail de novo e decido que a melhor maneira de lidar com isso é enviá-lo para Christian. Deixar que ele se concentre nela e não em mim.

De: Anastasia Steele
Assunto: EN: Encontro para um almoço ou Bagagem irritante
Data: 13 de junho de 2011 11:15
Para: Christian Grey

Christian,

Enquanto você esteve ocupado interferindo na minha carreira e se livrando de minhas mensagens, recebi o seguinte e-mail da Sra. Lincoln. Eu realmente não gostaria de encontrá-la, e mesmo que quisesse, não estou autorizada a deixar o edifício. Como ela descobriu meu endereço, não sei. O que você sugere que eu faça? Aí vai o e-mail dela:

Cara Anastasia,

Eu realmente gostaria de almoçar com você. Acho que começamos com o pé esquerdo, e eu gostaria de consertar isso. Você está livre em algum momento esta semana?

Elena Lincoln

Anastasia Steele
Assistente de Jack Hyde, Editor, SIP

De: Christian Grey
Assunto: Bagagem Irritante
Data: 13 de junho de 2011 11:23
Para: Anastasia Steele

Não fique brava comigo. Só estou pensando em você.

Se alguma coisa acontecesse com você, eu nunca iria me perdoar.

Vou lidar com a Sra. Lincoln.

Christian Grey
CEO, Grey Enterprises Holdings, Inc.

De: Anastasia Steele
Assunto: Mais tarde
Data: 13 de junho de 2011 11:32
Para: Christian Grey

Será que podemos conversar sobre isso hoje à noite? Estou tentando trabalhar, e sua interferência contínua está me distraindo.

Anastasia Steele
Assistente de Jack Hyde, Editor, SIP

Jack retorna após o meio-dia e me diz que não posso participar da viagem para Nova York, embora ele ainda esteja indo, e que não há nada que ele possa fazer para mudar a política da diretoria. Ele volta para sua sala, batendo a porta, visivelmente furioso. Por que está tão bravo?

No fundo, sei que suas intenções são menos do que honrosas, mas tenho certeza de que sou capaz de lidar com ele, e me pergunto o que Christian sabe a respeito das assistentes anteriores de Jack. Afasto os pensamentos e continuo com meu trabalho, mas decido que vou tentar fazer Christian mudar de ideia, embora as perspectivas sejam desoladoras.

À uma hora da tarde, Jack põe a cabeça para fora da sala:

— Ana, por favor, você poderia trazer algo para eu almoçar?

— Claro. O que você gostaria?

— Pastrami no pão de centeio, sem mostarda. Eu pago quando você voltar.

— Alguma coisa para beber?

— Uma Coca, por favor. Obrigado, Ana. — Ele volta para sua sala enquanto eu pego minha bolsa.

Merda. Prometi a Christian que não iria sair. Suspiro. Ele nunca vai saber, e vou ser rápida.

Na recepção, Claire me oferece um guarda-chuva, já que ainda está caindo um pé-d'água. Ao sair pela porta da frente, aperto o casaco em volta do corpo e dou uma olhada de relance em ambas as direções por debaixo do imenso guarda-chuva. Parece estar tudo bem. Nenhum sinal da Garota-Fantasma.

Caminho apressada e discretamente, espero, na direção da lanchonete. No entanto, quanto mais me aproximo, mais tenho um sentimento assustador de que estou sendo seguida, e não sei se é a minha paranoia exagerada ou se é realidade. Merda. Espero que não seja Leila com uma arma.

É só a sua imaginação, diz meu inconsciente. *Quem iria querer atirar em você?*

Em quinze minutos, estou de volta, sã e salva, mas aliviada. Acho que a paranoia extrema de Christian e sua vigilância superprotetora estão começando a me afetar.

Enquanto entrego o almoço de Jack, ele me olha por trás do telefone.

— Obrigado, Ana. Já que você não vem comigo, vou precisar que trabalhe até mais tarde. Precisamos desses resumos prontos. Espero que você não tenha planos. — Ele sorri para mim calorosamente, e eu fico vermelha.

— Não, tudo bem — digo com um sorriso e o coração apertado. Isto vai dar problema. Christian vai pirar, tenho certeza.

Ao voltar para minha mesa, decido não lhe dizer imediatamente, caso contrário, ele pode ter tempo para interferir de alguma forma. Eu me sento e como o sanduíche de salada de frango que a Sra. Jones preparou para mim. Está uma delícia. Ela faz um sanduíche muito bom.

Na certa, se eu morasse com Christian, ela prepararia meu almoço todos os dias da semana. A ideia é inquietante. Nunca sonhei com a riqueza obscena nem com todos os luxos que vêm com ela; só com o amor. Encontrar alguém que me amasse e não tentasse controlar cada movimento meu. O telefone toca.

— Escritório de Jack Hyde...

— Você me garantiu que não sairia — Christian me interrompe, a voz fria e dura.

Meu coração afunda pela milionésima vez. Merda. Como ele sabe?

— Jack me pediu para comprar o almoço dele. Eu não tinha como dizer não. Você colocou alguém para me vigiar? — Meu couro cabeludo pinica com a ideia. Não é de surpreender que eu tenha me sentido tão paranoica: *havia* alguém me observando. O pensamento me deixa com raiva.

— É por isso que eu não queria que você voltasse a trabalhar — revida ele.

— Christian, por favor. Você está... — sendo *tão Cinquenta Tons* — ...me sufocando.

— Sufocando? — sussurra ele, surpreso.

— É. Você tem que parar com isso. Falo com você hoje à noite. Infelizmente, tenho que trabalhar até mais tarde porque não posso ir a Nova York.

— Anastasia, não quero sufocar você — diz ele em voz baixa, horrorizado.

— Bem, é o que está fazendo. Tenho que trabalhar. Falo com você depois — desligo, sentindo-me exausta e um tanto deprimida.

Depois de um fim de semana maravilhoso, a realidade está batendo à porta. Nunca senti tanta vontade de fugir. Fugir para um retiro tranquilo em que eu possa pensar nesse homem, sobre como ele é e sobre como lidar com ele. Em um nível, sei que ele está machucado, entendo isso claramente agora. O que é tão desolador quanto desgastante. Pelos pequenos pedaços de informação preciosa que ele tem me dado sobre sua vida, eu entendo o porquê. Uma criança rejeitada, um ambiente medonho e abusivo, uma mãe que não podia protegê-lo, a quem ele não podia proteger e que morreu na frente dele.

Tremo. Meu pobre Cinquenta Tons. Sou dele, mas não para ser mantida numa gaiola. Como é que eu vou fazê-lo enxergar isso?

Com o coração pesado, arrasto para meu colo um dos manuscritos que Jack quer que eu avalie e começo a ler. Não consigo pensar numa solução fácil para o problema de Christian com o controle. Vou ter que falar com ele mais tarde, cara a cara.

Meia hora depois, Jack me manda por e-mail um documento que preciso arrumar e preparar para impressão em tempo para a conferência. Isso vai me ocupar não apenas pelo resto da tarde, mas uma boa parte da noite também. Começo a trabalhar.

Quando olho para cima, já são mais de sete da noite e o escritório está deserto, embora a luz na sala de Jack ainda esteja acesa. Não reparei nas outras pessoas saindo, mas já estou quase terminando. Mando o documento de volta para Jack por e-mail, para a sua aprovação, e verifico a caixa de entrada. Nenhuma mensagem de Christian, então dou uma olhada rápida no BlackBerry, e levo um susto quando ele começa a vibrar: Christian.

— Oi — atendo.

— Oi, que horas você vai terminar?

— Lá pelas sete e meia, acho.

— Encontro você lá embaixo.

— Tudo bem.

Ele parece quieto, nervoso até. Por quê? Com medo da minha reação?

— Ainda estou brava com você, mas é só isso — sussurro. — Temos muito o que conversar.

— Eu sei. Vejo você às sete e meia.

Jack sai de sua sala.

— Tenho que desligar. Vejo você mais tarde — desligo.

Olho para Jack à medida que caminha despreocupado em minha direção.

— Só preciso de uns poucos ajustes. Mandei um e-mail com as orientações para você.

Ele se inclina sobre mim enquanto busco o arquivo, bem perto... perto demais. Seu braço toca o meu. Por acaso? Recuo, mas ele finge não perceber. Seu outro braço repousa sobre o encosto de minha cadeira, tocando minhas costas. Empino o corpo para não encostar nele.

— Páginas dezesseis e vinte e três, e acho que é só — murmura ele, a boca a centímetros do meu ouvido.

Minha pele se eriça com sua proximidade, mas decido ignorar a sensação. Abro o documento e, trêmula, começo a efetuar as mudanças. Ele ainda está debruçado sobre mim, e todos os meus sentidos estão atentos. É perturbador e estranho, e, por dentro, estou gritando: *Chega para lá!*

— Depois disso já pode imprimir. Pode ser amanhã. Obrigado por ficar até mais tarde e resolver isso, Ana. — Sua voz é suave e gentil, como se ele estivesse falando com um animal ferido. Meu estômago dá voltas. — Acho que o mínimo que eu poderia fazer é recompensá-la com um drinque. Você merece. — Ele coloca uma mecha solta do meu cabelo atrás da minha orelha e acaricia suavemente o lóbulo.

Tremo, rangendo os dentes, e afasto a cabeça. *Merda!* Christian tinha razão. *Não me toque.*

— Na verdade, hoje eu não posso. — *Nem dia nenhum, Jack.*

— Nem um drinque? — insiste ele.

— Não, não posso. Mas obrigada.

Jack se senta na beirada da minha mesa e franze a testa. Em minha cabeça, um alarme alto dispara. Estou sozinha no escritório. Não posso sair. Olho nervosa para o relógio. Ainda faltam cinco minutos até que Christian chegue.

— Ana, acho que formamos um belo time. Que pena que não consegui arrumar esta viagem para Nova York. Não será o mesmo sem você.

Tenho certeza que não. Sorrio de leve para ele, porque não consigo pensar no que dizer. E, pela primeira vez durante todo o dia, sinto uma pontinha de alívio por não estar indo com ele.

— E então, como foi o fim de semana? — pergunta ele suavemente.

— Bem, obrigada. — *Aonde ele quer chegar?*

— Saiu com o namorado?

— Saí.

— O que ele faz?

Manda em você...

— É empresário.

— Interessante. De que tipo de negócio?

— Ah, todo tipo de coisa.

Jack deita a cabeça de lado e se inclina em minha direção, invadindo meu espaço pessoal de novo.

— Você está sendo muito reservada, Ana.

— Bem, ele trabalha com telecomunicações, manufatura e agricultura. — Jack ergue as sobrancelhas.

— Que tantas coisas. E ele trabalha para quem?

— Ele trabalha para ele mesmo. Se estiver tudo certo com o documento, eu gostaria de ir, tudo bem?

Ele se inclina para trás. Meu espaço pessoal está seguro novamente.

— Claro. Desculpe, não queria prendê-la aqui — diz, dissimuladamente.

— A que horas o prédio fecha?

— A segurança fica aqui até as onze da noite.

— Bom. — Sorrio, e meu inconsciente relaxa em sua poltrona, aliviado de saber que não estamos sozinhos no prédio. Desligo o computador, pego minha bolsa e me levanto, pronta para sair.

— Você gosta dele, então? Do seu namorado?

— Amo o meu namorado — respondo, olhando Jack diretamente nos olhos.

— Entendi. — Jack franze a testa e se levanta da minha mesa. — Qual é o sobrenome dele?

Fico vermelha.

— Grey. Christian Grey — murmuro.

Jack fica boquiaberto.

— O solteiro mais rico de Seattle? Esse Christian Grey?

— É. Ele mesmo. — Isso, esse Christian Grey, seu futuro patrão, que vai acabar com a sua raça se você invadir meu espaço pessoal de novo.

— Bem que eu achei que o conhecia de algum lugar — diz Jack de forma sombria, e sua testa se franze novamente. — Bem, ele é um homem de sorte.

Pisco para ele. O que posso responder a isso?

— Tenha uma boa noite, Ana. — Jack sorri, mas o sorriso não transparece em seus olhos, e ele caminha com firmeza de volta para sua sala, sem olhar para trás.

Deixo escapar um longo suspiro de alívio. Bem, esse problema parece estar resolvido. A mágica de Christian funcionou mais uma vez. Só o seu nome já é um talismã, capaz de fazer este homem bater em retirada com o rabo entre as pernas. Permito-me um pequeno sorriso vitorioso. *Está vendo, Christian? Só o seu nome já me protege, você não precisava ter tido todo aquele trabalho de proibir gastos extras com funcionários.* Arrumo minha mesa e verifico a hora. Christian deve estar lá embaixo.

O Audi está parado junto à calçada, e Taylor salta para abrir a porta traseira. Nunca fiquei tão feliz em vê-lo, e corro para dentro do carro, para fugir da chuva.

Christian está no banco de trás, olhando para mim, os olhos arregalados e cautelosos. Ele se prepara para a minha raiva, o maxilar tenso.

— Oi — murmuro.

— Oi — responde ele com cautela. Ele estende o braço e agarra minha mão, apertando-a com força, e meu coração derrete um pouco. Estou tão confusa. Nem cheguei a pensar no que preciso dizer a ele. — Ainda está brava? — pergunta.

— Não sei — murmuro. Ele levanta minha mão e a roça de leve contra os lábios.

— Foi um dia de merda — diz.

— É, foi. — Mas, pela primeira vez desde que ele saiu para o trabalho hoje de manhã, começo a relaxar. Estar em sua companhia é um bálsamo; toda aquela merda com Jack, os e-mails irritados para lá e para cá e o incômodo que é Elena no plano de fundo. Agora sou só eu e meu maníaco por controle no banco de trás do carro.

— Está melhor agora que você está aqui — murmura ele.

Ficamos em silêncio enquanto Taylor dirige em meio ao tráfego noturno, os dois taciturnos e contemplativos. No entanto, percebo que aos poucos Christian também relaxa ao meu lado, acariciando com delicadeza meus dedos com seu polegar, num ritmo suave.

Taylor para o carro na porta do prédio, e nós corremos, fugindo da chuva. Christian aperta minha mão enquanto esperamos pelo elevador, os olhos varrendo a entrada do edifício.

— Pelo visto você ainda não encontrou Leila.

— Não. Welch ainda está procurando por ela — resmunga desanimado.

O elevador chega e entramos. Christian me encara, os olhos cinzentos indecifráveis. Ah, ele está lindo: o cabelo desgrenhado, a camisa branca, o terno escuro. E, de repente, lá está ela, do nada, aquela sensação. Ah, meu Deus, o desejo, a luxúria, a eletricidade. Se fosse visível, seria uma intensa aura azul ao redor de nós dois, entre nós dois; é tão forte. Seus lábios se entreabrem e ele me olha.

— Você está sentindo? — ofega.

— Estou.

— Ah, Ana. — Ele geme e me agarra, passando os braços em volta de mim, a mão na minha nuca inclinando minha cabeça para trás. Seus lábios encontram os meus. Meus dedos estão em seu cabelo e acariciam seu rosto quando ele me empurra contra a parede do elevador. — Odeio discutir com você. — Ele respira contra minha boca, e tem algo de desesperado e apaixonado em seu beijo que se reflete no meu.

O desejo explode em meu corpo, toda a tensão do dia procurando uma saída, lutando contra ele, pedindo mais. Somos só língua e respiração e mãos e toque e uma sensação boa, muito boa. Sua mão está em meu quadril, e de repente ele está puxando minha saia para cima, seus dedos acariciando minhas coxas.

— Deus do céu, você está de liga. — Ele geme satisfeito enquanto seu polegar acaricia a pele no alto da meia-calça. — Quero ver isso — ofega ele e levanta minha saia, expondo a parte de cima de minhas coxas.

Dando um passo para trás, ele aperta o botão de "parar", e o elevador estaciona suavemente entre o vigésimo segundo e o vigésimo terceiro andares. Seus olhos estão escuros, os lábios, entreabertos, e ele está tão ofegante quanto eu. Nós olhamos um para o outro sem nos tocar. Fico feliz que haja uma parede às minhas costas, servindo de apoio enquanto eu me deleito sob o olhar sensual e carnal desse homem maravilhoso.

— Solte o cabelo — ordena ele, a voz rouca. Levanto o braço e desfaço o rabo de cavalo, soltando o cabelo, que cai em ondas fartas, envolvendo meus ombros e seios. — Abra os dois botões de cima da camisa — sussurra, os olhos selvagens agora.

Ele me faz sentir tão devassa. Abro cada botão com uma lentidão dolorosa, revelando o contorno de meus seios de forma tentadora. Ele respira fundo.

— Você tem alguma ideia de como está sensual neste exato momento?

Mordo o lábio de propósito e nego com a cabeça. Ele fecha os olhos por um instante e, ao abri-los novamente, eles estão em chamas. Christian avança e apoia as mãos contra as paredes do elevador, uma de cada lado do meu rosto. Está o mais perto que pode, sem me tocar.

Ergo o rosto até encontrar o olhar dele, que se inclina para baixo e encosta o nariz no meu, o único contato entre nós. Estou tão excitada, sozinha com ele no confinamento deste elevador. Quero este homem... agora.

— Acho que você sabe, Srta. Steele. Acho que você adora me deixar louco.

— Eu deixo você louco? — sussurro.

— Em todos os aspectos, Anastasia. Você é uma sereia, uma deusa.

E ele se aproxima, agarrando minha perna acima do meu joelho e puxando-a em torno de sua cintura, de modo que estou em pé sobre uma perna, equilibrando-me nele. Sinto-o contra mim, duro e me querendo, contra as minhas coxas, enquanto corre os lábios por meu colo. Solto um gemido e envolvo os braços em torno de seu pescoço.

— Vou comer você aqui mesmo, Anastasia.

Ele ofega e eu arquejo as costas em resposta, pressionando-me contra seu corpo, ansiosa pelo atrito. Ele geme fundo em sua garganta e me ergue ainda mais, abrindo a calça.

— Segure em mim, meu bem — murmura, e magicamente ergue um pacotinho de alumínio, mantendo-o diante de minha boca. Pego-o com os dentes e ele puxa, e, juntos, rasgamos o pacote. — Boa menina.

Ele dá um passo curto para trás e coloca a camisinha.

— Deus, mal posso esperar pelos próximos seis dias — rosna ele, olhando-me através de olhos semicerrados. — Espero que você não ligue muito para esta calcinha — diz, puxando-a com dedos habilidosos, e ela se rasga em suas mãos.

Meu sangue está correndo nas veias. Estou ofegante de desejo.

Suas palavras são inebriantes, toda a angústia do dia é esquecida. Somos apenas ele e eu, fazendo o que fazemos melhor. Sem tirar os olhos dos meus, ele lentamente desliza para dentro de mim. Meu corpo se arqueia, e eu inclino a cabeça para trás, fechando os olhos, saboreando a sensação dele dentro de mim. Ele sai e entra de novo, tão devagar, tão gentil. Solto um gemido.

— Você é minha, Anastasia — murmura ele contra o meu pescoço.

— Sim. Sua. Quando você vai aceitar isso? — ofego.

Ele geme e começa a se mover de verdade. E eu me entrego ao seu ritmo implacável, saboreando cada investida, sua respiração irregular, sua necessidade de mim, espelhando a minha necessidade dele.

Isso tudo me faz sentir poderosa, forte, desejada e amada: amada por esse homem cativante, complicado, a quem retribuo o amor com todo o meu coração. Ele aumenta suas investidas, a respiração ofegante, perdendo-se em mim ao mesmo tempo que eu me perco nele.

— Ah, meu bem — geme Christian, os dentes roçando meu queixo. E eu gozo loucamente em volta dele. Sinto seu corpo enrijecer, e ele me aperta com força, gozando logo em seguida, sussurrando meu nome.

Agora que Christian está esgotado, calmo e me beijando com delicadeza, sua respiração se tranquiliza. Ele me mantém de pé contra a parede do elevador, nossas testas pressionadas uma contra a outra; meu corpo parece uma gelatina, fraco, mas saciado com o clímax.

— Ah, Ana — murmura ele. — Preciso tanto de você. — E beija minha testa.

— E eu de você, Christian.

Soltando-me, ele endireita minha saia e fecha os dois botões de minha camisa, depois digita a senha no painel do elevador, ligando-o novamente. A máquina sobe com um solavanco, e preciso me apoiar nos braços de Christian.

— Taylor deve estar se perguntando onde estamos. — Ele me lança um sorriso travesso.

Droga. Passo os dedos por entre o cabelo numa tentativa vã de disfarçar o aspecto pós-foda, então desisto e prendo-o num rabo de cavalo.

— Vai ter que ser isso mesmo.

Christian sorri, fecha o zíper e coloca o preservativo no bolso da calça.

E assim ele volta a ser a personificação de um empresário americano; como seu cabelo rebelde está sempre com um aspecto pós-foda, a diferença é mínima. Exceto que agora ele está sorrindo, relaxado, os olhos cheios de charme juvenil. Será que todos os homens são assim tão facilmente aplacáveis?

Taylor está nos esperando quando as portas se abrem.

— Ocorreu um problema com o elevador — murmura Christian ao sairmos, e não sou capaz de olhar nenhum dos dois nos olhos. Corro pelas portas duplas para o quarto de Christian em busca de uma calcinha nova.

Ao voltar, encontro Christian sem o blazer, sentado no balcão do café da manhã, conversando com a Sra. Jones. Ela sorri gentilmente para mim, servindo-nos dois pratos quentes. Hum, o cheiro é delicioso: *coq au vin*, se não me engano. Estou faminta.

— Bom apetite, Sr. Grey, Ana — diz ela, deixando-nos a sós.

Christian pega uma garrafa de vinho branco na geladeira, e, enquanto jantamos, ele me conta sobre o quão próximo está de aperfeiçoar um aparelho de telefone celular movido a energia solar. Está empolgado com o projeto, e então percebo que o dia dele não foi inteiramente ruim.

Pergunto-lhe sobre suas outras propriedades. Ele sorri, e descubro que só tem o apartamento de Nova York, a casa de Aspen e o apartamento no Escala. Nada mais. Quando terminamos, tiro nossos pratos e os levo até a pia.

— Deixe isso. Gail vai lavar — diz ele. Eu me viro e o encaro, ele está me observando atentamente. Será que vou me acostumar a ter alguém arrumando tudo por mim? — Bem, agora que você está mais dócil, Srta. Steele, vamos conversar sobre hoje?

— Acho que é você quem está mais dócil. E acho que estou fazendo um belo trabalho em domesticar você.

— Me domesticar? — bufa ele, divertido. Quando faço que sim com a cabeça, ele franze a testa como se estivesse refletindo a respeito de minhas palavras. — É. Talvez seja isso que você esteja fazendo, Anastasia.

— Você estava certo sobre Jack — murmuro, séria agora, e me debruço contra a bancada da cozinha, avaliando sua reação. A expressão no rosto de Christian se desfaz, e seu olhar se endurece.

— Ele tentou alguma coisa? — sussurra, a voz fria e mortal.

Nego com a cabeça, para tranquilizá-lo.

— Não, nem vai tentar, Christian. Eu disse a ele hoje que sou sua namorada, e ele se retraiu na hora.

— Tem certeza? Eu poderia demitir esse filho da puta. — Christian faz cara feia.

Eu suspiro, encorajada pela taça de vinho.

— Você tem que me deixar lutar minhas próprias batalhas. Não pode ficar constantemente tentando adivinhar tudo o que vai me acontecer e me proteger o tempo todo. É sufocante, Christian. Nunca vou evoluir com essa interferência incessante. Preciso de um pouco de liberdade. Eu jamais sonharia em interferir nos seus assuntos.

Ele pisca para mim.

— Só quero que você fique segura, Anastasia. Se alguma coisa acontecesse com você, eu... — Ele para.

— Eu sei, e entendo porque você sente tanta necessidade de me proteger. E parte de mim adora isso. Sei que se precisar de você, você vai estar lá, da mesma forma como eu vou estar lá por você. Mas, se quisermos alguma esperança de um futuro juntos, você tem que confiar em mim e no meu julgamento. Sim, eu vou me enganar de vez em quando, vou cometer alguns erros, mas tenho que aprender.

Ele me encara, a expressão ansiosa, incitando-me a dar a volta na bancada e caminhar em sua direção, de modo que fico de pé entre suas pernas, e ele permanece sentado no banco. Segurando suas mãos, passo seus braços ao redor de minha cintura e apoio as mãos neles.

— Você não pode interferir no meu trabalho. É errado. Não preciso de você invadindo o meu dia feito um cavaleiro numa armadura branca que vem para salvar o dia. Sei que você quer controlar tudo, e entendo o porquê, mas você não pode. É uma meta impossível... você tem que aprender a se desligar. — Ergo as mãos e acaricio seu rosto, ele me encara de olhos arregalados. — Se você puder fazer isso... se puder me dar isso... eu venho morar com você — acrescento com gentileza.

Ele respira fundo, surpreso.

— Você faria isso? — sussurra.

— Faria.

— Mas você mal me conhece. — Ele franze a testa e, de repente, soa angustiado e em pânico, nem um pouco Christian.

— Eu o conheço o suficiente, Christian. Nada que você me diga sobre si mesmo vai me assustar. — Corro os nós dos dedos gentilmente por sua bochecha. Sua expressão se transforma, vai de ansiosa a duvidosa. — Mas, se você pudesse me dar só um pouquinho de espaço... — imploro.

— Estou tentando, Anastasia. Eu não podia ficar de braços cruzados e deixar você ir para Nova York com aquele... cretino. Ele tem uma reputação terrível. Nenhuma das assistentes dele durou mais de três meses, e elas nunca são transferidas para outro setor da empresa. Não quero que você passe por isso, baby — suspira. — Não quero que nada aconteça com você. Que você se machuque... o pensamento me apavora. Não posso prometer que não vou interferir, não se achar que você pode se machucar. — Ele faz uma pausa e respira fundo. — Eu amo você, Anastasia. Vou fazer tudo que posso para protegê-la. Não consigo imaginar minha vida sem você.

Puta merda. Minha deusa interior, meu inconsciente e eu própria encaramos Christian em choque.

Três palavrinhas. Meu mundo para, dá uma volta e começa a girar em torno de um novo eixo; saboreio o momento, fitando seus lindos olhos sinceros e cinzentos.

— Eu também amo você, Christian. — Inclino-me para beijá-lo, dando um beijo profundo.

Aproximando-se de forma imperceptível, Taylor pigarreia. Christian afasta o rosto, encarando-me fixamente. Ele se levanta, o braço ao redor de minha cintura.

— Sim? — dirige-se a Taylor.

— A Sra. Lincoln está subindo, senhor.

— O quê?

Taylor encolhe os ombros, desculpando-se. Christian suspira pesadamente e balança a cabeça.

— Bem, isso vai ser interessante — resmunga e me lança um sorriso torto de resignação.

Merda! Por que essa mulher maldita não consegue deixar a gente em paz?

CAPÍTULO DOZE

— Você falou com ela hoje? — pergunto a Christian enquanto esperamos pela Mrs. Robinson.

— Falei.

— O que você disse?

— Falei que você não quer se encontrar com ela, e que eu entendo os seus motivos. Falei também que não gosto que ela aja pelas minhas costas — responde ele, o rosto impassível, sem revelar nada.

Bom.

— E o que ela respondeu?

— Ela me dispensou de um jeito que só Elena é capaz de fazer. — Ele franze os lábios numa linha fina.

— Por que você acha que ela veio aqui?

— Não tenho ideia. — Christian dá de ombros.

Taylor entra na sala de estar de novo.

— A Sra. Lincoln — anuncia.

E aqui está ela...

Por que tem de ser tão atraente? Está toda de preto: calça jeans justa, uma camisa que realça o corpo perfeito e o cabelo numa moldura brilhante e sedosa.

Christian me puxa para junto de si.

— Elena — diz, a voz soando intrigada.

Ela me olha boquiaberta, paralisada. E pisca por um instante antes de encontrar o que dizer.

— Desculpe. Não sabia que você estava acompanhado, Christian. É segunda-feira — diz ela, como se aquilo esclarecesse por que está ali.

— Namorada — responde ele à guisa de explicação, inclinando a cabeça para um lado e abrindo um sorriso despreocupado na direção dela.

Um sorriso lento e radiante, dirigido inteiramente a ele, abre-se no rosto dela. É tão irritante.

— Claro. Oi, Anastasia. Não sabia que você estaria aqui. Sei que você não quer falar comigo. Aceito isso.

— Aceita? — questiono calmamente, fitando-a e surpreendendo a todos nós. Franzindo a testa de leve, ela avança mais para dentro do cômodo.

— Sim, já entendi a mensagem. Não vim aqui para ver você. Como eu disse, Christian raramente está acompanhada durante a semana. — Ela para. — Estou com um problema e preciso conversar com ele a respeito.

— Ah? — Christian se ajeita. — Aceita uma bebida?

— Sim, por favor — murmura ela, agradecida.

Christian serve uma taça de vinho enquanto Elena e eu permanecemos de pé, encarando-nos desconfortavelmente. Ela brinca com um anel grosso de prata no dedo médio, e fico sem saber para onde olhar. Por fim, ela me lança um sorriso contrito e se aproxima da bancada da cozinha, sentando-se no banco da ponta. Obviamente conhece bem o lugar e se sente à vontade na casa.

Será que eu fico? Ou devo me retirar? *Ah, isso é tão difícil.* Meu inconsciente faz a cara mais hostil que pode na direção dela.

São tantas coisas que quero dizer a essa mulher, e nenhuma delas é agradável. Mas ela é amiga de Christian — sua única amiga —, e mesmo com todo o ódio que sinto, sou educada por natureza. Decido ficar, e me sento no banco que Christian desocupou com o máximo de elegância de que sou capaz. Ele serve mais vinho em nossas taças e se senta no banco entre nós duas. Será que ele percebe como esta situação é embaraçosa?

— Qual o problema? — pergunta.

Elena me olha um tanto nervosa, e Christian estende o braço, segurando minha mão.

— Anastasia está comigo agora — diz ele, respondendo à sua pergunta não dita e apertando meus dedos. Fico vermelha, e meu inconsciente sorri para ele, abandonando sua expressão de raiva de um instante atrás.

A expressão de Elena se suaviza como se ela estivesse feliz por ele. Feliz *de verdade.* Ah, não consigo entender essa mulher, e fico desconfortável e irritável na presença dela.

Ela respira fundo e se ajeita no banco, sentando-se na beirada e parecendo agitada. Depois dá uma olhada rápida para as próprias mãos e começa a girar freneticamente o anel de prata.

Qual o problema dela? É a minha presença? Sou eu quem está causando isso nela? Porque me sinto do mesmo jeito — não a quero aqui. Ela ergue o rosto e encara Christian bem nos olhos.

— Estou sendo chantageada.

Puta merda. Não era bem o que eu esperava ouvir. Christian se enrijece. Será que alguém descobriu sua propensão para espancar e foder menores de idade? Contenho minha repugnância e um pensamento rápido a respeito do troco sendo dado pelas atitudes dela me passa pela cabeça. Meu inconsciente esfrega as mãos com deleite mal disfarçado. *Que bom.*

— De que forma? — pergunta Christian, o medo transparecendo em sua voz.

Ela enfia a mão na imensa bolsa de couro de marca e puxa um bilhete, entregando-o a ele.

— Coloque aqui, na bancada. — Christian aponta para o balcão com o queixo.

— Não quer tocar?

— Não. Impressões digitais.

— Christian, você sabe que não posso levar isso à polícia.

Por que estou ouvindo isso? Ela está comendo algum outro pobre garoto?

Ela coloca o papel diante dele, e ele se aproxima para ler.

— Estão pedindo só cinco mil dólares — diz, quase que distraidamente. — Tem alguma ideia de quem seja? Alguém do grupo?

— Não — diz ela, com sua voz mais gentil e delicada.

— Linc?

Linc? Quem é Linc?

— O quê? Depois de todo esse tempo? Acho que não — balbucia ela.

— Isaac já sabe?

— Não contei ainda.

Quem é Isaac?

— Acho que ele deveria saber — diz Christian. Ela balança a cabeça, e agora me sinto como se estivesse me intrometendo. Não quero me envolver nisso. Tento soltar a mão de Christian, mas ele me aperta com força e se vira para mim.

— O que foi? — pergunta.

— Estou cansada. Acho que vou dormir.

Seus olhos me estudam, mas à procura de quê? Censura? Aceitação? Hostilidade? Mantenho a expressão o mais neutra possível.

— Tudo bem — diz ele. — Não vou demorar.

Ele me solta e eu fico de pé. Elena me olha com cautela. Fico ali, pressionando os lábios, fitando-a de volta, impassível.

— Boa noite, Anastasia. — Ela me lança um leve sorriso.

— Boa noite — murmuro, e minha voz soa fria. Viro-me para deixar o cômodo. É muita tensão para que eu possa suportar. Assim que começo a caminhar, eles continuam a conversa.

— Acho que eu não posso fazer muita coisa, Elena — diz Christian. — Se é uma questão de dinheiro... — E a voz dele fica mais baixa. — Posso pedir a Welch para investigar.

— Não, Christian, só queria dividir isso com você — diz ela.

Já fora da sala, ouço-a dizer:

— Você parece muito feliz.

— E estou — responde ele.

— Você merece.

— Queria que isso fosse verdade.

— Christian — repreende-o Elena.

Paro e fico ouvindo com atenção. Não consigo evitar.

— Ela sabe o quão negativo você é a respeito de si mesmo? Sobre os seus problemas?

— Ela me conhece melhor do que ninguém.

— Ai! Essa doeu.

— É verdade, Elena. Não preciso fazer joguinhos com ela. E estou falando sério, deixe Anastasia em paz.

— Qual o problema dela?

— Você... O que nós tivemos. O que nós fizemos. Ela não entende.

— Faça-a entender.

— Isso é passado, Elena, e por que eu iria querer corrompê-la explicando a relação doentia que tivemos? Ela é boa, gentil e inocente, e, por algum milagre, me ama.

— Não é milagre nenhum, Christian — zomba Elena, bem-humorada. — Tenha um pouco de fé em si mesmo. Você é um partido e tanto. Já falei isso inúmeras vezes. E ela também parece ótima. Forte. Alguém que vai estar do seu lado.

Não consigo ouvir a resposta de Christian. Então eu sou forte, é? Realmente não me sinto forte.

— Você não sente falta? — continua Elena.

— De quê?

— Do quarto de jogos.

Prendo a respiração.

— Isso realmente não é da sua conta — rebate Christian.

Ah.

— Desculpe. — Ela ri com desdém e sem muita sinceridade.

— Acho que é melhor você ir embora. E, por favor, telefone antes de aparecer de novo.

— Desculpe, Christian — diz ela, e, pelo tom, dessa vez parece estar sendo sincera. — Desde quando você é assim tão sensível? — Ela está repreendendo-o de novo.

— Elena, nós temos uma relação de trabalho que tem beneficiado incrivelmente a nós dois. Vamos manter as coisas assim. O que aconteceu entre a gente é passado. Anastasia é o meu futuro, e eu não vou arriscar isso de forma alguma, então chega dessa merda.

Sou o futuro dele!

— Entendi.

— Olhe, sinto muito pelo seu problema. Talvez você tenha que encarar a situação e pagar pra ver — diz, o tom de voz mais ameno.

— Não quero perder você, Christian.

— Não sou seu para você perder, Elena — responde ele.

— Não foi o que quis dizer.

— E o que você quis dizer? — pergunta ele bruscamente, irritado.

— Olhe, não quero discutir com você. Sua amizade significa muito para mim. Vou deixar Anastasia em paz. Mas estarei aqui se você precisar de mim. Sempre.

— Anastasia acha que você me viu no sábado passado. Você ligou, foi só isso. Por que você falou para ela que encontrou comigo?

— Queria que ela soubesse o quão perturbado você ficou quando ela foi embora. Não quero que ela magoe você.

— Ela sabe. Eu mesmo falei. Pare de interferir. Falando sério, você está parecendo uma mãe dominadora. — Christian soa resignado, e Elena ri, mas sua risada tem um quê de tristeza.

— Eu sei. Desculpe-me. Você sabe como eu me preocupo com você. Nunca achei que você fosse se apaixonar, Christian. É muito gratificante ver isso. Mas eu não suportaria se ela machucasse você.

— Estou assumindo os riscos — responde ele secamente. — Agora, tem certeza de que não quer que Welch dê uma pesquisada no assunto?

— Imagino que não faria mal algum. — Ela suspira pesadamente.

— Certo. Falo com ele amanhã de manhã.

Fico ali, escutando a discussão deles, tentando decifrar os dois. Eles realmente parecem velhos amigos, como Christian me descreveu. Apenas amigos. E ela se preocupa com ele... talvez demais. Mas pode alguém que o conhece não se preocupar com ele?

— Obrigada, Christian. E desculpe. Não queria atrapalhar vocês. Estou indo. Da próxima vez eu ligo.

— Ótimo.

Ela está indo embora! Merda! Corro pelo corredor na direção do quarto de Christian e me sento na cama. Ele entra momentos depois.

— Ela já foi — diz com cautela, avaliando minha reação.

Ergo o olhar para ele, tentando formular minha pergunta.

— Você pode me contar mais sobre ela? Estou tentando entender por que você acha que ela o ajudou. — Paro, ponderando com cuidado sobre minha próxima frase. — Eu abomino essa mulher, Christian. Acho que ela lhe causou danos irreparáveis. Você não tem amigos. Ela o afastou das outras pessoas?

Ele suspira e corre os dedos pelo cabelo.

— Por que diabo você quer saber sobre ela? Tivemos um longo caso, ela me batia para caralho com frequência, e eu comia ela de maneiras que você nem pode imaginar. Fim de papo.

Fico pálida. Merda, ele está com raiva — de mim. Pisco para ele.

— Por que está com tanta raiva?

— Porque aquela merda toda já *acabou*! — grita, furioso. Ele suspira de exasperação e balança a cabeça.

Agora estou lívida. *Merda*. Encaro minhas mãos cruzadas em meu colo. Só quero entender.

Ele se senta ao meu lado.

— O que você quer saber? — pergunta, exausto.

— Você não precisa me dizer nada. Não quero me meter.

— Anastasia, não é isso. Não gosto de falar dessa droga. Vivi numa bolha durante anos sem que nada me afetasse e sem precisar me justificar para ninguém. Ela sempre esteve do meu lado, como uma espécie de confidente. E agora meu passado e meu futuro estão colidindo de um jeito que nunca achei que fosse possível.

Dou uma olhada para ele e vejo que está me encarando, os olhos arregalados.

— Nunca achei que fosse ter um futuro com alguém, Anastasia. Você me dá esperança e me faz pensar sobre todas as possibilidades. — Ele se cala.

— Eu estava ouvindo — sussurro e volto a encarar minhas mãos.

— O quê? A nossa conversa?

— É.

— E aí? — Ele parece resignado.

— Ela se preocupa com você.

— É, ela se preocupa. E eu me preocupo com ela, do meu jeito, mas isso não chega nem perto do que sinto por você. Se o problema for esse.

— Não estou com ciúme. — Fico magoada que ele pense isso... ou será que estou com ciúme? Merda. Talvez seja isso. — Você não ama Elena — murmuro.

Ele suspira de novo. Está mesmo com raiva.

— Há muito tempo eu achei que a amava — diz, entre os dentes.

Ah.

— Quando estávamos na Geórgia... você disse que não a amava.

— É verdade.

Franzo a testa.

— Eu já amava você, Anastasia — sussurra ele. — Você é a única pessoa por quem eu viajaria cinco mil quilômetros.

Meu Deus. Não entendo. Ele ainda queria que eu fosse submissa dele naquela época. Franzo ainda mais a testa.

— O que eu sinto por você é muito diferente de qualquer coisa que já senti por Elena — diz ele, tentando explicar.

— E quando você ficou sabendo disso?

— Ironicamente, foi a própria Elena quem me falou. — Ele dá de ombros. — Ela me encorajou a ir até a Geórgia.

Eu sabia! Lá mesmo em Savannah eu já sabia disso. Olho para ele, mantendo o olhar vazio.

Como interpretar isso? Talvez ela esteja do meu lado e só tenha medo de que eu o machuque. A ideia é dolorosa. Eu jamais iria querer machucá-lo. Ela tem razão... ele já sofreu demais.

Talvez ela não seja tão má assim. Balanço a cabeça. Não quero aceitar o relacionamento que eles tiveram. É algo que desaprovo. Sim, é isso. Ela é uma figura repugnante que se aproveitou de um garoto vulnerável, roubando a adolescência dele, não importa o que ele diga.

— Então você a desejava? Quando era mais novo.

— Sim.

Ah.

— Ela me ensinou muita coisa. Ensinou-me a acreditar em mim mesmo.

Ah.

— Mas ela também bateu muito em você.

— É, bateu. — Ele sorri com afeto.

— E você gostava?

— Naquela época, sim.

— Tanto que você quis fazer isso com outras pessoas?

— É. — Ele arregala os olhos, com seriedade.

— E ela ajudou você com isso?

— Ajudou.

— Ela foi sua submissa?

— Sim.

Puta merda.

— E você espera que eu goste dela? — minha voz soa frágil e magoada.

— Não, embora isso fosse facilitar e muito a minha vida — diz ele, com cautela. — Entendo sua hesitação.

— Reticência! Meu Deus, Christian... se ela tivesse feito isso com um filho seu, como você se sentiria?

Ele pisca para mim como se não tivesse entendido a pergunta. E então franze a testa.

— Eu não precisava ter ficado com ela. A escolha também foi minha, Anastasia — murmura.

Isto não está levando a lugar nenhum.

— Quem é Linc?

— O ex-marido dela.

— Lincoln Timber?

— Ele mesmo. — Ele sorri.

— E Isaac?

— O submisso atual dela.

Ah, não.

— Ele tem vinte e tantos anos, Anastasia. É um adulto que sabe o que está fazendo — acrescenta depressa, decifrando com precisão a minha expressão de nojo.

— Da mesma idade que você — murmuro.

— Olhe, Anastasia, como falei para ela, ela é parte do meu passado. Você é o meu futuro. Não deixe que ela atrapalhe isso, por favor. E, sinceramente, já cansei desse assunto. Preciso trabalhar. — Ele fica de pé e me encara. — Esqueça isso. Por favor.

Eu o encaro, obstinada.

— Ah, já ia me esquecendo — acrescenta ele. — Seu carro chegou um dia antes. Está lá na garagem. A chave está com Taylor.

Uau... o Saab?

— Posso dirigir amanhã?

— Não.

— Por que não?

— Você sabe por quê. O que me faz lembrar: se for sair do escritório, avise-me. Sawyer estava lá, vigiando você. Aparentemente não posso confiar em você para cuidar de si mesma sozinha. — Ele faz cara feia, fazendo-me sentir feito uma criança levada... de novo. E eu teria discutido a respeito, mas ele já está tão nervoso por causa do assunto Elena, que não quero pressioná-lo mais ainda, mas não consigo evitar um comentário.

— Parece que também não posso confiar em você — murmuro. — Você podia ter me avisado que Sawyer estava me vigiando.

— Você quer brigar por causa disso também? — rebate ele.

— Não achei que estivéssemos brigando. Achei que estivéssemos conversando — murmuro, petulante.

Ele fecha os olhos por um instante, lutando para conter a raiva. Engulo em seco e o observo, ansiosa. A reação dele é imprevisível.

— Tenho que trabalhar — diz, com calma, e deixa o quarto.

Solto o ar. Não tinha percebido que estava prendendo a respiração. Jogo-me para trás, na cama, e fico encarando o teto.

Será que algum dia vamos ter uma conversa normal, sem descambar para uma briga? É tão cansativo.

Nós simplesmente não nos conhecemos direito. Será que quero mesmo morar com ele? Nem sei se eu deveria preparar um chá ou um café para ele enquanto trabalha. Será que posso interrompê-lo? Não tenho ideia do que ele gosta ou não.

Está claro que ele cansou do assunto Elena... e tem razão. Preciso seguir em frente. Deixar isso para trás. Bem, pelo menos ele não espera que eu seja amiga dela. E tomara que agora ela pare de me atazanar para marcar um encontro.

Levanto-me da cama e vou até a janela. Abro a porta da varanda e caminho até a balaustrada de vidro. Sua transparência é enervante. Aqui no alto, o ar é frio e fresco.

Observo as luzes cintilantes de Seattle. Ele se mantém tão longe de tudo, aqui em cima, na sua fortaleza. Não precisa se explicar a ninguém. *Ele tinha acabado de dizer que me ama, e então toda essa porcaria vem à tona por causa dessa mulher terrível.* Reviro os olhos. A vida dele é tão complicada. Ele é tão complicado.

Com um suspiro profundo e um último olhar para a cidade de Seattle, esparramada feito um tecido dourado aos meus pés, decido ligar para Ray. Já faz um tempo que não falo com ele. A conversa é curta, como de costume, mas fico sabendo que ele está bem, e que estou ligando no meio de uma partida importante de futebol.

— Espero que esteja tudo bem com Christian — diz ele, casualmente, e sei que está jogando verde para obter informações, embora na verdade ele não queira saber.

— É. Estamos bem. — Mais ou menos, e estou indo morar com ele. Embora a gente não tenha decidido quando. — Amo você, pai.

— Também amo você, Annie.

Desligo e verifico as horas. São apenas dez da noite. A nossa briga me deixou estranhamente irritada e inquieta.

Tomo um banho rápido e volto para o quarto, decidindo colocar uma das camisolas que Caroline Acton escolheu para mim na Neiman Marcus. Christian está sempre reclamando das camisetas. São três. Escolho a rosa-clara e a visto, passando-a pela cabeça. O tecido desliza, acariciando e aderindo-se à minha pele ao escorregar por meu corpo. Dá uma sensação luxuosa: o cetim mais fino e delicado. *Uau!* Olho-me no espelho e pareço uma atriz de cinema dos anos trinta. A camisola é longa, elegante... e não tem nada a ver comigo.

Pego o robe do conjunto e decido procurar por um livro na biblioteca. Podia ler no meu iPad, mas, neste instante, preciso do conforto e da segurança de um livro físico. Vou deixar Christian sozinho. Talvez ele recupere o bom humor quando tiver terminado de trabalhar.

A biblioteca de Christian tem tantos livros. Verificar título por título vai demorar uma eternidade. Dou uma olhada de relance para a mesa de sinuca e fico vermelha ao lembrar nossa última noite. Sorrio quando vejo que a régua ainda está no chão. Abaixo-me para pegá-la e bato com ela contra a palma da mão. Ai! Dói.

Por que não consigo suportar um pouco mais de dor pelo meu homem? Desconsolada, deixo a régua sobre a mesa e continuo em minha busca por uma boa leitura.

A maioria dos livros são primeiras edições. Como ele pode ter acumulado uma coleção como esta em tão pouco tempo? Talvez o trabalho de Taylor inclua a compra de livros. Decido-me por *Rebecca*, de Daphne du Maurier. Já faz tempo que li esse livro. Sorrio ao me ajeitar numa das poltronas estofadas e ler a primeira linha:

Na noite passada, sonhei que estava em Manderley novamente...

Acordo num sobressalto com Christian me erguendo em seus braços.

— Oi — murmura ele. — Você caiu no sono. Não conseguia encontrá-la. — Ele enfia o rosto no meu cabelo.

Sonolenta, passo os braços ao redor de seu pescoço e, enquanto ele me leva para o quarto, sinto seu cheiro... ah, é um cheiro tão bom... Ele me coloca na cama e me cobre.

— Durma, baby — sussurra, pressionando os lábios contra minha testa.

Acordo de repente com um pesadelo, momentaneamente desorientada, e me vejo conferindo ansiosa o pé da cama, mas não há ninguém lá. Vindo da sala de estar, ouço o leve rastro de uma melodia elaborada sendo tocada ao piano.

Que horas são? Verifico o despertador — duas da manhã. Será que Christian não veio dormir? Desembolo as minhas pernas do roupão, que ainda estou vestindo, e me levanto da cama.

Fico de pé na penumbra da sala de estar, ouvindo. Christian está entregue à música. Parece são e salvo em sua bolha de luz. E a canção que está tocando tem uma melodia alegre, uma cadência que me soa familiar, mas é tão complexa. *Ele toca tão bem.* Por que eu sempre me surpreendo com isso?

De algum jeito, no entanto, a cena parece diferente. E meu dou conta de que a tampa do piano está abaixada, deixando-me completamente exposta. Ele ergue o rosto e nossos olhares se encontram, seus olhos cinzentos e iluminados pela luz suave do abajur. Continua tocando, sem cometer nenhum deslize, enquanto caminho na direção dele. Seus olhos me seguem, deleitando-se com a minha visão, reluzindo. Quando me aproximo, ele para de tocar.

— Por que você parou? Estava tão bonito.

— Você tem alguma ideia de como está atraente? — diz, a voz suave.

Ah.

— Venha para a cama — sussurro, e seus olhos queimam quando ele estende a mão para mim.

Quando seguro sua mão, ele me puxa de forma inesperada, e caio em seu colo. Ele me envolve nos braços, enfiando o rosto na minha nuca, atrás da orelha, e um calafrio corre ao longo de minha coluna.

— Por que a gente briga? — sussurra ele, os dentes brincando com o lóbulo da minha orelha.

Meu coração dá um pulo e começa a bater apressado, aquecendo todo o meu corpo.

— Porque estamos nos conhecendo, e porque você é teimoso, irritadiço, mal-humorado e difícil — murmuro, ofegante, abaixando a cabeça para lhe facilitar o contato com meu pescoço. Ele corre o nariz pela minha pele, e sinto que está sorrindo.

— Sou tudo isso, Srta. Steele. Não sei como você me aguenta. — Ele morde o lóbulo de minha orelha, e eu solto um gemido. — É sempre assim? — suspira ele.

— Não tenho ideia.

— Nem eu. — Ele solta o laço do meu roupão, abrindo-o, e suas mãos deslizam pelo meu corpo, até os meus seios. Meus mamilos se enrijecem debaixo cetim da camisola sob o toque delicado. Ele continua até minha cintura, em direção ao meu quadril. — Você fica tão gostosa com esse tecido, e eu consigo ver tudo... até isto. — Ele mexe de leve em meus pelos pubianos através da camisola, fazendo-me arquejar, com sua outra mão agarra meu cabelo pela nuca.

Puxando minha cabeça para trás, ele me beija, sua língua apressada, implacável, carente. Solto um gemido em resposta e acaricio seu rosto tão querido. Ele levanta minha camisola com gentileza, bem devagar, tentadoramente, até que está afagando minhas costas nuas e, em seguida, correndo o polegar ao longo da parte interna de minhas coxas.

De repente ele se levanta, assustando-me, e me coloca em cima do piano. Meu pé descansa sobre as teclas, produzindo acordes dissonantes e desencontrados, e suas mãos deslizam ao longo de minhas pernas, abrindo meus joelhos. Ele segura minhas mãos.

— Deite-se — ordena, mantendo minhas mãos seguras enquanto me deito em cima do piano.

A tampa do piano contra as minhas costas é rígida e firme. Ele abre ainda mais minhas pernas, meus pés dançando sobre as teclas, sobre as oitavas mais altas e as mais baixas.

Minha nossa. Eu sei o que ele vai fazer, e a expectativa... Solto um gemido alto quando ele beija a parte de trás do meu joelho e vai subindo, beijando, chupando e mordendo a minha coxa. O cetim macio da minha camisola sobe, deslizando em minha pele sensível à medida que ele empurra o tecido. Flexiono os pés e os acordes soam novamente. Fechando os olhos, eu me entrego enquanto sua boca alcança o alto de minhas coxas.

Ele me beija... *lá... Meu Deus...* e então assopra de mansinho, antes de sua língua circundar meu clitóris. Ele abre ainda mais minhas pernas. Eu me sinto tão entregue, tão exposta. Ele me segura firme, as mãos logo acima de meus joelhos, e sua língua continua me torturando, sem trégua, sem descanso... implacável. Erguendo o quadril, acompanhando seu ritmo, eu me entrego.

— Ah, Christian, por favor — gemo.

— Ah, não, baby, ainda não. — Ele brinca comigo, mas eu vou ficando mais excitada à medida que acelera, e então ele para.

— Não — reclamo.

— Essa é a minha vingança, Ana — rosna ele baixinho. — Se você discute comigo, vou descontar no seu corpo de alguma forma.

Ele deixa uma trilha de beijos em minha barriga, suas mãos correndo pelas minhas coxas, apertando-me, excitando-me. Sua língua circula meu umbigo enquanto suas mãos — *e seus polegares... ah, esses polegares* — alcançam o topo de minhas coxas.

— Ah! — grito quando ele enfia um dos dedos em mim.

O outro segue pelo corpo, devagar, num ritmo agonizante, circulando a minha pele. Minhas costas se levantam do piano, e eu me contorço sob seu toque. É quase insuportável.

— Christian! — exclamo, retorcendo-me descontrolada pelo desejo.

Ele se apieda de mim e para. Erguendo meus pés das teclas, ele me empurra e, de repente, estou deslizando sobre o piano, escorregando sobre o cetim, e ele está junto de mim, e para por um instante entre as minhas pernas para colocar a camisinha. Paira sobre o meu corpo, e estou ofegante, fitando-o com uma necessidade furiosa, e percebo que ele está nu. Quando foi que tirou a roupa?

Ele me encara de volta, e seus olhos estão repletos de fascínio, fascínio e paixão, e é de tirar o fôlego.

— Quero tanto você — diz ele e, bem devagar, com maestria, mergulha dentro de mim.

Estou esparramada em cima dele, retorcida, meus membros pesados e preguiçosos, nós dois deitados em cima do piano de cauda. *Meu Deus.* O corpo dele é muito mais confortável do que o piano. Com cuidado para não encostar em seu peito, descanso o rosto nele e permaneço completamente imóvel. Ele não se opõe, e fico ali escutando sua respiração se acalmar junto com a minha. Com ternura, ele acaricia meu cabelo.

— Você costuma beber chá ou café à noite? — pergunto, sonolenta.

— Que pergunta esquisita — responde ele vagamente.

— Pensei em levar uma bebida para você no seu escritório, mas então percebi que não sabia o que você prefere.

— Ah, entendi. De noite é sempre água ou vinho, Ana. Embora talvez eu devesse experimentar chá.

Sua mão move-se ritmicamente ao longo de minhas costas, afagando-me de leve.

— Sabemos mesmo muito pouco a respeito um do outro — murmuro.

— Eu sei — responde ele, e sua voz é pesarosa. Eu me sento para fitá-lo nos olhos.

— O que foi? — pergunto.

Ele balança a cabeça como se quisesse afastar uma ideia desagradável e, erguendo a mão, acaricia meu rosto, os olhos brilhantes e sinceros.

— Amo você, Ana Steele.

O despertador toca às seis da manhã com as notícias sobre o trânsito, e eu acordo num sobressalto de meu sonho desconcertante com mulheres exageradamente louras e morenas. Não consigo entender sobre o que era o sonho e imediatamente sou distraída por um Christian Grey enrolado em volta de mim feito seda, sua cabeça com o cabelo desgrenhado no meu colo, a mão no meu peito, a perna em cima de mim, pressionando-me para baixo. Ainda está dormindo, e eu estou com muito calor. No entanto, ignoro meu desconforto e estendo a mão com cuidado para correr os dedos gentilmente por seu cabelo, e ele se mexe. Erguendo os olhos cinzentos e reluzentes, sorri para mim sonolento. *Meu Deus... ele é adorável.*

— Bom dia, linda — diz ele.

— Bom dia para você também, lindo. — Sorrio de volta para ele. Ele me beija, sai de cima de mim e se apoia em um dos cotovelos, me fitando.

— Dormiu bem? — pergunta.

— Dormi, apesar da interrupção no meio da noite.

— Hum. — Seu sorriso se amplia. — Você pode interromper meu sono assim sempre que quiser. — E me beija de novo.

— E você? Dormiu bem?

— Eu sempre durmo bem com você, Anastasia.

— Não teve mais pesadelos?

— Não.

Levanto as sobrancelhas e arrisco uma pergunta:

— Sobre o que são os seus pesadelos?

Ele franze a testa e seu sorriso desaparece. *Merda... eu e a minha curiosidade idiota.*

— São flashbacks da minha primeira infância, ou foi o que o Dr. Flynn me disse. Alguns são bem vívidos, outros menos. — Ele baixa o tom de voz, e suas feições adquirem um olhar distante e angustiado. Distraído, começa a correr os dedos ao longo de minha clavícula, desviando minha atenção.

— E você acorda gritando e chorando? — Tento, em vão, fazer uma piada. Ele me olha confuso.

— Não, Anastasia. Nunca chorei. Não que eu me lembre. — Ele franze a testa, como se mergulhasse nas profundezas de suas memórias. Droga, na certa é um lugar sombrio demais para se visitar a essa hora da manhã.

— Você não tem memórias felizes da sua infância? — pergunto depressa, numa tentativa de distraí-lo. Ele parece pensativo por um instante, ainda correndo os dedos por minha pele.

— Eu me lembro da prostituta viciada cozinhando. Lembro-me do cheiro. Acho que era um bolo de aniversário. Para mim. E me lembro da chegada de Mia com meus pais. Minha mãe estava preocupada com minha reação, mas eu adorei o bebezinho logo de cara. Minha primeira palavra foi *Mia*. Lembro-me da minha primeira aula de piano. A Srta. Kathie, minha professora, era o máximo. Ela criava cavalos também. — Ele sorri saudosamente.

— Você disse que sua mãe o salvou. Como?

Seu devaneio se interrompe, e ele me encara, como se eu fosse incapaz de compreender que dois mais dois é igual a quatro.

— Ela me adotou — responde ele trivialmente. — Quando a vi pela primeira vez, achei que fosse um anjo. Estava toda de branco e era tão gentil e calma enquanto me examinava. Nunca vou me esquecer daquilo. Se ela tivesse dito não ou se Carrick tivesse dito não... — Ele encolhe os ombros, dando uma olhada de relance para o relógio. — Isso tudo é meio pesado para essa hora da manhã — murmura.

— Fiz uma promessa de conhecer você melhor.

— Fez, é, Srta. Steele? Achei que você queria saber se eu prefiro chá ou café. — Ele sorri. — De qualquer forma, sei de um jeito que pode ajudar você a me conhecer melhor. — Ele pressiona o quadril contra o meu.

— Acho que já conheço você bastante bem nesse quesito. — Minha voz é arrogante e soa como uma reprimenda, arrancando um largo sorriso em seu rosto.

— Acho que eu nunca vou conhecer você o bastante nesse quesito — murmura ele. — Sem dúvida existem vantagens de se acordar ao seu lado — diz ele, num tom suave e capaz de me derreter de tão sedutor.

— Você não tem que se levantar? — pergunto, a voz grave e rouca. *Ah... o que ele faz comigo.*

— Hoje não. Só tem uma coisa que quer se levantar agora, Srta. Steele. — Seus olhos brilham repletos de lascívia.

— Christian! — arquejo, chocada.

Ele se move depressa, ficando em cima de mim, apertando-me na cama. Segurando minhas mãos, ele as puxa para cima, sobre a minha cabeça, e começa a beijar meu pescoço.

— Ah, Srta. Steele. — Ele sorri contra minha pele, mandando arrepios ao longo do meu corpo, enquanto suas mãos passeiam pelo meu corpo e começam a tirar bem devagar minha camisola de cetim. — Ah, as coisas que eu queria fazer com você — murmura.

E eu perco, acabou o interrogatório.

A Sra. Jones prepara meu café da manhã com panquecas e bacon e, para Christian, uma omelete de bacon. Nós nos sentamos lado a lado no balcão, num silêncio confortável.

— Quando vou conhecer seu personal trainer, Claude, e ver o que ele é capaz de fazer? — pergunto.

— Depende. Vai querer ir a Nova York neste fim de semana ou não? — Ele me olha sorrindo. — Ou você pode marcar uma sessão de manhã cedo durante a semana. Posso pedir para a Andrea checar a agenda dele e avisar você.

— Andrea?

— Minha secretária.

Ah, claro.

— Uma das suas muitas louras — brinco com ele.

— Ela não é minha. Ela trabalha para mim. Você é minha.

— Eu trabalho para você — murmuro acidamente.

Ele sorri, como se tivesse esquecido.

— É verdade. — Seu sorriso é contagiante.

— Talvez Claude possa me ensinar a lutar kickbox — eu o alerto.

— Ah, é? Para melhorar as suas chances contra mim? — Christian ergue uma sobrancelha, divertindo-se. — Quero ver, Srta. Steele. — Ele está tão feliz se comparado ao humor azedo de ontem depois que Elena foi embora. Talvez seja todo esse sexo... talvez seja isso o que o faz ficar tão descontraído.

Dou uma olhada para o piano atrás de mim, saboreando a memória de ontem à noite.

— Você abriu a tampa do piano de novo.

— Eu tinha fechado para não acordar você. Pelo visto não deu certo, mas fico feliz por isso. — Seus lábios se contorcem num sorriso lascivo enquanto ele dá uma garfada na omelete. Fico rubra e retribuo o sorriso.

Ah, sim... momentos de diversão em cima daquele piano.

A Sra. Jones se aproxima e me passa uma sacola de papel com o meu almoço, fazendo-me corar de culpa.

— Para mais tarde, Ana. Atum, tudo bem?

— Ah, sim. Obrigada, Sra. Jones. — Lanço um sorriso tímido para ela, que retribui calorosamente, antes de deixar a sala de estar. Suspeito que seja para nos dar um pouco de privacidade.

— Posso perguntar uma coisa? — Viro-me para Christian.

— Claro. — Sua expressão de divertimento se desfaz.

— E você não vai ficar bravo?

— É sobre Elena?

— Não.

— Então não vou ficar bravo.

— Mas agora eu tenho uma pergunta complementar.

— Ah, é?

— Que é sobre ela.

Ele revira os olhos.

— O que é? — diz, exasperado.

— Por que você fica tão bravo quando pergunto a respeito dela?

— Sinceramente?

— Achei que você sempre fosse sincero comigo. — Faço cara feia para ele.

— Tento ser.

— Isso me parece uma resposta um tanto evasiva. — Aperto os olhos.

— Eu sempre sou sincero com você, Ana. Não faço joguinhos. Bem, não esse tipo de joguinho — ele especifica, os olhos queimando.

— Que tipo de jogos você quer jogar?

Ele inclina a cabeça e sorri para mim.

— Srta. Steele, você se distrai tão facilmente.

Solto um risinho. É verdade.

— Sr. Grey, você é uma distração em tantos sentidos. — Encaro seus olhos cinzentos e alegres, iluminados de diversão.

— Meu som preferido no mundo é a sua risada, Anastasia. E então, a sua pergunta original? — diz ele suavemente, e acho que está rindo de mim. Tento torcer a boca para demonstrar meu descontentamento, mas gosto do Christian brincalhão. Ele é divertido. Adoro essa implicância amigável pela manhã. Franzo a testa, tentando me lembrar da pergunta.

— Ah, sim. Você só via suas submissas nos fins de semana?

— Sim, só nos fins de semana — responde ele, observando-me nervoso.

Sorrio para ele.

— Então, nada de sexo durante a semana.

— Ah, então é aí que você quer chegar com isso. — Ele solta uma gargalhada e parece um tanto aliviado. — Por que você acha que eu malho todos os dias da semana? — Agora ele está definitivamente rindo de mim, mas eu não ligo. Quero me abraçar de tanta felicidade. Mais uma primeira vez... quer dizer, mais um monte de primeiras vezes. — Você parece muito satisfeita consigo mesma, Srta. Steele.

— E estou, Sr. Grey.

— Com razão. — Ele sorri. — Agora tome o seu café da manhã.

Hum, o Christian autoritário... ele nunca está muito longe.

ESTAMOS NA PARTE de trás do Audi. Taylor está dirigindo. Vai me deixar primeiro no trabalho e, depois, Christian. Sawyer está no banco do carona.

— Você não falou que o irmão da sua amiga chegava hoje? — pergunta Christian, quase como quem não quer nada, a voz sem entregar sentimento nenhum.

— Meu Deus, Ethan — ofego. — Tinha me esquecido. Ah, Christian, obrigada por me lembrar. Vou ter que passar lá no apartamento.

— Que horas? — Sua expressão se desfaz.

— Não sei que horas ele chega.

— Não quero que você vá a lugar nenhum sozinha — diz ele, rudemente.

— Eu sei — murmuro e contenho a vontade de revirar os olhos para o Sr. Exagerado. — Sawyer vai estar espionando... digo... patrulhando, hoje? — Olho de relance para o banco do carona e vejo as orelhas de Sawyer ficando vermelhas.

— Vai — revida Christian, o olhar glacial.

— Se eu estivesse com o Saab seria muito mais fácil — resmungo, petulante.

— Sawyer vai estar de carro, e ele pode levar você até o seu apartamento, dependendo da hora.

— Certo. Acho que Ethan deve entrar em contato comigo durante o dia. Eu aviso qual é o plano, quando souber.

Ele me encara sem dizer nada por um instante. O que será que está pensando?

— Tudo bem — concorda. — Mas nada de sair sozinha, entendeu? — Ele estende o indicador na minha direção.

— Sim, querido — resmungo.

Então, vejo um traço de humor percorrer seu rosto.

— E talvez você devesse usar o seu BlackBerry. Só vou mandar e-mails para ele. Acho que isso deve evitar que o meu técnico de TI tenha mais uma manhã profundamente interessante, tudo bem? — diz, zombeteiro.

— Certo, Christian. — Não consigo resistir e reviro os olhos para ele. Ele sorri de volta para mim.

— Ora, ora, Srta. Steele, acredito que esteja fazendo a palma da minha mão coçar.

— Ah, Sr. Grey, você e essa sua palma que não se cansa nunca. O que vamos fazer com isso?

Ele ri e, em seguida, é distraído por seu BlackBerry, que deve estar no modo vibrar, porque não ouvi tocar. Ele olha para a tela e faz uma careta.

— O que foi? — atende bruscamente e passa a ouvir com atenção.

Aproveito a situação para examinar suas belas feições: o nariz reto, o cabelo desarrumado sobre a testa. Minha cobiça é distraída por sua expressão, que se altera de incredulidade para diversão. Presto atenção.

— Não me diga... Era brincadeira... Quando ele lhe disse? — Christian ri, quase relutante. — Não, não se preocupe. Não precisa se desculpar. Fico feliz que haja uma explicação lógica. Parecia mesmo uma quantia ridícula de tão baixa... Não tenho dúvidas de que você já esteja planejando uma vingança bem má e criativa. Pobre Isaac. — Ele sorri. — Ótimo... Até mais. — Ele desliga o telefone e me olha de relance, os olhos subitamente cautelosos, mas, estranhamente, também parece aliviado.

— Quem era?

— Você realmente quer saber? — pergunta ele em voz baixa.

Com essa reação, já sei quem era. Balanço a cabeça e encaro com tristeza a Seattle cinzenta pela janela. Por que ela não pode deixá-lo em paz?

— Ei. — Ele pega a minha mão e beija o nó dos meus dedos, um de cada vez, e, de repente, está chupando meu mindinho com força. E depois mordendo devagar.

Uau! Ele tem uma conexão direta com a minha virilha, perco o ar e olho nervosa para Taylor e Sawyer, e então para Christian, e seus olhos estão escurecidos. Ele me lança um sorriso lento e carnal.

— Não se preocupe, Anastasia — murmura ele. — Ela é passado. — E deixa um beijo na palma da minha mão, enviando arrepios por todo o meu corpo, e meu instante de raiva é esquecido.

— Bom dia, Ana — balbucia Jack enquanto caminho até minha mesa. — Bonito vestido.

Fico vermelha. O vestido faz parte de meu novo guarda-roupa, cortesia de meu riquíssimo namorado. É um vestido trapézio sem mangas, de linho azul-claro, bem justo, e estou usando sandálias de salto cor de creme. Christian gosta de saltos, acho. O pensamento me faz sorrir por dentro, mas me recomponho depressa, lançando um sorriso insosso e profissional para meu chefe.

— Bom dia, Jack.

Estou prestes a chamar um portador para levar sua brochura para impressão quando ele coloca a cabeça para fora da sala.

— Você pode me trazer um café, por favor, Ana?

— Claro. — Caminho até a cozinha e cruzo com Claire, da recepção, que também está preparando um café.

— Oi, Ana — cumprimenta ela animada.

— Oi, Claire.

Nós conversamos brevemente sobre a sua reunião de família durante o fim de semana, que ela aproveitou muitíssimo, e conto que fui velejar com Christian.

— Você tem um namorado dos sonhos, Ana — diz, os olhos embaçados.

Minha vontade é de revirar os olhos para ela.

— É, ele não é feio — sorrio, e nós duas caímos na gargalhada.

— Demorou, hein! — reclama Jack quando trago seu café.

Opa!

— Desculpe. — Fico vermelha e em seguida faço uma cara feia. Levei o mesmo tempo de sempre. Qual o problema dele? Talvez esteja nervoso com alguma coisa.

— Desculpe, Ana. — Ele balança a cabeça. — Não queria gritar com você, querida.

Querida?

— Tem alguma coisa acontecendo na direção, e eu não sei o que é. Fique de olhos bem abertos, viu? Se ouvir algum boato... eu sei como vocês meninas conversam. — Ele sorri para mim, e eu fico ligeiramente enjoada. Ele não tem ideia de como nós "meninas" conversamos. Além do mais, eu sei o que está acontecendo. — Qualquer coisa, avise-me, certo?

— Claro — resmungo. — Mandei a brochura para impressão. Vai ficar pronta às duas horas.

— Ótimo. Aqui. — Ele me entrega uma pilha de manuscritos. — Preciso de um resumo dos primeiros capítulos de tudo isso aqui depois, pode cadastrar.

— Pode deixar.

Fico aliviada de deixar sua sala e sentar à minha mesa. Ah, é duro saber das coisas. O que ele vai fazer quando descobrir? Meu sangue chega a congelar. Algo me diz que Jack vai ficar irritado. Dou uma olhada no meu BlackBerry e sorrio. Tem um e-mail de Christian.

De: Christian Grey
Assunto: Nascer do sol
Data: 14 de junho de 2011 09:23
Para: Anastasia Steele

Adoro acordar de manhã com você.

Christian Grey
CEO Total e Absolutamente Apaixonado., Grey Enterprises Holdings, Inc.

Acho que meu rosto chega a se dividir em dois com o sorriso que abro.

De: Anastasia Steele
Assunto: Pôr do sol
Data: 14 de junho de 2011 09:35
Para: Christian Grey

Caro Total e Absolutamente Apaixonado,

Também adoro acordar com você. Mas adoro estar na cama com você, e em elevadores, em cima de pianos e de mesas de sinuca, em barcos, escrivaninhas, chuveiros e banheiras e em estranhas estruturas de madeira em forma de x com algemas e camas com dossel e lençóis de seda vermelhos e ancoradouros e quartos de infância.

Sua,
Maníaca Sexual e Insaciável
Bj,

De: Christian Grey
Assunto: Computador molhado
Data: 14 de junho de 2011 09:37
Para: Anastasia Steele

Querida Maníaca Sexual e Insaciável,

Acabei de derramar café em todo o meu teclado.

Acho que isso nunca me aconteceu antes.

Realmente admiro mulheres que se concentram em geografia.

Devo concluir que você só me quer pelo meu corpo?

Christian Grey
CEO Total e Absolutamente Chocado Grey Enterprises Holdings, Inc.

De: Anastasia Steele
Assunto: Rindo — e molhada também
Data: 14 de junho de 2011 09:42
Para: Christian Grey

Querido Total e Absolutamente Chocado,

Sempre.

Tenho que trabalhar.

Pare de me distrair.

Bj,

MSI

De: Christian Grey
Assunto: Tenho mesmo que fazer isso?
Data: 14 de junho de 2011 09:50
Para: Anastasia Steele

Querida MSI,

Como sempre, seu desejo é uma ordem.

Adoro saber que você está rindo e que está molhadinha.

Até mais, baby.

Bj,

Christian Grey
CEO, Total e Absolutamente Apaixonado, Chocado e Enfeitiçado, Grey
Enterprises Holdings, Inc.

Coloco o BlackBerry na mesa e começo a trabalhar.

NA HORA DO ALMOÇO, Jack me pede para ir até a lanchonete para ele. Ligo para Christian assim que saio de sua sala.

— Anastasia — atende ele imediatamente, a voz cálida e carinhosa. Como esse homem consegue me fazer derreter pelo telefone?

— Christian, Jack quer que eu vá comprar o almoço dele.

— Preguiçoso filho da mãe — resmunga Christian.

Eu o ignoro e continuo a falar:

— Então eu vou dar uma saída. Talvez fosse melhor se você me passasse o telefone de Sawyer, assim eu não precisaria perturbar você.

— Você não me perturba, baby.

— Você está sozinho?

— Não. Tem seis pessoas aqui me olhando e se perguntando com quem estou falando.

Merda...

— Sério? — arquejo, em pânico.

— Sim, sério. É a minha namorada — anuncia ele fora do telefone.

Deus do céu!

— Na certa todos eles pensavam que você era gay...

Ele ri.

— É, provavelmente. — Ouço-o sorrindo.

— Bem, melhor eu ir andando. — Tenho certeza de que ele sabe como estou envergonhada por interrompê-lo.

— Vou avisar a Sawyer. — Ele ri de novo. — Teve notícias do seu amigo?

— Ainda não. Você vai ser o primeiro a saber, Sr. Grey.

— Ótimo. Até mais, baby.

— Tchau, Christian. — Sorrio.

Toda vez que ele diz isso, me faz sorrir... É tão não Christian, mas, de alguma forma, tão a cara dele também.

QUANDO SAIO, SEGUNDOS depois, Sawyer está me esperando na portaria do prédio.

— Srta. Steele — ele me cumprimenta formalmente.

— Sawyer — aceno em resposta, e seguimos juntos até a lanchonete.

Não me sinto tão à vontade junto de Sawyer quanto me sinto com Taylor. Ele fica vigiando a rua enquanto avançamos pelo quarteirão. Na verdade, me deixa ainda mais nervosa, e eu me vejo espelhando seus movimentos.

Será que Leila está por aqui em algum lugar? Ou estamos todos contagiados pela paranoia de Christian? Será que isso é mais uma faceta de seus Cinquenta Tons? O que eu não daria por meia hora de bate-papo indiscreto com o Dr. Flynn para descobrir.

Não há nada de errado. É hora do almoço em Seattle: as pessoas correndo para comer, fazer compras, encontrar os amigos. Observo duas moças se abraçando ao se encontrarem.

Sinto falta de Kate. Faz apenas duas semanas que ela saiu de férias, mas a sensação que tenho é que foram as duas semanas mais longas da minha vida. Aconteceu tanta coisa... ela nem vai acreditar quando eu contar. Bem, contar a versão editada, claro, condizente com o "termo de confidencialidade". Franzo a testa. Vou ter que conversar com Christian a respeito disso. O que Kate acharia? Fico pálida só de pensar. Talvez ela volte hoje, junto com Ethan. Sinto um arrepio de empolgação com a ideia, mas acho que é pouco provável. Na certa vai ficar por lá com Elliot.

— Onde você fica quando está esperando e vigiando do lado de fora do prédio? — pergunto a Sawyer enquanto entramos na fila para o almoço.

Sawyer está diante de mim, de frente para a porta, constantemente monitorando a rua e todos que entram na lanchonete. É irritante.

— Fico no café, do outro lado da rua, Srta. Steele.

— Não é chato?

— Não para mim, senhora. É o que eu faço — responde ele com rigidez.

Fico vermelha.

— Desculpe, não quis dizer... — Minha voz desaparece quando noto sua expressão gentil de compreensão.

— Por favor, Srta. Steele. Meu trabalho é protegê-la. E é isso que eu vou fazer.

— E aí, nenhum sinal de Leila, ainda?

— Não, senhora.

Franzo a testa.

— Como você sabe quem ela é?

— Eu vi uma foto.

— Ah, e essa foto está aí com você?

— Não, senhora. — Ele aponta para a própria cabeça. — Está em minha memória.

Claro. Gostaria muito de dar uma olhada na fotografia de Leila para ver como ela era antes de se tornar a Garota-Fantasma. Será que Christian me deixaria ficar com uma cópia? Sim, provavelmente deixaria — para minha segurança. Traço um plano, e meu inconsciente deleita-se com a ideia, acenando em sinal de aprovação.

As BROCHURAS RETORNARAM para o escritório e, para meu alívio, estão perfeitas. Levo uma até a sala de Jack. Seus olhos se iluminam; não sei se por minha causa ou por causa das brochuras. Prefiro pensar que é por causa delas.

— Estão ótimas, Ana. — Ela as folheia casualmente. — É, bom trabalho. Você vai sair com o seu namorado esta noite? — Seus lábios se contorcem à menção da palavra "namorado".

— Vou. A gente mora junto. — É um pouco verdade. Bem, estamos morando juntos no momento. E, oficialmente, concordei em me mudar para o apartamento dele, então não chega a ser mentira. Espero que seja o suficiente para mantê-lo afastado.

— Será que ele se importaria se você saísse comigo hoje, para tomar uma cerveja? Para comemorar o seu trabalho árduo?

— Um amigo meu vai chegar à cidade hoje, e nós três vamos sair para jantar. — E eu estarei ocupada todas as noites, Jack.

— Entendi. — Ele suspira, exasperado. — Talvez quando eu voltar de Nova York, então? — Ele ergue uma sobrancelha em expectativa, com um olhar sombrio muito sugestivo.

Ah, não. Sorrio, sem me comprometer, segurando-me para não dar de ombros.

— Gostaria de um chá ou um café? — pergunto.

— Café, por favor. — Sua voz é grave e rouca, como se estivesse me pedindo outra coisa. Puta que pariu. Ele não vai desistir. Posso ver isso agora. Ai... *O que fazer?*

Solto um longo suspiro de alívio ao sair de sua sala. Ele me deixa nervosa. Christian está certo a seu respeito, e parte de mim está morrendo de raiva que Christian *esteja* mesmo certo a respeito dele.

Eu me sento em minha mesa e o BlackBerry toca... um número que não reconheço.

— Ana Steele.

— Oi, Steele! — A fala arrastada de Ethan me pega desprevenida por um instante.

— Ethan! Como vai? — Quase dou um gritinho de alegria.

— Feliz por estar de volta. Cansei de tanto sol e drinques com rum, e de ver a minha irmã mais nova perdidamente apaixonada pelo figurão. Tem sido um inferno, Ana.

— Claro! Mar, praia, sol e drinques com rum, realmente parece uma descrição saída do *Inferno* de Dante. — Solto uma risadinha. — Onde você está?

— No aeroporto, esperando minhas malas. O que você está fazendo?

— Estou no trabalho. Sim, agora sou assalariada — respondo, diante de seu assombro. — Você quer dar uma passada aqui e pegar as chaves? Posso encontrar você mais tarde no apartamento.

— Parece ótimo. Vejo você em uns quarenta e cinco minutos, uma hora, talvez? Onde fica?

Passo o endereço da SIP.

— Até daqui a pouco, Ethan.

— Até mais, baby — responde ele e desliga.

O quê? O Ethan também está se despedindo assim? E me dou conta de que ele acabou de passar uma semana com Elliot. Digito um e-mail apressado para Christian.

De: Anastasia Steele
Assunto: Visitante dos Trópicos
Data: 14 de junho de 2011 14:55
Para: Christian Grey

Caríssimo Total e Absolutamente ACE,

Ethan chegou e está vindo aqui buscar as chaves do apartamento.

Eu gostaria de verificar se ele se instalou direitinho, mais tarde.

Por que você não me busca depois do trabalho? A gente podia dar uma passada no apartamento e depois jantamos TODOS juntos?

Por minha conta.

Sua

Bj,

Ana

Ainda MSI

Anastasia Steele
Assistente de Jack Hyde, Editor, SIP

De: Christian Grey
Assunto: Jantar fora
Data: 14 de junho de 2011 15:05
Para: Anastasia Steele

Aprovo seu plano. Exceto a parte de você pagar o jantar!

Fica por minha conta.

Pego você às seis.

Bj,

PS: Por que você não está usando o BlackBerry???

Christian Grey
CEO. Total e Absolutamente Irritado, Grey Enterprises Holdings, Inc.

De: Anastasia Steele
Assunto: Mandão
Data: 14 de junho de 2011 15:11
Para: Christian Grey

Ah, não precisa ficar tão nervosinho.

Está tudo em código.

Vejo você às seis.

Bj,

Ana

Anastasia Steele
Assistente de Jack Hyde, Editor, SIP

De: Christian Grey
Assunto: Mulher irritante
Data: 14 de junho de 2011 15:18
Para: Anastasia Steele

Nervosinho!

Você vai ver só o nervosinho.

Mal posso esperar.

Christian Grey
CEO. Total e Absolutamente e Ainda mais Irritado, mas Sorrindo por Algum
Motivo Desconhecido, Grey Enterprises Holdings, Inc.

De: Anastasia Steele
Assunto: Promessas. Promessas.
Data: 14 de junho de 2011 15:23
Para: Christian Grey

Quero só ver, Sr. Grey.

Também mal posso esperar. ;D

Bj,

Ana

Anastasia Steele
Assistente de Jack Hyde, Editor, SIP

Ele não responde, mas eu também não esperava que respondesse. Fico imaginando-o reclamar a respeito de mensagens ambíguas, e a ideia me faz sorrir. Fantasio por um instante sobre o que ele poderia fazer, mas logo estou me remoendo na cadeira. Meu inconsciente me lança um olhar de reprimenda por sobre os óculos: trate de trabalhar.

Alguns momentos depois, meu telefone toca. É Claire, da recepção.

— Tem um cara bem gatinho aqui embaixo querendo falar com você. Ana, a gente precisa sair juntas um dia desses. Você conhece uns caras bem gostosos — ela sussurra ela para mim em tom de conspiração no telefone.

Ethan! Pegando as chaves na bolsa, corro até o saguão de entrada.

Minha nossa — o cabelo louro queimado de sol, um bronzeado de matar e os olhos castanhos reluzentes me fitando do sofá de couro verde. Assim que me vê, ele fica boquiaberto e se levanta, indo na minha direção.

— Uau, Ana. — Ele franze a testa para mim enquanto se inclina para me dar um abraço.

— Você está com uma ótima aparência. — Sorrio para ele.

— Você está... uau... diferente. Mais cosmopolita, sofisticada. O que aconteceu? Mudou o cabelo? As roupas? Não sei o que é, Steele, mas você está uma gata! Fico absolutamente vermelha.

— Ah, Ethan. São só essas roupas de trabalho — repreendo-o, e Claire me observa com uma sobrancelha arqueada e um sorriso torto. — Como foi Barbados?

— Divertido — diz ele.

— Quando Kate volta?

— Ela e Elliot voltam na sexta. O namoro deles está bem sério. — Ethan revira os olhos.

— Estou com saudade dela.

— É? E como estão as coisas com o Sr. Mandachuva?

— Sr. Mandachuva? — contenho o riso. — Bem, estão interessantes. Ele vai nos levar para jantar hoje à noite.

— Legal. — Ethan parece genuinamente satisfeito. Ufa!

— Aqui. — Entrego as chaves para ele. — Você tem o endereço?

— Tenho. Até mais, baby. — Ele se inclina e me dá um beijo na bochecha.

— Mania do Elliot?

— É, a gente acaba pegando.

— É verdade. Até mais, baby. — Sorrio quando ele pega uma mala enorme de junto do sofá e deixa o prédio.

Quando me viro, Jack está no saguão, observando-me a distância, com uma expressão indecifrável. Lanço um sorriso radiante na direção dele e retorno para minha mesa, sentindo seus olhos me acompanharem por todo o percurso. Isso está começando a me irritar. O que eu faço? Não tenho ideia. Vou ter que esperar até Kate voltar. Com certeza ela vai ter um plano. A ideia ameniza meu humor sombrio, e eu começo a trabalhar no próximo manuscrito.

Às cinco para as seis meu telefone vibra. É Christian.

— Nervosinho falando — diz ele, e eu sorrio. Ainda é o meu Christian brincalhão. Minha deusa interior está batendo palmas de júbilo feito uma garotinha.

— Bem, e aqui fala a Maníaca Sexual e Insaciável. Imagino que você esteja aqui fora, errei?

— Estou sim, Srta. Steele. Ansioso para encontrá-la. — Sua voz é cálida e sedutora, e meu coração se agita loucamente.

— Idem, Sr. Grey. Já estou descendo. — E desligo.

Desligo o computador e pego minha bolsa e meu casaco creme.

— Estou indo, Jack — aviso pela porta.

— Tudo bem, Ana. Obrigado por hoje! E aproveite a noite.

— Você também.

Por que ele não pode ser assim o tempo todo? Não o entendo.

O AUDI ESTÁ PARADO junto ao meio-fio, e Christian salta enquanto me aproximo. Ele tirou o paletó e está usando a calça cinza, minha preferida, a que pende do quadril... daquele jeito. Como esse deus grego pode ser meu? Vejo-me sorrindo feito uma idiota em resposta ao próprio sorriso bobo dele.

Ele passou o dia todo dando uma de namorado apaixonado; apaixonado por mim. Esse homem maravilhoso, complexo e cheio de problemas... apaixonado por mim. E eu por ele. Uma onda de alegria explode de repente dentro de mim, e eu saboreio o momento, sentindo-me por um instante como se pudesse conquistar o mundo.

— Srta. Steele, você está tão bonita quanto hoje de manhã. — Christian me puxa em seus braços e me beija profundamente.

— Você também, Sr. Grey.

— Vamos lá buscar o seu amigo. — Ele sorri para mim e abre a porta do carro.

Taylor dirige até o apartamento, e Christian me conta como foi o seu dia: muito melhor do que ontem, aparentemente. Fito-o em adoração enquanto ele tenta me explicar uma espécie de descoberta que o departamento de ciência do meio ambiente realizou na Universidade do Estado de Washington, em Vancouver. Suas palavras não fazem muito sentido para mim; no entanto, sou cativada por sua paixão e interesse no assunto. Talvez vá ser assim, dias bons e dias ruins, e se os dias bons forem como este, não terei muito do que reclamar. Ele me passa uma folha de papel.

— São os horários em que Claude está disponível esta semana — diz ele.

Ah! O personal trainer.

Assim que paramos diante do apartamento, ele tira o BlackBerry do bolso.

— Grey — atende. — Ros, o que foi? — Ele ouve com atenção, e eu sei que vai ser uma conversa longa.

— Vou buscar Ethan. Volto em dois minutos — gesticulo com a boca para Christian, erguendo dois dedos.

Ele faz que sim com a cabeça, visivelmente distraído pela ligação. Taylor abre a porta para mim, sorrindo com gentileza. Sorrio de volta; até Taylor está sentindo. Toco o interfone e falo, animada, nele.

— Oi, Ethan, sou eu. Abre aí.

Ouço o barulho da porta se abrindo e subo as escadas até o apartamento. Só então me ocorre que não venho aqui desde sábado de manhã. Parece que faz muito mais tempo. Ethan gentilmente deixou a porta aberta. Entro no apartamento e, não sei por que, congelo no instante em que piso nele. Levo um tempo para perceber que é porque a figura pálida e débil de pé junto à bancada da cozinha e segurando um revólver é Leila, e ela está me encarando impassível.

CAPÍTULO TREZE

Puta merda.

Ela está aqui, fitando-me com uma expressão preocupante e vazia, segurando um revólver. Meu inconsciente desaba, desfalecido, e acho que nem se alguém trouxer sais para ele cheirar vai conseguir trazê-lo de volta.

Pisco repetidas vezes na direção de Leila enquanto minha mente é um turbilhão. Como ela entrou aqui? Cadê Ethan? Puta merda! Cadê Ethan?

Um medo enregelante toma o meu coração, e meu couro cabeludo pinica, cada folículo em minha cabeça retesado de terror. E se ela tiver feito alguma coisa a ele? Começo a respirar depressa, a adrenalina e um medo paralisante correndo pelo meu corpo. *Fique calma, fique calma*, repito o mantra para mim mesma de novo e de novo.

Ela inclina a cabeça, observando-me como se eu fosse uma peça exposta num show de horrores. Ei, não sou eu a maluca aqui.

A sensação é de que passou toda uma eternidade até que eu tenha assimilado a situação, embora na verdade tenha levado uma fração de segundo. Leila permanece com uma expressão vazia, e sua aparência está mais imunda e malcuidada do que nunca. Ainda está usando o mesmo casaco encardido e parece estar precisando desesperadamente de um banho. O cabelo está oleoso e escorrido, emplastrado na cabeça, seus olhos num tom de marrom opaco, levemente confusos.

Apesar da minha boca completamente seca, tento falar:

— Oi. Leila, não é isso? — arranho.

Ela sorri, mas seus lábios se movem numa curva incômoda, em vez de num sorriso de verdade.

— Ah, ela fala — sussurra, e sua voz é suave e rouca ao mesmo tempo, um som horripilante.

— Sim, eu falo — digo com gentileza, como se estivesse conversando com uma criança. — Você está aqui sozinha?

Cadê Ethan? Meu coração pula com a ideia de que ele possa estar machucado. Seu rosto desmorona de tal forma que acho que está prestes a desabar em lágrimas — ela parece tão abandonada.

— Sozinha — sussurra. — Sozinha.

E o grau de tristeza naquela única palavra é de partir o coração. O que ela quer dizer? Eu estou sozinha? Ela está sozinha? Está sozinha porque feriu Ethan? Ah... não... preciso lutar contra esse medo paralisante apertando minha garganta à medida que as lágrimas ameaçam escorrer.

— O que você está fazendo aqui? Posso ajudar? — minhas palavras são calmas, uma interrogação gentil apesar do pânico sufocante em minha garganta.

Ela franze as sobrancelhas como se estivesse completamente atordoada com minhas perguntas. Mas não faz nenhum movimento violento em minha direção. Sua mão ainda está relaxada em torno da arma. Adoto uma nova estratégia, tentando ignorar a tensão em meu couro cabeludo.

— Quer tomar um chá? — Por que estou perguntando a ela se ela quer tomar um chá? É a resposta de Ray para qualquer situação emotiva, brotando de forma inapropriada.

Caramba, ele teria um troço se me visse aqui neste exato momento. Seu treinamento militar já teria dado as caras, e ele já a teria desarmado a essa altura. Na verdade, ela não está bem apontando a arma para mim. Talvez eu possa me mover. Ela balança a cabeça de um lado para o outro, como se estivesse alongando o pescoço.

Inspiro fundo, tentando acalmar minha respiração apavorada, e caminho em direção à bancada da cozinha. Ela franze a testa como se não conseguisse entender muito bem o que eu estou fazendo e se move de leve, para continuar de frente para mim. Pego a chaleira e, trêmula, encho-a com água da torneira. Enquanto me mantenho em movimento, minha respiração se acalma. É, se ela me quisesse morta, já teria atirado a essa altura. Ela me observa com uma curiosidade ausente, confusa. Ao ligar a chaleira, a imagem de Ethan me persegue. Será que está machucado? Amarrado?

— Tem mais alguém no apartamento? — pergunto, com cuidado.

Ela inclina a cabeça para o outro lado e, com a mão direita — a mão livre — segura uma mecha do cabelo comprido e oleoso e começa a puxá-la e enrolá-la no dedo. Na certa é um tique nervoso, e, distraída com aquilo, percebo mais uma vez o quanto ela se parece comigo. Seguro a respiração, esperando a resposta dela, a ansiedade assomando-se a um nível quase insuportável.

— Sozinha. Completamente sozinha — murmura ela.

E aquilo me conforta. Talvez Ethan não esteja aqui. O alívio me fortalece.

— Tem certeza de que não quer um chá ou um café?

— Não estou com sede — responde ela de mansinho e dá um passo cuidadoso na minha direção. Minha sensação de fortalecimento evapora. Merda! Começo a ofegar de novo, sentindo o medo crescer em minhas veias. Apesar disso, e sendo mais do que corajosa, eu me viro para pegar duas xícaras no armário.

— O que você tem que eu não tenho? — pergunta ela, a voz adquirindo a entonação monótona de uma criança.

— O que você quer dizer, Leila? — pergunto do jeito mais gentil que sou capaz.

— O Dominador... o Sr. Grey... ele deixa você chamá-lo pelo nome.

— Não sou uma submissa, Leila. É... O Dominador sabe que não sou capaz, que sou inadequada para assumir essa função.

Ela inclina a cabeça para o outro lado. É um gesto absolutamente perturbador e nada natural.

— I-na-de-qua-da. — Ela testa a palavra, sentindo o som em sua língua. — Mas o Dominador está feliz. Eu o vi. Ele ri e sorri. São reações muito raras... muito raras para ele.

Ah.

— Você se parece comigo. — Ela muda de tática, surpreendendo-me, seus olhos parecendo me focalizar de verdade pela primeira vez. — O Dominador gosta de moças obedientes que se parecem com você e comigo. As outras, todas iguais... todas iguais... e, no entanto, você dorme na cama dele. Eu vi você.

Merda! Ela estava mesmo no quarto. Não foi imaginação minha.

— Você me viu na cama dele? — sussurro.

— Nunca dormi na cama do Dominador — balbucia.

Ela parece uma aparição etérea caída do céu. Uma pessoa pela metade. Está tão acabada que, apesar de segurar um revólver, de repente sinto uma onda de compaixão por ela. Sua mão se flexiona em torno da arma, e eu arregalo os olhos, que ameaçam saltar do meu rosto.

— Por que o Dominador gosta da gente desse jeito? Me faz pensar numa coisa... numa coisa... o Dominador é sombrio... o Dominador é um homem sombrio, mas eu o amo.

Não, não, ele não é. Eu me remoo por dentro. Ele não é sombrio. Ele é um homem bom, e ele não está mais no escuro. Ele se juntou a mim na luz. E agora ela está aqui, tentando arrastá-lo de volta com uma ideia errada de que o ama.

— Leila, você quer me dar a arma? — pergunto, delicadamente.

Ela aperta a arma com força, abraçando-a junto ao peito.

— Ela é minha. É tudo o que tenho. — E acaricia o revólver. — Para que ela possa se unir ao seu amor.

Merda! Que amor... Christian? É como se ela tivesse me dado um soco no estômago. Sei que daqui a pouco ele virá para cá para ver por que estou demorando tanto. Será que ela quer atirar nele? A ideia é tão aterradora que sinto minha garganta inchar e doer com um nó gigantesco, e quase me engasgo, parece com o medo que está alojado em minha barriga.

E neste exato momento a porta se abre, e Christian está de pé junto à entrada, com Taylor atrás de si.

Numa olhada de relance, os olhos de Christian correm da minha cabeça aos meus pés, e percebo neles uma leve faísca de alívio. Mas o alívio é passageiro, esvaindo-se no instante em que ele se vira para Leila. Ele fica paralisado, observando-a, sem mover um único músculo. E olha para ela com uma intensidade que nunca vi antes, os olhos selvagens, arregalados, furiosos e em pânico.

Ah, não... ah, não.

Leila arregala os olhos e, por um instante, é como se tivesse recuperado a razão. Ela pisca depressa e aperta de novo a arma com a mão.

Minha respiração fica presa na garganta, e meu coração começa a bater tão forte que ouço o sangue pulsar em meus ouvidos. *Não, não, não!*

Meu mundo oscila precariamente nas mãos dessa pobre e desajustada mulher. Será que ela vai atirar? Em nós dois? Só em Christian? O pensamento é paralisante.

Mas, depois de uma eternidade, o tempo suspenso ao nosso redor, sua cabeça pende de leve para a frente, e ela fita Christian através dos longos cílios, uma expressão contrita no rosto.

Christian estende a mão, pedindo a Taylor para ficar onde está. O rosto lívido de Taylor denuncia sua fúria. Nunca o vi desse jeito, mas ele permanece no mesmo lugar, enquanto Christian e Leila encaram um ao outro.

Percebo que estou prendendo a respiração. O que ela vai fazer? O que ele vai fazer? Mas eles só continuam a se encarar. A expressão de Christian é crua, repleta de alguma emoção desconhecida. Pode ser pena, medo, carinho... ou é amor? Não, por favor, amor não!

Seus olhos mergulham nela, e de algum jeito angustiante de tão lento, a atmosfera no apartamento se altera. A tensão está se acumulando, e eu posso sentir a conexão entre os dois, a carga que emana de um para o outro.

Não! De repente eu sinto como se *eu* fosse a enxerida, atrapalhando os dois enquanto eles permanecem se encarando. Sou uma estranha... uma *voyeur*, espionando uma cena proibida e íntima por detrás de cortinas fechadas.

O olhar intenso de Christian se aviva, e sua atitude muda sutilmente. Ele parece mais alto, mais magro de algum jeito, mais frio e mais distante. Reconheço a postura. Já o vi desse jeito... no quarto de jogos.

Meu couro cabeludo pinica de novo. Este é o Christian Dominador, e como parece à vontade. Se ele nasceu para o papel ou se foi moldado para ele, eu não sei, mas com o coração apertado e a barriga dando voltas, observo Leila responder a seu olhar, os lábios se entreabrindo, a respiração acelerando, o primeiro sinal de vida corando-lhe o rosto. *Não!* É um vislumbre indesejado de seu passado, algo angustiante de se presenciar.

Enfim, ele fala algo com ela, sem emitir som. Não consigo distinguir o que é, mas o efeito que tem sobre Leila é imediato. Ela se joga no chão de joelhos, a cabeça abaixada, e a arma cai, escorregando ociosa no piso de madeira. *Puta merda.*

Christian caminha calmamente até onde o revólver caiu e se abaixa com elegância para pegá-lo. Ele o observa com nojo mal-disfarçado e o enfia no bolso do paletó. Olha mais uma vez para Leila, ajoelhada obedientemente junto à bancada da cozinha.

— Anastasia, vá com Taylor — ordena.

Taylor dá um passo à frente e olha para mim.

— Ethan — sussurro.

— Lá embaixo — responde ele com naturalidade, sem tirar os olhos de Leila.

Lá embaixo. Não aqui. Ethan está bem. O alívio corre forte e ligeiro pelas minhas veias, e, por um instante, acho que vou desmaiar.

— Anastasia. — A voz de Christian soa contida, num sinal de alerta.

Pisco para ele e, de repente, sou incapaz de me mover. Não quero deixá-lo com ela. Ele se move e fica de pé junto de Leila, e então ela se ajoelha aos seus pés. Inclina-se sobre ela, protetoramente. Ela está tão quieta, chega a ser artificial. Não consigo tirar os olhos dos dois — juntos...

— Pelo amor de Deus, Anastasia, será que você pode me obedecer pelo menos uma vez na vida e sair daqui? — Christian fixa os olhos nos meus, encarando-me, e sua voz é fria como gelo. A raiva sob sua fala contida e sob o uso deliberado dessas palavras chega a ser palpável.

Com raiva de mim? De jeito nenhum. Por favor... não! É como se ele tivesse me dado um tapa com força. Por que ele quer ficar com ela?

— Taylor. Leve a Srta. Steele lá para baixo. Agora.

Taylor faz que sim com a cabeça, e encaro Christian.

— Por quê? — choramingo.

— Agora. Para o apartamento. — Seus olhos queimam, gelados, em mim. — Preciso ficar sozinho com Leila — diz, em tom de urgência.

Acho que ele está tentando passar algum tipo de mensagem, mas depois de tudo o que aconteceu estou tão transtornada que não sei dizer ao certo. Dou uma olhada de relance para Leila e noto um pequeno sorriso tomar seus lábios, mas fora isso, ela permanece inteiramente imperturbável. Uma submissa completa. *Merda!* Meu coração para.

É disso que ele precisa. É disso que ele gosta. *Não!* Quero chorar.

— Srta. Steele. Ana — Taylor me estende a mão, implorando-me para sair com ele. Estou paralisada pelo espetáculo de horror diante de mim. Ele confirma meus piores medos e mexe com todas as minhas inseguranças: Christian e Leila juntos. O Dominador e sua Submissa.

— Taylor — diz Christian com urgência, e Taylor se abaixa e me pega no colo.

A última coisa que vejo ao ir embora é Christian acariciando gentilmente a cabeça de Leila e murmurando algo bem baixinho para ela.

Não!

Taylor me conduz pelas escadas abaixo, e vou soltando meu peso nos braços dele, tentando entender o que acabou de acontecer nos últimos dez minutos — ou será que foi mais? Ou menos? Não compreendo mais o conceito de tempo.

Christian e Leila, Leila e Christian... juntos? O que ele está fazendo com ela agora?

— Meu Deus, Ana! Que merda está acontecendo?

Fico aliviada por ver Ethan andando de um lado para o outro pelo saguão, ainda carregando a mala grande. *Ah, graças a Deus ele está bem!* Quando Taylor me solta eu praticamente me jogo em cima de Ethan, envolvendo os braços em torno de seu pescoço.

— Ethan. Ah, graças a Deus! — Eu o abraço, apertando-o junto de mim. Estava tão preocupada, e por um instante, desfruto de uma leve trégua em meu pânico crescente a respeito do que está se desenrolando em meu apartamento.

— Que merda é essa, Ana? E quem é esse cara?

— Ah, desculpe, Ethan, este é Taylor. Ele trabalha com Christian. Taylor, este é Ethan, o irmão da amiga que mora comigo.

Eles se cumprimentam com um aceno.

— Ana, o que está acontecendo lá em cima? Eu estava pegando as chaves do apartamento na bolsa quando uns caras apareceram do nada e as tomaram da minha mão. Um deles era Christian... — a voz dele desaparece.

— Ah, você chegou depois... Graças a Deus.

— É, eu encontrei um amigo de Pullman. A gente saiu para beber. O que está acontecendo lá em cima?

— Tem uma garota, uma ex de Christian. No nosso apartamento. Ela pirou, e Christian está... — minha voz falha, e meus olhos começam a se encher de lágrimas.

— Ei — sussurra Ethan e me puxa para junto de si uma vez mais. — Alguém já chamou a polícia?

— Não, não é assim. — Soluço no peito dele, e, agora que comecei, não consigo mais parar de chorar, a tensão do que acabou de acontecer se desfazendo nas minhas lágrimas. Ethan me aperta com força, mas eu percebo seu espanto.

— Ei, Ana, vamos beber alguma coisa. — Ele dá um tapinha meio sem jeito nas minhas costas.

De repente, eu também me sinto sem jeito, envergonhada, e, para falar a verdade, tudo o que quero é ficar sozinha. Mas faço que sim com a cabeça, aceitando seu convite. Quero sair daqui, ir para bem longe do que quer que esteja acontecendo lá em cima.

Eu me viro para Taylor.

— Alguém tinha checado o apartamento? — pergunto em meio às lágrimas, limpando o nariz com as costas da mão.

— Hoje à tarde. — Taylor encolhe os ombros como quem pede desculpas e me passa um lenço. Ele parece arrasado. — Sinto muito, Ana — murmura.

Eu franzo a testa. Nossa, ele parece estar se sentindo tão culpado. Não quero que se sinta pior ainda.

— Parece que ela tem uma habilidade incomum de escapar da gente — acrescenta, fazendo de novo uma cara feia.

— Ethan e eu vamos beber alguma coisa e então vamos para o Escala. — Eu enxugo os olhos.

Taylor troca o peso de uma perna para a outra, desconfortável.

— O Sr. Grey queria que você fosse direto para o apartamento — diz ele, em voz baixa.

— Bem, a gente sabe onde Leila está agora. — Não consigo conter a amargura na minha voz. — Então, não tem motivo para tanta segurança. Diga a Christian que nós o veremos mais tarde.

Taylor abre a boca para falar, mas muda de ideia sabiamente.

— Você quer deixar a mala com Taylor? — pergunto a Ethan.

— Não, posso levar comigo, obrigado.

Ethan acena para Taylor e então me conduz até a porta. Tarde demais, eu me lembro que deixei a bolsa no banco de trás do Audi. Não tenho nada comigo.

— Minha bolsa...

— Não se preocupe — murmura Ethan, o rosto marcado pela preocupação. — Tudo bem, eu pago.

Escolhemos um bar do outro lado da rua e nos sentamos nos bancos de madeira junto à janela. Quero ver o que está acontecendo — quem vem e, mais importante, quem vai. Ethan me passa uma garrafa de cerveja.

— Problemas com uma ex? — pergunta, com gentileza.

— É um pouco mais complicado do que isso — murmuro, subitamente na defensiva. Não posso falar sobre o assunto, assinei um termo de confidencialidade. E pela primeira vez me arrependo disso, e me ressinto com o fato de que Christian não falou nada sobre rescisão.

— Eu tenho tempo — diz Ethan com carinho e dá um longo gole em sua cerveja.

— É uma ex, de muito tempo atrás. Ela largou o marido por causa de um outro sujeito. E aí, há algumas semanas, o sujeito morreu em um acidente de carro, e agora ela veio atrás de Christian — dou de ombros. Pronto, não entreguei muita coisa.

— Veio atrás dele?

— Ela estava com uma arma.

— Cacete!

— Ela não chegou a ameaçar ninguém com o revólver. Acho que queria machucar a ela mesma. Mas é por isso que eu estava tão preocupada com você. Não sabia se você estava no apartamento.

— Entendi. Ela parece bem desequilibrada.

— É, ela é.

— E o que Christian está fazendo com ela agora?

O sangue foge do meu rosto e a bile sobe até minha garganta.

— Não sei — murmuro.

Ethan arregala os olhos. Afinal, ele entendeu.

Essa é a raiz do meu problema. Que merda que eles estão fazendo lá em cima? Conversando, espero. Apenas conversando. Ainda assim, tudo que passa pela minha cabeça é a mão dele afagando com carinho o cabelo dela.

Ela está perturbada, e Christian se preocupa com ela; é só, tento racionalizar. Mas, lá no fundo, meu inconsciente está balançando a cabeça com tristeza.

É mais do que isso. Leila foi capaz de satisfazer as necessidades dele de um jeito que eu não consigo. A ideia é deprimente.

Tento me concentrar em tudo o que fizemos nos últimos dias — a declaração de amor dele, seus flertes bem-humorados, seu humor brincalhão. Mas as palavras de Elena voltam para me atormentar. É nisso que dá ouvir a conversa dos outros... quem mandou ser curiosa?

Você não sente falta... Do quarto de jogos?

Termino minha cerveja em tempo recorde, e Ethan me passa outra. Não sou a melhor companhia, mas ele fica ao meu lado, conversando, tentando me animar, contando-me de Barbados e da extravagância de Kate e Elliot, o que é uma distração maravilhosa. Mas é só isso: uma distração.

Minha mente, meu coração, minha alma ainda estão naquele apartamento com Christian e a mulher que um dia foi sua submissa. Uma mulher que pensa que ainda o ama. Uma mulher que se parece comigo.

No meio da nossa terceira cerveja, uma caminhonete enorme com os vidros incrivelmente escuros encosta junto ao Audi na frente do meu prédio. Eu reconheço o Dr. Flynn assim que ele salta do carro, acompanhado por uma mulher usando o que parece um uniforme de hospital azul-claro. Vejo de relance Taylor conduzi-los pela porta da frente.

— Quem é aquele? — pergunta Ethan.

— Ele se chama Dr. Flynn. Christian o conhece.

— É médico?

— Psiquiatra.

— Ah.

Nós dois assistimos, e poucos minutos depois eles estão de volta. Christian está carregando Leila, que está enrolada num cobertor. *O quê?* Observo horrorizada eles entrarem na caminhonete e seguirem em frente à toda.

Ethan me lança um olhar compreensivo, e eu me sinto desolada, completamente desolada.

— Você pode me arranjar algo um pouco mais forte para beber? — pergunto a Ethan, a voz quase desaparecendo.

— Claro. O que você quer?

— Um conhaque. Por favor.

Ethan concorda com a cabeça e caminha até o bar. Fico olhando pela janela para a porta da frente. Momentos mais tarde Taylor aparece, entra no Audi e segue para o Escala... ou atrás de Christian? Não sei.

Ethan coloca um grande copo de conhaque na minha frente.

— Vamos lá, Steele. Vamos encher a cara.

Parece a melhor proposta que recebi nos últimos tempos. Nós brindamos, e eu dou um longo gole no líquido cor de âmbar que, desce queimando em minha garganta, o calor ardente, uma distração bem-vinda da dor terrível que está brotando em meu coração.

Está tarde, e eu me sinto um pouco tonta. Ethan e eu estamos trancados fora do apartamento. Ele insiste em caminhar comigo até o Escala, mas não quer passar a noite lá. Ligou para o amigo com quem encontrou mais cedo e já combinou de dormir na casa dele.

— Então, é aqui que o magnata mora. — Ethan assobia, impressionado.

Faço que sim com a cabeça.

— Tem certeza que não quer que eu suba com você? — pergunta.

— Não, preciso enfrentar isso. Ou só ir para a cama.

E L JAMES

— Vejo você amanhã?

— Claro. Obrigada, Ethan. — Dou um abraço nele.

— Vai dar tudo certo, Steele — murmura ele em meu ouvido. E então me solta e me observa caminhar até o prédio. — Até mais, baby— diz.

Dou um sorriso amarelo e aceno para ele, e então aperto o botão para chamar o elevador.

Saio do elevador e entro no apartamento de Christian. Taylor não está à espera, o que é incomum. Ao abrir as portas duplas, caminho em direção à sala de estar. Christian está ao telefone, andando de um lado para o outro junto ao piano.

— Ela está aqui — diz. Ele se vira para mim e desliga o telefone. — Onde você estava? — rosna, mas não caminha em minha direção.

Está com raiva de mim? Ele acabou de passar sei lá quanto tempo com a ex--namorada maluca, agora está com raiva de mim?

— Você bebeu? — pergunta, horrorizado.

— Um pouco. — Não achei que estivesse tão óbvio.

Ele arqueja e corre os dedos pelo cabelo.

— Eu falei para você voltar para cá. — Sua voz é ameaçadoramente baixa. — São dez e quinze. Estava preocupado com você.

— Fui tomar uma bebida ou três com Ethan enquanto você cuidava da sua ex — rebato. — Não sabia quanto tempo você iria ficar... com ela.

Christian estreita os olhos e dá alguns passos na minha direção, mas então para.

— Por que está falando assim?

Dou de ombros e baixo os olhos.

— Ana, qual o problema? — Pela primeira vez ouço outra coisa que não raiva em sua voz. O quê? Medo?

Engulo em seco, tentando pensar no que quero dizer.

— Onde está Leila? — pergunto, olhando para ele.

— Num hospital psiquiátrico em Fremont — responde ele, e seu rosto está examinando o meu. — Ana, o que houve? — Ele caminha até parar bem na minha frente. — Qual o problema?

Balanço a cabeça.

— Não sirvo para você.

— O quê? — Ele arqueja, os olhos arregalados de tensão. — Por que você acha isso? Como pode pensar uma coisa dessas?

— Não posso ser tudo o que você quer.

— Você é tudo o que eu quero.

— Só de ver você com ela... — minha voz falha.

— Por que você está fazendo isso comigo? Isso não tem nada a ver com você, Ana. Tem a ver com ela. — Ele inspira fundo, correndo as mãos pelo cabelo mais uma vez. — Ela está doente.

— Mas eu senti... o que vocês tiveram juntos.

— O quê? Não. — Ele se aproxima, e eu dou um passo para trás, instintivamente. Ele baixa a mão, piscando. Parece tomado pelo pânico.

— Você está indo embora? — sussurra ele, seus olhos arregalados de medo.

Não respondo, estou tentando organizar meus pensamentos.

— Você não pode — implora ele.

— Christian... eu... — Faço um esforço enorme para estruturar as ideias.

O que estou tentando dizer? Preciso de tempo, tempo para assimilar isso. Só me dê um pouco de tempo.

— Não. Não! — diz ele.

— Eu...

Ele corre o olhar ao redor da sala, agitado. Procurando por inspiração? Por intervenção divina? Não sei.

— Você não pode ir. Ana, eu amo você!

— Eu também amo você, Christian, é só que...

— Não... não! — diz ele, desesperado, e leva as mãos à cabeça.

— Christian...

— Não — sussurra ele, os olhos arregalados de pânico, e, de repente, ele está de joelhos diante de mim, a cabeça abaixada, as mãos espalmadas nas coxas. Ele respira fundo e não se move.

O quê?

— Christian, o que você está fazendo?

Ele continua a olhar para o chão, sem erguer os olhos para mim.

— Christian! O que você está fazendo? — repito, numa voz aguda. Ele não se move. — Christian, olhe para mim! — ordeno, em pânico.

Ele ergue a cabeça, sem qualquer hesitação, e me encara passivo com seus olhos frios e cinzentos... Está quase sereno, em expectativa.

Puta merda... Christian. O submisso.

CAPÍTULO CATORZE

Christian está de joelhos diante de mim, mantendo-me paralisada com o seu olhar cinzento e inabalável, e essa é a visão mais assustadora e circunspecta que já vi na vida — mais até do que Leila e sua arma. A leve vertigem do álcool desaparece num instante e é substituída por uma coceira no couro cabelo e uma sensação incômoda de predestinação enquanto o sangue foge da minha cabeça.

Respiro fundo, chocada. *Não. Não, isso é errado, errado e inquietante.*

— Christian, por favor, não faça isso. Não quero isso.

Ele continua a me observar passivamente, sem se mover, sem dizer nada.

Ah, droga. Meu pobre Christian. Meu coração se aperta. O que eu fiz com ele? Lágrimas brotam em meus olhos.

— Por que você está fazendo isso? Fale comigo — sussurro.

Ele pisca uma vez.

— O que você quer que eu fale? — pergunta suavemente, sem emoção, e por um instante fico aliviada de que ele esteja falando, mas não desse jeito... não. Não.

As lágrimas começam a escorrer pelo meu rosto, e de repente é demais vê-lo naquela mesma posição, prostrado como a criatura patética que foi Leila. A imagem de um homem poderoso que, na verdade, ainda é só um garoto, um garoto que foi terrivelmente abusado e negligenciado, que não se sente merecedor do amor de sua família perfeita e de sua muito menos do que perfeita namorada... meu menino perdido... é de partir o coração.

Compaixão, perda e desalento, todas essas sensações me invadem, e sou tomada por um desespero paralisante. Vou ter que lutar para trazê-lo de volta, para trazer *o meu* Cinquenta Tons de volta.

A ideia de dominar alguém é aterrorizante. A ideia de dominar Christian me dá náuseas. Isso me igualaria a ela... à mulher que fez isso com ele.

Estremeço com o pensamento, e luto contra a bile em minha garganta. Não posso fazer isso, de jeito nenhum. Não quero fazer isso.

À medida que meus pensamentos se iluminam, vejo uma única saída. Sem desviar os olhos, eu me ajoelho diante dele.

O piso de madeira sob minhas canelas é duro, e eu limpo as lágrimas com as costas da mão.

Desse jeito, somos iguais. Estamos no mesmo nível. É a única maneira de trazê-lo de volta.

Seus olhos se arregalam quase imperceptivelmente enquanto eu o encaro, mas, fora isso, sua expressão e sua postura permanecem as mesmas.

— Christian, você não tem que fazer isso — imploro. — Eu não vou embora. Já falei milhões de vezes, eu não vou embora. Tudo o que aconteceu... é esmagador. Eu só preciso de um pouco de tempo para pensar... um pouco de tempo para mim mesma. Por que você sempre pensa o pior? — Meu coração se aperta mais uma vez, porque eu sei: é por ele ter tantas dúvidas e tanta raiva de si mesmo.

As palavras de Elena voltam para me perseguir. *"Ela sabe o quão negativo você é a respeito de si mesmo? Sobre os seus problemas?"*

Ah, Christian. O medo envolve meu coração mais uma vez e eu começo a tagarelar.

— Eu ia sugerir voltar para o meu apartamento esta noite. Você nunca me dá um tempo... um tempo para pensar nas coisas — soluço, e vejo seu cenho esboçar um leve franzido. — Só um tempo para pensar. A gente mal se conhece, e toda essa bagagem que vem com você... Eu preciso... Eu preciso de tempo para pensar em tudo isso. E agora que Leila está... bem, de qualquer forma... já não está mais solta por aí, não é mais uma ameaça... Eu pensei... Eu pensei... — minha voz desaparece e eu o olho para ele.

Ele está me olhando com atenção, e acho que está me ouvindo.

— Ver você com Leila... — Fecho os olhos e a memória dolorosa de sua interação com a ex-submissa me corrói mais uma vez. — Foi um choque tão grande. Eu tive um vislumbre de como era a sua vida... e... — Encaro meus dedos entrelaçados, as lágrimas ainda escorrendo pelo rosto. — Isso tem a ver com eu não ser boa o suficiente para você. Foi uma amostra da sua vida, e eu estou com muito medo de que você acabe se cansando de mim, e aí eu vou... eu vou terminar feito a Leila... uma sombra. Porque eu amo você, Christian, e se você me deixar, o mundo vai ser um lugar sem luz. Eu vou estar na escuridão. Não quero ir embora. Estou só morrendo de medo que você me deixe...

Enquanto digo essas palavras — na esperança de que ele as esteja ouvindo —, me dou conta de qual é o meu verdadeiro problema. Eu simplesmente não entendo por que ele gosta de mim. Eu *nunca* entendi por que ele gosta de mim.

— Eu não entendo por que você me acha atraente — murmuro. — Você é, bem, você é você... e eu... — Dou de ombros e olho para ele. — Eu não entendo.

Você é lindo, sexy, bem-sucedido, bom, gentil, carinhoso... tudo isso... e eu não. E eu não consigo fazer as coisas que você gosta de fazer. Não consigo dar a você o que você precisa. Como você poderia ser feliz comigo? Como eu poderia segurá-lo? — minha voz é um sussurro à medida que expresso meus medos mais sombrios. — Nunca entendi o que você viu em mim. E ver você com ela, aquilo trouxe tudo à tona de novo. — Dou uma fungada e limpo o nariz com as costas da mão, encarando sua expressão impassível.

Ah, ele é tão exasperador. *Fale comigo, merda!*

— Você vai ficar aqui de joelhos a noite toda? Porque também posso fazer isso — explodo.

Acho que sua expressão se suaviza — ele parece estar achando graça. Mas é tão difícil dizer.

Eu poderia esticar a mão e tocá-lo, mas isso seria um abuso enorme da posição na qual ele me colocou. Não é o que eu quero, mas não sei o que ele quer, ou o que ele está tentando me dizer. Simplesmente não entendo.

— Christian, por favor, por favor... fale comigo — suplico, apertando as mãos no meu colo. A posição é desconfortável, mas continuo de joelhos, encarando seus lindos e sérios olhos cinzentos. E espero.

E espero.

E espero.

— Por favor — imploro mais uma vez.

Seu olhar intenso escurece de repente, e ele pisca.

— Eu estava com tanto medo — sussurra.

Ah, graças a Deus! Meu inconsciente cambaleia de volta para sua poltrona, frouxo de alívio, e toma um longo gole de gim.

Ele voltou a falar! A gratidão toma conta de mim, e eu inspiro, tentando conter a emoção e a onda de novas lágrimas que ameaçam brotar em meus olhos.

Sua voz é grave e calma.

— Quando vi Ethan chegar do lado de fora, eu soube que alguém tinha aberto a porta para você entrar no apartamento. Tanto eu quanto Taylor pulamos para fora do carro. A gente sabia, e vê-la daquele jeito com você... e armada. Acho que morri um milhão de vezes, Ana. Alguém ameaçando você... todos os meus piores medos concretizados. Eu estava com tanta raiva, dela, de você, de Taylor, de mim mesmo.

Ele balança a cabeça, revelando sua agonia.

— Eu não sabia o quão volátil ela estaria. Não sabia o que fazer. Não sabia como ela iria reagir. — Ele para e franze o cenho. — E foi então que ela me deu uma dica; parecia arrependida. E eu simplesmente soube o que tinha de fazer. — Ele se se cala, olhando para mim, tentando decifrar minha reação.

— Continue — sussurro.

Ele toma fôlego.

— Vê-la daquele jeito, sabendo que eu talvez tivesse algo a ver com seu estado mental... — Ele fecha os olhos uma vez mais. — Ela sempre foi tão levada e animada. — Ele estremece e inspira asperamente, quase como num soluço.

É uma tortura ouvir isso, mas permaneço de joelhos, atenta, acolhendo a visão.

— Ela poderia ter machucado você. E teria sido minha culpa. — Seus olhos se desviam dos meus, repletos de um horror incompreensível, e, mais uma vez, ele fica em silêncio.

— Mas não machucou — sussurro. — E você não era o responsável por ela estar naquele estado, Christian. — Pisco para ele, encorajando-o a continuar.

E então eu me dou conta de que tudo o que ele fez foi para me manter em segurança, e talvez Leila também, porque ele também se preocupa com ela. Mas quanto? A pergunta permanece em minha cabeça, indesejável. Ele diz que me ama, mas ele foi tão duro, expulsando-me daquele jeito do meu próprio apartamento.

— Eu só queria que você saísse — murmura ele, com a estranha habilidade de sempre de ler meus pensamentos. — Eu queria você longe do perigo, e... Você. Simplesmente. Não. Ia. Embora — resmunga ele entre os dentes, balançando a cabeça, sua exasperação palpável.

E então ele me olha com atenção.

— Anastasia Steele, você é a mulher mais teimosa que eu já conheci. — Ele fecha os olhos e balança a cabeça em descrença.

Ah, ele voltou. Dou um longo e purificante suspiro de alívio.

Ele abre os olhos de novo, a expressão desamparada... sincera.

— Você não ia me deixar? — pergunta.

— *Não!*

Ele fecha os olhos de novo e todo o seu corpo relaxa. Quando os reabre, posso ver sua dor e sua angústia.

— Eu achei... — Ele para. — Isto aqui sou eu, Ana. Eu por inteiro... e sou todo seu. O que eu tenho que fazer para você entender? Para você ver que quero você do jeito que for. Que eu amo você.

— Eu também amo você, Christian, e ver você desse jeito é... — Balanço a cabeça e as lágrimas retornam. — Achei que eu tinha estragado você.

— Estragado? Eu? Ah, não, Ana. É exatamente o oposto. — Ele estica a mão e pega a minha. — Você é a minha tábua da salvação — sussurra, beijando meus dedos antes de apertar minha mão na sua.

Com os olhos arregalados e cheios de medo, ele gentilmente puxa minha mão e a coloca em seu peito, sobre o coração — na zona proibida. Sua respiração se acelera. Seu coração está batendo apressado, num ritmo frenético sob os meus dedos. Ele não tira os olhos dos meus; sua mandíbula está tensa, os dentes cerrados.

Eu arquejo. *Ah, meu Cinquenta Tons!* Ele está me deixando tocá-lo. E é como se todo o ar de meus pulmões tivesse sumido, desaparecido. O sangue pulsa em minhas orelhas à medida que meu coração acelera para se encaixar ao ritmo do dele.

Ele solta minha mão, deixando-a sobre seu peito. Flexiono os dedos de leve, sentindo o calor de sua pele sob o tecido da camisa. Ele está prendendo a respiração. Não posso suportar. Inicio um movimento para retirar a mão.

— Não — diz ele depressa, colocando mais uma vez a mão sobre a minha, apertando meus dedos contra seu corpo. — Não tire.

Encorajada por essas palavras, eu me aproximo de modo que nossos joelhos se tocam e, com cuidado, ergo a outra mão para que ele saiba exatamente o que vou fazer. Ele arregala os olhos, mas não me interrompe.

Gentilmente, começo a desabotoar sua camisa. O que é difícil, usando apenas uma das mãos. Movo os dedos sob a mão dele e ele me solta, permitindo que eu abra sua camisa com as duas mãos. Ao abri-la, revelando seu peito, meus olhos não desgrudam dos dele.

Ele inspira fundo, e seus lábios se entreabrem à medida que sua respiração se acelera; posso sentir seu medo crescente, mas ele não desiste. Ainda está agindo como submisso? Não tenho ideia.

Será que devo fazer isso? Não quero machucá-lo, nem física nem mentalmente. A visão de Christian desse jeito, oferecendo-se para mim, foi o meu grito de alerta.

Ergo o braço, e minha mão paira sobre o peito dele, eu o encaro... pedindo permissão. Ele inclina a cabeça muito sutilmente, juntando coragem na expectativa pelo meu toque, e a tensão irradia de seu corpo, mas dessa vez, não é por raiva — é por medo.

Hesito. Posso mesmo fazer isso com ele?

— Sim — sussurra ele, mais uma vez com sua estranha habilidade de responder a minhas perguntas não ditas.

Passo a ponta dos dedos em seus pelos e os acaricio bem de leve, seguindo em direção ao esterno. Ele fecha os olhos, seu rosto se contorce como se estivesse experimentando alguma dor intolerável. É insuportável de se ver, então ergo os dedos imediatamente, mas ele agarra a minha mão depressa e a coloca de volta no lugar, espalmada contra seu peito nu de modo que seus pelos fazem cócegas em minha palma.

— Não — diz ele, a voz tensa. — Eu preciso disso.

Seus olhos estão tão apertados. Deve ser uma verdadeira agonia. É realmente atormentador de se ver. Com cuidado, deixo meus dedos correrem ao longo de seu peito, até a altura do coração, maravilhada com o contato, em pânico de que isso seja um passo grande demais.

Ele abre os olhos, e eles estão ardentes, queimando-me.

Puta merda. Seu olhar é abrasador, selvagem, mais do que intenso, e sua respiração está acelerada. Meu sangue se agita. Eu me contorço sob seus olhos.

Ele não me interrompeu, então corro os dedos ao longo de seu peito novamente, e seus lábios relaxam, abrindo-se. Ele está ofegante, e não sei se é de medo ou outra coisa.

Faz tanto tempo que eu queria beijá-lo ali que eu me ergo em meus joelhos, mantendo os olhos fixos nos dele por um instante, para deixar minha intenção perfeitamente clara. E então eu me abaixo e, suavemente, deixo um beijo carinhoso logo acima de seu coração, sentindo a pele quente e perfumada sob meus lábios.

Seu gemido contido me toca tão profundamente que eu recuo, temerosa do que vou ver em seu rosto. Seus olhos estão apertados, mas ele não se moveu.

— De novo — sussurra ele, e eu me aproximo de seu peito novamente, dessa vez na intenção de beijar uma das cicatrizes.

Ele expira, e eu beijo mais uma. Ele geme alto, e, de repente, seus braços estão ao redor de mim, sua mão em meu cabelo, comprimindo minha cabeça com tanta força que meus lábios encontram sua boca sedenta. E estamos nos beijando, meus dedos correndo pelo cabelo dele.

— Ah, Ana — sussurra ele, girando-me e me empurrando contra o chão de forma que fico debaixo de seu corpo.

Ergo minhas mãos para segurar o seu lindo rosto e, naquele momento, sinto suas lágrimas.

Ele está chorando... não. Não!

— Christian, por favor, não chore. Eu estava falando sério quando disse que nunca vou deixar você. Mesmo. Sinto muito se transmiti alguma outra impressão... Por favor, por favor, me perdoe. Eu amo você. E sempre vou amar.

Ele paira em cima de mim, encarando meu rosto, e sua expressão é de dor.

— O que foi?

Ele arregala os olhos.

— Que segredo é esse que você acha que vai me fazer fugir daqui correndo? Que faz você ter tanta certeza de que eu iria embora? — imploro, a voz trêmula.

— Conte para mim, Christian, *por favor...*

Ele se senta, de pernas cruzadas, e eu me sento também, com as pernas esticadas. Pergunto-me vagamente se não poderíamos nos levantar do chão. Mas não quero interromper sua linha de pensamento. Ele finalmente vai se abrir para mim.

Ele me encara, e parece profundamente desolado. *Droga... é alguma coisa grave.*

— Ana... — Ele para, procurando as palavras, as feições atormentadas... Aonde vai com isso?

Ele inspira fundo e engole em seco.

— Eu sou um sádico, Ana. Eu gosto de chicotear garotas morenas feito você porque todas vocês se parecem com a prostituta viciada... minha mãe biológica. E eu tenho certeza de que você é capaz de imaginar por quê. — Ele solta as palavras apressado, como se estivesse com a frase preparada na cabeça há dias e dias, desesperado para se livrar dela.

Meu mundo para. *Ah, não.*

Não era o que eu esperava. Isso é pesado. Muito pesado. Eu o encaro, tentando entender as implicações do que ele acabou de dizer. Isso explica por que somos todas tão parecidas.

Meu primeiro pensamento é que Leila tinha razão: "*O Dominador é sombrio.*"

E me lembro da primeira conversa que tive com ele sobre suas tendências, quando estávamos no Quarto Vermelho da Dor.

— Você disse que não era sádico — sussurro, tentando desesperadamente entender... criar uma desculpa para ele.

— Não, eu disse que era Dominador. Se menti para você, foi uma mentira por omissão. Me desculpe. — Ele olha de relance para suas unhas bem cuidadas.

Acho que está mortificado. Mas mortificado por ter mentido para mim? Ou por causa do que ele é?

— Na época em que você me perguntou aquilo, eu tinha imaginado um relacionamento completamente diferente entre a gente — murmura ele. E, pelo seu olhar, sei que está apavorado.

E é só então que me dou conta. Se ele é um sádico, ele realmente precisa de toda aquela porcaria de chicote e vara. Ai, merda. Seguro a cabeça nas mãos.

— Então é verdade — sussurro, erguendo o olhar para ele —, não posso lhe dar o que você quer.

Pronto, é isso. Realmente somos incompatíveis.

O mundo começa a se desfazer aos meus pés, desmoronando ao meu redor, o pânico enchendo minha garganta. É isso. A gente não pode dar certo.

Ele franze a testa.

— Não, não, não. Ana. Não. Você pode, sim. Você *já* me dá o que eu quero. — Ele fecha os punhos. — Por favor, acredite em mim — murmura, as palavras num apelo emocionado.

— Não sei no que acreditar, Christian. Isso é tão terrível — sussurro, a garganta seca e dolorida se fechando, engasgando-me com as lágrimas não derramadas.

Ao me encarar de novo, seus olhos estão arregalados e brilhantes.

— Ana, acredite em mim. Depois que eu a puni e você me deixou, minha visão de mundo mudou. Eu não estava brincando quando disse que faria de tudo para nunca mais sentir aquilo de novo. — Ele me observa, numa súplica sofrida. — Quando você disse que me amava, foi uma revelação. Ninguém nunca tinha me dito aquilo antes, e foi como se eu tivesse concluído uma etapa... ou talvez como se você tivesse concluído uma etapa, não sei. Dr. Flynn e eu ainda estamos discutindo a questão a fundo.

Ah. Um sopro de esperança envolve meu coração por um instante. Talvez a gente possa dar certo. Eu quero que funcione. *Não quero?*

— O que significa isso tudo? — murmuro.

— Que eu não preciso daquilo. Não agora.

O quê?

— Como você sabe? Como pode ter tanta certeza?

— Eu simplesmente sei. A ideia de machucar você... machucar você de verdade... é repugnante para mim.

— Eu não entendo. E quanto à régua, às palmadas, toda aquela trepada sacana?

Ele corre uma das mãos pelo cabelo e quase chega a sorrir, mas em vez disso, solta um suspiro pesaroso.

— Estou falando de bater de verdade, Anastasia. Você devia ver o que sou capaz de fazer com uma vara ou com um chicote.

— Prefiro não ver. — Fico boquiaberta, chocada.

— Eu sei. Se você quisesse fazer essas coisas, então tudo bem... mas você não quer, e eu entendo. Não posso fazer aquela merda toda com você se não quiser. Já falei uma vez, o poder é todo seu. E agora, desde que você voltou, não sinto nenhuma vontade.

Fico paralisada, encarando-o por um instante, tentando assimilar tudo o que ele disse.

— Mas quando a gente se conheceu, era isso que você queria, não era?

— Era, sem dúvida.

— E como pode a sua vontade simplesmente desaparecer, Christian? Como se eu fosse algum tipo de panaceia, e você estivesse... curado, por falta de palavra melhor... Eu não entendo.

Ele suspira mais uma vez.

— Eu não diria "curado"... Você não acredita em mim?

— Eu só acho tudo isso... inacreditável. É diferente.

— Se você nunca tivesse me deixado, então eu talvez não me sentisse assim. O fato de você ter ido embora foi a melhor coisa que poderia ter acontecido... para nós dois. Aquilo fez com que eu me desse conta do quanto eu queria você, só você. E estou falando sério quando digo que quero você do jeito que for.

Eu fito seu rosto. Devo acreditar nisso? Minha cabeça dói só de pensar no assunto, e, lá no fundo, sinto-me... entorpecida.

— Você ainda está aqui. Achei que já teria sumido por aquela porta a essa altura — sussurra ele.

— Por quê? Porque eu talvez pense que você é doente, porque espanca e transa com mulheres que se parecem com a sua mãe? O que teria lhe dado essa impressão? — solto, explodindo.

Ele fica branco ao som de minhas palavras duras.

— Bem, eu não diria exatamente assim, mas é — responde ele, os olhos arregalados e feridos.

Ele permanece com a expressão séria, e eu me arrependo do meu ataque. Franzo a testa, sentindo uma pontada de culpa.

O que eu vou fazer? Olho para Christian, e ele parece tão arrependido, tão sincero... parece o meu Cinquenta Tons.

E, do nada, eu me lembro da foto em seu quarto de criança, e então me dou conta de por que aquela mulher me pareceu tão familiar. Ela se parecia com ele. Devia ser sua mãe biológica.

A facilidade com que ele a dispensou me vem à cabeça: *Ninguém importante...* Ela é a responsável por tudo isso... e eu pareço com ela... *Puta merda!*

Ele me encara, os olhos inchados, e sei que está esperando pelo meu próximo passo. Parece verdadeiro. Ele disse que me ama, mas estou muito confusa.

Tudo isso é muito terrível. Ele já me assegurou a respeito de Leila, mas agora eu sei, com mais certeza do que nunca, como ela era capaz de excitá-lo. A ideia é esgotante e desagradável.

— Christian, eu estou exausta. A gente pode conversar sobre isso amanhã? Quero ir para a cama.

Ele pisca para mim, surpreso.

— Você não vai embora?

— Você quer que eu vá?

— Não! Achei que você iria embora assim que eu contasse.

Todas as vezes em que ele falou que eu iria embora assim que soubesse seu segredo mais sombrio me vêm à cabeça... e agora eu sei. Merda. O dominador *é* sombrio.

Será que eu deveria ir embora? Olho para ele, esse homem louco que eu amo... isso mesmo, que eu amo.

Posso deixá-lo? Eu já o deixei uma vez, e aquilo praticamente acabou comigo... e com ele. Eu o amo. Sei disso, apesar dessa revelação.

— Não me deixe — sussurra ele.

— Pelo amor de Deus... *não*! Eu não vou embora! — grito, e é libertador. Pronto, falei. Não vou embora.

— Mesmo? — Ele arregala os olhos.

— O que eu preciso fazer para você entender que não vou fugir? O que você quer que eu diga?

Ele me encara, demonstrando seu medo e sua angústia novamente. E inspira.

— Tem uma coisa que você pode fazer.

— O quê? — rebato.

— Casar-se comigo — sussurra.

O quê? Ele realmente acabou de...

Pela segunda vez em menos de meia hora meu mundo para de girar.

Puta merda. Eu fito o homem profundamente perturbado a quem entreguei o meu amor. Não posso acreditar no que ele acabou de dizer.

Casar? Ele está me pedindo em casamento? Isso é alguma brincadeira? Não consigo evitar: uma risadinha nervosa e descrente irrompe dentro de mim. Mordo o lábio para impedir que ela se transforme numa gargalhada histérica em todas as suas proporções, mas falho miseravelmente. Deito de costas no chão e me entrego, rindo como nunca ri antes na vida, uma gargalhada libertadora e de poder curativo.

E, por um instante, vejo-me sozinha, observando de fora essa cena absurda, uma garota exausta, rindo junto a um menino lindo e perturbado. Coloco o braço por cima do rosto, e meu riso vai se transformando em lágrimas escaldantes. *Não, não... isso é demais.*

À medida que a histeria vai se dissipando, Christian tira meu braço do rosto com carinho. Eu me viro e olho para ele.

Ele está debruçado em cima de mim. A boca retorcida num divertimento irônico, mas seus olhos estão em chamas, talvez feridos. *Ah, não.*

Com gentileza, ele limpa do meu rosto um rastro de lágrimas com as costas da mão.

— Você acha meu pedido de casamento engraçado, Srta. Steele?

Ah, Christian! Esticando o braço, eu acaricio seu rosto, desfrutando o toque de sua barba por fazer sob meus dedos. Meu Deus, eu amo esse homem.

— Sr. Grey... Christian. A sua noção de *timing* é, sem dúvida... — Fico olhando para ele, sem saber o que dizer.

Ele sorri para mim, mas as rugas ao redor de seus olhos me dizem que está magoado. Ele está falando sério.

— Você está me matando aqui, Ana. Quer se casar comigo?

Eu me sento e me debruço sobre ele, apoiando as mãos em seus joelhos. Fito seu belo rosto.

— Christian, eu acabei de encontrar a sua ex-namorada apontando uma arma para mim, de ser expulsa do meu próprio apartamento, de ver você dar uma de Cinquenta Tons termonuclear...

Ele abre a boca para falar, mas eu ergo a mão, e, obediente, ele fica quieto.

— Você acabou de revelar informações a seu respeito que são, francamente, bem chocantes, e agora você me pede para eu me casar com você.

Ele balança a cabeça de um lado para o outro, como se estivesse ponderando os fatos. Está achando engraçado. Graças a Deus.

— É, acho que é um resumo justo e bem preciso da situação — diz, friamente.

— O que aconteceu com adiar a gratificação? — Balanço a cabeça para ele.

— Passei dessa fase. Agora sou um adepto convicto da gratificação instantânea. *Carpe diem*, Ana — sussurra ele.

— Olhe, Christian, eu conheço você há uns três minutos, e tem tanta coisa que preciso saber. Eu bebi muito, estou com fome, estou cansada, e quero ir dormir. Preciso pensar a respeito da sua proposta da mesma forma como avaliei o contrato que você me ofereceu. E... — pressiono os lábios para mostrar minha desaprovação, mas também para aliviar o clima entre nós — ... não foi um pedido de casamento muito romântico.

Ele inclina a cabeça para o lado, e seus lábios se curvam num sorriso.

— É um bom argumento e bem colocado, Srta. Steele, como sempre — suspira, a voz envolta em alívio. — Então, isso é um não?

Suspiro.

— Não, Sr. Grey, não é um não, mas também não é um sim. Você só está fazendo isso porque está com medo e não confia em mim.

— Não, estou fazendo isso porque finalmente conheci alguém com quem eu quero passar o resto da minha vida.

Ah. Meu coração dispara, e eu derreto por dentro. Como ele consegue falar as coisas mais românticas no meio das situações mais bizarras? Minha boca se abre de espanto.

— Nunca achei que isso fosse acontecer comigo — continua, a expressão irradiando sinceridade pura.

Fico encarando-o, boquiaberta, procurando as palavras certas.

— Posso pensar... por favor? Pensar sobre tudo o que aconteceu hoje? Sobre o que você acabou de me contar? Você me pediu fé e paciência. Bem, estou pedindo o mesmo a você, Grey. Preciso disso, agora.

Seus olhos fitam os meus, estudando-me, e, depois de um instante, ele se aproxima e passa meu cabelo por trás da orelha.

— Posso fazer isso. — E me beija rapidamente nos lábios. — Não muito romântico, é? — Ele ergue uma sobrancelha, e eu balanço a cabeça em desaprovação. — Flores e corações, então? — pergunta baixinho.

Faço que sim, e ele me lança um sorriso de leve.

— Está com fome?

— Estou.

— Você não comeu. — Seus olhos endurecem, e sua mandíbula se tenciona.

— Não, eu não comi. — Sento-me sobre os calcanhares e o encaro passivamente. — Ser expulsa do meu apartamento depois de presenciar meu namorado interagindo intimamente com sua ex-submissa tirou o meu apetite consideravelmente. — Eu o encaro com as mãos nos quadris.

Christian balança a cabeça e fica de pé num movimento elegante. *Ah, finalmente a gente vai poder se levantar do chão.* E estende a mão para mim.

— Deixe eu preparar alguma coisa para você comer — diz ele.

— Não posso simplesmente ir dormir? — resmungo, cansada, segurando sua mão.

Ele me levanta. Meu corpo está pesado. Ele me encara, a expressão gentil.

— Não, você precisa comer. Venha. — O Christian mandão está volta, e é um alívio.

Ele me leva para a cozinha, até um dos bancos, e segue para a geladeira. Dou uma olhada no meu relógio e vejo que já são quase onze e meia da noite; tenho que acordar cedo para trabalhar amanhã.

— Christian, na verdade, não estou com fome.

Ele me ignora de propósito enquanto vasculha a geladeira gigante.

— Queijo? — pergunta.

— Não a essa hora.

— Pretzel?

— Da geladeira? Não — rebato.

Ele me olha sorrindo.

— Você não gosta de pretzel?

— Não às onze e meia. Christian, eu vou para a cama. Você pode continuar aí remexendo essa geladeira a noite toda se quiser. Estou cansada, e meu dia foi cheio demais. Um dia para se esquecer. — Deslizo para fora do banco e ele me olha de cara feia, mas, neste instante, não estou nem aí. Quero dormir... estou exausta.

— Macarrão com queijo? — Ele ergue uma tigela branca coberta com papel-alumínio. Ele parece tão esperançoso e amável.

— Você gosta de macarrão com queijo? — pergunto.

Ele faz que sim animado, e meu coração desmancha. Ele parece tão jovem, de repente. Quem diria? Christian Grey gosta de comida de criança.

— Quer um pouco? — pergunta ele, em expectativa. Não posso resistir a ele, e estou mesmo com fome.

Aceito com um aceno de cabeça e abro um sorriso fraco. Seu sorriso em resposta é de tirar o fôlego. Ele tira o papel-alumínio e coloca a tigela no micro-ondas. Sento-me de novo no banco e fico observando a beleza que é o Sr. Christian Grey — o homem que quer se casar comigo — movendo-se com elegância e facilidade em sua cozinha.

— Então você sabe usar o micro-ondas, hein? — brinco.

— Se vier numa embalagem, normalmente eu consigo fazer alguma coisa. O problema é comida de verdade.

Não posso acreditar que esse é o mesmo homem que estava de joelhos na minha frente há menos de meia hora. Está de volta a seu modo inconstante. Ele arruma os pratos, os talheres e os jogos americanos na bancada.

— Está muito tarde — resmungo.

— Não vá trabalhar amanhã.

— Eu tenho que ir trabalhar amanhã. Meu chefe está indo para Nova York.

Christian franze a testa.

— Você quer ir para lá no fim de semana?

— Eu olhei a previsão do tempo, e parece que vai chover — digo, balançando a cabeça.

— Ah, então o que você quer fazer?

O toque do micro-ondas nos avisa que nosso jantar está pronto.

— Eu só quero viver um dia de cada vez por enquanto. Essa agitação toda, tudo isso é... cansativo. — Ergo uma sobrancelha para ele, que ignora, sabiamente.

Christian coloca a tigela entre os nossos pratos e se senta ao meu lado. Parece mergulhado em pensamentos, distraído. Sirvo o macarrão para nós dois. O cheiro está uma delícia, e eu começo a salivar de expectativa. Estou faminta.

— Desculpe por Leila — murmura ele.

— Por que você está pedindo desculpas? — Hum, o gosto está tão bom quanto o cheiro. Minha barriga ronca de agradecimento.

— Deve ter sido um choque e tanto para você, dar de cara com ela no apartamento. O próprio Taylor tinha feito uma busca mais cedo. Ele está muito chateado.

— Não culpo Taylor.

— Nem eu. Ele esteve procurando por você.

— Sério? Por quê?

— Eu não sabia onde você estava. Você esqueceu sua bolsa, seu telefone. Eu não tinha como encontrá-la. Onde você se meteu? — pergunta ele. Sua voz é suave, mas suas palavras têm algo de sinistro.

— Ethan e eu fomos para o bar do outro lado da rua. Para que eu pudesse ver o que estava acontecendo.

— Entendi.

O clima entre nós muda subitamente. Não é mais leve e tranquilo.

Tudo bem... também posso jogar esse jogo. Vamos devolver a bola para você, Christian. Tentando soar indiferente e acalmar minha curiosidade avassaladora, mas também morrendo de medo da resposta, pergunto:

— E então, o que você fez com Leila no apartamento?

Ergo o olhar para ele, que está paralisado, com o garfo cheio de macarrão suspenso no ar. *Ah, não, isso não é bom.*

— Você quer mesmo saber?

Minha barriga se aperta num nó, e meu apetite desaparece.

— Quero — sussurro.

Ah, você quer? Quer mesmo? Meu inconsciente joga uma garrafa de gim vazia no chão e se ajeita em sua poltrona, encarando-me, apavorado.

Christian pressiona os lábios numa linha rígida e hesita.

— Nós conversamos, e eu dei um banho nela. — Sua voz é rouca, e, como eu não respondo, ele continua depressa. — E eu coloquei uma roupa sua nela. Espero que você não se importe. Mas ela estava imunda.

Puta merda. Ele deu um banho nela?

Que coisa mais inadequada de se fazer. Fico bamba, encarando meu prato cheio de macarrão. Imaginar a cena me dá náuseas.

Tente racionalizar, orienta meu inconsciente. Aquela parte fria e intelectual do meu cérebro sabe que ele só fez isso porque ela estava suja, mas é difícil demais. Meu ser frágil e ciumento não aguenta.

De repente, sinto vontade de chorar — não lágrimas elegantes escorrendo comportadas pelas bochechas, mas um choro descontrolado, um uivo para a lua. Respiro fundo para suprimir a vontade, mas minha garganta está seca e incômoda por causa das lágrimas e dos soluços reprimidos.

— Era tudo o que eu podia fazer, Ana — diz ele, calmamente.

— Você ainda sente alguma coisa por ela?

— Não! — diz ele, chocado, fechando os olhos numa expressão angustiada.

Eu me viro e encaro minha comida, enjoada. Não posso suportar olhar para ele.

— Vê-la daquele jeito, tão diferente, tão destruída. Eu me preocupo com ela, como um ser humano se preocupa com outro. — Ele dá de ombros como se tentasse espantar uma lembrança desagradável. Meu Deus, o que ele espera de mim, piedade? — Ana, olhe para mim.

Não posso. Sei que, se o fizer, vou explodir em lágrimas. Isso é demais para assimilar. Sou um tanque de gasolina transbordando — cheio além de sua capacidade. Não tem espaço para mais nada. Eu simplesmente não posso suportar mais merda nenhuma. Vou entrar em combustão e explodir, e vai ser feio se eu tentar. Deus do céu!

Christian cuidando de sua ex-submissa de forma tão íntima... a imagem invade a minha cabeça. Dando banho nela, pelo amor de Deus... nua. Uma dor aguda domina o meu corpo.

— Ana.

— O quê?

— Não faça isso. Não significa nada. Foi que nem cuidar de uma criança, uma criança perturbada e despedaçada — murmura ele.

Que diabo ele sabe sobre cuidar de uma criança? Trata-se de uma mulher com quem ele teve um relacionamento sexual absolutamente intenso e pervertido.

Ah, isso dói. Eu respiro fundo, buscando forças. Ou quem sabe ele esteja apenas se referindo a ele mesmo. Ele é a criança perturbada. Isso faz mais sentido... ou talvez não faça sentido nenhum. Ah, isso tudo é tão terrível, e, de repente, sinto-me cansada até os ossos. Preciso dormir.

— Ana?

Eu me levanto, carrego meu prato até a pia e jogo a comida no lixo.

— Ana, por favor.

Eu me volto para ele e o encaro.

— Chega, Christian! Chega desse "Ana, por favor"! — grito, e minhas lágrimas começam a escorrer. — Cansei dessa merda por hoje. Vou dormir. Estou exausta e nervosa. Me deixe em paz um pouco.

Eu me viro e praticamente corro para o quarto, levando comigo a memória de seus olhos arregalados e assustados. Bom saber que também posso assustá-lo. Tiro as roupas num instante e, depois de vasculhar a gaveta dele, puxo uma de suas camisetas e entro no banheiro.

Olho meu reflexo no espelho, praticamente sem reconhecer a garota abatida, de olhos vermelhos e rosto inchado que me encara de volta, e é demais. Desabo no chão do banheiro e me entrego à emoção avassaladora que já não posso mais conter, soltando soluços gigantescos de arrebentar o peito, enfim deixando as lágrimas rolarem livremente.

CAPÍTULO QUINZE

— Ei — murmura Christian baixinho e me puxa para junto de si —, por favor, não chore, Ana, por favor — implora.

Ele está no chão do banheiro, e estou em seu colo. Passo os braços ao redor dele e choro em seu pescoço. Murmurando suavemente junto ao meu cabelo, ele acaricia minhas costas e minha cabeça delicadamente.

— Desculpe, baby — sussurra, o que me faz chorar ainda mais e abraçá-lo com mais força.

Ficamos assim por uma eternidade. Até que, uma vez que já me acabei de tanto chorar, Christian se ergue, carregando-me em seu colo até o quarto, onde me coloca na cama. Em poucos segundos, está ao meu lado, e as luzes se apagam. Ele me puxa para junto de si, abraçando-me com força, e finalmente me arrasto para um sono sombrio e perturbado.

ACORDO NUM SOBRESSALTO. Estou tonta e com muito calor. Christian está agarrado a mim feito uma trepadeira. Ele resmunga, dormindo, assim que deslizo para fora de seus braços, mas não acorda. Sento-me na cama e olho para o despertador. São três da manhã. Preciso de um Advil e de alguma coisa para beber. Arrasto as pernas para fora da cama e caminho até a cozinha.

Encontro uma caixa de suco de laranja na geladeira e me sirvo de um copo. Hum... está delicioso, sinto um alívio imediato da tonteira. Vasculho os armários à procura de algum analgésico e, enfim, acho uma caixa de plástico cheia de remédios. Engulo dois comprimidos de Advil e bebo mais um copo de suco de laranja.

Caminhando para a imensa janela, observo a sonolenta Seattle. As luzes piscam sob o castelo de Christian nas alturas, ou devo dizer fortaleza? Pressiono a testa contra o vidro gelado: é um alívio. Tenho tanta coisa em que pensar depois de todas as revelações de ontem. Apoio-me de costas na janela e escorrego até o chão. A sala de estar parece cavernosa na escuridão, iluminada apenas pelas três lâmpadas acima da bancada da cozinha.

Será que eu conseguiria viver aqui, casada com Christian? Depois de tudo o que ele fez nesta casa? De toda a história deste lugar?

Casamento. É quase inacreditável, além de totalmente inesperado. Mas até aí, tudo a respeito de Christian é inesperado. Meus lábios se curvam num sorriso diante da ironia dessa realidade. Christian Grey: espere o inesperado —cinquenta tons de loucura.

Meu sorriso desaparece. Eu sou parecida com a mãe dele. Isso me magoa profundamente, e o ar me escapa dos pulmões. Todas nós somos parecidas com a mãe dele.

Como posso seguir em frente diante da revelação desse pequeno segredo? Agora sei por que ele não queria me dizer. Mas ele na certa não se lembra muito bem da mãe. Será que eu deveria conversar com o Dr. Flynn? Será que Christian deixaria? Talvez ele pudesse esclarecer algumas coisas.

Balanço a cabeça. Estou exausta, mas gosto da serenidade da sala de estar e de suas belas obras de arte: frias e austeras, mas ainda assim bonitas à sua maneira em meio à penumbra, e provavelmente bastante valiosas. Será que eu conseguiria morar aqui? Na alegria e na tristeza? Na saúde e na doença? Fecho os olhos, inclino a cabeça contra o vidro e inspiro fundo.

Minha tranquilidade é interrompida por um grito visceral e primitivo que faz cada pelo no meu corpo se arrepiar. *Christian! Puta merda, o que aconteceu?* Fico de pé e corro de volta para o quarto antes que os ecos daquele som horrível cessem, meu coração pulando de medo.

Ligo um dos interruptores, e a luz de cabeceira de Christian se acende. Ele está se revirando na cama, contorcendo-se de agonia. *Não!* Ele grita de novo, e o som misterioso e devastador me atravessa mais uma vez.

Merda, um pesadelo!

— Christian — debruço-me sobre ele, agitando-o pelos ombros, tentando acordá-lo.

Ele abre os olhos e, selvagens e vagos, eles percorrem depressa o quarto vazio antes de se voltarem para mim.

— Você foi embora, você foi embora, você só pode ter ido embora — murmura, e seus olhos arregalados se tornam acusatórios. Parece tão perdido que sinto um aperto no coração. Pobre Christian.

— Estou aqui. — Sento-me na cama ao seu lado. — Estou aqui — murmuro baixinho num esforço para tranquilizá-lo. Estico a mão, pousando-a na lateral de seu rosto, tentando acalmá-lo.

— Você não estava aqui — sussurra ele rapidamente. Seus olhos ainda estão selvagens e apavorados, mas ele parece estar se acalmando.

— Fui só beber alguma coisa. Estava com sede.

Ele fecha os olhos e esfrega o próprio rosto. Ao abri-los de novo, parece tão desolado.

— Você está aqui. Ah, graças a Deus. — Ele se aproxima de mim e me agarra forte, puxando-me para junto de si na cama.

— Fui só buscar uma bebida — murmuro.

Ah, a intensidade de seu medo... Posso senti-lo. Sua camiseta está encharcada de suor, e seu coração ainda pulsa forte enquanto ele me abraça apertado. Está me fitando, como se para se assegurar de que estou realmente aqui. Faço um carinho de leve em seu cabelo e depois em sua bochecha.

— Christian, por favor. Estou aqui. Não vou a lugar nenhum — digo com calma.

— Ah, Ana — suspira ele.

E então segura meu queixo para manter meu rosto firme, e sua boca cobre a minha. Sinto o desejo invadindo-o, e espontaneamente meu corpo corresponde: está tão conectado e em sintonia com o dele. Seus lábios estão em minha orelha, meu pescoço, e de volta em minha boca, os dentes suavemente puxando meu lábio inferior, a mão subindo pelo meu corpo desde o quadril até o peito, puxando a camiseta para cima. Acariciando-me, percorrendo as reentrâncias e as curvas de minha pele, provocando a mesma reação de sempre, seu toque enviando arrepios por todo o meu corpo. Ele segura meu seio, seus dedos apertando meu mamilo, e eu solto um gemido.

— Quero você — murmura.

— Estou aqui para você, Christian. Só para você.

Ele geme e me beija mais uma vez, apaixonadamente, com um fervor e um desespero que jamais transmitiu antes. Agarrando a bainha de sua camiseta, puxo-a para cima, e ele me ajuda a retirá-la por sobre sua cabeça. Ajoelhando--se entre minhas pernas, ele rapidamente me coloca sentada e arranca minha camiseta.

Seus olhos estão sérios, repletos de desejo e de segredos sombrios — já revelados. Ele segura meu rosto nas mãos e me beija, e nós dois afundamos de novo na cama, uma de suas coxas entre minhas pernas, de modo que ele está deitado com metade do corpo em cima de mim. Sua ereção está rígida contra meu quadril, por baixo da cueca. Ele me quer, mas suas palavras de hoje escolhem esse exato momento para me assombrar, as coisas que ele falou sobre sua mãe. E é como um balde de água fria na minha libido. Merda. Não posso fazer isso. Não agora.

— Christian... Pare. Não posso continuar — sussurro apressada contra sua boca, minhas mãos empurrando seus braços.

— O que foi? O que houve? — murmura e começa a beijar meu pescoço, correndo a ponta da língua levemente para baixo. *Ah...*

— Não, por favor. Não posso fazer isso, não agora. Preciso de um tempo, por favor.

— Ah, Ana, não pense demais — sussurra ele, mordendo de leve o lóbulo da minha orelha.

— Ah! — suspiro, sentindo a reação direto na virilha. Meu corpo se contorce, traindo-me. Estou tão confusa.

— Ainda sou eu, Ana, o mesmo eu. Eu amo você e preciso de você. Toque em mim. Por favor. — Ele esfrega o nariz no meu, e seu apelo silencioso e sincero me comove, e me derreto.

Tocá-lo. Tocá-lo enquanto fazemos amor. Deus do céu.

Ele se ergue em cima de mim, olhando para baixo, e, na meia-luz da lâmpada de cabeceira, sei que está esperando pela minha resposta, e que está sob o meu feitiço.

Ergo a mão e, com cuidado, coloco-a sobre a faixa macia de pelos em seu peito. Ele inspira e aperta os olhos como se sentisse dor, mas não retiro a mão. Levo-a até seus ombros, sentindo o tremor que o percorre. Ele geme, e eu o puxo para baixo, colocando as duas mãos sobre suas costas, onde nunca tinha tocado antes, em suas omoplatas, segurando-o junto de mim. Seu gemido reprimido me excita mais do que qualquer coisa.

Ele enterra a cabeça em meu pescoço, beijando-me e me chupando e me mordendo, e arrasta o nariz até meu queixo, e me beija, sua língua possuindo minha boca, suas mãos movendo-se sobre meu corpo novamente. Seus lábios vão descendo... descendo... até os meus seios, adorando-os, e minhas mãos permanecem sobre seu ombro e suas costas, deliciando-se com os músculos fortes flexionados, sua pele ainda úmida do pesadelo. Seus lábios se fecham sobre meu mamilo, puxando e apertando até ele se erguer em resposta à sua boca habilidosa.

Solto um gemido e corro as unhas ao longo de suas costas. Ele suspira, um gemido abafado.

— Puta merda, Ana — arqueja, meio gritando, meio gemendo.

Isso me parte o coração, mas também me atinge por dentro, contraindo todos os músculos abaixo da minha cintura. Ah, o que eu consigo fazer com ele! Fico ofegante, acompanhando sua respiração torturada com a minha própria.

Sua mão desce pelo meu corpo, ao longo de minha barriga até o meu sexo, e seus dedos estão em mim, dentro de mim. Solto um gemido à medida que ele os move daquele jeito, e elevo a pélvis para encorajar seu toque.

— Ana — suspira Christian.

De repente, ele me solta e se senta. Tira a cueca e se inclina até a mesa de cabeceira para pegar um envelopinho de papel laminado. Ao me passar o preservativo, seus olhos estão com uma tonalidade ardente de cinza.

— Você quer fazer isso? Você ainda pode dizer não. Você sempre pode dizer não — murmura.

— Não me dê a chance de pensar, Christian. Também quero você.

Rasgo o pacote com os dentes enquanto ele se ajoelha entre minhas pernas e, com dedos trêmulos, coloco a camisinha nele.

— Devagar — diz Christian. — Você vai me fazer gozar, Ana.

Fico maravilhada diante do que posso fazer com esse homem apenas com um toque. Ele se deita em cima de mim, e, ao menos nesse instante, as dúvidas são afastadas e trancafiadas nos confins sombrios e assustadores de minha mente. Estou intoxicada por esse homem, meu homem, meu Cinquenta Tons. Ele gira o corpo de repente, pegando-me completamente de surpresa, e me coloca por cima. *Uau.*

— Você. Faça você — murmura, os olhos brilhando com uma intensidade feroz.

Meu Deus. Devagar, bem devagar, eu o enterro dentro de mim. Ele joga a cabeça para trás e fecha os olhos, soltando um gemido. Pego suas mãos e começo a me mexer, deleitando-me na plenitude de minha posse, deleitando-me com sua reação, observando-o se desfazer embaixo de mim. Sinto-me como uma deusa. Debruço-me e beijo seu queixo, correndo os dentes ao longo de sua barba por fazer. Ele tem um gosto delicioso. Ele aperta meus quadris e estabiliza meu ritmo, um movimento lento e tranquilo.

— Ana, toque em mim... por favor.

Ah. Eu me inclino para a frente e me equilibro mantendo as mãos sobre seu peito. E ele grita, quase um soluço de choro, e mergulha bem fundo dentro de mim.

— Ah — solto um gemido e corro as unhas de leve sobre seu peito, por seus pelos, e ele geme alto e gira abruptamente, de forma que fico mais uma vez debaixo dele.

— Chega — ele arqueja. — Por favor, já chega. — E é um pedido sincero.

Erguendo as mãos, seguro seu rosto, sentindo a umidade em suas bochechas, e o puxo para junto de meus lábios para que possa beijá-lo. Fecho as mãos em suas costas.

Ele solta um gemido profundo e grave enquanto se mexe dentro de mim, empurrando-me para a frente e para cima, mas não consigo chegar lá. Minha cabeça está encoberta demais por problemas. Estou muito envolvida nele.

— Vamos, Ana — implora ele.

— Não.

— Sim — rosna.

E muda de posição suavemente, girando os quadris, de novo e de novo.

Minha nossa...

— Vamos, baby, eu preciso disso. Goze para mim.

E eu explodo, meu corpo escravo do dele, e me enrosco nele, agarrando-me ao seu corpo como uma trepadeira enquanto ele grita meu nome e atinge o orgasmo junto comigo, para então desmoronar, seu peso me pressionando contra o colchão.

EMBALO CHRISTIAN EM meus braços, sua cabeça em meu peito, enquanto permanecemos deitados, envolvidos pela sensação de satisfação. Corro os dedos por seu cabelo escutando sua respiração voltar ao normal.

— Nunca me deixe — sussurra ele, e eu reviro os olhos sabendo que ele não pode me ver. — Sei que você está revirando os olhos para mim — murmura, e posso ouvir o traço de humor em sua voz.

— Você me conhece bem — sussurro.

— Queria conhecer ainda mais.

— O mesmo vale para você, Grey. Sobre o que era o seu pesadelo?

— O de sempre.

— Conte para mim.

Ele engole em seco e fica tenso, antes de emitir um longo suspiro.

— Devo estar com uns três anos, e o cafetão da prostituta está enfurecido de novo. Ele fuma, um cigarro atrás do outro, e não consegue achar um cinzeiro. — Ele para, e sinto um aperto no coração, congelando por dentro. — Doeu muito — diz ele. — É da dor que eu me lembro. É o que me faz ter pesadelos. Isso, e o fato de que ela não fez nada para impedi-lo.

Ah, não. É insuportável. Aperto-o com força, minhas pernas e braços segurando-o junto a mim, e tento não deixar que meu desespero me sufoque. Como alguém poderia tratar uma criança assim? Ele levanta a cabeça e me encara com seu olhar intenso e cinzento.

— Você não é igual a ela. Nunca pense isso. Por favor.

Pisco para ele. É muito reconfortante ouvir isso. Ele coloca a cabeça de volta em meu peito, e acho que já terminou de contar tudo, mas me surpreende ao continuar.

— Às vezes, nos sonhos, ela está só lá deitada no chão. E eu acho que ela está dormindo. Mas ela não se mexe. Ela nunca se mexe. E eu estou com fome. Muita fome.

Ah, que merda.

— Então eu ouço um barulho alto e ele está de volta, e me bate com muita força, xingando a prostituta viciada. A primeira reação dele sempre foi a de usar os punhos ou o cinto.

— É por isso que você não gosta de ser tocado?

Ele fecha os olhos e me aperta com força.

— É complicado — murmura e enfia o rosto entre os meus seios, inspirando profundamente e tentando me distrair.

— Fale — peço.

Ele suspira.

— Ela não me amava. Eu não me amava. O único toque que eu conhecia era... doloroso. O problema nasceu aí. Flynn sabe explicar melhor do que eu.

— Posso conversar com Flynn?

Christian levanta a cabeça e me encara.

— Você está pegando a doença do Cinquenta Tons também, é?

— Nem lhe conto. Gosto de tudo que está pegando em mim neste instante — remexo-me provocativamente debaixo dele, e ele sorri.

— Ah, Srta. Steele, eu também gosto disso. — Ele se inclina para cima e me beija. E então, me encara por um momento. — Você é tão importante para mim, Ana. Eu estava falando sério sobre me casar com você. A gente pode se conhecer melhor depois. Eu posso cuidar de você. Você pode cuidar de mim. A gente pode ter filhos, se você quiser. Vou colocar o meu mundo a seus pés, Anastasia. Quero você de corpo e alma, para sempre. Por favor, pense nisso.

— Vou pensar, Christian. Vou pensar — tranquilizo-o, recuperando mais uma vez o fôlego. *Filhos? Nossa.* — Mas eu realmente queria falar com o Dr. Flynn, se você não se importar.

— Qualquer coisa para você, baby. Qualquer coisa. Quando você gostaria de vê-lo?

— Quanto antes melhor.

— Certo. Amanhã de manhã eu resolvo isso. — Ele olha para o relógio. — Está tarde. É melhor a gente dormir. — Ele se estica para desligar a lâmpada da cabeceira e me puxa para junto de si.

Olho para o despertador. Merda, já são três e quarenta e cinco.

Ele me envolve em seus braços, minhas costas em seu peito, e mergulha o rosto em meu pescoço.

— Eu amo você, Ana Steele, e quero você ao meu lado, para sempre — murmura, beijando meu pescoço. — Agora durma.

Fecho os olhos.

RELUTANTE, ABRO MINHAS pálpebras pesadas, e a claridade invade o quarto. Solto um gemido. Sinto-me tonta, desconectada de meus membros de chumbo, e Christian está enrolado em torno de mim feito hera. Como de costume, está muito quente. Não pode ser mais do que cinco da manhã, o alarme ainda não tocou. E estico-me, tentando me libertar de seu calor, girando-me dentro de seus braços, e ele murmura algo ininteligível em seu sono. Olho para o relógio: oito e quarenta e cinco.

Merda, vou chegar atrasada. *Cacete*. Arrasto-me para fora da cama e corro para o banheiro. Tomo banho em quatro minutos, e já estou de volta ao quarto.

Christian se senta na cama, observando-me com um divertimento mal disfarçado, misturado com cautela, enquanto eu me seco e pego minhas roupas. Talvez ele esteja esperando para ver qual será a minha reação às revelações de ontem. Agora, eu simplesmente não tenho tempo.

Dou uma checada nas roupas que escolhi: calça preta, camisa preta. Tudo meio Mrs. Robinson demais, mas não tenho um segundo para mudar de ideia. Visto a calcinha e o sutiã pretos, consciente de que ele está assistindo cada movimento meu. É... irritante. Vai ter que ser essa calcinha e esse sutiã mesmo.

— Você está bonita — ronrona Christian da cama. — Sabe, você pode ligar e dizer que está doente. — Ele me lança seu sorriso torto e devastador, cento e cinquenta por cento capaz de deixar minha calcinha molhada.

Ah, ele é tão tentador. Minha deusa interior faz beicinho provocantemente para mim.

— Não, Christian, eu não posso. Não sou uma CEO megalomaníaca com um sorriso bonito e que goza de total liberdade.

— Eu gosto de gozar em total liberdade... — Ele sorri e abre um pouco mais seu maravilhoso sorriso, um exemplar em alta definição, versão cinematográfica.

— Christian! — chamo sua atenção e jogo a toalha para ele, e ele ri.

— Sorriso bonito, é?

— É. Você sabe o efeito que tem sobre mim. — Coloco meu relógio de pulso.

— Sei, é? — Ele pisca inocentemente.

— Sim, sabe. O mesmo efeito que produz em todas as mulheres. É realmente muito cansativo ver todas elas desfalecendo por você.

— Ah, é? — Ele ergue a sobrancelha para mim, parecendo ainda mais entretido.

— Não banque o inocente, Sr. Grey, isso não combina nada com você — murmuro distraída ao puxar o cabelo num rabo de cavalo e calçar meus sapatos pretos de salto alto. Pronto, isso vai servir.

Quando me abaixo para lhe dar um beijo de despedida, ele me agarra e me puxa para a cama, inclinando-se sobre mim e sorrindo de orelha a orelha. *Meu Deus*. Ele é tão bonito: os olhos brilhando de malícia, o cabelo despenteado de quem acabou de transar de novo, o sorriso deslumbrante. Agora está em modo brincalhão.

Estou cansada, ainda tentando me recuperar de todas as revelações de ontem à noite, mas ele está novo em folha e sexy para cacete. Ah, meu exasperante Christian.

— O que posso fazer para convencê-la a ficar? — diz ele em voz baixa, e meu coração se acelera, batendo agitado. Ele é a tentação em pessoa.

— Nada — resmungo, esforçando-me para me sentar. — Me solte.

Ele faz beicinho, e eu desisto. Sorrindo, passo meus dedos por sobre seus lábios bem desenhados: meu Cinquenta Tons. Amo tanto esse homem, com toda a sua monumental maluquice. Nem sequer comecei a processar os eventos de ontem e como me sinto em relação a eles.

Eu me inclino para beijá-lo, grata por ter escovado os dentes. Ele me dá um beijo forte e longo, e, em seguida, coloca-me de pé com agilidade, deixando-me atordoada, sem fôlego e um tanto vacilante.

— Taylor vai levar você. É mais rápido do que procurar um lugar para estacionar. Ele está esperando fora do prédio — diz, gentilmente, e parece aliviado.

Será que está preocupado com a minha reação de hoje? Certamente a noite passada — digo, esta manhã — mostrou a ele que não vou fugir.

— Certo. Obrigada — resmungo, decepcionada por estar de pé novamente, confusa por sua hesitação e vagamente irritada por mais uma vez não poder dirigir meu Saab. Mas ele tem razão, é claro, vai ser muito mais rápido ir com Taylor. — Aproveite sua manhã preguiçosa, Sr. Grey. Queria poder ficar, mas o dono da empresa em que trabalho não aprovaria que seus funcionários faltassem só por causa de um sexo gostoso. — Pego minha bolsa.

— Pessoalmente, Srta. Steele, não tenho dúvida alguma de que ele aprovaria. Na verdade, acho que ele insistiria por isso.

— Por que você vai ficar aí na cama? Não é muito a sua cara.

Ele cruza as mãos atrás da cabeça e sorri para mim:

— Porque eu posso, Srta. Steele.

Balanço a cabeça para ele:

— Até mais, baby. — Sopro um beijo e saio do quarto.

Taylor está esperando por mim e parece entender que estou atrasada, porque corre feito um morcego saído do inferno, deixando-me no trabalho às nove e quinze. Fico aliviada quando ele encosta o carro junto ao meio-fio: aliviada por estar viva... o jeito como estava dirigindo era assustador. E aliviada por não estar terrivelmente atrasada, apenas quinze minutos.

— Obrigada, Taylor — murmuro, pálida. Eu me lembro de Christian me dizendo que ele dirigia tanques; talvez também carros de corrida.

— Ana. — Ele acena e se despede, e eu corro para o escritório, percebendo ao abrir a porta da recepção que Taylor parece ter superado a formalidade do "Srta. Steele". Isso me faz sorrir.

Claire sorri para mim enquanto passo pela recepção e sigo até minha mesa.

— Ana! — Jack me chama. — Venha aqui.

Merda.

— Que horas são essas? — atira ele.

— Sinto muito. Perdi a hora. — Fico vermelha.

— Não deixe que isso aconteça de novo. Traga um café para mim, e depois preciso que você digite umas cartas. Depressa — grita, fazendo-me encolher.

Por que está tão bravo? Qual é o problema? O que eu fiz? Corro para a cozinha para preparar o café. Talvez eu devesse ter faltado. Eu poderia estar... bem, fazendo algo divertido com Christian, ou tomando café da manhã com ele, ou simplesmente conversando, o que seria uma novidade.

Jack mal se dá conta da minha presença quando me aventuro de volta na sua sala para lhe entregar o café. Ele estica uma folha de papel na minha direção: está manuscrita num garrancho quase ilegível.

— Digite isto, traga aqui para eu assinar, tire xerox e envie para todos os nossos autores.

— Sim, Jack.

Ele não ergue o olhar quando saio da sala. Nossa, está mesmo com raiva.

É com algum alívio que finalmente sento à minha mesa. Tomo um gole de chá enquanto espero meu computador terminar de ligar. Abro meus e-mails.

De: Christian Grey
Assunto: Sentindo sua falta
Data: 15 de junho de 2011 09:05
Para: Anastasia Steele

Por favor use o seu BlackBerry.

Bj,

Christian Grey
CEO, Grey Enterprises Holdings, Inc.

De: Anastasia Steele
Assunto: Gente de sorte
Data: 15 de junho de 2011 09:27
Para: Christian Grey

Meu chefe está uma arara.

A culpa é sua por ter me segurado até tarde com as suas... travessuras.

Você devia se envergonhar.

Anastasia Steele
Assistente de Jack Hyde, Editor, SIP

De: Christian Grey
Assunto: Travessuras?
Data: 15 de junho de 2011 09:32
Para: Anastasia Steele

Você não precisa trabalhar, Anastasia.

Você não tem ideia de como estou chocado com minhas próprias travessuras.

Mas gosto de fazê-la ficar acordada até tarde ;)

Por favor, use seu BlackBerry.

Ah, e case-se comigo, por favor.

Christian Grey
CEO, Grey Enterprises Holdings, Inc.

De: Anastasia Steele
Assunto: Meu ganha-pão
Data: 15 de junho de 2011 09:35
Para: Christian Grey

Sei que sua tendência natural é ficar insistindo, mas pode ir parando.

Preciso falar com seu psicólogo.

Só então vou dar minha resposta.

Não sou contra continuar vivendo em pecado.

Anastasia Steele
Assistente de Jack Hyde, Editor, SIP

De: Christian Grey
Assunto: BLACKBERRY
Data: 15 de junho de 2011 09:40
Para: Anastasia Steele

Anastasia, se é para começar a falar do Dr. Flynn, então USE O SEU BLACK-
BERRY.

Não estou pedindo.

Christian Grey
Um CEO fulo da vida, Grey Enterprises Holdings, Inc.

Ah, merda. Agora ele está bravo comigo. Bem, por mim ele pode cozinhar em
fogo brando. Pego o BlackBerry da bolsa e olho para ele com ceticismo. No mesmo instante, começa a tocar. Será que ele não consegue me deixar em paz por um
minuto?

— Sim? — atendo, irritada.

— Ana, oi.

— José! Tudo bem? — Ah, é bom ouvir sua voz.

— Estou bem, Ana. Olhe, você ainda está saindo com aquele tal de Grey?

— Hum, estou... Por quê? — Aonde ele quer chegar com isso?

— Bem, ele comprou todas as suas fotos, e pensei em ir até Seattle para entre-
gá-las. A exposição termina na quinta, então posso passar aí na sexta à noite. E
talvez a gente pudesse beber alguma coisa ou algo assim. Na verdade, eu estava
esperando descolar um lugar para dormir também.

— Legal, José. Claro, com certeza a gente pode marcar alguma coisa. Vou falar com Christian e ligo de volta para você, tudo bem?

— Beleza, fico esperando. Tchau, Ana.

— Tchau.

E ele desliga. Nossa mãe. Não tenho notícias de José desde a exposição. Nem sequer perguntei como foi ou se ele vendeu mais alguma foto. Que bela amiga eu sou.

Então, eu poderia sair na sexta à noite com José. O que Christian acharia disso? De repente, reparo que estou mordendo o lábio com tanta força que dói. Ah,
aquele sujeito tem dois pesos e duas medidas. Ele pode — e tremo só de pensar
no assunto — dar banho na maluca da ex-amante dele, mas provavelmente vai
pirar se eu quiser sair para tomar um drinque com José. Como vou lidar com isso?

— Ana! — Jack me arranca de meu devaneio. Ele ainda está com raiva? —
Cadê a carta?

— Hum, quase pronta. — Merda. Qual o problema dele hoje?

Digito a carta o mais rápido que posso, imprimo e, nervosa, caminho até sua sala.

— Aqui está. — Coloco a folha em sua mesa e me viro para sair. Jack examina o documento de relance com seus olhos críticos e penetrantes.

— Não sei o que você faz fora daqui, mas eu pago você para trabalhar — grita ele.

— Sei disso, Jack — murmuro, em tom de desculpa. Sinto o meu rosto corar lentamente.

— Está cheio de erros — resmunga ele. — Faça de novo.

Droga. Ele está começando a soar como alguém que eu conheço; no entanto, a grosseria de Christian eu posso tolerar. Jack já está começando a me irritar.

— E me traga outro café, enquanto isso.

— Desculpe — sussurro e corro para fora de sua sala o mais rápido que posso.

Deus do céu. Ele está insuportável. Volto para minha mesa, corrijo com pressa a carta, que tinha dois erros, e verifico o texto inteiro antes de imprimir. Agora está perfeito. Pego mais um café, indicando a Claire com um revirar de olhos que estou na merda hoje. Respiro fundo e entro na sala dele de novo.

— Melhor — murmura ele com relutância ao assinar a carta. — Tire xerox disso, arquive o original e mande as cópias para todos os autores. Entendeu?

— Certo. — Não sou uma idiota. — Jack, aconteceu alguma coisa?

Ele ergue o rosto, seus olhos azuis escurecendo à medida que correm meu corpo de cima a baixo. Um arrepio me atravessa a espinha.

— Não.

Sua resposta é curta e grossa, cheia de desdém. E eu permaneço ali, feito a idiota que eu disse que não era, até que deixo a sala. Talvez ele também sofra de algum transtorno de personalidade. Nossa, estou cercada. Sigo até a copiadora, que, naturalmente, resolveu engolir o papel. Quando consigo consertá-la, descubro que o papel acabou. Realmente não é o meu dia.

Quando finalmente retorno à minha mesa e começo a colocar as cartas nos envelopes, meu BlackBerry vibra. Posso ver pela parede de vidro que Jack está ao telefone. Atendo: é Ethan.

— Oi, Ana. Como foi ontem à noite?

Ontem à noite. Uma sequência rápida de imagens cruza a minha mente: Christian de joelhos, sua revelação, seu pedido de casamento, macarrão com queijo, o tanto que chorei, o pesadelo dele, *o sexo*, tocar seu corpo...

— Hum... tudo bem — murmuro, pouco convincente.

Ethan faz uma pausa e então decide me acompanhar em minha encenação.

— Legal. Posso passar aí para pegar as chaves?

— Claro.

— Passo aí daqui a meia hora. Você vai ter tempo para tomar um café?

— Hoje não. Cheguei atrasada, e meu chefe está bravo feito um urso com dor de cabeça e urtiga na bunda.

— Parece ruim.

— Ruim e feio. — Dou uma risadinha.

Ethan ri e meu humor melhora um pouco.

— Certo. A gente se vê em trinta minutos. — Ele desliga.

Ergo a cabeça e vejo que Jack está olhando para mim. Ah, merda. Decido ignorá-lo e continuo a colocar as cartas nos envelopes.

Meia hora depois, meu telefone toca. É Claire.

— Ele está aqui de novo, na portaria. O deus louro.

É uma alegria ver Ethan depois de toda a angústia de ontem e de todo o mau humor do meu chefe hoje, mas logo ele está indo embora.

— Será que a gente se vê hoje à noite?

— Provavelmente vou ficar com Christian. — Fico vermelha.

— Esse cara pegou você de jeito, hein? — Ethan observa com bom humor.

Dou de ombros. Ah, é muito mais do que isso, e, neste momento, percebo como ele me pegou de jeito mesmo. E para a vida toda. E, surpreendentemente, Christian parece sentir o mesmo. Ethan me dá um abraço rápido.

— Até mais, Ana.

Volto para minha mesa, lutando contra essa constatação. Ah, o que eu não faria por um dia sozinha, para poder pensar em tudo isso.

— Onde você se meteu? — Jack de repente está pairando diante de mim.

— Tive que cuidar de uns assuntos na portaria. — Ele está realmente me dando nos nervos.

— Quero meu almoço. O de sempre — diz abruptamente e volta para sua sala.

Por que não fiquei em casa com Christian? Minha deusa interior cruza os braços e comprime os lábios, ela também quer uma resposta para essa pergunta. Pegando minha bolsa e meu BlackBerry, corro para a porta e verifico meus e-mails.

De: Christian Grey
Assunto: Sentindo sua falta
Data: 15 de junho de 2011 09:06
Para: Anastasia Steele

Minha cama é grande demais sem você.

Parece que vou ter que trabalhar, afinal de contas.

Até mesmo CEOs megalomaníacos precisam de alguma coisa para fazer.

Bj,

Christian Grey
Um CEO entediado, Grey Enterprises Holdings, Inc.

E logo em seguida, mais um, enviado um pouco mais tarde, esta manhã:

De: Christian Grey
Assunto: Um pouco de discrição...
Data: 15 de junho de 2011 09:50
Para: Anastasia Steele

...não faz mal a ninguém.

Por favor, seja discreta... seus e-mails do trabalho são monitorados.

QUANTAS VEZES TENHO QUE DIZER ISSO?

Sim, maiúsculas gritantes, como você diz. USE SEU BLACKBERRY.

Temos uma consulta com o Dr. Flynn amanhã à noite.

Bj,

Christian Grey
Um CEO ainda fulo da vida, Grey Enterprises Holdings, Inc.

E mais um ainda, de mais tarde. Ah, não.

De: Christian Grey
Assunto: Cri, cri, cri...
Data: 15 de junho de 2011 12:15
Para: Anastasia Steele

Você não me responde.

Por favor, diga que está tudo bem.

Você sabe como eu me preocupo.

Vou mandar Taylor até aí para verificar!

Bj,

Christian Grey
Um CEO muito ansioso, Grey Enterprises Holdings, Inc.

Reviro os olhos e ligo para ele. Não quero que se preocupe.

— Telefone de Christian Grey, Andrea Parker falando.

Ah. Fico tão desconcertada que não tenha sido Christian quem atendeu que paro no meio da rua, e o jovem atrás de mim resmunga com raiva ao ter que desviar para não esbarrar em mim. Estou de pé sob o toldo verde da lanchonete.

— Alô? Posso ajudar? — Andrea preenche o silêncio incômodo.

— Desculpe... Hum... Eu estava querendo falar com Christian.

— O Sr. Grey está numa reunião neste momento — responde ela com eficiência. — Gostaria de deixar algum recado?

— Você pode dizer a ele que a Ana ligou?

— Ana? Anastasia Steele?

— Hum... Isso. — A pergunta me deixa confusa.

— Só um instante, por favor, Srta. Steele.

Ouço com atenção ela afastar o telefone, mas não consigo entender bem o que está acontecendo. Poucos segundos depois, Christian está na linha:

— Você está bem?

— Sim, estou ótima.

Ele solta o ar, aliviado.

— Christian, por que eu não estaria bem? — sussurro de um jeito tranquilizador.

— Você sempre responde meus e-mails tão depressa. Depois de tudo que eu falei ontem à noite, estava preocupado — diz calmamente, e depois ele fala com alguém em seu escritório: — Não, Andrea. Diga a eles para esperarem — diz com firmeza. Ah, conheço esse tom de voz. Não posso ouvir a resposta de Andrea. — Não. Eu disse para esperar — responde ele.

— Christian, obviamente você está ocupado. Só estou ligando para que você saiba que está tudo bem, de verdade. Só estou muito ocupada hoje. Jack está me comendo no chicote. Hum... quero dizer... — Fico vermelha e me calo.

Christian não responde por um minuto.

— Comendo você no chicote, é? Bem, houve uma época em que eu o teria achado um cara de sorte. — Sua voz é cheia de ironia. — Não o deixe ficar por cima, baby.

— Christian! — repreendo-o e sei que ele está sorrindo.

— Só fique de olho nele. Que bom que você está bem. A que horas posso buscar você?

— Eu mando um e-mail.

— Do BlackBerry — diz ele com firmeza.

— Sim, senhor — revido.

— Até mais, baby.

— Até...

Ele ainda está no telefone.

— Ande, desligue — brigo com ele, sorrindo.

Ele solta um suspiro profundo sobre o fone.

— Queria que você não tivesse saído para trabalhar hoje de manhã.

— Eu também. Mas estou ocupada. Desligue.

— Desligue você. — Ouço seu sorriso. Ah, o Christian brincalhão. Amo o Christian brincalhão. Hum... Amo Christian, ponto.

— A gente já teve essa conversa.

— Você está mordendo o lábio.

Merda, ele tem razão. Como ele sabe?

— Sabe, Anastasia, você acha que eu não conheço você. Mas eu a conheço melhor do que pensa — murmura ele daquele jeito sedutor que me deixa fraca, e molhada.

— Christian, a gente conversa mais tarde. Neste instante, eu também realmente gostaria de não ter saído hoje de manhã.

— Fico esperando seu e-mail, Srta. Steele.

— Tenha um bom dia, Sr. Grey.

Desligo o telefone e me apoio na vitrine fria e dura da lanchonete. Meu Deus, ele me domina até pelo telefone. Balanço a cabeça para afastar qualquer pensamento a respeito de Grey e entro na lanchonete, deprimida pela simples ideia de voltar para o Jack.

QUANDO RETORNO, ele está de cara feia.

— Tudo bem se eu sair para almoçar agora? — pergunto com cuidado.

Ele ergue o olhar para mim e faz uma cara ainda mais feia.

— Se for necessário — resmunga. — Quarenta e cinco minutos. Para compensar o tempo que você perdeu hoje de manhã.

— Jack, posso lhe fazer uma pergunta?

— O quê?

— Você parece meio nervoso hoje. Eu fiz alguma coisa que o ofendeu?

Ele pisca para mim por um instante.

— Acho que não estou no clima para listar os seus pequenos delitos agora. Estou ocupado. — E volta a olhar para o monitor, claramente indicando que devo me retirar.

Uau... O que foi que eu fiz?

Viro-me e deixo sua sala e, por um minuto, acho que vou chorar. Por que ele criou uma aversão tão súbita e intensa por mim? Uma ideia muito desagradável surge em minha cabeça, mas eu a ignoro. Não preciso dessa merda agora. Já tenho o suficiente com que me preocupar.

Saio do prédio e caminho até a Starbucks mais próxima, peço um café com leite e me sento junto à janela. Tiro o iPod da bolsa e coloco os fones de ouvido. Escolho uma música ao acaso e aperto "repeat" para que ela não pare de tocar. Preciso de um pouco de música para pensar.

Minha mente voa. Christian, o sádico. Christian, o submisso. Christian, o intocável. Os impulsos edipianos de Christian. Christian dando banho em Leila. Solto um gemido e fecho os olhos enquanto a última imagem me assombra.

Posso mesmo me casar com esse homem? Ele é muita coisa para assimilar. É complexo e difícil, mas no fundo sei que não quero deixá-lo, apesar de todos os seus problemas. Nunca poderia deixá-lo. Amo Christian. Seria como cortar meu braço direito fora.

Nunca me senti assim tão viva como agora. Desde que o conheci, experimentei todos os tipos de sentimentos profundos e assombrosos, e de novas experiências. Com Christian, não existe o tédio.

Revendo minha vida antes dele, é como se tudo tivesse sido em preto e branco, como nas fotos de José. Agora meu mundo inteiro está a cores, e elas são ricas, vivas e saturadas. Estou planando em um raio de luz deslumbrante, a luz ofuscante de Christian. Ainda sou Ícaro, voando perto demais do sol. Rio de mim mesma. Voar com Christian: quem poderia resistir a um homem que pode voar?

Posso desistir dele? Quero desistir dele? É como se ele tivesse ligado um interruptor e me acendido por dentro. Conhecê-lo tem sido um aprendizado. Descobri mais sobre mim nas últimas semanas do que jamais soube em toda a minha vida. Aprendi sobre o meu corpo, meus limites rígidos, meus limites brandos, minha tolerância, minha paciência, minha compaixão e minha capacidade de amar.

E então o pensamento me acerta como se fosse um raio. É disso que ele precisa de mim, é a isso que ele tem direito: amor incondicional. Ele nunca o recebeu da prostituta viciada. É disso que ele precisa. Posso amá-lo incondicionalmente? Posso aceitá-lo pelo que ele é apesar de suas revelações na noite passada?

Sei que ele é problemático, mas não acho que seja irrecuperável. Suspiro, lembrando-me das palavras de Taylor: *"Ele é um homem bom, Srta. Steele."*

Já tive provas cabais de sua bondade: o trabalho de caridade que ele desempenha, a ética com que conduz seus negócios, sua generosidade. E, ainda assim, ele não a enxerga por si só. Acha que não merece ser amado. Tendo em vista seu passado e suas predileções, tenho uma ideia do desprezo que ele tem por si próprio — é por isso que ele nunca se abriu para ninguém. *Será que consigo ultrapassar essa barreira?*

Certa vez ele me disse que eu não poderia sequer começar a entender as profundezas de sua depravação. Bem, agora ele já me contou, e, dados os primeiros anos de sua vida, não me surpreende... embora ainda tenha sido um choque ouvir aquilo em voz alta. Pelo menos ele me contou... e parece mais feliz agora. Já sei de tudo.

Será que isso desvaloriza o seu amor por mim? Não, acho que não. Ele nunca sentiu isso antes, e nem eu. Nós dois evoluímos muito.

Lágrimas enchem meus olhos e os fazem arder à medida que me recordo das barreiras finais desmoronando na noite passada, no momento em que ele me deixou tocá-lo. E foi preciso que Leila e toda a sua loucura aparecessem para nos conduzir até esse ponto.

Talvez eu devesse me sentir agradecida. O fato de que ele deu banho nela já não me deixa com um gosto tão amargo na boca. Eu me pergunto que roupas ele lhe deu. Espero que não tenha sido o vestido ameixa. Gostava dele.

Então, posso amar esse homem com todos os seus problemas de forma incondicional? Porque ele não merece nada menos do que isso. Ele ainda precisa aprender a ter limites e outros detalhes, como empatia, e a ser menos controlador. Ele diz que já não sente mais vontade de me machucar; talvez o Dr. Flynn seja capaz de lançar alguma luz sobre isso.

Basicamente, isto é o que mais me preocupa: que ele precise disso e que sempre tenha encontrado mulheres como ele, que também precisam disso. Franzo a testa. Sim, é dessa segurança que eu preciso. Quero ser todas as coisas para esse homem, o alfa e o ômega e tudo que existe entre um e outro, porque ele é tudo para mim.

Espero que Flynn possa me dar algumas respostas, e talvez aí eu possa dizer sim. E Christian e eu possamos encontrar a nossa própria fatia de paraíso junto ao sol.

Olho lá fora, para a Seattle apressada em sua hora de almoço. Sra. Christian Grey. Quem diria? Fito o relógio. *Merda!* Pulo da cadeira e corro para a porta. Uma hora inteira sentada ali, para onde foi o tempo? Jack vai pirar!

ME ESGUEIRO DE VOLTA para minha mesa. Por sorte, ele não está em sua sala. Parece que escapei dessa vez. Encaro meu monitor sem de fato enxergá-lo, tentando reorganizar meus pensamentos e me focar no trabalho.

— Onde você estava?

Dou um pulo. Jack está de pé atrás de mim, de braços cruzados.

— Estava no subsolo, tirando xerox — minto.

Jack aperta os lábios numa linha fina e intransigente.

— Vou sair para o aeroporto às seis e meia. Preciso que você fique aqui até a hora em que eu for embora.

— Tudo bem. — Abro o sorriso mais doce que sou capaz de produzir.

— Quero dez cópias do meu roteiro em Nova York. E empacote as brochuras. E me traga um café! — rosna ele e volta para sua sala.

Solto um suspiro de alívio e dou a língua para ele enquanto ele fecha a porta atrás de si. Filho da mãe.

Às QUATRO HORAS da tarde, Claire me liga da recepção.

— Tem uma Mia Grey no telefone para você.

Mia? Espero que ela não queira fazer compras.

— Oi, Mia!

— Ana, oi. Como vai? — Seu entusiasmo é sufocante.

— Bem. Ocupada, hoje. E você?

— Estou tão entediada! Precisava achar alguma coisa para fazer, por isso resolvi organizar uma festa de aniversário para o Christian.

Aniversário do Christian? Puxa, eu não tinha ideia.

— Quando é?

— Eu sabia. Eu sabia que ele não iria contar. É no sábado. Mamãe e papai chamaram todo mundo para um jantar de comemoração. Estou oficialmente convidando você.

— Ah, que ótimo. Obrigada, Mia.

— Já liguei para o Christian e disse a ele, e ele me deu o seu número daí.

— Legal.

Minha mente está dando voltas — que diabo posso dar para Christian de aniversário? O que comprar para um homem que já tem tudo?

— E quem sabe a gente não possa almoçar na semana que vem?

— Claro. Que tal amanhã? Meu chefe vai estar em Nova York a trabalho.

— Ah, isso seria legal, Ana. Que horas?

— Quinze para uma?

— Estarei aí. Tchau, Ana.

— Tchau — desligo.

Christian. Aniversário. Que diabo eu compro para ele?

De: Anastasia Steele
Assunto: Antediluviano
Data: 15 de junho de 2011 16:11
Para: Christian Grey

Prezado Sr. Grey,

Quando exatamente você ia me contar?

O que eu devo comprar para o meu velho de aniversário?

Quem sabe baterias novas para o aparelho de surdez?

Bj,

Anastasia Steele
Assistente de Jack Hyde, Editor, SIP

De: Christian Grey
Assunto: Pré-histórico
Data: 15 de junho de 2011 16:20
Para: Anastasia Steele

Não zombe dos idosos.

Que bom saber que você está bem.

E que Mia entrou em contato.

Baterias novas são sempre úteis.

Não gosto de comemorar meu aniversário.

Bj,

Christian Grey
Um CEO surdo como uma porta, Grey Enterprises Holdings, Inc.

De: Anastasia Steele
Assunto: Huuuum
Data: 15 de junho de 2011 16:24
Para: Christian Grey

Prezado Sr. Grey,

Posso até vê-lo fazendo beicinho ao escrever essa última frase.

Você sabe o efeito que isso tem em mim.

Bjs,

Anastasia Steele
Assistente de Jack Hyde, Editor, SIP

De: Christian Grey
Assunto: Revirar de olhos
Data: 15 de junho de 2011 16:29
Para: Anastasia Steele

Srta. Steele,

SERÁ QUE DÁ PARA USAR O SEU BLACKBERRY?

Bj,

Christian Grey
Um CEO com a mão coçando, Grey Enterprises Holdings, Inc.

Reviro os olhos. Por que ele é tão sensível a respeito dos e-mails?

De: Anastasia Steele
Assunto: Inspiração
Data: 15 de junho de 2011 16:33
Para: Christian Grey

Prezado Sr. Grey,

Ah... essas mãos não se aguentam paradas por muito tempo, não é?

Eu me pergunto o que o Dr. Flynn diria sobre isso?

Mas agora, já sei o que dar a você de aniversário — e espero ficar bem dolorida...

;)

Um bj.

De: Christian Grey
Assunto: Crise de angina
Data: 15 de junho de 2011 16:38
Para: Anastasia Steele

Srta. Steele,

Não acho que meu coração poderia suportar a tensão de mais um e-mail desses — nem a minha calça, diga-se de passagem.

Comporte-se.

Bj,

Christian Grey
CEO, Grey Enterprises Holdings, Inc.

De: Anastasia Steele
Assunto: Estou tentando
Data: 15 de junho de 2011 16:42
Para: Christian Grey

Christian,

Estou tentando trabalhar, e meu chefe está impossível.

Por favor, pare de me atrapalhar e de ser você também tão impossível.

Seu último e-mail quase me fez entrar em combustão.

Bj,

PS: Você pode me buscar às seis e meia?

De: Christian Grey
Assunto: Estarei aí
Data: 15 de junho de 2011 16:47
Para: Anastasia Steele

Nada me daria mais prazer.

Na verdade, posso pensar numa série de coisas que me dariam mais prazer, e todas elas envolvem você.

Bj,

Christian Grey
CEO, Grey Enterprises Holdings, Inc.

Fico vermelha ao ler sua resposta e balanço a cabeça. Implicar um com o outro por e-mail é muito legal e tal, mas a gente precisa mesmo conversar. Talvez depois da consulta com Flynn. Guardo o BlackBerry e termino o relatório de fluxo de caixa.

ÀS SEIS E QUINZE, o escritório está vazio. Estou com tudo pronto para Jack. O táxi para o aeroporto já está marcado, e só preciso entregar a ele os documentos que ele precisa levar. Olho ansiosamente pelo vidro da sala dele, mas Jack ainda está absorto num telefonema, e não quero interrompê-lo — não com o humor em que está hoje.

Enquanto espero que ele desligue, me dou conta de que não comi nada durante o dia todo. Ah, merda, Christian não vai gostar disso. Corro até a cozinha para ver se sobrou algum biscoito.

Assim que abro o pote comunitário, Jack aparece do nada na porta da cozinha, dando-me um susto.

Ei. O que ele está fazendo aqui?

Jack me encara.

— Bem, Ana, acho que agora pode ser uma boa hora para discutir os seus pequenos delitos. — Ele entra na cozinha, fechando a porta atrás de si, e no mesmo instante minha boca fica seca e minha cabeça começa a latejar diante dos sinais de perigo.

Ah, merda.

Ele contrai os lábios num sorriso grotesco, e seus olhos brilham com intensidade, um azul-cobalto bem escuro.

— Finalmente tenho você sozinha — diz ele, lambendo lentamente o lábio inferior.

O quê?

— E então, você vai ser boazinha e ouvir com muita atenção o que eu tenho a dizer?

CAPÍTULO DEZESSEIS

Os olhos de Jack brilham com um azul mais escuro, e ele sorri com desdém ao lançar um olhar malicioso por todo o meu corpo.

O medo me paralisa. O que é isso? O que ele quer? Em algum recanto dentro de mim, apesar da boca seca, encontro a determinação e a coragem para balbuciar algumas palavras, o mantra das minhas aulas de autodefesa "Mantenha-os falando" reverberando em meu cérebro feito um protetor vindo do além.

— Jack, acho que agora não é um bom momento para isso. Seu táxi vai chegar em dez minutos, e eu preciso lhe entregar os documentos. — Minha voz soa calma, mas rouca, traindo-me.

Ele sorri, e é um sorriso despótico, como se dissesse "que se foda", e isso se reflete em seus olhos. Eles brilham sob a luz fluorescente e fria da lâmpada comprida acima de nós nesse cômodo monótono e sem janelas. Então dá um passo em minha direção, encarando-me, sem desviar os olhos dos meus. Suas pupilas vão se dilatando, posso ver o preto eclipsando o azul. Ah, não. Meu medo começa a aumentar.

— Você sabe que eu tive que brigar com Elizabeth para dar esta vaga para você... — Sua voz vai sumindo à medida que ele dá outro passo na minha direção.

Dou um passo para trás, batendo nos armários encardidos da cozinha. *Mantenha-o falando, mantenha-o falando, mantenha-o falando.*

— Jack, qual é o problema? Se você quer expor as suas queixas a meu respeito, então talvez a gente devesse falar com o RH. A gente pode fazer uma reunião com Elizabeth em um ambiente mais formal.

Cadê os seguranças? Ainda estão no prédio?

— A gente não vai precisar do RH para resolver essa situação, Ana. — Ele ri. — Quando contratei você, achei que você seria dedicada. Achei que você tinha potencial. Mas, agora, estou na dúvida. Você anda distraída e desleixada. E eu fico me perguntando... será que é o seu *namorado* que está desviando você do foco? — e pronuncia a palavra "namorado" com um desprezo assustador. — Então, resolvi dar uma olhada nos seus e-mails para ver se descobria alguma coisa. E sabe o que eu encontrei, Ana? O que era esquisito? Os únicos e-mails pessoais na sua conta foram enviados para o seu namorado todo-poderoso. — Ele faz uma pausa, avaliando minha reação. — E eu comecei a pensar... cadê os e-mails dele? Eles não existem. Nada. Nenhum. E então, Ana, que história é essa? Como é possível os e-mails dele não estarem no nosso sistema? Você é algum tipo de espiã industrial colocada aqui pela empresa de Grey? É isso?

Puta merda, os e-mails. *Droga.* O que foi que eu escrevi?

— Jack, do que você está falando?

Tento parecer perplexa, e sou bem convincente. Essa conversa não está indo do jeito que eu esperava, e não confio nem um pouco nele. Jack está exalando algum feromônio subliminar que me deixa em estado de alerta. Trata-se de um sujeito nervoso, inconstante e totalmente imprevisível. Tento argumentar com ele.

— Você acabou de dizer que teve que convencer Elizabeth a me contratar. Então como eu poderia ter sido colocada aqui como espiã? Decida-se, Jack.

— Mas foi o Grey quem estragou a viagem para Nova York, não foi?

Droga.

— Como foi que ele fez isso, Ana? O que foi que o riquinho e metido do seu namorado fez isso?

O pouco sangue que me restava no rosto vai embora. Acho que vou desmaiar.

— Não sei do que você está falando, Jack — sussurro. — O táxi vai chegar daqui a pouco. Não é melhor eu ir buscar as suas coisas? — Por favor, deixe-me sair. Pare com isso.

Jack continua, divertindo-se com meu desconforto.

— Ele achou que eu ia dar em cima de você? — Ele sorri, e sinto seus olhos se aquecerem. — Bem, quero que você pense numa coisa enquanto eu estiver em Nova York. Eu consegui este emprego para você, e espero que você me mostre alguma gratidão. Aliás, tenho direito a um pouco de gratidão. Tive que lutar por você. Elizabeth queria alguém mais bem qualificada, já eu... eu vi algo em você. Então, nós precisamos fechar um acordo. Um acordo no qual você me mantenha satisfeito. Você está me entendendo direitinho, Ana?

Merda!

— Encare isso como uma redefinição da descrição do seu cargo. E se você me mantiver satisfeito, não vou tentar descobrir como o seu namorado está mexendo os pauzinhos dele, se é puxando o saco dos contatos que tem ou se é molhando a mão de algum coleguinha de faculdade.

E L JAMES

Fico boquiaberta. *Ele está me chantageando. Em troca de sexo!* E o que posso dizer? A notícia da compra da editora não pode ser anunciada pelas próximas três semanas. Mal posso acreditar no que está acontecendo. Sexo... comigo!

Jack se aproxima até ficar de pé bem na minha frente, olhando nos meus olhos. Seu perfume doce e enjoativo invade minhas narinas, o cheiro chega a me dar náuseas, e, se não estou enganada, sinto um odor amargo de álcool em seu hálito. *Cacete, ele andou bebendo... quando?*

— Você é uma vadia que gosta de provocar meu pau com essa roupinha apertada, não é, Ana? — sussurra ele entre os dentes.

O quê? Provocar seu pau... Eu?

— Jack, não sei do que você está falando — respondo, sentindo uma onda de adrenalina atravessar meu corpo.

Ele está mais perto agora. Aguardo o momento de agir. Ray vai ficar orgulhoso de mim. Ele me ensinou o que fazer. Ray sabe tudo a respeito de autodefesa. Se Jack encostar um dedo em mim — se ele ao menos respirar perto demais de mim —, derrubo o filho da mãe em dois tempos. Minha respiração se acelera. *Não posso desmaiar, não posso desmaiar.*

— Olhe só para você. — Ele me lança um olhar cheio de malícia. — Você está morrendo de tesão, dá para ver. Você fica só me dando mole. Lá no fundo, você quer. Eu sei.

Puta merda. O cara está delirando completamente. Meu medo atinge alerta máximo, ameaçando me dominar.

— Não, Jack. Nunca dei mole para você.

— Ah, deu sim, sua cadela assanhada. Eu sei ler as entrelinhas.

Ele estica o braço e delicadamente afaga meu rosto com as costas dos dedos, até o meu queixo. Seu indicador acaricia meu pescoço, e meu coração praticamente sobe até a boca à medida que tento conter a ânsia de vômito. Ele toca a reentrância na base do meu pescoço, bem no ponto em que o primeiro botão da camisa preta está aberto, e aperta a mão contra o meu peito.

— Você me quer, Ana. Admita.

Mantendo os olhos fixos nos dele e concentrando-me no que tenho de fazer — em vez de no medo e em minha repulsa galopante —, coloco a mão de leve sobre a dele, como numa carícia. Jack sorri em triunfo. Em seguida, agarro seu dedo mindinho e o torço para trás, puxando-o bruscamente para baixo, na direção de seu quadril.

— Ai! — Ele grita de dor e surpresa.

No instante em que ele perde o equilíbrio, ergo o joelho num golpe rápido e violento em sua virilha, acertando o alvo em cheio. Com habilidade, esquivo-me para a esquerda, e seus joelhos se dobram, derrubando-o no chão da cozinha com um gemido de dor e as mãos entre as pernas.

— Nunca mais encoste em mim — rosno para ele. — O roteiro da sua viagem e os folhetos estão empacotados na minha mesa. Estou indo para casa. Faça uma boa viagem. E, daqui para a frente, trate de ir buscar seu próprio café.

— Sua filha da puta desgraçada! — Ele meio que grita e meio que geme para mim, mas eu já saí da cozinha.

Corro até minha mesa, pego o casaco e a bolsa e desço às pressas para a recepção, ignorando os gemidos e xingamentos que emanam do filho da mãe ainda prostrado no chão da cozinha. Saio do prédio e paro por um instante, sentindo o ar gelado bater em meu rosto. Respiro fundo e tento me recompor. Mas não comi nada o dia inteiro, e à medida que a onda indesejável de adrenalina começa a diminuir, minhas pernas ficam moles sob meu corpo, e eu desabo no chão.

Com certo distanciamento, assisto ao filme em câmera lenta que se desenrola diante de mim: Christian e Taylor, ambos de terno escuro e camisa branca, pulando para fora do carro que estava esperando por mim e correndo na minha direção. Christian se ajoelha ao meu lado, e, em algum plano inconsciente, tudo o que eu posso pensar é: *Ele está aqui. Meu amor está aqui.*

— Ana, Ana! O que foi?

Ele me segura no colo e corre as mãos para cima e para baixo ao longo de meus braços, procurando por algum sinal de lesão. Agarrando minha cabeça entre as mãos, ele coloca os olhos cinzentos e aterrorizados nos meus. Eu me debruço no corpo dele, subitamente dominada pelo alívio e pelo cansaço. Ah, os braços de Christian. Não existe nenhum outro lugar onde eu queira estar.

— Ana. — Ele me sacode com carinho. — O que foi? Está passando mal?

Nego com a cabeça, percebendo que preciso começar a me comunicar.

— Jack — sussurro, e sinto, mais do que vejo, Christian lançar uma olhada rápida para Taylor, que de uma hora para outra desaparece para dentro do prédio.

— Merda! — Christian me envolve em seus braços. — O que aquele babaca fez com você?

E, de algum lugar dentro de mim, uma risada entala na minha garganta e eu me lembro do espanto absoluto de Jack no momento em que agarrei o mindinho dele.

— Foi o que eu fiz com ele. — Começo a rir e não consigo mais parar.

— Ana! — Christian me sacode de novo, e eu paro de rir. — Ele encostou em você?

— Só uma vez.

Seus músculos se retesam à medida que a raiva toma conta dele, e Christian fica de pé num segundo, poderoso, firme como uma pedra, segurando-me em seus braços. E está furioso. *Não!*

— Cadê esse filho da puta?

De dentro do edifício ouvimos gritos abafados. Christian me coloca de pé.

— Você consegue ficar de pé sozinha?

Faço que sim com a cabeça.

— Não vá lá dentro. Não, Christian.

De repente, o medo me domina de novo, medo do que Christian vai fazer a Jack.

— Entre no carro — rosna ele para mim.

— Christian, não. — Agarro o braço dele.

— Entre na merda do carro, Ana. — Ele afasta meu braço.

— Não! Por favor! — imploro. — Fique comigo. Não me deixe aqui sozinha. — Utilizo minha melhor arma.

Fervendo de raiva, Christian corre a mão pelo cabelo e me encara, claramente dividido. Os gritos dentro do prédio aumentam e então cessam de repente.

Ah, não. O que Taylor fez?

Christian pega o BlackBerry.

— Christian, ele abriu os meus e-mails.

— O quê?

— Meus e-mails para você. Ele queria saber onde os seus e-mails para mim foram parar. Ele estava tentando me chantagear.

O olhar de Christian é sanguinário.

Ai, merda.

— Porra! — Ele explode e estreita os olhos para mim. Em seguida digita um número no celular.

Ah, não. Estou ferrada. Para quem ele está ligando?

— Barney. Aqui é o Grey. Preciso que você acesse o servidor principal da SIP e limpe todos os e-mails de Anastasia Steele para mim. Depois, acesse o arquivo pessoal de Jack Hyde e verifique se ele não tem nenhuma cópia deles. Se tiver, apague tudo... Isso, tudo. Agora. Avise-me assim que terminar.

Ele aperta com força o botão de desligar; em seguida, digita outro número.

— Roach. Aqui é o Grey. Jack Hyde... quero ele na rua. Agora. Neste minuto. Chame a segurança. Faça com que ele esvazie a mesa imediatamente ou eu vou liquidar essa empresa amanhã de manhã. Você já tem todos os motivos de que precisa para demitir o cara. Entendeu? — Ele fica ouvindo por um instante e então desliga, aparentemente satisfeito. — BlackBerry — sussurra para mim entre os dentes.

— Por favor, não fique bravo comigo. — Pisco para ele.

— Estou com muita raiva de você agora — rosna ele e mais uma vez corre a mão pelo cabelo. — Entre no carro.

— Christian, por favor...

— Entre na merda do carro, Anastasia, ou então eu mesmo vou colocar você lá dentro — ameaça ele, os olhos em chamas de tanta fúria.

Merda.

— Não faça nenhuma burrice, por favor — imploro.

— Nenhuma BURRICE! — explode. — Eu disse para você usar a porra do BlackBerry. Então não venha me falar de burrice. Entre na merda do carro, Anastasia, AGORA! — rosna ele, e sinto um arrepio de medo.

Este é o Christian Muito Bravo. Nunca o vi com tanta raiva antes. Ele mal consegue se controlar.

— Tudo bem — murmuro, tentando acalmá-lo. — Mas, por favor, tenha cuidado.

Apertando os lábios em uma linha rígida, ele aponta com raiva para o carro, os olhos fixos em mim.

Caramba, tudo bem, já entendi o recado.

— Por favor, tenha cuidado. Não quero que nada aconteça com você. Se alguma coisa acontecesse, acho que eu morreria — murmuro.

Ele pisca depressa e fica parado por um instante. Em seguida respira fundo e baixa o braço.

— Vou ter cuidado — diz, o olhar se suavizando.

Ah, graças a Deus. Seus olhos queimam em mim enquanto caminho até o carro, abro a porta do carona e me sento no banco da frente. Uma vez que estou em segurança, no conforto do Audi, ele some dentro do prédio, e meu coração pula novamente até minha boca. O que ele pretende fazer?

Fico sentada, esperando. Esperando. Esperando. Os cinco minutos mais longos da história. O táxi de Jack estaciona na frente do Audi. Dez minutos. Quinze. Caramba, o que eles estão fazendo lá dentro, e como será que Taylor está? A espera é dolorosa.

Vinte e cinco minutos depois, Jack emerge do edifício segurando uma caixa de papelão. Atrás dele vem um dos seguranças do prédio. Onde ele estava, mais cedo? E depois surgem Christian e Taylor. Jack parece arrasado. Ele vai direto para o táxi, e eu agradeço que os vidros do Audi sejam tão escuros que ele não possa me ver. O táxi dá a partida — provavelmente não mais para o aeroporto — enquanto Christian e Taylor caminham até o carro.

Christian entra no carro com elegância, sentando-se no banco do motorista, talvez porque eu esteja sentada na frente. Taylor se senta no banco atrás de mim. Nenhum dos dois fala uma palavra sequer, e Christian liga o carro e começa a dirigir. Arrisco uma olhada rápida para ele. Sua boca está contraída numa linha rígida, mas ele parece distraído. O telefone do carro toca.

— Grey — atende Christian.

— Sr. Grey, aqui é Barney.

— Barney, estou no viva-voz, e há outras pessoas no carro — alerta Christian.

— Senhor, tudo certo. Mas tenho que falar com o senhor a respeito do que mais encontrei no computador do Sr. Hyde.

— Eu ligo quando chegar ao meu destino. E obrigado, Barney.

— Sem problema, Sr. Grey.

Barney desliga. A voz parece de alguém muito mais jovem do que eu imaginava. *O que mais havia no computador de Jack?*

— Você parou de falar comigo? — pergunto, de mansinho.

Christian me olha de relance antes de voltar os olhos para o trânsito, e sei que ainda está com raiva.

— Parei — resmunga, emburrado.

Ah, lá vamos nós... que infantil. Cruzo os braços e encaro a janela sem enxergar a vista lá fora. Talvez eu devesse simplesmente pedir para ele me deixar no meu apartamento; então ele poderia "não falar" comigo de lá, na segurança do apartamento dele no Escala, e poupar a nós dois de ter que encarar uma briga inevitável. Mas, mesmo ao pensar nisso, sei que não quero deixá-lo se remoendo, não depois de ontem.

Enfim, Christian encosta diante de seu prédio e sai do carro. Caminhando com elegância, ele contorna o Audi e abre a minha porta.

— Vamos — ordena para mim enquanto Taylor se senta no banco do motorista.

Seguro sua mão estendida e o sigo pela portaria a caminho do elevador. Ele não solta minha mão.

— Christian, por que está tão bravo comigo? — sussurro enquanto esperamos.

— Você sabe por quê — resmunga assim que entramos no elevador e ele digita o código para o seu andar. — Deus, se alguma coisa tivesse acontecido com você, ele estaria morto agora. — A voz de Christian me faz sentir um calafrio na espinha.

As portas se fecham.

— Mas eu vou acabar com a carreira dele. Assim ele nunca mais vai poder tirar proveito de moças como você. Aquele projeto miserável de homem. — Ele balança a cabeça. — Meu Deus, Ana! — E me agarra de repente, apertando-me contra o canto do elevador.

Suas mãos se prendem em meu cabelo enquanto ele puxa meu rosto contra o seu e gruda a boca na minha, um desespero apaixonado em seu beijo. Não sei por quê, mas isso me pega de surpresa. Eu provo o seu alívio, seu desejo e a sua raiva residual, sua língua possuindo minha boca. Ele para, olha para mim, descansando seu peso contra o meu corpo de forma que não posso me mover.

Fico sem fôlego, agarrando-me a ele para me equilibrar, olhando para cima, para aquele belo rosto marcado pela determinação e sem qualquer traço de humor.

— Se alguma coisa tivesse acontecido com você... Se ele tivesse machucado você... — Sinto um arrepio percorrer o seu corpo. — De agora em diante — ordena calmamente —, só pelo BlackBerry. Entendeu?

Faço que sim com a cabeça, engolindo em seco, incapaz de quebrar o contato visual com seu olhar sombrio e hipnotizante.

Ele se ajeita e me solta assim que o elevador para.

— Ele disse que você deu um chute no saco dele. — O tom de Christian é mais leve, com um toque de admiração, e acho que estou perdoada.

— Dei — sussurro, ainda me recuperando da intensidade do beijo e de sua ordem apaixonada.

— Que bom.

— Ray foi do exército. Ele me ensinou direitinho.

— Fico muito feliz em saber. — Ele respira e acrescenta, arqueando uma das sobrancelhas. — É bom eu me lembrar disso. — Segurando minha mão, ele me conduz para fora do elevador e eu o sigo, aliviada.

Acho que seu humor não deve ficar muito pior do que está.

— Preciso ligar para o Barney. Não vou demorar.

Ele desaparece em seu escritório, deixando-me sozinha na sala de estar. A Sra. Jones está terminando de preparar nosso jantar. E me dou conta de que estou faminta, mas preciso de alguma coisa para me distrair.

— Posso ajudar? — pergunto.

Ela ri.

— Não, Ana. Quer que eu prepare alguma bebida ou algo assim? Você parece abatida.

— Adoraria uma taça de vinho.

— Branco?

— Sim, por favor.

Subo em um dos bancos, e ela me passa uma taça gelada de vinho. Não sei qual é, mas é delicioso, e desce com muita facilidade, suavizando meus nervos despedaçados. No que eu estava pensando hoje mais cedo? Em como me sinto viva desde que conheci Christian. Em como a vida se tornou excitante. Puxa, será que eu não poderia ter ao menos alguns diazinhos maçantes?

E se eu nunca tivesse conhecido Christian? Eu estaria enfurnada em meu apartamento, conversando com Ethan, completamente assustada com a situação com Jack, sabendo que teria de enfrentar o filho da mãe de novo na sexta-feira. Agora, o mais provável é que eu nunca mais o veja novamente. Mas para quem eu vou trabalhar agora? Franzo a testa. Ainda não tinha pensado nisso. Merda, será que ainda tenho um emprego?

— Boa noite, Gail — diz Christian ao voltar para a sala de estar, arrancando-me de meus pensamentos.

Ele caminha direto para a geladeira e se serve uma taça de vinho.

— Boa noite, Sr. Grey. Jantar em dez minutos?

— Boa ideia.

Christian ergue sua taça.

— A ex-militares que treinam bem suas filhas — diz, e seus olhos ficam mais brandos.

— Saúde — balbucio, levantando a taça.

— O que foi? — pergunta Christian.

— Não sei se ainda tenho um emprego.

Ele deita a cabeça de lado.

— Você ainda quer um?

— Claro.

— Então você ainda tem.

Simples. Está vendo? Ele é o mestre do meu universo. Reviro os olhos para ele, e ele sorri.

A SRA. JONES faz uma torta de frango e tanto. Ela nos deixou sozinhos para aproveitar a refeição, e já me sinto muito melhor agora que comi alguma coisa. Estamos sentados na cozinha, e apesar de toda a minha bajulação, Christian não quer me contar o que Barney encontrou no computador de Jack. Decido deixar o assunto para lá e abordar logo a questão espinhosa da iminente visita de José.

— José ligou — digo calmamente.

— Ah, é? — Christian se vira para mim.

— Ele quer entregar suas fotos na sexta-feira.

— Uma entrega em pessoa. Que gentil da parte dele — murmura Christian.

— E ele quer sair. Para um drinque. Comigo.

— Sei.

— Kate e Elliot já devem estar de volta na sexta — acrescento rapidamente. Christian baixa o garfo, franzindo a testa para mim.

— O que exatamente você está me pedindo?

Fico logo eriçada.

— Não estou pedindo nada. Estou informando a você quais são os meus planos para sexta-feira. Quero encontrar José, e ele quer passar a noite em Seattle. Ou ele fica aqui ou ele pode ficar no meu apartamento, mas se ele for dormir lá, eu tenho que estar lá também.

Christian arregala os olhos. Parece estarrecido.

— Mas ele deu em cima de você.

— Christian, isso foi há semanas. Ele estava bêbado, eu estava bêbada, você salvou o dia. Não vai acontecer de novo. Ele não é o Jack, pelo amor de Deus.

— Ethan está lá. Ele pode fazer companhia a ele.

— Ele quer encontrar comigo, e não com Ethan.

Christian faz cara feia para mim.

— Ele é só um amigo — minha voz é enfática.

— Não gosto disso.

E daí? Nossa, às vezes ele é tão irritante. Respiro fundo.

— Ele é meu amigo, Christian. Eu não o vejo desde a exposição. E ficamos muito pouco tempo lá. Sei que você não tem amigos além daquela mulher horrorosa, mas não fico aqui reclamando que você não pode se encontrar com ela — ataco. Christian pisca para mim, chocado. — Quero encontrar com ele. Tenho sido uma péssima amiga. — Meu inconsciente está alarmado. *Você está batendo o pé? Preste atenção!*

Os olhos cinza de Grey brilham para mim.

— É isso que você acha? — Ele suspira.

— De quê?

— De Elena. Você preferia que eu não encontrasse com ela?

— É. Eu preferia que você não encontrasse com ela.

— E por que você não me disse?

— Porque não cabe a mim dizer. Você diz que ela é a sua única amiga. — Dou de ombros, exasperada. Ele realmente não entende. Como foi que ela se tornou o foco da questão? Não quero nem pensar nela. Tento trazer José de volta para a conversa. — Assim como não cabe a você dizer se eu posso ou não encontrar com José. Você não entende isso?

Christian olha para mim, e parece perplexo. *O que ele está pensando?*

— Ele pode ficar aqui, suponho — resmunga. — Aqui eu posso ficar de olho nele — diz, petulante.

Aleluia!

— Obrigada! Sabe, se eu for passar a morar aqui também... — minha voz diminui. Christian faz que sim com a cabeça. Ele sabe o que estou tentando dizer. — Não é como se estivesse faltando espaço — sorrio.

Seus lábios se curvam lentamente.

— Você está rindo de mim, Srta. Steele?

— Pode ter certeza, Sr. Grey.

Por via das dúvidas, eu me levanto, vai que suas mãos começam a coçar de novo. Limpo os pratos e em seguida os coloco no lava-louças.

— Gail pode fazer isso.

— Agora eu já fiz.

Eu me levanto e o encaro. Ele está me observando atentamente.

— Tenho que trabalhar um pouco — diz, desculpando-se.

— Tudo bem. Eu arrumo alguma coisa para fazer.

— Venha aqui — ordena ele, mas sua voz é suave e sedutora, e seu olhar é cálido.

Não hesito em entrar em seu abraço, apertando-o em volta do pescoço enquanto ele permanece sentado no banco. Ele passa os braços ao redor do meu corpo, aperta-me com força e apenas me segura.

— Você está bem? — sussurra em meu cabelo.

— Bem?

— Depois do que aconteceu com aquele filho da puta? Depois do que aconteceu ontem? — acrescenta, a voz calma e sincera.

Fito seus olhos sombrios e sérios. *Se estou bem?*

— Estou — sussurro.

Ele me aperta em seus braços, e eu me sinto segura, valorizada e amada ao mesmo tempo. É uma alegria. Fecho os olhos e desfruto da sensação de estar em seus braços. Amo esse homem. Adoro seu cheiro inebriante, sua força, seu jeito inconstante. Meu Cinquenta Tons.

— Não vamos brigar — murmura ele e beija meu cabelo, inspirando profundamente. — Seu cheiro é sempre tão gostoso, Ana.

— O seu também — sussurro e beijo seu pescoço.

E, rápido demais, ele me solta.

— Devo demorar só umas duas horas.

CAMINHO DESANIMADA PELO apartamento. Christian ainda está trabalhando. Tomei um banho e vesti uma calça de moletom e uma das minhas camisetas, e estou entediada. Não quero ler. Se eu ficar parada, vou me lembrar das mãos de Jack em mim.

Dou uma olhada no meu antigo quarto, o quarto das submissas. José pode dormir aqui, ele vai gostar da vista. São umas oito e quinze, e o sol está começando a mergulhar a oeste. As luzes da cidade brilham abaixo de mim. É magnífico. Sim, José vai gostar daqui. Onde será que Christian vai pendurar as fotos? Eu preferiria que ele não as pendurasse. Não estou interessada em ficar olhando para mim mesma.

De volta ao corredor, vejo-me de pé diante do quarto de jogos e, sem pensar, testo a maçaneta. Christian normalmente deixa a porta trancada, mas, para minha surpresa, ela se abre. Que estranho. Sentindo-me feito uma criança que está matando aula para se aventurar pela floresta proibida, entro no quarto. Está escuro. Acendo o interruptor, e as luzes sob a cornija emitem um brilho suave. É exatamente como eu me lembrava. O quarto parece uma espécie de útero.

A memória da última vez em que estive aqui cruza a minha mente. O cinto... Estremeço com a recordação. Agora ele está pendurado ali, inocente, alinhado junto a outros na prateleira ao lado da porta. Timidamente, corro os dedos pelos cintos, açoites, palmatórias e chicotes. Caramba. É sobre isso que preciso falar com o Dr. Flynn. Será que alguém que tem esse estilo de vida consegue simplesmente parar? Parece tão improvável. Caminho até a cama e me sento nos lençóis macios de cetim vermelho, olhando todos aqueles aparelhos ao meu redor.

Ao meu lado está o banco; acima dele, diversos tipos de varas. *São tantas! Uma só já devia ser suficiente, não?* Bem, quanto menos se falar disso, melhor. E a mesa grande. Nunca cheguei a experimentar, seja lá o que ele faz nela. Meus olhos se voltam para o sofá de couro, e eu me sento nele. É só um sofá, nada de excepcional — não tem nada para prender alguém, não que eu possa ver. Olhando para trás, vejo a cômoda de museu. Minha curiosidade se aguça. O que ele guarda nela?

À medida que abro a gaveta, percebo que meu sangue está pulsando acelerado em minhas veias. Por que estou tão nervosa? Tenho a sensação de que estou fazendo algo ilícito, como se estivesse invadindo o território de alguém, e é claro que estou. Mas se ele quer se casar comigo, então...

Puta merda, o que é tudo isso? Cuidadosamente alinhados na gaveta, estão instrumentos e apetrechos bizarros — não tenho a menor ideia do que são ou de para que servem. Escolho um, em forma de bala de revólver e com uma espécie de alça. *Hum... que diabo se faz com isso?* Minha mente hesita, mas acho que tenho uma ideia. E existem quatro modelos de tamanhos diferentes! Sinto o couro cabeludo pinicar e olho para cima.

Christian está de pé na porta, olhando para mim, o rosto ilegível. Há quanto tempo está ali? Sinto-me pega em flagrante.

— Oi. — Sorrio, nervosa, e sei que estou com os olhos arregalados e pálida feito um fantasma.

— O que você está fazendo? — pergunta ele gentilmente, mas sinto algo por trás de seu tom de voz.

Merda. Ele está com raiva? Fico vermelha.

— Hum... Eu estava entediada e curiosa — balbucio, envergonhada de ter sido descoberta. Ele tinha dito que iria trabalhar por duas horas.

— É uma combinação muito perigosa. — Ele corre o indicador ao longo do lábio inferior em contemplação silenciosa, sem tirar os olhos de mim.

Minha boca fica seca.

Ele entra no quarto devagar e fecha a porta silenciosamente atrás de si, seus olhos cinzentos pegando fogo. *Meu Deus.* Ele se debruça casualmente sobre a cômoda, mas acho que sua postura é enganosa. Minha deusa interior não sabe se é hora de lutar ou de fugir.

— E então, sobre o que exatamente você está curiosa, Srta. Steele? Talvez eu possa tirar suas dúvidas.

— A porta estava aberta... e eu...

Encaro Christian, prendendo a respiração e piscando; como sempre, incerta sobre qual vai ser a sua reação ou sobre o que devo dizer. Seus olhos estão sombrios. Acho que está se divertindo, mas é difícil saber. Ele apoia os cotovelos na cômoda e repousa o queixo nas mãos entrelaçadas.

— Eu estava aqui hoje mais cedo pensando no que fazer com tudo isso. Devo ter esquecido de trancar. — Por um instante, ele faz uma cara feia, como se o fato de ter deixado a porta aberta fosse uma desatenção terrível. Franzo a testa... não é do feitio dele se esquecer das coisas.

— Ah?

— Mas agora você está aqui, curiosa como sempre. — Sua voz é suave, intrigada.

— Você não está com raiva? — sussurro, gastando o que me resta de fôlego.

Ele inclina a cabeça, e seus lábios se contraem, divertindo-se.

— Por que eu estaria com raiva?

— Eu me sinto como se estivesse invadindo seu território... e você sempre fica com raiva de mim. — Minha voz é calma, mas estou aliviada.

Christian franze a testa mais uma vez.

— Sim, você está invadindo, mas não estou com raiva. Espero que um dia você venha viver comigo aqui, e tudo isso — ele acena vagamente com uma das mãos para o quarto — vai ser seu também.

Meu quarto de jogos...? Eu o encaro, boquiaberta. Isso é muita informação para assimilar.

— É por isso que eu estava aqui hoje. Tentando decidir o que fazer. — Ele toca os lábios com o indicador. — Sempre fico com raiva de você? Não estava com raiva hoje de manhã.

Ah, isso é verdade. Sorrio ao me lembrar de Christian quando acordamos hoje, o que me distrai da ideia a respeito do que acontecerá com o quarto de jogos. Ele estava no modo divertido hoje de manhã.

— Você estava brincalhão. Gosto do Christian brincalhão.

— Gosta, é? — Ele arqueia uma sobrancelha, e sua boca maravilhosa se curva em um sorriso, um sorriso tímido. Uau!

— O que é isto? — Ergo o objeto prateado em formato de bala de revólver.

— Sempre faminta por informação, Srta. Steele. Isso é um plugue anal — diz ele, calmamente.

— Ah...

— Comprado para você.

O quê?

— Para mim?

Ele faz que sim lentamente, uma expressão séria e cautelosa no rosto.

Franzo a testa.

— Você compra, hum... brinquedos novos... para cada submissa?

— Algumas coisas, sim.

— Plugues anais?

— Isso.

Certo... Engulo em seco. Plugue anal. É metal puro — deve ser desconfortável, não? Recordo a discussão sobre brinquedos sexuais e limites rígidos assim que eu me formei. Acho que na época eu disse que iria tentar. Agora, diante de um brinquedo de verdade, não sei se é algo que queira fazer. Examino-o mais uma vez e o coloco de volta na gaveta.

— E isso? — Pego um objeto longo e preto de borracha, feito de bolinhas presas umas às outras e que vão diminuindo gradualmente de tamanho, a primeira grande e a última bem pequena. Oito no total.

— Esferas anais — diz Christian, observando-me atentamente.

Hum... Examino-as com horror fascinado. Todas elas, dentro de mim... *lá!* Eu não tinha ideia.

— Produzem um efeito e tanto se você as retirar no meio de um orgasmo — acrescenta com naturalidade.

— E são para mim? — pergunto num sussurro.

— Para você. — Ele acena lentamente com a cabeça.

— Esta é a gaveta anal?

Ele sorri.

— Se você quiser chamar assim.

Fecho-a rapidamente, sentindo-me vermelha feito um sinal de trânsito.

— Não gosta da gaveta anal? — pergunta, com inocência, achando graça.

Olho para ele e dou de ombros, tentando encobrir meu choque com um ar de confiança.

— Não está na minha lista de presentes de Natal — murmuro, indiferente.

Vacilante, abro a segunda gaveta. Ele sorri.

— A gaveta de baixo tem uma seleção de vibradores.

Fecho-a rapidamente.

— E a seguinte? — sussurro, mais uma vez pálida, mas agora de vergonha.

— Essa é mais interessante.

Hum... Hesitante, abro a gaveta sem desviar os olhos de seu belo e convencido rosto. Lá dentro, há uma variedade de artigos de metal e alguns pregadores de roupa. Pregadores de roupa! Pego um objeto grande de metal parecido com um clipe de papel.

— Grampo genital — diz Christian.

Ele se afasta da cômoda e caminha casualmente até ficar de pé ao meu lado. Coloco o grampo de volta imediatamente no lugar e escolho algo mais delicado: dois pequenos clipes presos por um aro.

— Alguns desses são para produzir dor, mas a maioria é para o prazer — ele sussurra.

— O que é isso?

— Grampo de mamilo... esse é para os dois.

— Os dois? Mamilos?

Christian sorri para mim.

— Bem, são dois grampos, baby. Claro, para os dois mamilos, mas não foi isso o que eu quis dizer. Eles são tanto para o prazer quanto para a dor.

Ah. Ele os tira de minha mão.

— Me dê seu mindinho.

Estendo o dedo para ele, e ele coloca um dos grampos na ponta. Não dói muito.

— A sensação é muito intensa, mas é ao se tirar os grampos que eles são realmente dolorosos e prazerosos.

Solto o grampo. Hum, isso talvez seja bom. Eu me contorço só de pensar.

— Gostei desses — murmuro, e Christian sorri.

— Gostou, é, Srta. Steele? Acho que deu para notar.

Concordo timidamente com a cabeça e coloco os grampos de volta na gaveta. Christian inclina-se para a frente e pega outros dois.

— Estes são ajustáveis. — Ele me passa para eu ver de perto.

— Ajustáveis?

— Você pode usar bem apertado... ou não. Dependendo do seu estado de espírito.

Como ele consegue fazer isso soar tão erótico? Engulo em seco e, para desviar sua atenção, pego um objeto que parece um cortador de massa com espinhos.

— E este? — Franzo a testa. Ele certamente não cozinha no quarto de jogos.

— Isso é uma roda de Wartenberg.

— Para?

Ele estende o braço e a pega.

— Me dê sua mão. Palma para cima.

Estico a mão esquerda, e ele a segura suavemente, correndo o polegar por meus dedos. Um arrepio me atravessa o corpo. O contato de sua pele na minha nunca deixa de me excitar. Ele gira a roda sobre a palma da minha mão.

— Ui. — Os dentes fincam em minha pele. Mas é mais do que apenas dor. Na verdade, faz cócegas.

— Imagine isso nos seus seios — murmura Christian lascivamente.

Hum... Fico vermelha e puxo a mão de volta. Minha respiração acelera junto com meu coração.

— A fronteira é tênue entre prazer e dor, Anastasia — diz ele baixinho ao se inclinar para colocar a roda de volta na gaveta.

— Pregadores de roupa? — sussurro.

— Pode-se fazer um bocado de coisas com um pregador de roupas. — Seus olhos estão em chamas.

Inclino-me contra a cômoda, de modo que a gaveta se fecha.

— Isso é tudo?— Christian parece estar se divertindo.

— Não... — Abro a quarta gaveta e sou confrontada por uma confusão de couro e tiras. Puxo uma das tiras... parece estar presa a uma bola.

— Mordaça de bola. Para mantê-la quieta — diz Christian, divertindo-se uma vez mais.

— Limite brando — murmuro.

— Eu me lembro — diz ele. — Mas ainda dá para respirar. Os dentes envolvem a bola — pegando a mordaça, ele imita com os dedos como uma boca prenderia a bola.

— Você já usou isso antes? — pergunto.

Ele enrijece e me encara.

— Já.

— Para encobrir os gritos?

Christian fecha os olhos, e acho que é de exasperação.

— Não, não é para isso que servem.

Ah?

— O negócio é o controle, Anastasia. Imagine o que é estar amarrada e não poder falar? Imagine a confiança que você teria que depositar em mim, sabendo o poder que eu teria sobre você? Sabendo que eu teria que ler seu corpo e suas reações, em vez de ouvir suas palavras? Isso a torna mais dependente, me põe numa situação de controle máximo.

Engulo em seco.

— Parece que você sente falta disso.

— É só o que eu conheço — murmura ele.

Seus olhos estão sérios e arregalados, e a atmosfera entre nós mudou, como se ele estivesse em modo confessional.

— Você tem poder sobre mim. Você sabe que tem — sussurro.

— Tenho? Você me faz sentir... impotente.

— Não! — *Ah, meu Cinquenta Tons...* — Por quê?

— Porque você é a única pessoa que eu conheço que poderia realmente me machucar. — Ele se aproxima e passa uma mecha de cabelo por trás de minha orelha.

— Ah, Christian... é recíproco. Se você não me quisesse... — Sinto um arrepio e encaro meus dedos que se contorcem.

Eis o meu outro medo sombrio a nosso respeito. Se ele não fosse assim... perturbado, será que iria me querer? Balanço a cabeça. Tenho que tentar não pensar assim.

— A última coisa que quero fazer é machucá-lo. Eu amo você — murmuro, estendendo as mãos para acariciar suavemente suas costeletas e suas bochechas.

Ele inclina o rosto para receber meu toque, deixa a mordaça cair na gaveta e se aproxima, envolvendo minha cintura com as mãos e me puxando para junto de si.

— Acabou a sessão de demonstração? — pergunta, a voz suave e sedutora. Sua mão corre ao longo de minhas costas, subindo até a nuca.

— Por quê? O que você queria fazer?

Ele se inclina e me beija suavemente, e eu me derreto contra seu corpo, agarrando-me aos seus braços.

— Ana, você foi praticamente atacada hoje. — Sua voz é suave, mas cautelosa.

— E...? — pergunto, desfrutando a sensação de sua mão em minhas costas e sua proximidade.

Ele afasta a cabeça e me encara.

— Como assim "e..."? — repreende-me.

Eu miro seu rosto lindo e mal-humorado, e fico maravilhada.

— Christian, eu estou bem.

Ele me envolve em seus braços, mantendo-me junto de si.

— Quando penso no que poderia ter acontecido — ofega, enterrando o rosto em meu cabelo.

— Quando você vai aprender que sou mais forte do que pareço? — sussurro junto de seu pescoço, tranquilizando-o, inalando seu aroma delicioso. Não existe nada melhor no planeta do que estar nos braços de Christian.

— Eu sei que você é forte — murmura baixinho.

Ele beija meu cabelo, mas então, para minha total decepção, me solta. *Hein?*

Pego outro item da gaveta aberta. Várias algemas presas a uma barra. Eu a ergo diante dele.

— Isso — diz Christian, o olhar escurecendo — é um separador de pernas com algemas para tornozelo e pulso.

— Como funciona? — pergunto, genuinamente intrigada.

— Você quer que eu mostre? — Ele suspira, surpreso, fechando os olhos brevemente.

Pisco para ele. Quando abre os olhos de novo, eles estão em chamas.

— Sim, quero uma demonstração. Gosto de ser amarrada — sussurro, enquanto minha deusa interior dá um salto de seu abrigo subterrâneo de volta para seu divã.

— Ah, Ana — murmura ele. E, de repente, parece estar sofrendo.

— O que foi?

— Aqui não.

— Como assim?

— Quero você em minha cama, não aqui. Venha. — Ele pega a barra da minha mão; em seguida, me leva rapidamente para fora do quarto.

Por que estamos saindo daqui? Olho para trás ao passarmos pela porta.

— Por que não lá dentro?

Christian para no meio da escada e me encara com uma expressão séria.

— Ana, talvez você esteja pronta para voltar lá, mas eu não. Na última vez em que estivemos nesse quarto, você me deixou. Eu já disse isso várias vezes, quando você vai me entender? — Ele franze a testa, soltando-me para poder gesticular. — A consequência é que toda a minha atitude mudou depois daquilo. Minha visão geral da vida mudou radicalmente. Já falei isso a você. O que eu não falei é que... — Ele para e corre a mão pelo cabelo, buscando as palavras certas — ...eu sou como um alcoólatra em recuperação, entendeu? Essa é a única comparação em que sou capaz de pensar. A compulsão se foi, mas não quero nenhuma tentação cruzando meu caminho. Não quero machucar você.

Ele parece tão arrependido e, neste momento, um arrepio forte e dolorido passa pelo meu corpo. O que eu fiz com ele? Eu melhorei sua vida? Ele era feliz antes de me conhecer, não era?

— Não suporto a ideia de machucar você, porque eu a amo — acrescenta ele, fitando-me com uma expressão de sinceridade absoluta, feito um menino dizendo uma verdade muito simples.

Ele está sendo completamente franco, sem malícia, e é de tirar o fôlego. Adoro-o mais do que tudo e todos. *Amo* esse homem incondicionalmente.

Jogo-me em cima dele com tanta força que ele tem que soltar o que está carregando para me segurar enquanto o empurro contra a parede. Pegando seu rosto entre as mãos, puxo seus lábios para junto dos meus, provando sua surpresa ao enfiar minha língua em sua boca. Estou de pé um degrau acima dele, estamos da mesma altura, e me sinto euforicamente fortalecida. Beijando-o fervorosamente, correndo os dedos por seus cabelos, minha vontade é tocá-lo em todos os lugares, mas me contenho, consciente de seu medo. Mesmo assim, meu desejo se eleva, quente e denso, florescendo dentro de mim. Ele geme e agarra meus ombros, afastando-me.

— Quer que eu coma você na escada? — murmura, a respiração entrecortada. — Porque, desse jeito, é isso que vou fazer.

— Quero — murmuro, e tenho certeza de que meu olhar escurecido é tão ardente quanto o dele.

Ele me fita, seus olhos sombrios e densos.

— Não. Quero você na minha cama.

Ele me ergue de repente, passando-me por cima do ombro e me fazendo gritar bem alto. Então me dá uma palmada na bunda, o que me faz gritar de novo. Ao descer as escadas, ele se abaixa para pegar a barra separadora do chão.

A Sra. Jones está saindo do quarto dos fundos quando passamos pelo corredor. Ela sorri para nós e eu aceno, de cabeça para baixo, num pedido de desculpas. Acho que Christian nem a viu.

No quarto, ele me coloca de pé e joga a barra na cama.

— Não acho que você vai me machucar — ofego.

— Também não acho que vou machucar você— diz ele.

Ele segura minha cabeça nas mãos e me dá um beijo longo e intenso, inflamando meu sangue já aquecido.

— Quero tanto você — sussurra contra minha boca, ofegante. — Você tem certeza a respeito disso... depois do que aconteceu hoje?

— Tenho. Também quero você. Quero tirar sua roupa.

Mal posso esperar para colocar as mãos nele, meus dedos estão coçando para tocá-lo. Seus olhos se arregalam e ele hesita por um instante, talvez considerando meu pedido.

— Tudo bem — diz, com cautela.

Pego o segundo botão de sua camisa e o ouço prender a respiração.

— Não vou tocar você se você não quiser — sussurro.

— Não — responde ele rapidamente. — Toque. Está tudo bem. Estou bem — balbucia.

Com cuidado, abro o botão e meus dedos deslizam para baixo ao longo da camisa até o botão seguinte. Seus olhos estão arregalados e brilhantes, seus lábios se abrem à medida que sua respiração se acelera. Ele é tão lindo, apesar de seu medo... por causa de seu medo. Abro o terceiro botão e observo o pelo macio saltar pelo grande V da camisa.

— Quero beijar você aí — murmuro.

Ele inspira profundamente.

— Quer me beijar?

— É — murmuro.

Ele arqueja assim que abro o botão seguinte e, muito lentamente, debruço-me, deixando minha intenção muito clara. Ele está prendendo a respiração, mas permanece completamente imóvel enquanto eu deixo um beijo suave nos pelos macios e enrolados. Abro o último botão e ergo o rosto para ele. Ele está me observando, e vejo nele um olhar de satisfação, tranquilidade e... espanto.

— Está ficando mais fácil, não é? — sussurro.

Ele faz que sim com a cabeça e deslizo lentamente a camisa por seus ombros deixando-a cair no chão.

— O que você fez comigo, Ana? — murmura ele. — O que quer que seja, não pare.

Christian me pega em seus braços, enfiando ambas as mãos em meu cabelo e puxando minha cabeça para trás, para deixar meu pescoço à mostra. E corre os lábios até o meu queixo, mordiscando de leve. Solto um gemido. Ah, eu quero esse homem. Meus dedos tateiam junto à sua cintura, abrindo o botão da calça e puxando o zíper para baixo.

— Ah, baby — Ele suspira enquanto me beija atrás da orelha.

Sinto sua ereção, firme e dura, crescendo contra mim. Quero-o... em minha boca. De repente, dou um passo para trás e fico de joelhos.

— Nossa! — Ele se assusta.

Arranco a calça e a cueca bruscamente, e ele surge, livre. Antes que Christian possa me interromper, enfio-o na boca, sugando-o com força, deleitando-me com seu espanto. Embasbacado, ele me olha, observando cada movimento meu, os olhos sombrios e repletos de êxtase. Meu Deus. Cubro os dentes e chupo com mais força. Ele fecha os olhos e se entrega a esse prazer carnal e feliz. Eu sei o que provoco nele, e é uma sensação hedonista, libertadora e sexy para cacete. É inebriante, não sou apenas poderosa, sou onisciente.

— Cacete — sussurra ele e segura minha cabeça com carinho, flexionando o quadril para entrar mais fundo em minha boca.

Isso, eu quero isso, e brinco com a língua em torno dele, sugando com força... mais e mais.

— Ana. — Ele tenta dar um passo para trás.

Ah, não, não faça isso, Grey. Quero você. Agarro seus quadris com força, dobrando meus esforços, e sei que ele está perto.

— Por favor. — Ele ofega. — Eu vou gozar, Ana — diz, gemendo.

Ótimo. Minha deusa interior está com a cabeça jogada para trás, em êxtase, e ele goza em minha boca, gritando.

Ele abre os olhos cinzentos e iluminados, encarando-me, e eu sorrio para ele, lambendo os lábios. Ele sorri de volta para mim, um sorriso perverso e picante.

— Ah, então esse é o jogo que estamos jogando, Srta. Steele? — Ele se abaixa, passa as mãos por debaixo de meus braços e me coloca de pé. De repente, sua boca está colada à minha. Ele geme. — Posso sentir o meu gosto. Prefiro o seu — sussurra contra a minha boca.

Ele arranca minha camiseta e larga-a de qualquer jeito no chão, depois me ergue e me joga na cama. Segurando a bainha de minha calça de moletom, ele a puxa abruptamente, tirando-a num movimento rápido. Estou nua em sua cama. Esperando. Desejando. Seus olhos se deliciam, e, bem devagar, ele tira o restante de suas roupas, sem desviar os olhos de mim.

— Você é uma mulher linda, Anastasia — murmura, em admiração.

Hum... inclino a cabeça e o encaro de um jeito coquete.

— Você é um homem lindo, Christian, e tem um gosto maravilhoso.

Ele me lança um sorriso perverso e pega a barra separadora. Agarrando meu tornozelo esquerdo, ele o algema depressa, apertando, mas não demais. E testa quanto espaço eu tenho deslizando o mindinho por entre a algema e meu torno-zelo; nem tira os olhos dos meus, sequer precisa ver o que está fazendo. Hum... ele já fez isso antes.

— Vamos ter que ver que gosto você tem. Se bem me lembro, você é uma iguaria rara e deliciosa, Srta. Steele.

Ah.

Agarrando meu outro tornozelo, ele o algema depressa e com muita eficiência, e meus pés ficam a uns sessenta centímetros de distância um do outro.

— A vantagem deste separador é que ele se expande — murmura ele.

Ele aperta alguma coisa na barra e então a empurra, de forma que minhas pernas se separam ainda mais. Uau, quase um metro de distância. Fico boquia-berta e inspiro fundo. Nossa, isso é sensual. Estou pegando fogo, inquieta e necessitada.

Christian lambe o lábio inferior.

— Ah, nós vamos nos divertir com isso, Ana.

Esticando-se, ele agarra a barra e a gira, virando-me de bruços e me pegando de surpresa.

— Está vendo o que eu posso fazer com você? — diz ele, numa voz sombria, e a gira de novo, abruptamente, deixando-me mais uma vez de barriga para cima, encarando-o, embasbaca e sem fôlego. — Já essas algemas são para os pulsos. Ainda tenho que pensar se vou usá-las. Depende se você se comportar ou não.

— Quando eu não me comporto?

— Posso pensar em algumas infrações — diz ele de mansinho, passando os dedos pelas solas de meus pés. Sinto cócegas, mas a barra me mantém presa, embora eu tente me esquivar de seus dedos. — O BlackBerry, por exemplo.

Ofego.

— O que você vai fazer?

— Ah, eu nunca revelo meus planos. — Ele sorri, seus olhos brilhando, travessos.

Uau. Ele é tão assustadoramente sexy, é de tirar o fôlego. Ele sobe na cama, de modo que fica ajoelhado entre minhas pernas, maravilhosamente nu, e estou completamente entregue.

— Hum. Você está tão exposta, Srta. Steele.

Ele corre os dedos de ambas as mãos até a parte interna de minhas pernas, bem devagar, com firmeza, fazendo pequenos padrões circulares. Sem nunca quebrar o contato visual.

— O segredo é a expectativa, Ana. O que eu vou fazer com você?

Pronunciadas com tanta leveza, essas palavras penetram meu ponto mais sombrio e profundo. Eu me remexo na cama e solto um gemido. Seus dedos continuam a investida lenta ao longo de minhas pernas, passando por trás dos meus joelhos. Instintivamente, minha vontade é de fechar as pernas, mas não posso.

— Lembre-se, se você não gostar de alguma coisa, é só me pedir para parar — murmura.

Curvando-se, ele beija minha barriga, suavemente, chupando-a, esuas mãos continuam a lenta e tortuosa jornada até a parte de cima de minhas coxas, tocando-me e brincando comigo.

— Por favor, Christian — imploro.

— Ah, Srta. Steele. Descobri que você pode ser implacável em suas investidas amorosas para cima de mim. Acho que eu deveria retribuir o favor.

Meus dedos agarram o edredom, e eu me entrego a ele, sua boca descendo lentamente pela minha barriga, seus dedos subindo, em direção ao vulnerável e exposto ápice de minhas coxas. Ele desliza os dedos para dentro de mim, e eu solto um gemido, contorcendo o quadril ao encontro de sua mão. Christian geme em resposta.

— Você nunca deixa de me surpreender, Ana. Você está tão molhada — murmura contra a linha onde meus pelos pubianos se juntam à minha barriga.

Meu corpo se curva quando sua boca me toca.

Meu Deus.

Ele começa um ataque lento e sensual, sua língua girando e girando, seus dedos se movendo dentro de mim. Como não posso fechar as pernas ou me mover, é tudo intenso, muito intenso. Minhas costas arqueiam à medida que tento absorver as sensações.

— Ah, Christian — grito.

— Eu sei, baby — sussurra ele e, para me acalmar, sopra suavemente bem em cima do ponto mais sensível de meu corpo.

— Ah! Por favor! — imploro.

— Diga meu nome — ordena ele.

— Christian — digo, dificilmente reconhecendo minha voz de tão aguda e necessitada que ela soa.

— De novo — ofega.

— Christian, Christian, Christian Grey — clamo em voz alta.

— Você é minha. — Sua voz é suave e mortal, e num último giro de sua língua, eu desabo, de forma espetacular, atingindo o orgasmo. E porque minhas pernas estão tão separadas, ele continua sem parar, deixando-me completamente perdida.

Vagamente, percebo que Christian me colocou de bruços.

— A gente vai tentar uma coisa, baby. Se você não gostar, ou se for muito desconfortável, é só me avisar e a gente para.

O quê? Estou muito perdida para formular qualquer pensamento consciente ou coerente. Estou sentada no colo de Christian. Como isso aconteceu?

— Incline-se para baixo — ele murmura em meu ouvido. — Cabeça e peito na cama.

Um tanto aturdida, obedeço. Ele puxa minhas mãos para trás e as algemas na barra, junto aos meus tornozelos. *Hum...* Meus joelhos deslizam para frente, expondo minha bunda para cima, totalmente vulnerável, completamente sua.

— Ana, você está tão linda. — Sua voz é cheia de admiração, e eu ouço o envelopinho rasgando. Ele corre os dedos a partir da base de minha coluna, descendo em direção ao meu sexo, parando por um segundo em minha bunda. — Quando você estiver pronta, também vou querer isso. — Seu dedo está em mim.

Solto um suspiro alto, tensa com o seu toque que me explora delicadamente.

— Não vai ser hoje, minha bela Ana, mas um dia... Quero você de todos os jeitos. Quero possuir cada centímetro de seu corpo. Você é minha.

Penso no plugue anal e, dentro de mim, sinto tudo se contraindo. Suas palavras me fazem gemer, e seus dedos descem até um território mais familiar.

Momentos depois, ele está metendo com força em mim.

— Ai! Devagar — grito, e ele para.

— Tudo bem?

— Devagar... deixe eu me acostumar com isso.

Ele desliza lentamente para fora de mim, então entra de novo com cuidado, preenchendo, abrindo-me, duas, três vezes, e estou completamente entregue.

— Isso, assim, agora sim — murmuro, saboreando a sensação.

Ele geme, e acelera o ritmo. Movendo-se, movendo-se... implacável... para a frente, para dentro, preenchendo-me... e é maravilhoso. Há alegria em minha impotência, alegria na minha entrega, e em saber que ele pode se perder em mim do jeito que quer. Posso fazer isso. Ele me leva para lugares sombrios, lugares que eu nem sabia que existiam e, juntos, nós os preenchemos com a nossa luz ofuscante. Ah, sim... uma luz ofuscante e ardente.

E eu me solto, deleitando-me com o que ele faz comigo, gozando tão, tão gostoso, e de novo gritando alto o seu nome. Ele para, derramando todo o seu coração e a sua alma em mim.

— Ana, baby — grita ele e desaba ao meu lado.

Seus dedos soltam as tiras com habilidade e esfregam meus tornozelos e pulsos. Quando termina e enfim estou livre, ele me puxa em seus braços e eu adormeço, exausta.

Quando acordo de novo, estou encolhida ao seu lado, e ele está me observando. Não tenho ideia de que horas são.

— Eu poderia ver você dormir para sempre, Ana — murmura ele e beija minha testa.

Sorrio e mudo de posição preguiçosamente ao lado dele.

— Não quero deixar você ir embora nunca — diz baixinho e passa os braços em torno de mim.

Huuum.

— Não quero ir embora nunca. Nunca me deixe ir embora — murmuro, sonolenta, minhas pálpebras se recusando a se abrir.

— Preciso de você — sussurra ele, mas sua voz é uma parte distante e etérea de meus sonhos.

Ele precisa de mim... precisa de mim... e, à medida que eu finalmente mergulho na escuridão, o último pensamento que tenho é de um menino pequeno, sujo e de olhos cinzentos, desarrumado, cabelo cor de cobre, sorrindo timidamente para mim.

CAPÍTULO DEZESSETE

Huuum.

Christian está aconchegando o rosto em meu pescoço, enquanto acordo devagar.

— Bom dia, baby — sussurra, e dá uma mordida de leve em minha orelha.

Meus olhos se abrem, piscando, e eu os fecho depressa. A luz clara da manhã inunda o quarto, e sua mão está acariciando meu peito devagar, brincando suavemente comigo. Descendo a mão, ele pega na minha cintura e se deita atrás de mim, segurando-me bem junto de si.

Eu me espreguiço ao lado dele, deliciando-me com seu toque, e sinto sua ereção atrás de mim. *Minha nossa*. Um despertador Christian Grey.

— Você parece feliz em me ver — balbucio sonolenta, contorcendo-me sugestivamente contra seu corpo. Sinto seu sorriso se abrir junto ao meu queixo.

— Estou muito feliz em ver você — diz ele, deslizando a mão ao longo de minha barriga até o meu sexo, que ele explora com os dedos. — Com certeza há algumas vantagens em acordar a seu lado, Srta. Steele — brinca ele, e me puxa de lado, de modo que fico deitada de barriga para cima. — Dormiu bem? — pergunta, seus dedos prosseguindo em sua tortura sensual. E está sorrindo para mim, seu sorriso perfeito de modelo, com dentes impecáveis, fatal. É de tirar o fôlego.

Meu quadril começa a balançar ao ritmo da dança que seus dedos iniciaram. Ele me beija castamente nos lábios e, em seguida, move-se ao longo de meu pescoço, beliscando lentamente, beijando e chupando à medida que desce. Solto um gemido. Ele está sendo delicado, seu toque é leve e divino. Seus dedos intrépidos se movem para baixo, e, bem devagar, ele desliza um dedo para dentro de mim, sussurrando de mansinho, com admiração.

— Ah, Ana — murmura com reverência contra meu pescoço. — Você está sempre pronta.

Ele move o dedo no mesmo ritmo com que seus beijos e sua boca percorrem calmamente minha clavícula e seguem até o meu peito. Com os dentes e os lábios, primeiro ele tortura um dos mamilos, depois passa para o outro, com muita ternura, e eles se enrijecem e crescem em resposta.

Solto um gemido.

— Hum — rosna ele baixinho e levanta a cabeça para me lançar um olhar ardente e cinzento. — Quero você agora.

Ele se estica até a mesa de cabeceira. Então fica em cima de mim, apoiando o peso nos cotovelos, e esfrega o nariz no meu enquanto abre minhas pernas com as suas. Ajoelha-se e rasga a embalagem.

— Mal posso esperar até sábado — diz, os olhos brilhando de deleite obsceno.

— A festa? — ofego.

— Não. Não vou mais ter que usar essa porra.

— É um termo muito apropriado — dou uma risadinha.

Ele sorri para mim ao colocar o preservativo.

— Você está achando graça, Srta. Steele?

— Não. — Tento ficar séria e falho miseravelmente.

— Agora não é hora de rir. — Ele balança a cabeça numa reprimenda, e sua voz é grave e soturna, mas sua expressão, *Deus do céu*, é glacial e vulcânica ao mesmo tempo.

O ar fica preso em minha garganta.

— Achei que você gostasse de me ver rir — sussurro, rouca, mirando as profundezas sombrias de seus tempestuosos olhos.

— Agora não. Existe uma hora e um lugar certos para rir. E não é agora. Preciso fazer você parar, e acho que sei como — diz ele, ameaçadoramente, e seu corpo cobre o meu.

— O QUE VOCÊ GOSTARIA para o café da manhã, Ana?

— Vou só comer um pouco de granola. Obrigada, Sra. Jones.

Eu coro ao me sentar no banco ao lado de Christian. A última vez em que vi a muito correta e decorosa Sra. Jones, eu estava sendo carregada sem a menor cerimônia para o quarto no ombro dele.

— Você está linda — diz Christian, baixinho.

Estou usando minha saia-lápis cinza e a blusa de seda cinza de novo.

— Você também. — Sorrio timidamente para ele.

Ele está vestindo uma camisa azul-clara e calça jeans, e, como sempre, parece descontraído, novo em folha e perfeito.

— A gente precisa comprar mais algumas saias para você — diz, com naturalidade. — Aliás, adoraria levar você para fazer compras.

Hum... compras. Odeio fazer compras. Mas, com Christian, talvez não seja tão ruim. Decido que minha melhor defesa é mudar de assunto.

— Estou me perguntando o que vai acontecer no trabalho hoje.

— Eles vão ter que arrumar alguém para substituir aquele babaca. — Christian faz uma careta, franzindo as sobrancelhas como se tivesse acabado de pisar em alguma coisa muito desagradável.

— Espero que escolham uma mulher como minha nova chefe.

— Por quê?

— Bem, as chances de você se opor a nós viajarmos juntas são bem menores — provoco-o.

Seus lábios se contorcem, e ele começa a comer sua omelete.

— Qual é a graça? — pergunto.

— Você. Coma a granola toda, já que seu café da manhã vai ser só isso.

Autoritário como sempre. Contraio os lábios para ele, mas como tudo.

— Bom, a chave entra aqui. — Christian aponta a ignição logo abaixo da caixa de câmbio.

— Lugar estranho — murmuro.

No entanto, estou apaixonada por cada pequeno detalhe, praticamente pulando feito uma criança no confortável assento de couro. Christian finalmente vai me deixar dirigir meu carro.

Ele me encara friamente, embora seus olhos estejam vivos de humor.

— Você está muito empolgada com isso, não está? — murmura, divertido.

Concordo com a cabeça, sorrindo como uma boba.

— Sinta só esse cheiro de carro novo. Isso aqui é ainda melhor que o Modelo Especial Submissa... quero dizer, o A3 — acrescento rapidamente, corando.

Christian prende o riso.

— Modelo Especial Submissa, é? Você tem uma habilidade e tanto com as palavras, Srta. Steele. — E se recosta com um olhar falso de desaprovação, mas ele não me engana. Sei que está se divertindo. — Bem, vamos lá. — Ele aponta em direção à entrada da garagem.

Bato palmas, giro a chave, e o motor liga com um ronco. Colocando a marcha em modo "drive", solto devagar o pé do freio, e o Saab se move lentamente para a frente. Taylor liga o Audi atrás de nós, e, uma vez que a porta da garagem se abre, segue-nos para fora do Escala.

— A gente pode ligar o rádio? — pergunto quando paramos no primeiro sinal.

— Quero que você se concentre — diz ele bruscamente.

— Christian, por favor, posso dirigir com música — reviro os olhos.

Ele faz cara feia por um instante e, em seguida, liga o rádio.

— Além de CD, este rádio toca MP3 e é compatível com o seu iPod — murmura.

Os acordes suaves de The Police invadem o carro, altos demais. Christian baixa o volume. Hum... "King of Pain".

— Seu hino — brinco com ele, e me arrependo no mesmo instante ao ver seus lábios se contraírem numa linha rígida. *Ah, não.* — Tenho esse disco em algum lugar... — continuo às pressas, tentando distraí-lo. Hum... em algum lugar do apartamento no qual passei tão pouco tempo.

Como será que Ethan está? Eu deveria ligar para ele hoje. Não vou ter muito que fazer no trabalho.

A ansiedade se concentra em meu estômago. O que vai acontecer quando eu chegar ao escritório? Será que as pessoas vão saber o que houve com Jack? Será que vão saber do envolvimento de Christian? Será que ainda tenho um emprego? Deus do céu, e se eu não tiver mais emprego, o que vou fazer?

Você vai se casar com o multimilionário, Ana! Meu inconsciente me lança um olhar esperto. Eu o ignoro. Que ganancioso!

— Ei, Dona Espertinha. Volte aqui. — Christian me traz de volta para o presente assim que paro diante do sinal seguinte. — Você está muito distraída. Trate de se concentrar, Ana — repreende-me. — É quando a gente se distrai que os acidentes acontecem.

Ai, pelo amor de Deus. E de repente sou arremessada de volta à época em que Ray estava me ensinando a dirigir. Não preciso de outro pai. Um marido talvez, um marido pervertido. *Hum.*

— Estava só pensando no trabalho.

— Baby, vai dar tudo certo. Confie em mim. — Christian sorri.

— Por favor, não interfira. Quero fazer isso sozinha. Christian, por favor. É importante para mim — digo o mais suavemente que posso.

Não quero discutir. Sua boca se fecha de novo numa linha teimosa, e acho que ele vai me repreender mais uma vez.

Ah, não.

— Não vamos discutir, Christian. Nós tivemos uma manhã tão maravilhosa. E a noite de ontem foi... — fico sem palavras, a noite de ontem foi... — ...divina.

Ele não responde. Olho para ele, e seus olhos estão fechados.

— Foi. Divina — diz, baixinho. — Eu estava falando sério.

— Sobre o quê?

— Não quero deixar você ir embora.

— Não quero ir embora.

Ele sorri, e é um sorriso novo e tímido que dissolve tudo que tem pela frente. Nossa, é um sorriso poderoso.

— Que bom — diz, apenas, e relaxa visivelmente.

Entro com o carro no estacionamento a meia quadra de distância da editora.

— Eu acompanho você até o trabalho. Taylor vai me levar lá da porta — oferece Christian.

Salto do carro desajeitada, os movimentos restringidos por minha saia-lápis, enquanto Christian desce com elegância, à vontade em seu corpo ou pelo menos dando a impressão de estar à vontade em seu corpo. Hum... alguém que não suporta ser tocado não pode se sentir tão à vontade. Franzo a testa diante desse pensamento errante.

— Não se esqueça de que temos hora marcada com Flynn às sete da noite — diz ele, estendendo a mão para mim.

Aperto o botão para trancar o carro e pego sua mão.

— Não vou me esquecer. Vou preparar uma lista de perguntas para ele.

— Perguntas? Sobre mim?

Faço que sim com a cabeça.

— Posso responder a quaisquer perguntas que você tiver a meu respeito. — Christian me encara, afrontando-me.

Sorrio para ele.

— Sim, mas quero a opinião do charlatão imparcial e caro.

Ele franze o cenho e, de repente, puxa-me num abraço, segurando minhas duas mãos com firmeza às minhas costas.

— Será que isso é uma boa ideia? — diz, a voz baixa e rouca.

Eu me inclino para trás e vejo a ansiedade aparente em seus olhos. É de partir o coração.

— Se você não quiser, eu não faço perguntas. — Fico olhando para ele, piscando, querendo afastar a preocupação de seu rosto com uma carícia. Puxo uma das mãos, e ele a solta. Toco seu rosto com carinho. A pele recém-barbeada está macia. — Qual é a sua preocupação? — pergunto, a voz suave e tranquilizadora.

— Que você vá embora.

— Christian, quantas vezes eu tenho que dizer? Não vou a lugar algum. Você já me contou o pior. Não vou deixar você.

— Então, por que você ainda não me deu uma resposta?

— Uma resposta? — murmuro, cinicamente.

— Você sabe do que estou falando, Ana.

Suspiro.

— Quero ter certeza de que sou suficiente para você, Christian. É só isso.

— E você não vai aceitar a minha palavra quanto a isso? — diz ele, exasperado, soltando-me.

— Christian, tudo tem acontecido muito rápido. E você mesmo já admitiu ser fodido em cinquenta tons. Não posso dar a você o que você precisa — resmungo.

— Não é o que eu sou. Só que isso me faz sentir inadequada, principalmente depois de ver você com Leila. Quem me garante que um dia você não vai encontrar uma garota que gosta das coisas que você gosta? E quem me garante que você não vai... você sabe... se apaixonar por ela? Alguém muito mais adequado às suas necessidades. — O pensamento de Christian com outra pessoa me deixa enjoada. Fito meus dedos entrelaçados.

— Já conheci muitas mulheres que gostam de fazer o que eu faço. Nenhuma delas me atraiu do jeito que você me atrai. Jamais estabeleci uma relação emocional com nenhuma delas. É só você, Ana, desde sempre.

— Porque você nunca deu uma chance a elas. Você passou tempo demais trancafiado na sua fortaleza, Christian. Olhe, vamos discutir isso mais tarde. Tenho que ir trabalhar. Talvez o Dr. Flynn possa nos dar alguma luz.

Isso tudo é pesado demais para uma discussão num estacionamento às oito e cinquenta da manhã, e, por uma vez, Christian parece concordar. Ele faz que sim com a cabeça, mas seus olhos estão cautelosos.

— Venha — ordena, estendendo a mão.

Quando chego à minha mesa, encontro um bilhete me pedindo para ir direto para a sala de Elizabeth. Meu coração pula até a boca. Pronto, vai ser agora. Vou ser demitida.

— Anastasia. — Elizabeth sorri gentilmente, indicando-me a cadeira diante de sua mesa.

Sento-me e a encaro com expectativa, torcendo para que ela não possa ouvir meu coração pulsando. Ela alisa o cabelo preto e grosso e me fita com seus compenetrados olhos azul-claros.

— Tenho uma notícia um pouco triste.

Triste! Ah, não.

— Chamei você aqui para avisar que Jack deixou a empresa de forma bastante inesperada.

Fico vermelha. Para mim, isso não tem nada de triste. Será que devo dizer que eu já sabia?

— A saída um tanto apressada dele deixou uma vaga na empresa, e nós gostaríamos que você a ocupasse por enquanto, até acharmos um substituto.

O quê? Sinto o sangue fugir da minha cabeça. *Eu?*

— Mas eu só estou aqui há uma semana, praticamente.

— Sim, Anastasia, eu entendo, mas Jack sempre foi um defensor das suas habilidades. Ele esperava muito de você.

Prendo a respiração. Sei muito bem o que ele esperava de mim, e era me virar de bruços, isso sim.

— Aqui está a descrição do cargo. Dê uma olhada com calma, e a gente pode discutir isso hoje mais tarde.

— Mas...

— Por favor, eu sei que isso é muito repentino, mas você já fez contato com os principais autores de Jack. Os resumos que você preparou não passaram despercebidos pelos outros editores. Você é muito perspicaz, Anastasia. Todos nós achamos que você é capaz de fazer isso.

— Certo — *que loucura*.

— Olhe, pense bem. Enquanto isso, você pode ficar na sala de Jack.

Ela se levanta, obviamente me dispensando, e estende a mão. Eu a aperto, absolutamente aturdida.

— Fico feliz que ele tenha ido embora — sussurra, e um olhar assombrado atravessa seu rosto.

Puta merda. O que ele fez com ela?

De volta à minha mesa, pego meu BlackBerry e ligo para Christian. Ele atende no segundo toque.

— Anastasia. Tudo bem? — pergunta, preocupado.

— Eles acabaram de me dar o cargo de Jack. Bem, temporariamente — falo bem rápido.

— Está brincando? — sussurra ele, chocado.

— Você tem alguma coisa a ver com isso? — minha voz soa mais ríspida do que eu gostaria.

— Não, não. Não mesmo. Quero dizer, com todo o respeito, Anastasia, mas você só está aí há uma semana, ou algo assim. Não me leve a mal.

— Eu sei. — Franzo a testa. — Aparentemente, Jack me avaliou muito bem.

— Ah, foi, é? — O tom de Christian é gélido, e ele suspira. — Bem, baby, se eles acham que você dá conta, tenho certeza de que você dá conta. Parabéns. Talvez a gente devesse comemorar depois da consulta com Flynn.

— Hum. Tem certeza de que você não tem nada a ver com isso?

Ele fica em silêncio por um instante, e então diz numa voz ameaçadora e grave:

— Você está duvidando de mim? Isso me irrita tanto.

Engulo em seco. Nossa, ele tem o pavio curto.

— Desculpe — suspiro, sentindo-me repreendida.

— Se você precisar de alguma coisa, me avise. Estou aqui. E, Anastasia?

— O quê?

— Use o BlackBerry — acrescenta ele, laconicamente.

— Está bem, Christian.

Mas, em vez de desligar, ele solta um suspiro profundo.

— Estou falando sério. Se você precisar, estou aqui. — Suas palavras soam muito mais suaves, conciliadoras. Ele é tão inconstante... suas mudanças de humor são como um metrônomo em andamento *presto*.

— Tudo bem — murmuro. — É melhor eu desligar. Tenho que mudar de sala.

— Para o que quer que você precise. Estou falando sério — murmura ele.

— Eu sei. Obrigada, Christian. Amo você.

Sinto seu sorriso do outro lado da linha. Eu o reconquistei com essas palavras.

— Também amo você, baby.

Ai, será que algum dia vou me cansar de ouvi-lo dizer essas palavras?

— Falo com você mais tarde.

— Até mais, baby.

Desligo o telefone e olho para a sala de Jack. Minha sala. Deus do céu. Anastasia Steele, Editora. Quem diria? Eu devia pedir um aumento.

O que Jack acharia se ficasse sabendo? Tremo só de pensar, e me pergunto vagamente como ele está passando a manhã; na certa, bem longe de Nova York, diferentemente do que imaginava. Caminho até minha sala nova, sento-me à mesa e começo a ler a descrição do cargo.

Ao meio-dia e meia, Elizabeth me liga.

— Ana, precisamos que você participe de uma reunião à uma hora na sala de reuniões. Jerry Roach e Kay Bestie vão estar lá, você sabe, o presidente da empresa e o vice-presidente? Todos os editores vão participar.

Merda!

— Preciso preparar alguma coisa?

— Não, é só uma reunião informal que a gente faz uma vez por mês. Vai ter almoço.

— Estarei lá — desligo.

Puta merda!

Dou uma olhada na lista de autores de Jack. Certo, isso está tranquilo. Tenho os cinco manuscritos que ele estava defendendo, e mais dois, que realmente deveriam ser considerados para publicação. Respiro fundo. Nem acredito que já está na hora do almoço. O dia voou, e eu estou amando isso. Foi tanta coisa para assimilar esta manhã. Meu calendário apita, anunciando um compromisso.

Ah, não... Mia! Em toda a minha empolgação, esqueci do nosso almoço. Pego o BlackBerry e tento freneticamente encontrar o número dela.

Meu telefone toca.

— É ele, na recepção — diz Claire, com a voz abafada.

— Quem? — Por um segundo, acho que pode ser Christian.

— O deus louro.

— Ethan?

Hum, o que ele quer? Imediatamente, sinto-me culpada por não ter ligado para ele.

Ethan sorri para mim assim que apareço na recepção. Está usando uma camisa xadrez azul, uma camiseta branca por baixo e calça jeans.

— Uau! Você está uma gata, Steele — diz ele, balançando a cabeça em aprovação e me dando um abraço rápido.

— Está tudo bem? — pergunto.

Ele franze a testa.

— Tudo ótimo, Ana. Só queria ver você. Faz um tempo que não tenho notícias suas e queria ver como o Sr. Magnata anda tratando-a.

Fico vermelha e não consigo conter um sorriso.

— Ah, então tá! — exclama Ethan, erguendo as mãos para o alto. — Pelo seu sorrisinho, dá para ver que está tudo bem. Não quero detalhes. Resolvi passar aqui só para ver se existe alguma chance de você almoçar comigo. Vou me inscrever na Universidade de Seattle no curso de psicologia, em setembro. No mestrado.

— Ah, Ethan. Aconteceu tanta coisa. Tenho uma tonelada de novidades para contar, mas agora não posso. Tenho uma reunião — e subitamente tenho uma ideia. — Será que você não faria um favor muito, muito, muito grande pra mim? — uno as mãos em súplica.

— Claro — diz ele, perplexo com o meu pedido.

— Eu tinha marcado de almoçar com a irmã de Christian e Elliot hoje, mas não estou conseguindo falar com ela, e apareceu essa reunião da qual eu preciso participar. Será que você pode levá-la para almoçar? Por favor?

— Ah, Ana! Não estou aqui para ficar de babá de criança mimada.

— Por favor, Ethan. — Lanço-lhe meu olhar mais pidão e pisco meus longos cílios para ele.

Ele revira os olhos, e sei que deu certo.

— Você vai cozinhar para mim? — resmunga ele.

— Claro, qualquer coisa, quando você quiser.

— E então, cadê ela?

— Deve chegar a qualquer momento. — E, como se eu tivesse dado uma deixa, ouço a voz de Mia.

— Ana! — chama ela da entrada.

Nós dois nos viramos, e lá está ela: toda curvilínea e alta, com o cabelinho preto num corte chanel elegante, usando um vestido verde curto e sapatos de salto alto da mesma cor, com uma tirinha em torno dos tornozelos finos. Está deslumbrante.

— É essa a criança mimada? — sussurra ele, boquiaberto.

— Ela mesma. A que precisa de babá — sussurro de volta. — Oi, Mia — dou-
-lhe um abraço rápido enquanto ela fita Ethan descaradamente. — Mia, este é
Ethan, irmão de Kate.

Ele a cumprimenta com a cabeça, as sobrancelhas erguidas de surpresa. Mia
pisca várias vezes e lhe oferece a mão.

— É um prazer conhecê-la — murmura Ethan com elegância, e Mia pisca de
novo, em silêncio, como raramente acontece com ela. E cora.

Meu Deus. Acho que nunca a vi corar.

— Não vou poder almoçar hoje — digo, sem muita convicção. — Ethan concordou em ir com você, se você topar? Será que a gente pode marcar outro dia?

— Claro — diz ela de mansinho. Mia quieta, isso é novidade.

— Certo, então agora é comigo. Até mais, Ana — diz Ethan, oferecendo o
braço para Mia.

Ela o aceita com um sorriso tímido.

— Tchau, Ana. — E se vira para mim, gesticulando com a boca: — Ai. Meu.
Deus! — E lança uma piscadela exagerada.

Ela gostou dele! Aceno para os dois enquanto eles saem do prédio e fico me
perguntando como Christian vai reagir se a irmã começar a namorar. O pensamento me deixa desconfortável. Ela tem a mesma idade que eu, então ele não
pode se opor, ou pode?

É de Christian que estamos falando. Meu inconsciente me lança mais um de
seus olhares críticos, a boca tensa, usando um cardigã e com a bolsa encaixada na
curva do braço. Afasto a imagem da cabeça. Mia já é adulta, e Christian é capaz
de agir racionalmente, não é? Tento não pensar no assunto e volto para a sala de
Jack... quero dizer... para a minha sala, para me preparar para a reunião.

São três e meia quando retorno. A reunião correu bem. Consegui até uma aprovação para os dois manuscritos que estava defendendo. É uma sensação inebriante.

Sobre a minha mesa encontro uma enorme cesta de vime repleta de rosas
brancas e cor-de-rosa bem clarinho. Uau, só o perfume já é divino. Sorrio ao pegar
o cartão. Sei de quem são.

> *Parabéns, Srta. Steele*
> *E tudo por conta própria!*
> *Sem nenhuma ajuda de seu CEO supersimpático,*
> *camarada e megalomaníaco*
> *Com amor,*
> *Christian*

Pego meu BlackBerry para mandar um e-mail para ele.

De: Anastasia Steele
Assunto: Megalomaníacos...
Data: 16 de junho de 2011 15:43
Para: Christian Grey

...são o meu tipo favorito de maníacos. Obrigada pelas lindas flores. Elas chegaram numa enorme cesta de vime que me faz pensar em piqueniques e cobertores.

Bjs,

De: Christian Grey
Assunto: Ar puro
Data: 16 de junho de 2011 15:55
Para: Anastasia Steele

Maníacos, é? O Dr. Flynn deve ter algo a dizer sobre isso.

Você quer fazer um piquenique?

A gente poderia se divertir muito ao ar livre, Anastasia...

Como está indo o seu dia, baby?

Christian Grey
CEO, Grey Enterprises Holdings, Inc.

Minha nossa. Fico vermelha só de ler sua resposta.

De: Anastasia Steele
Assunto: Agitado
Data: 16 de junho de 2011 16:00
Para: Christian Grey

O dia passou voando. Não tive um momento sequer para pensar em nada além do trabalho. Acho que consigo dar conta disso! Conto mais quando chegar em casa.

Um dia ao ar livre parece... interessante.

Amo você.

Um bj.

PS: Não se preocupe com o Dr. Flynn.

Meu telefone toca. É Claire, da recepção, desesperada para saber quem enviou as rosas e o que aconteceu com Jack. Como passei o dia no escritório, não pude acompanhar as fofocas. Digo apressada que as flores são do meu namorado e que não sei quase nada sobre a saída de Jack. Meu BlackBerry vibra, indicando que acabo de receber mais um e-mail de Christian.

De: Christian Grey
Assunto: Vou tentar...
Data: 16 de junho de 2011 16:09
Para: Anastasia Steele

...não me preocupar.

Até mais, baby.

Bj,

Christian Grey
CEO, Grey Enterprises Holdings, Inc.

Às cinco e meia, limpo minha mesa. Nem posso acreditar em como o dia passou depressa. Tenho que voltar para o Escala e me preparar para a consulta com o Dr. Flynn. Nem sequer tive tempo de pensar nas perguntas. Talvez hoje a gente possa ter só um primeiro encontro, e Christian me deixe vê-lo de novo depois. Afasto a ideia da cabeça ao deixar o escritório às pressas, acenando rapidamente para Claire.

Também tenho que pensar no aniversário de Christian. Já sei o que vou dar a ele de presente. E queria entregar hoje à noite, antes da consulta com Flynn, mas como vou fazer isso? Ao lado do estacionamento existe uma pequena loja de bugigangas para turistas. Tenho uma inspiração repentina, e entro na loja.

MEIA HORA DEPOIS, quando chego à sala de estar, Christian está em seu BlackBerry, de pé, olhando para fora pelo janelão de vidro. Ele se vira e sorri para mim, finalizando o telefonema.

— Ótimo, Ros. Diga a Barney que vamos continuar a partir daí... Até mais.

Ele caminha na minha direção, e fico parada, tímida, junto à porta. Trocou de roupa, está usando jeans e camiseta branca, parecendo um menino rebelde e arteiro. *Uau.*

— Boa noite, Srta. Steele — murmura ele e se inclina para me beijar. — Parabéns pela promoção. — Passa os braços ao meu redor. Que cheiro maravilhoso.

— Você tomou banho.

— Acabei de ter uma sessão de luta com Claude.

— Ah.

— Derrubei-o duas vezes. — Christian sorri radiante, feito um menino, satisfeito consigo mesmo. Seu sorriso é contagiante.

— Isso não acontece com frequência?

— Não. E é muito prazeroso quando acontece. Está com fome?

Faço que não com a cabeça.

— O que foi? — Ele franze a testa para mim.

— Estou nervosa. Com o Dr. Flynn.

— Eu também. Como foi o seu dia? — Ele me solta, e eu faço um breve resumo. Ele escuta com atenção.

— Ah, tem mais uma coisa que eu tenho que contar — acrescento. — Eu ia almoçar com Mia hoje.

Ele ergue as sobrancelhas, surpreso.

— Você não chegou a mencionar isso.

— Eu sei, esqueci. Como eu não pude sair com ela por causa da reunião, Ethan a levou para almoçar.

Sua expressão fica sombria.

— Sei. Pare de morder o lábio.

— Vou trocar de roupa — digo, mudando de assunto e me virando antes que ele possa reagir.

O CONSULTÓRIO DO Dr. Flynn fica a uma curta distância de carro do apartamento de Christian. *Muito útil*, penso, *para sessões de emergência.*

— Costumo correr lá de casa até aqui — diz Christian ao estacionar meu Saab. — Este carro é o máximo. — Ele sorri para mim.

— Também acho. — Sorrio de volta. — Christian... eu... — Olho ansiosamente para ele.

— O que foi, Ana?

— Aqui. — Tiro a caixinha de presente preta de minha bolsa. — É pelo seu aniversário. Queria dar para você agora, mas só se você me prometer que não vai abrir antes de sábado, tudo bem?

Ele pisca para mim, surpreso, e engole em seco.

— Tudo bem — murmura, com cautela.

Respirando fundo, entrego-a a ele, ignorando sua expressão confusa. Ele sacode a caixa, produzindo um barulho bem satisfatório. E franze a testa. Sei que está desesperado para saber o que tem dentro. Em seguida, sorri, seus olhos brilhando com uma emoção jovem e despreocupada. *Deus do céu...* sua aparência neste instante corresponde à idade que tem... e ele está tão lindo.

— Você não pode abrir antes de sábado — aviso.

— Entendi — diz ele. — Mas por que você está me dando isso agora? — Ele coloca a caixa no bolso interno do paletó azul listrado, junto do coração.

Muito apropriado, penso, e sorrio para ele.

— Porque eu posso, Sr. Grey.

Sua boca se contorce num sorriso irônico.

— Ora, Srta. Steele, roubando minhas falas...

Somos conduzidos ao luxuoso consultório do Dr. Flynn por uma recepcionista rápida e eficiente. Ela cumprimenta Christian calorosamente, um pouco calorosamente demais para o meu gosto — ela tem idade suficiente para ser mãe dele —, e ele sabe o nome dela.

A sala não tem uma decoração ostensiva: verde-claro com dois sofás verde-escuros de frente para duas poltronas de couro, e tem um ar de clube de cavalheiros. Dr. Flynn está sentado a uma mesa ao fundo.

Assim que entramos, ele se levanta e caminha para se juntar a nós na área de estar. Está usando uma calça preta e uma camisa azul-clara com o último botão aberto... sem gravata. Seus olhos azuis e brilhantes parecem não deixar passar absolutamente nada.

— Christian. — Ele sorri com gentileza.

— John. — Christian aperta sua mão. — Você se lembra de Anastasia?

— Como eu poderia esquecer? Bem-vinda, Anastasia.

— Ana, por favor — murmuro quando ele aperta minha mão com firmeza. Adoro seu sotaque britânico.

— Ana — diz ele, gentilmente, conduzindo-nos até os sofás.

Christian aponta um deles para mim. Eu me sento, tentando parecer relaxada, e descanso a mão sobre o braço do sofá, enquanto ele se esparrama no outro, de forma que formamos um ângulo reto, com uma pequena mesa e um abajur simples entre nós. Reparo, com interesse, numa caixinha de lenços junto ao abajur.

Não era bem isso que eu esperava. Tinha imaginado uma sala branca e inóspita, com um divã de couro preto.

Parecendo tranquilo e no controle da situação, Dr. Flynn se senta numa das poltronas e pega um bloco de anotações de couro. Christian cruza as pernas, descansando o tornozelo sobre o joelho, e estica um dos braços ao longo do encos-

to do sofá. Em seguida, estende o outro braço, alcançando minha mão e dando-
-lhe um aperto tranquilizador.

— Christian pediu que você acompanhasse uma de nossas sessões — começa
Dr. Flynn calmamente. — Só para você saber, nós tratamos estas sessões com
absoluta confidencialidade...

Ergo uma sobrancelha para Flynn, interrompendo-o no meio da frase.

— Hum... eu assinei um termo de confidencialidade — balbucio, envergonhada de que ele tenha parado de falar.

Tanto Flynn quanto Christian me encaram, e Christian solta a minha mão.

— Um termo de confidencialidade? — Dr. Flynn franze a testa e olha de relance para Christian, intrigado.

Christian dá de ombros.

— Você começa todos os seus relacionamentos com um contrato? — Dr.
Flynn pergunta para ele.

— Só os contratuais.

Dr. Flynn torce os lábios.

— E você já teve algum outro tipo de relacionamento? — pergunta ele, parecendo achar graça.

— Não — responde Christian depois de um tempo, também parecendo achar
graça.

— Foi o que eu pensei. — Dr. Flynn volta sua atenção para mim. — Bem,
acho que não precisamos nos preocupar com confidencialidade, mas posso sugerir que vocês dois discutam isso em algum momento? No meu entendimento,
vocês não estão mais num relacionamento contratual.

— Outro tipo de contrato, espero — diz Christian baixinho, olhando para
mim.

Fico vermelha, e Dr. Flynn aperta os olhos.

— Ana, me perdoe, mas é provável que eu saiba muito mais sobre você do que
você imagina. Christian tem sido bastante expansivo.

Olho de relance para Christian, nervosa. O que foi que ele disse?

— Um termo de confidencialidade? — continua ele. — Isso deve ter chocado
você.

Pisco para ele.

— Hum, acho que o choque disso já se tornou insignificante, dadas as revelações mais recentes de Christian — respondo, a voz suave e hesitante. Soo tão
nervosa.

— Imagino que sim. — Dr. Flynn sorri gentilmente para mim. — Então,
Christian, o que gostaria de discutir?

Christian dá de ombros feito um adolescente mal-humorado.

— Foi Anastasia quem quis ver você. Talvez você devesse perguntar a ela.

Mais uma vez, o rosto do Dr. Flynn registra sua surpresa, e ele me fita, com sagacidade.

Puta merda. Isso é humilhante. Encaro minhas mãos.

— Você ficaria mais à vontade se Christian nos deixasse por um momento?

Meus olhos disparam para Christian, e ele me encara, em expectativa.

— Ficaria — sussurro.

Christian franze a testa e abre a boca; no entanto, muda de ideia e se levanta num movimento rápido e elegante.

— Estarei na sala de espera — diz, a boca fechada numa linha mal-humorada.

Ah, não.

— Obrigado, Christian — responde o Dr. Flynn, impassível.

Christian me lança um olhar longo e inquisitivo, então caminha para fora da sala, mas não bate a porta com força. Ufa. Imediatamente, eu relaxo.

— Ele intimida você?

— Intimida. Mas não tanto quanto antes. — Sinto-me desleal, mas é a verdade.

— Isso não me surpreende, Ana. Como posso ajudá-la?

Fito meus dedos entrelaçados. O que posso perguntar?

— Dr. Flynn, eu nunca estive num relacionamento antes, e Christian é... bem, ele é o Christian. E muita coisa aconteceu na última semana. Não tive a chance de pensar direito.

— No que você precisa pensar?

Ergo o olhar para ele, e ele está com a cabeça deitada de lado, observando-me, acho que com compaixão.

— Bem... Christian me diz que está feliz em abandonar... hum... — tropeço nas palavras e paro. Isso é muito mais difícil de discutir do que eu imaginava.

Dr. Flynn solta um suspiro.

— Ana, no curto tempo em que você o conhece, você obteve mais progressos com meu paciente do que eu mesmo ao longo dos últimos dois anos. Você teve um efeito profundo sobre ele. E deve saber disso.

— Ele também teve um efeito profundo em mim. Só não sei se sou suficiente para ele. Para satisfazer suas necessidades — sussurro.

— É disso que você precisa? Uma confirmação?

Faço que sim com a cabeça.

— As necessidades mudam — diz ele, simplesmente. — Christian se encontrou numa situação em que seus métodos para lidar com as coisas não são mais eficazes. Resumindo, você o forçou a encarar alguns de seus demônios e a repensar as coisas.

Pisco para ele. Foi exatamente o que Christian me disse.

— Sim, seus demônios — murmuro.

— Nós não perdemos muito tempo com eles; eles ficaram no passado. Christian os conhece muito bem, assim como eu, e agora estou certo de que você também. Estou mais preocupado com o futuro dele e em ajudar Christian a alcançar um ponto em que deseja estar.

Franzo a testa, e ele ergue uma sobrancelha.

— O termo técnico é TBVS. — Ele sorri. — Desculpe, isso quer dizer Terapia Breve Voltada para a Solução. Basicamente, é uma terapia orientada para um objetivo. Nós nos concentramos no que Christian quer alcançar e em como levá-lo até lá. É uma abordagem dialética. Não tem sentido ficar remoendo o passado. Tudo isso já foi analisado à exaustão por todos os médicos, psicólogos e psiquiatras de Christian. Nós já sabemos por que ele é do jeito que é, mas o que importa é o futuro. O que Christian prevê para si mesmo, aonde ele quer chegar. Foi preciso que você o deixasse para que ele passasse a levar esse tipo de terapia a sério. Ele sabe que o objetivo dele é estabelecer uma relação amorosa com você. É simples assim, e é nisso que estamos trabalhando neste momento. É claro que existem obstáculos... a hafefobia dele, por exemplo.

O quê?, arquejo.

— Desculpe. Estou me referindo ao medo dele de ser tocado — diz Dr. Flynn, balançando a cabeça como se estivesse repreendendo a si mesmo. — Imagino que você esteja ciente.

Coro e faço que sim com a cabeça. *Ah, isso!*

— Christian tem uma aversão mórbida por si mesmo. Sei que isso não é nenhuma novidade para você. E, claro, há também a parassonia... hum... perdão, os terrores noturnos, para os leigos.

Pisco, tentando absorver todas essas palavras tão longas. Sei de tudo isso. Mas Flynn ainda não tocou na minha principal preocupação.

— Mas ele é um sádico. Certamente, como tal, ele precisa de coisas que eu não sou capaz de oferecer.

O Dr. Flynn chega a revirar os olhos diante de minha observação e comprime a boca numa linha rígida.

— Isso não é mais reconhecido como um termo psiquiátrico. Não sei quantas vezes já falei isso para ele. Desde os anos noventa que não é nem mais classificado como uma parafilia.

Mais um termo que não entendo. Pisco para ele. Ele me sorri gentilmente.

— Isso é uma mania minha. — Ele balança a cabeça. — Christian sempre pensa o pior, em qualquer situação. Faz parte da aversão que sente por si mesmo. Claro que o sadismo sexual existe, mas não é uma doença, é uma opção de vida. Se for praticado em um relacionamento consensual, seguro e saudável, entre dois adultos, então ele nem chega a ser uma questão. O meu entendimento é que Christian tem conduzido todos os seus relacionamentos BDSM desse jeito. Você é a primeira amante dele que não consentiu, então ele não quer mais.

Amante!

— Mas na certa não é tão simples assim.

— Por que não? — O Dr. Flynn dá de ombros, bem-humorado.

— Bem... as razões por que ele faz isso.

— Ana, esse é o ponto. Em termos de terapia de solução, é simples assim. Christian quer ficar com você. Para conseguir isso, ele precisa renunciar aos aspectos mais extremos desse tipo de relacionamento. Afinal, o que você está pedindo é razoável... não é?

Fico vermelha. É... é razoável, não é?

— Acho que é. Mas tenho medo de que ele não ache.

— Christian compreende isso, e tem agido de acordo. Ele não é louco. — Dr. Flynn suspira. — Em poucas palavras, ele não é um sádico, Ana. É um jovem raivoso, assustado e brilhante, que teve que lidar com uma merda de mão no baralho quando nasceu. A gente pode ficar se lamentando por causa disso, e analisar o "quem", o "como" e o "porquê" até a morte. Ou Christian pode seguir em frente e decidir como quer viver a vida. Ele encontrou algo que funcionou para ele por alguns anos, mais ou menos, mas desde que conheceu você, isso não funciona mais. E, como consequência, ele está mudando o seu *modus operandi*. Você e eu temos que respeitar a escolha dele e apoiá-lo.

Eu o encaro, boquiaberta.

— E essa é a minha confirmação?

— É o melhor que posso fazer, Ana. Não existem garantias nesta vida. — Ele sorri. — E essa é a minha opinião profissional.

Sorrio, também, mas um sorriso sem convicção. Piadas de psicólogos... Deus do céu.

— Mas ele se vê como um alcoólatra em recuperação.

— Christian sempre vai pensar o pior de si mesmo. Como eu disse, faz parte da autoaversão que ele tem. Está em sua composição, não importa o quê. Naturalmente, ele está ansioso com essa mudança de vida. Está se expondo potencialmente a todo um universo de dor emocional, do qual, aliás, teve uma prévia quando você o deixou. É claro que está apreensivo — Dr. Flynn faz uma pausa. — Não quero salientar o quão importante foi o seu papel nessa conversão damasquina. Seu caminho para Damasco. Mas foi. Christian não estaria onde está se não tivesse conhecido você. Pessoalmente, não acho que um alcoólatra seja uma boa analogia, mas se por enquanto ela funciona para ele, então acho que devemos lhe dar o benefício da dúvida.

Dar a Christian o benefício da dúvida. Franzo a testa diante desse pensamento.

— Emocionalmente, Christian é um adolescente, Ana. Ele pulou totalmente essa fase da vida. Canalizou todas as suas energias para o sucesso no mundo dos negócios, o que alcançou para além de todas as expectativas. E agora o seu mundo emocional tem que correr atrás do tempo perdido.

— E como eu posso ajudar?

Dr. Flynn ri.

— É só continuar com o que você já está fazendo. — Ele sorri para mim. — Christian está completamente apaixonado. É muito agradável de se ver.

Eu coro, e minha deusa interior está abraçando a si mesma de tanta alegria, mas algo me incomoda.

— Posso perguntar mais uma coisa?

— Claro.

Respiro fundo.

— Parte de mim acha que se ele não fosse tão perturbado ele não iria... ele não iria me querer.

Dr. Flynn levanta as sobrancelhas para mim, espantado.

— Isso é algo muito negativo de se dizer sobre si mesma, Ana. E, francamente, me diz mais a seu respeito do que a respeito de Christian. Não é tão grave quanto a aversão que ele tem de si mesmo, mas me surpreende.

— Bem, olhe para ele... e olhe para mim.

Dr. Flynn franze o cenho.

— Já olhei. E o que eu vi foi um rapaz atraente e uma jovem atraente. Ana, por que você não se vê como uma pessoa atraente?

Ah, não... Não quero transformar isso em algo sobre mim. Encaro os meus dedos. Ouço uma batida forte na porta que me faz pular. E Christian está de volta na sala, olhando para nós dois. Fico vermelha e volto o olhar depressa para Flynn, que está sorrindo benignamente para Christian.

— Bem-vindo de volta, Christian — diz ele.

— Acho que o tempo acabou, John.

— Quase, Christian. Junte-se a nós.

Dessa vez, Christian se senta ao meu lado e coloca a mão possessivamente em meu joelho. Seu gesto não passa despercebido pelo Dr. Flynn.

— Você tem mais alguma questão, Ana? — pergunta, e sua preocupação é evidente.

Merda... Não devia ter feito a última pergunta. Nego com a cabeça.

— Christian?

— Hoje não, John.

Flynn concorda com a cabeça.

— Talvez fosse bom se vocês dois voltassem aqui. Tenho certeza de que Ana vai ter mais perguntas.

Christian concorda, relutante.

Fico vermelha. Merda... ele quer se aprofundar. Christian aperta minha mão e me fita com atenção.

— Certo? — pergunta, com gentileza.

Sorrio para ele, fazendo que sim com a cabeça. É, o benefício da dúvida vai ter que ser suficiente por enquanto, cortesia do bom médico inglês.

Christian aperta minha mão e se volta para Flynn.

— Como ela está? — pergunta, com cuidado.

Eu?

— Ela vai chegar lá — responde ele, com ar tranquilizador.

— Ótimo. Mantenha-me informado do seu progresso.

— Pode deixar.

Puta merda. Estão falando de Leila.

— Então, vamos comemorar a sua promoção? — pergunta Christian, incisivo.

Concordo timidamente com a cabeça, e ele se levanta. Nós nos despedimos rapidamente do Dr. Flynn, e Christian me conduz para fora da sala com uma pressa indecorosa.

Quando chegamos à rua, ele se vira para mim e pergunta, ansioso:

— Como foi?

— Foi bom.

Ele me encara, desconfiado. Deito a cabeça de lado.

— Por favor, não me olhe assim, Sr. Grey. Seguindo ordens médicas, eu vou lhe oferecer o benefício da dúvida.

— O que isso quer dizer?

— Você vai ver.

Ele contorce os lábios e estreita os olhos.

— Entre no carro — ordena, abrindo a porta do carona do Saab.

Uau, isso é que mudança de foco. Meu BlackBerry vibra. Eu o tiro da bolsa.

Merda, é o José!

— Alô!

— Ana, oi...

Olho para Christian, que está me observando, desconfiado.

— É o José — gesticulo com a boca para ele.

Ele me olha impassível, mas seus olhos enrijecem. Será que ele acha que eu não percebo? Volto minha atenção para José.

— Desculpe não ter ligado para você. É sobre amanhã? — pergunto a ele, mas com os olhos fixos em Christian.

— É. Escute, falei com alguém lá na casa do Grey, então já sei onde entregar as fotos, e eu devo passar lá entre cinco e seis horas... depois disso, estou livre.

Ah.

— Bem, na verdade estou ficando na casa de Christian esses dias, e se você quiser, ele diz que não tem problema você dormir lá.

Christian contrai os lábios. Hum, belo anfitrião.

José fica em silêncio por um instante, assimilando a notícia. Eu tremo nas bases. Ainda não tive a oportunidade de conversar com ele sobre Christian.

— Tudo bem — diz ele, afinal. — Esse negócio com o Grey está sério?

Eu me afasto do carro e caminho de um lado para o outro na calçada.

— Está.

— Quão sério?

Reviro os olhos e faça uma pausa. Por que Christian tem que ficar escutando?

— Sério.

— Ele está aí do seu lado? É por isso que você está respondendo tudo com uma palavra só?

— Sim.

— Está bem. E você tem permissão para sair amanhã?

— Claro que tenho — espero. E, automaticamente, cruzo os dedos.

— Então, onde a gente se encontra?

— Você pode me buscar no trabalho — sugiro.

— Beleza.

— Mando o endereço por mensagem.

— A que horas?

— Lá pelas seis da tarde?

— Certo. A gente se vê então, Ana. Mal posso esperar, estou com saudade de você.

Sorrio.

— Beleza. A gente se vê. — Desligo o telefone e me viro.

Christian está encostado no carro, observando-me atentamente, a expressão impossível de se ler.

— Como vai o seu amigo? — pergunta, friamente.

— Vai bem. Ele vai me buscar no trabalho amanhã, e acho que a gente vai sair para beber alguma coisa. Quer vir conosco?

Christian hesita, seus olhos cinzentos e frios.

— Você não acha que ele vai tentar alguma coisa?

— Não! — Meu tom é exasperado, mas me abstenho de revirar os olhos.

— Tudo bem. — Christian ergue as mãos, derrotado. — Você sai com o seu amigo, e eu vejo você no final do dia.

Eu estava esperando uma briga, e esse consentimento fácil me pega de surpresa.

— Viu? Posso ser razoável. — Ele sorri.

Meus lábios se contraem. Vamos ver.

— Posso dirigir?

Christian pisca para mim, surpreso com meu pedido.

— Preferia que você não dirigisse.

— Por quê, exatamente?

— Porque não gosto que dirijam para mim.

— Você não teve problemas com isso hoje de manhã, e você não parece se incomodar que Taylor dirija para você.

— Confio implicitamente na direção de Taylor.

— Mas não na minha? — Coloco as mãos nos quadris. — Fala sério, essa sua mania de controle não tem limites. Eu dirijo desde os quinze anos.

Ele encolhe os ombros em resposta, como se isso não fizesse a menor diferença. Ele é tão irritante! O benefício da dúvida? Bem, que se dane o benefício da dúvida.

— O carro não é meu? — pergunto.

Ele franze a testa para mim.

— É claro que é seu.

— Então, por favor, me dê as chaves. Eu só dirigi duas vezes, de casa para o trabalho e do trabalho para casa. E agora você que vai ficar com toda a diversão. — Estou com a corda toda.

Christian contrai os lábios, reprimindo um sorriso.

— Mas você nem sabe aonde a gente vai.

— Tenho certeza de que você pode me ensinar o caminho, Sr. Grey. Você tem se saído um professor e tanto.

Ele me olha espantado, em seguida sorri seu novo sorriso tímido que me desarma completamente e me deixa sem fôlego.

— Professor e tanto, é? — murmura.

Eu coro.

— É, na maior parte do tempo.

— Bem, nesse caso. — Ele me entrega as chaves e dá a volta até a porta do motorista, abrindo-a para mim.

* * *

— VIRE À ESQUERDA — ordena Christian, e seguimos para o norte, na direção da Interestadual 5. — Cuidado, Ana! — Ele se agarra ao painel.

Ah, pelo amor de Deus. Reviro os olhos, mas não me viro para olhar pra ele. Van Morrison canta ao fundo pelos alto-falantes do carro.

— Devagar!

— Estou diminuindo!

Christian suspira.

— O que o Flynn disse? — Posso ouvir a ansiedade infiltrando-se em sua voz.

— Já falei. Ele disse que eu deveria lhe conceder o benefício da dúvida. — Droga, talvez eu devesse ter deixado Christian dirigir. Aí eu poderia observá-lo. Aliás... Dou seta para indicar que vou encostar o carro.

— O que você está fazendo? — pergunta ele, assustado.

— Deixando você dirigir.

— Por quê?

— Para poder olhar para você.

Ele ri.

— Não, não, você queria dirigir. Então, agora você dirige, e eu olho para você. Faço cara feia para ele.

— Mantenha os olhos na estrada! — grita ele.

Meu sangue ferve. Já chega! Encosto junto à calçada pouco antes de um sinal de trânsito, pulo para fora do carro batendo a porta com força e fico de pé na calçada, de braços cruzados. Encarando-o. Ele sai do carro.

— O que você está fazendo? — pergunta com raiva, olhando para mim.

— Não. O que você está fazendo?

— Você não pode parar aqui.

— Sei disso.

— Então por que parou aqui?

— Porque cansei de você latindo ordens no meu ouvido. Ou você dirige ou cala a boca sobre como eu dirijo!

— Anastasia, volte para o carro antes que a gente tome uma multa.

— Não.

Ele pisca para mim, completamente desnorteado. Em seguida, corre as mãos pelo cabelo, e sua raiva se transforma em perplexidade. Ele parece tão cômico de repente, e não consigo evitar de sorrir para ele. Ele franze a testa.

— O que foi? — atira mais uma vez.

— Você.

— Ah, Anastasia! Você é a mulher mais frustrante do mundo. — Ele ergue as mãos para o céu. — Tudo bem, eu dirijo.

Agarro a bainha do casaco dele e o puxo para junto de mim.

— Não, Sr. Grey... você é o homem mais frustrante do mundo.

Ele me encara, os olhos sombrios e intensos, em seguida passa os braços ao redor de minha cintura e me abraça, segurando-me apertado.

— Então talvez a gente tenha sido feito um para o outro — diz em voz baixa e inspira profundamente, seu nariz em meu cabelo.

Passo os braços ao redor dele e fecho os olhos. Pela primeira vez desde hoje de manhã, sinto-me relaxar.

— Ah... Ana, Ana, Ana — ofega ele, seus lábios pressionados contra meu cabelo.

Aperto meus braços ao seu redor, e ficamos ali, imóveis, aproveitando um momento de tranquilidade inesperada, no meio da rua. Ele me solta e abre a porta do carona. Entro no carro e me sento em silêncio, observando-o dar a volta até a porta do motorista.

Christian liga o carro de novo e entra no tráfego, cantarolando distraído junto com Van Morrison.

Uau. Nunca o ouvi cantar antes, nem no chuveiro. Nunca. Franzo a testa. Ele tem uma bela voz... é claro. Hum... será que ele já me ouviu cantar?

Ele não teria pedido você em casamento se tivesse! De casaco xadrez, meu inconsciente me encara, os braços cruzados. A música acaba, e Christian sorri.

— Você sabe, se a gente tivesse levado uma multa, o carro está em seu nome...

— Bom, ainda bem que acabei de ser promovida. Eu ia poder pagar — digo, presunçosa, fitando o seu lindo perfil.

Ele contrai os lábios. Outra música de Van Morrison começa a tocar assim que ele pega a rampa de acesso à Interestadual 5, no sentido norte.

— Aonde estamos indo?

— É surpresa. O que mais o Flynn disse?

Suspiro.

— Ele falou sobre BBBTVS.

— TBVS, Terapia Breve Voltada para a Solução. A opção mais moderna em terapia — resmunga.

— Você já tentou outras?

Christian ri com desdém.

— Baby, já fui submetido a todo tipo de terapia. Cognitivismo, Freud, funcionalismo, Gestalt, behaviorismo... Pode chutar o que você quiser que eu já fiz — explica, e seu tom evidencia sua amargura. O rancor em sua voz é angustiante.

— Você acha que essa abordagem mais moderna vai ajudar?

— O que Flynn disse?

— Ele me disse para não perder tempo pensando sobre o seu passado. Para me concentrar no futuro, no lugar em que você quer estar.

Christian concorda com a cabeça, mas encolhe os ombros ao mesmo tempo, com uma expressão cautelosa.

— O que mais? — persiste.

— Ele falou sobre o seu medo de ser tocado, embora tenha chamado de outra coisa. E sobre os seus pesadelos e a aversão que você tem de si mesmo. — Olho para ele e, na luz do fim da tarde, está pensativo, roendo a unha do polegar enquanto dirige.

Ele me olha de relance.

— Olhos na estrada, Sr. Grey — advirto, uma das sobrancelhas erguida.

Ele parece divertido e exasperado ao mesmo tempo.

— Vocês ficaram conversando durante séculos, Anastasia. O que mais ele disse?

Engulo em seco.

— Ele não acha que você seja um sádico — sussurro.

— Sério? — pergunta Christian em voz baixa e franze a testa. A atmosfera no carro despenca.

— Ele diz que esse termo não é reconhecido pela psiquiatria. Desde os anos noventa — murmuro, tentando depressa resgatar o clima entre nós.

O rosto de Christian se fecha, e ele exala lentamente.

— Flynn e eu temos opiniões diferentes sobre isso — diz, calmamente.

— Ele disse que você sempre pensa o pior de si mesmo. Eu sei que é verdade — murmuro. — Ele também mencionou sadismo sexual, mas disse que é um estilo de vida, uma escolha, não uma condição psiquiátrica. Talvez seja isso que você queira dizer.

Seus olhos me fitam de novo, e sua boca se fecha numa expressão emburrada.

— Então basta uma conversa com um médico e você virou especialista — diz, acidamente, voltando os olhos para a estrada.

Ai, Deus... Suspiro.

— Olhe, se você não quer ouvir o que ele falou, não me pergunte — resmungo baixinho.

Não quero discutir. De qualquer forma, ele tem razão, o que é que eu sei dessa merda toda dele? E será que eu quero mesmo saber? Posso listar os pontos-chave: a mania de controle, a possessividade, o ciúme, a superproteção. E entendo perfeitamente de onde vem tudo isso. Posso até entender por que ele não gosta de ser tocado, vi as cicatrizes físicas. Só imagino as cicatrizes mentais. E já tive uma amostra de seus pesadelos. E o Dr. Flynn disse que...

— Quero saber o que foi discutido. — Christian interrompe meus pensamentos ao pegar a saída 172 da Interestadual 5, seguindo para oeste, em direção ao sol poente.

— Ele me chamou de sua amante.

— Ah, foi, é? — Seu tom é conciliador. — Bem, ele é mais que meticuloso em seus termos. Acho que é uma descrição precisa. Você não concorda?

— Você pensava em suas submissas como amantes?

Christian franze a testa de novo, mas, dessa vez, está pensando. Ele faz uma curva com o Saab, seguindo novamente na direção norte. *Aonde estamos indo?*

— Não. Elas eram parceiras sexuais — murmura, a voz cautelosa de novo. — Você é minha única amante. E quero que seja mais.

Hum... a palavra mágica de novo, repleta de possibilidades. Ela me faz sorrir, e, lá no fundo, eu me abraço, tentando conter a alegria.

— Eu sei — sussurro, esforçando-me para esconder a emoção. — Só preciso de um tempo, Christian. Para minha cabeça se acostumar com tudo o que aconteceu nos últimos dias.

Ele me olha de um jeito estranho, perplexo, a cabeça deitada de lado.

Depois de alguns instantes, o sinal de trânsito em que estamos parados fica verde. Ele faz que sim com a cabeça e aumenta o som. Nossa discussão acabou.

Van Morrison ainda está cantando — mais otimista agora — sobre uma ótima noite para dançar à luz da lua. Olho pela janela para os pinheiros lá fora, polvilhados de dourado pela luz do sol que se põe, suas longas sombras se estendendo ao longo da estrada. Christian entrou numa rua residencial, e estamos indo para o oeste, na direção do estuário.

— Aonde estamos indo? — pergunto de novo assim que fazemos uma curva. Vejo uma placa que diz Nona Avenida NE. Estou perdidinha.

— Surpresa — diz ele, e sorri misteriosamente.

CAPÍTULO DEZOITO

Christian continua a dirigir, passando por casas de madeira bem-conservadas e de um andar só, com crianças jogando basquete nos quintais ou andando de bicicleta e correndo pelas ruas. Parece um bairro rico e elegante, com as casas abrigadas em meio às árvores. Talvez estejamos indo visitar alguém... Mas quem?

Poucos minutos depois, Christian faz uma curva fechada à esquerda, e estamos diante de dois portões brancos de metal ornamentado no meio de um muro de pedra de quase dois metros de altura. Christian aperta um botão junto à sua porta e o vidro elétrico da janela desce com um zumbido suave. Digita um número no teclado e os portões se abrem para nós.

Ele me lança um olhar rápido, e sua expressão mudou. Parece incerto, nervoso até.

— O que foi? — pergunto, e não consigo esconder a preocupação em minha voz.

— Uma ideia — diz ele calmamente, conduzindo o Saab através dos portões.

Nós seguimos ao longo de uma pista arborizada, larga o suficiente para dois carros. De um lado, a linha de árvores delimita um bosque muito denso, e, do outro, há um gramado enorme que, embora já tenha sido usado para algum tipo de cultivo, foi deixado livre de plantações. A grama e as flores silvestres tomaram conta do lugar, criando um ambiente idílico: um prado, onde a brisa noturna perpassa suavemente a relva e o sol do fim de tarde doura as flores do campo. É lindo, de uma tranquilidade absoluta, e, de repente, imagino-me deitada na grama, fitando um céu azul-claro típico de verão. A ideia é tentadora, mas, por alguma estranha razão, me faz sentir saudades de casa. Que esquisito.

A estrada faz uma curva e termina numa enorme entrada de garagem diante de uma impressionante casa em estilo mediterrâneo feita de arenito cor-de-rosa claro. É suntuosa. Todas as luzes estão acesas, cada uma das janelas iluminada no crepúsculo. Um BMW preto elegante está estacionado na frente da garagem para quatro carros, mas Christian encosta o Saab diante do pórtico principal.

Hum... Quem será que mora aqui? E por que viemos visitá-los?

Christian olha ansiosamente para mim ao desligar o motor.

— Você pode manter a cabeça aberta? — pede.

Franzo a testa.

— Christian, estou mantendo a cabeça aberta desde o dia em que conheci você.

Ele sorri ironicamente e concorda.

— Muito bem colocado, Srta. Steele. Vamos.

As portas de madeira escura se abrem, e uma mulher de cabelo castanho-escuro, sorriso sincero e um elegante terno lilás está nos esperando. Fico feliz de ter colocado meu vestido azul-marinho novo para impressionar o Dr. Flynn. Certo, não estou usando saltos poderosos como os dela, mas pelo menos não estou de calça jeans.

— Sr. Grey. — Ela sorri calorosamente, e lhe dá um aperto de mão.

— Srta. Kelly — diz ele educadamente.

Ela sorri para mim e me estende a mão, que eu aperto. Suas bochechas coradas, que parecem dizer "ele é lindo e maravilhoso, queria que fosse meu", não passam despercebidas.

— Olga Kelly — diz, descontraída.

— Ana Steele — murmuro em resposta.

Quem é essa mulher? Ela dá um passo para o lado, acolhendo-nos para dentro da casa. Fico chocada quando entro: o lugar está vazio, absolutamente vazio. Estamos num grande saguão de entrada. As paredes são de um amarelo desbotado com marcas de desgaste onde quadros um dia devem ter sido pendurados. Tudo o que resta são os lustres antiquados de cristal. O piso de madeira está sem vida. Há portas fechadas de ambos os lados do saguão, mas Christian não me dá tempo para assimilar o que está acontecendo.

— Venha — diz ele.

Segurando minha mão, Christian me conduz pela arcada à nossa frente até um vestíbulo interno maior. Ele é dominado por uma larga escada em curva com uma balaustrada de ferro intrincada, mas nem ali ele para. Leva-me até a sala de estar principal, que está vazia exceto por um grande tapete dourado desbotado — o maior tapete que eu já vi. Ah, e quatro lustres de cristal.

À medida que atravessamos o cômodo até as portas duplas envidraçadas, que se abrem para um terraço de pedra, a intenção de Christian já ficou clara. Abaixo de nós há um gramado bem-cuidado e do tamanho de meio campo de futebol, e, além dele, a vista. *Uau.*

A paisagem é de tirar o fôlego, mais que isso, é assombrosa: o crepúsculo sobre o estuário. A distância está a ilha de Bainbridge, e, depois dela, nesta noite cristalina, o sol se põe lentamente para além do Parque Nacional Olympic, deixando no céu tons de vermelho-sangue e laranja encandescente. O vermelho empresta reflexos e tons de azul-marinho do céu, e se funde com o roxo mais escuro das escassas e finas nuvens e da terra para além do estuário. É a natureza em seu auge, uma sinfonia visual orquestrada no horoizonte e refletida nas profundas águas mansas do estuário. Eu me perco diante da visão: admirando, tentando absorver tanta beleza.

Percebo que estou prendendo a respiração, espantada, e Christian ainda está segurando minha mão. À medida que desvio, relutante, os olhos da paisagem, vejo que ele está me fitando, ansioso.

— Você me trouxe aqui para admirar a vista? — sussurro.

Ele faz que sim com a cabeça, a expressão muito séria.

— É impressionante, Christian. Obrigada — murmuro, deixando meus olhos saborearem mais uma vez a paisagem.

Ele solta a minha mão.

— O que você acharia de ter essa vista para o resto da vida? — ofega.

O quê? Giro o rosto de volta para ele, olhos azuis espantados mirando olhos cinzentos pensativos. Acho que a minha boca está aberta, e eu o encaro embasbacada.

— Sempre quis morar no litoral. Navego o estuário para cima e para baixo, cobiçando essas casas. Este lugar não está à venda há muito tempo. Quero comprar, demolir a casa e construir uma casa nova para nós — sussurra, e seus olhos brilham, translúcidos de esperanças e sonhos.

Minha nossa. De alguma forma consigo me manter de pé. Estou quase perdendo o equilíbrio. *Morar aqui! Nesse paraíso maravilhoso! Para o resto da vida...*

— É apenas uma ideia — acrescenta, com cuidado.

Olho de volta para avaliar o interior da casa. Quanto será que vale? Uns cinco, dez milhões de dólares? Não tenho ideia. Caramba.

— Por que você quer demolir a casa? — pergunto, olhando para ele.

Sua expressão se desfaz. *Ah, não.*

— Eu queria fazer uma casa mais sustentável, usando as últimas técnicas ecológicas. Elliot pode construir.

Olho para a sala novamente. A Srta. Olga Kelly está no canto oposto, junto à entrada. É corretora de imóveis, claro. Noto como a sala é grande e tem o pé-direito alto, um pouco como a sala de estar do Escala. Há uma varanda acima, que deve ser o patamar do segundo andar. Há ainda uma lareira enorme e toda uma série de portas duplas envidraçadas que se abrem para o terraço. A construção tem um charme próprio do velho mundo.

— Podemos dar uma olhada na casa?

Ele pisca para mim.

— Claro. — Dá de ombros, intrigado.

Quando entramos de novo na sala, o rosto da Srta. Kelly se ilumina feito uma árvore de Natal. Ela parece encantada por nos mostrar o lugar e derramar sobre nós sua conversa-fiada de corretora.

A casa é enorme: mais de um quilômetro quadrado de construção em seis hectares de terreno. Além da sala de estar principal, há uma cozinha com sala de jantar, digo, sala de banquete, e uma sala íntima contígua — *uma sala familiar!* —, uma sala de música, uma biblioteca, um escritório e, para minha surpresa, uma piscina coberta e sala de ginástica com sauna seca e a vapor. Lá embaixo, no porão, há um cinema — *minha nossa* — e um quarto de jogos. Hum... que tipo de jogos poderíamos jogar aqui?

A Srta. Kelly ressalta todas as vantagens, mas basicamente é uma casa bonita que foi, obviamente, o lar de uma família feliz. Está um tanto gasta agora, mas nada que um pouco de amor e carinho não possa resolver.

À medida que seguimos a Srta. Kelly pela magnífica escada principal até o segundo andar, mal posso conter minha excitação... esta casa tem tudo que eu poderia desejar num lar.

— Você não poderia transformar a casa que já existe num lugar mais ecológico e autossustentável?

Christian pisca para mim, perplexo.

— Eu teria que perguntar a Elliot. O especialista em tudo isso é ele.

A Srta. Kelly nos leva até a suíte principal, onde os janelões que vão do chão ao teto se abrem para uma varanda, e a vista ainda é espetacular. Eu poderia passar um dia inteiro sentada na cama, olhando lá para fora, observando os barcos à vela e a mudança do tempo.

Existem ainda cinco quartos no mesmo piso. *Filhos!* Afasto o pensamento às pressas. Já tenho muito que processar. A Srta. Kelly está ocupada sugerindo a Christian como o terreno poderia acomodar um centro equestre e um pasto para cavalos. *Cavalos!* Imagens aterrorizantes das poucas aulas de equitação que fiz cruzam minha mente, mas Christian não parece estar escutando.

— O pasto ficaria onde hoje fica o prado? — pergunto.

— Isso — diz a Srta. Kelly, animada.

Para mim, o prado é um lugar para se deitar na grama e fazer piqueniques, não um lugar para se abrigar demônios de quatro patas.

De volta ao cômodo principal, a Srta. Kelly desaparece discretamente, e Christian me leva uma vez mais até o terraço. O sol já se pôs, e as luzes das cidades na península Olympic piscam do outro lado do estuário.

Christian me puxa em seus braços e ergue meu queixo com a ponta do indicador, observando-me com atenção.

— Muito para assimilar? — pergunta, sua expressão ilegível.

Faço que sim com a cabeça.

— Eu queria ver se você gostava, antes de comprar.

— Da vista?

Ele faz que sim.

— Amei a vista, e gostei da casa atual também.

— Gostou?

Sorrio timidamente.

— Christian, você me ganhou só com o prado.

Ele entreabre os lábios e inspira fundo. Em seguida, seu rosto se abre num sorriso, e suas mãos subitamente agarram meus cabelos, sua boca na minha.

No CARRO, ENQUANTO dirigimos de volta para Seattle, o estado de espírito de Christian se eleva consideravelmente.

— E então, você vai comprar? — pergunto.

— Vou.

— E vai colocar o Escala à venda?

Ele franze a testa.

— Por que eu faria isso?

— Para pagar... — minha voz desaparece. É claro. Fico vermelha.

Ele sorri para mim.

— Acredite, tenho dinheiro o bastante.

— Você gosta de ser rico?

— Gosto. Você conhece alguém que não goste? — diz, sombriamente.

Certo, mude logo de assunto.

— Anastasia, você vai ter que aprender a ser rica também, se disser sim — fala de mansinho.

— A riqueza não é algo que eu tenha almejado para a minha vida, Christian. — Franzo a testa.

— Eu sei. Amo isso em você. Mas bom, você também nunca teve fome — diz ele simplesmente. Suas palavras são circunspectas.

— Para onde estamos indo? — pergunto animada, mudando de assunto.

— Comemorar. — Christian relaxa.

Ah!

— Comemorar o quê, a casa?

— Já esqueceu? Seu cargo de editora.

— Ah, é — sorrio. Como posso ter esquecido? — Onde?

— No meu clube.

— No seu clube?

— É. Um deles.

O MILE HIGH Club fica no septuagésimo sexto andar da Columbia Tower, mais alto até que o apartamento de Christian. É supermoderno e tem a vista mais estonteante da cidade de Seattle.

— Espumante, senhorita? — Christian me entrega uma taça de champanhe gelada enquanto me sento num banquinho do bar.

— Ora, obrigada, *senhor* — ressalto a última palavra cheia de segundas intenções, piscando deliberadamente os cílios para ele.

Ele me encara e seu olhar escurece.

— Flertando comigo, Srta. Steele?

— Sim, Sr. Grey. O que você vai fazer a respeito?

— Tenho certeza de que posso pensar em alguma coisa — diz ele, em voz baixa. — Venha, nossa mesa está pronta.

Quando estamos nos aproximando da mesa, Christian para, segurando-me pelo cotovelo.

— Vá ao banheiro e tire a calcinha — sussurra.

Ah? Um delicioso arrepio percorre minha espinha.

— Agora — ordena, com tranquilidade.

Uau, como assim?

Ele não está sorrindo, está mortalmente sério. Cada músculo abaixo de minha cintura se contrai. Eu lhe entrego minha taça de champanhe, viro-me bruscamente e caminho até o banheiro.

Merda. O que ele vai fazer?

Os banheiros são de última geração, tudo em madeira escura, granito preto e iluminação halogênica instalada em pontos estratégicos. Na privacidade da cabine, sorrio ao tirar a calcinha. Mais uma vez fico feliz de ter escolhido o vestido azul-marinho. Achei que fosse um traje adequado para encontrar o bom Dr. Flynn — não imaginava que a noite fosse tomar um rumo inesperado.

Já estou agitada. Como ele pode me afetar tanto? Incomoda-me um pouco a facilidade com que me entrego ao seu feitiço. Sei agora que não vamos passar a noite discutindo nossos problemas e os últimos acontecimentos... mas como posso resistir a ele?

Verifico minha aparência no espelho, meus olhos estão radiantes de empolgação. *Ah, que se danem os problemas.*

Respiro fundo e volto para o salão. Bem, não é como se eu nunca tivesse saído sem calcinha antes. Minha deusa interior está envolta num boá de plumas rosa e diamantes, pavoneando-se em seus sapatos "venha me comer".

Christian se levanta, educado, quando volto para a mesa, a expressão ilegível. Está perfeito como sempre, tranquilo, calmo e concentrado. Claro que sei o que está escondendo por trás disso.

— Sente-se aqui do meu lado — diz ele, e eu obedeço. — Já fiz o seu pedido. Espero que não se importe.

Ele devolve minha taça de champanhe pela metade, observando-me com atenção, e, sob seu escrutínio, meu sangue se aquece de novo. Christian repousa as mãos nas coxas. Fico tensa e entreabro as pernas ligeiramente.

O garçom chega com um prato de ostras sobre gelo picado. *Ostras.* A memória de nós dois numa sala de jantar privativa do Heathman preenche a minha mente. Estávamos discutindo o contrato. Deus do céu. Percorremos um longo caminho desde então.

— Acho que você gostou de ostras na última vez em que experimentou — sua voz é grave, sedutora.

— Na única vez em que experimentei. — Estou ofegante, a voz expondo-me completamente.

Seus lábios se contorcem num sorriso.

— Ah, Srta. Steele, quando você vai aprender? — diz.

Ele pega uma ostra do prato e ergue a outra mão que estava em sua coxa. Eu me encolho de expectativa, mas ele se estica para pegar uma fatia de limão.

— Aprender o quê? — pergunto.

Caramba, minha pulsação está acelerada. Seus longos e habilidosos dedos espremem delicadamente o limão sobre a concha.

— Coma — diz ele, trazendo a ostra para junto de meus lábios. Abro a boca, e ele gentilmente apoia a concha em meu lábio inferior. — Deite a cabeça um pouquinho para trás — murmura.

Obedeço, e a ostra desliza pela minha garganta. Ele não me toca, só a concha encosta em mim.

Christian come uma ostra e em seguida me dá mais uma na boca. Nós continuamos nessa rotina torturante até que todas as doze se foram. Em nenhum momento sua pele tocou a minha. Isso está me deixando louca.

— Ainda gosta de ostras? — pergunta, depois que engulo a última.

Faço que sim com a cabeça, vermelha, desejando seu toque.

— Que bom.

Contorço-me na cadeira. Por que isso é tão erótico?

Ele descansa a mão casualmente sobre a própria coxa mais uma vez, e eu me derreto. Agora. Por favor. Toque-me. Minha deusa interior está de joelhos, só de calcinha, implorando. Ele corre a mão para cima e para baixo ao longo da coxa e ergue o braço, apenas para novamente descansar a mão onde estava antes.

O garçom serve mais champanhe em nossas taças e tira os pratos. Momentos depois, está de volta com o primeiro prato: robalo — *não acredito* — servido com aspargos, batata sauté e um molho *hollandaise*.

— Um dos seus preferidos, Sr. Grey?

— Sem dúvida, Srta. Steele. Embora ache que tenha sido bacalhau fresco o que a gente comeu no Heathman.

Sua mão se move para cima e para baixo na coxa. Minha respiração se acelera, mas ainda assim ele não me toca. É tão frustrante. Tento me concentrar na conversa.

— Pelo que me lembro, estávamos numa sala de jantar privativa, discutindo contratos.

— Bons tempos — diz, sorrindo de lado. — Desta vez espero conseguir comer você. — Ele ergue a mão para pegar a faca.

Ah!

Christian dá uma garfada em seu peixe. Está fazendo isso de propósito.

— Não conte com isso — resmungo com um muxoxo, e ele me olha, divertido. — Por falar em contratos — acrescento —, o termo de confidencialidade...

— Rasgue — diz simplesmente.

Uau.

— O quê? Sério?

— Sério.

— Tem certeza de que não vou sair correndo para fazer revelações bombásticas ao *Seattle Times*? — provoco.

Ele ri, e é um som maravilhoso. Está com uma aparência tão jovem.

— Não. Confio em você. Vou lhe conceder o benefício da dúvida.

Ah. Sorrio timidamente para ele.

— Igualmente — ofego.

Seus olhos se iluminam.

— Fico muito feliz que você esteja de vestido — sussurra.

E pronto: o desejo corre por meu já superaquecido sangue.

— Por que não me tocou até agora, então? — ataco.

— Sentindo falta do meu toque? — pergunta, sorrindo.

Está se divertindo... o filho da mãe.

— Sim. — Estou fervendo.

— Coma — ordena ele.

— Você não vai me tocar, não é?

— Não. — Ele balança a cabeça.

O quê? Suspiro bem alto.

— Pense só em como você vai estar quando chegarmos em casa — sussurra.
— Mal posso esperar para levar você embora.

— Pois vai ser sua culpa se eu entrar em combustão aqui no septuagésimo sexto andar — resmungo entre os dentes.

— Ah, Anastasia. A gente daria um jeito de apagar o fogo — diz ele, sorrindo de forma provocante para mim.

Irritada, como meu peixe, e minha deusa interior estreita os olhos numa contemplação quieta e maldosa. Também podemos jogar esse jogo. Aprendi o básico durante a nossa refeição no Heathman. Dou mais uma garfada. Está uma delícia. Fecho os olhos, saboreando o gosto. Ao abri-los, começo a seduzir Christian Grey, erguendo muito lentamente o vestido, expondo mais as coxas.

Christian para por um instante, a garfada suspensa no ar.

Toque em mim.

Após um segundo, ele volta a comer. Dou outra garfada, ignorando-o. Então, baixo a faca e corro a mão pela parte interna de minha coxa, batendo de leve na pele com as pontas dos dedos. O gesto distrai até a mim, principalmente porque estou louca para que ele me toque. Christian para mais uma vez.

— Sei o que você está fazendo. — Sua voz é baixa e rouca.

— Sei que você sabe, Sr. Grey — respondo suavemente. — Por isso é interessante.

Pego um talo de aspargo, olhando de lado para Christian, por entre os cílios, e o mergulho no molho, girando lentamente a pontinha.

— Você não vai virar o jogo, Srta. Steele.

Sorrindo, ele se aproxima e pega o aspargo da minha mão — para minha surpresa e irritação, sem me tocar. Não, isso não está certo, não está saindo de acordo com o meu plano. *Droga!*

— Abra a boca — ordena.

Estou perdendo nessa batalha de vontades. Olho para ele de novo, e seus olhos cinzentos estão brilhando. Separo os lábios de leve, correndo a língua ao longo do lábio inferior. Christian sorri, e seus olhos parecem ainda mais escuros.

— Mais — suspira, abrindo os próprios lábios, de forma que posso ver sua língua.

Estou gemendo por dentro, e mordo o lábio inferior antes de obedecê-lo. Ouço-o inspirar profundamente: ele não é tão imune assim.

Ótimo, finalmente está fazendo efeito.

Mantendo os olhos fixos nos dele, recebo o aspargo na boca e o chupo com carinho... bem delicadamente... na ponta. O molho é de dar água na boca. Mordo, gemendo baixinho em apreciação.

Christian fecha os olhos. *Isso!* Quando ele os abre novamente, suas pupilas estão dilatadas. O efeito em mim é imediato. Solto um gemido e estico o braço para tocar sua coxa. Para minha surpresa, ele usa a outra mão para me agarrar pelo pulso.

— Ah, não, nada disso, Srta. Steele — murmura baixinho.

Levando minha mão até sua boca, ele gentilmente roça as costas de meus dedos com os lábios, e eu me contorço. Finalmente! Mais, por favor.

— Nada de tocar em mim. — Ele me censura calmamente, e coloca minha mão de volta em meu joelho. É tão frustrante este contato breve e insatisfatório.

— Você não joga limpo — reclamo.

— Eu sei.

Ele pega sua taça de champanhe e propõe um brinde, eu repito suas ações.

— Parabéns pela promoção, Srta. Steele.

Nós brindamos e eu fico vermelha.

— É, um tanto inesperada — murmuro.

Ele franze a testa como se um pensamento desagradável tivesse atravessado sua mente.

— Coma — ordena. — Não vou levar você para casa até que termine o seu prato, e então vamos poder comemorar de verdade.

Sua expressão é tão sensual, tão crua, tão imponente. E eu me derreto.

— Não estou com fome. Não de comida.

Ele balança a cabeça, claramente se divertindo, mas, ao mesmo tempo, estreita os olhos para mim.

— Coma, ou eu vou ter que lhe dar umas palmadas aqui mesmo, para a diversão dos outros clientes.

Suas palavras me fazem contorcer. Ele não ousaria! Ele e sua mão sempre coçando. Fecho a boca numa linha rígida e o encaro. Pegando um aspargo pelo talo, ele o mergulha no molho.

— Coma isto — murmura, a voz baixa e sedutora.

Obedeço de bom grado.

— Você realmente não come o suficiente. Emagreceu desde que a conheci — seu tom é gentil.

Não quero pensar em meu peso, a verdade é que gosto de ser magra assim. Engulo o aspargo.

— Só quero ir para casa e fazer amor — balbucio, desconsolada.

Christian sorri.

— Eu também, e é o que a gente vai fazer. Vamos, coma.

Relutante, volto a atenção para o meu prato e começo a comer. Poxa, tirei a calcinha e tudo. Sinto-me feito uma criança a quem se negou um doce. Ele é tão provocante.... e delicioso, sensual, impertinente, e é todinho meu.

Ele me faz perguntas a respeito de Ethan. Ao que parece, Christian tem algum negócio com o pai de Kate e Ethan. Hum... que mundo pequeno. Fico aliviada por ele não mencionar o Dr. Flynn ou a casa, pois estou tendo dificuldade para me concentrar na conversa. Quero ir embora.

A expectativa carnal vai se desenrolando entre nós. Ele é tão bom nisso. Em me fazer esperar. Preparar a cena. Entre uma garfada e outra, ele pousa a mão sobre a coxa, tão perto da minha... mas mesmo assim não me toca, só para me provocar ainda mais.

Filho da mãe! Enfim termino a comida e descanso os talheres sobre o prato.

— Boa menina — murmura ele, e essas duas palavrinhas carregam tantas promessas.

Faço cara feia para ele.

— E agora? — pergunto, o desejo me comprimindo a barriga. Ah, quero esse homem.

— Agora? A gente vai embora. Imagino que você tenha certas expectativas, Srta. Steele. Que eu pretendo satisfazer com o melhor de minha capacidade.

Uau!

— O melhor... de sua ca... pa... cidade? — gaguejo.

Puta merda. Ele sorri e fica de pé.

— A gente não precisa pagar? — pergunto, sem fôlego.

Ele deita a cabeça de lado.

— Sou sócio daqui. Vão me mandar a conta. Venha, Anastasia, passe na minha frente.

Ele dá um passo para o lado, e me levanto para ir embora, consciente de que não estou usando calcinha.

Ele olha para mim de um jeito sombrio, despindo-me com os olhos, e é uma glória estar diante de sua avaliação carnal. Me faz sentir tão sensual: esse homem lindo me quer. Será que isso sempre vai me deixar tão excitada? Parando deliberadamente na frente dele, aliso o vestido sobre meu quadril.

Christian sussurra em meu ouvido:

— Mal posso esperar para levar você para casa. — Ainda assim, ele não me toca.

Na saída, ele murmura algo sobre o carro para o *maître*, mas não estou ouvindo, minha deusa interior está incandescente com tanta expectativa. Deus meu, ela seria capaz de deixar Seattle em chamas.

Enquanto esperamos pelo elevador, dois casais de meia-idade se juntam a nós. Quando as portas se abrem, Christian me leva pelo cotovelo até o fundo. Olho ao redor, e estamos rodeados de espelhos escuros por todos os lados. As pessoas entram no elevador, e um homem usando um terno marrom que não lhe cai nada bem cumprimenta Christian:

— Grey — acena com educação.

Christian responde com um aceno de cabeça, em silêncio.

Os dois casais ficam diante de nós, de frente para as portas do elevador. Obviamente são amigos: as mulheres conversam em voz alta, animadas e alegres após a refeição. Acho que estão todos um pouco embriagados.

Assim que as portas se fecham, Christian se abaixa rapidamente ao meu lado para amarrar o cadarço. Estranho, o cadarço dele não estava desamarrado. Discretamente ele coloca a mão em meu tornozelo, dando-me um susto, e, à medida que se levanta, sua mão sobe ligeira pela minha perna, deslizando deliciosamente por minha pele — uau — até o alto. Tenho que reprimir um suspiro de surpresa quando sua mão alcança minha bunda. Christian se move atrás de mim.

Deus do céu. Arregalo os olhos para as pessoas à nossa frente, fitando as costas de suas cabeças. Eles não têm ideia do que estamos fazendo. Passando o braço livre em volta de minha cintura, Christian me puxa para junto de si, mantendo-me firme no lugar ao explorar meu corpo com seus dedos. *Minha nossa... aqui dentro?* O elevador desce com suavidade, parando no quinquagésimo terceiro andar para receber mais pessoas, mas não estou prestando atenção. Estou concentrada em cada pequeno movimento que seus dedos fazem. Desenhando círculos... e então avançando, investigando, e o elevador continua sua descida.

Quando seus dedos alcançam seu objetivo, tenho que sufocar um gemido.

— Sempre tão pronta, Srta. Steele — sussurra ele ao enfiar um dedo dentro de mim.

Eu me contorço e ofego. Como ele pode fazer isso com todas essas pessoas aqui?

— Fique quieta e parada — adverte, murmurando em meu ouvido.

Estou vermelha, quente, ávida, presa num elevador com sete pessoas, seis das quais alheias ao que está acontecendo no canto. Seu dedo desliza para dentro e para fora de mim, de novo e de novo. Minha respiração... Caramba, é constrangedor. Quero lhe dizer para parar... e continuar... e parar. Eu solto o corpo contra o dele, e ele aperta o braço em torno de mim, sua ereção contra meu quadril.

Paramos de novo no quadragésimo quarto andar. *Ai... por quanto tempo essa tortura vai continuar? Para dentro... para fora... para dentro... para fora...* Sutilmente, eu me movo contra seu dedo persistente. Depois de todo esse tempo sem me tocar, ele escolhe logo agora! Aqui! Isso me faz sentir tão... devassa.

— Calma — ofega ele, aparentemente impassível diante das duas outras pessoas que entram.

O elevador está ficando lotado. Christian nos move tão para o fundo que ficamos espremidos nas paredes do canto. Ele me segura firme e continua sua tortura, mergulhando o rosto em meu cabelo. Tenho certeza de que pareceríamos um jovem casal apaixonado, abraçando-se num canto, caso alguém se desse o trabalho de virar para trás para ver o que estamos fazendo... E ele enfia um segundo dedo dentro de mim.

Droga! Solto um gemido, ainda bem que o grupo à nossa frente continua conversando, totalmente alheio.

Ah, Christian, o que você faz comigo... Eu apoio a cabeça contra seu peito, fechando os olhos e me rendendo aos seus incansáveis dedos.

— Não goze — sussurra. — Quero isso mais tarde.

Ele apoia a palma da mão em minha barriga, pressionando de leve para baixo enquanto continua a sua doce tortura. A sensação é fenomenal.

Finalmente o elevador chega ao primeiro andar. Com um apito agudo, as portas se abrem, e quase que instantaneamente os passageiros começam a sair. Christian desliza lentamente os dedos para fora de mim e beija a parte de trás de minha cabeça. Viro o rosto para encará-lo, e ele sorri, e então acena mais uma vez para o Sr. Terno Marrom Desajeitado, que responde com outro aceno ao deixar o elevador com sua esposa. Mal reparo neles, concentrando-me em me manter de pé e controlar minha respiração ofegante. Nossa, sinto-me privada de alguma coisa. Christian me solta, e eu tenho que me apoiar sozinha em meus próprios pés, sem a ajuda dele.

Virando-me, eu o encaro. Ele parece sereno e calmo, em sua postura descontraída de sempre. Hum... Isso não é nada justo.

— Pronta? — pergunta, seus olhos ardendo com um brilho perverso enquanto enfia o indicador e depois o dedo médio na boca e os chupa. — Que beleza, Srta. Steele — sussurra.

Quase tenho uma convulsão ali mesmo.

— Não acredito que você fez isso — murmuro, praticamente desfalecendo.

— Você ficaria surpresa com o que sou capaz de fazer, Srta. Steele — diz ele.

Estendendo a mão, ele prende uma mecha de cabelo atrás de minha orelha, um leve sorriso traindo seu divertimento.

— Quero levar você para casa, mas talvez a gente só consiga chegar até o carro. — Ele sorri para mim, pegando minha mão e me conduzindo para fora do elevador.

O quê! Sexo no carro? A gente não pode simplesmente fazer aqui, no chão frio de mármore do saguão do prédio... por favor?

— Venha.

— Isso, eu quero.

— Srta. Steele! — Repreende-me com uma expressão de espanto fingido.

— Nunca fiz sexo num carro — murmuro.

Christian para e leva os mesmos dedos até a ponta do meu queixo, inclinando minha cabeça para trás e me encarando.

— Fico muito contente de ouvir isso. Posso dizer que eu ficaria muito surpreso, para não dizer irritado, se você já tivesse feito.

Enrubesço-me, piscando para ele. Claro, ele é a única pessoa com quem já fiz sexo. Franzo a testa.

— Não foi o que eu quis dizer.

— E o que você quis dizer? — Seu tom é inesperadamente áspero.

— Christian, era só uma expressão.

— A famosa expressão "nunca fiz sexo num carro". Realmente, é tão corriqueira.

Qual é o problema dele?

— Christian, eu não estava pensando. Pelo amor de Deus, você acabou de... hum... fazer aquilo comigo num elevador cheio de gente. Minha cabeça não está funcionando direito.

Ele levanta as sobrancelhas.

— O que foi que eu fiz? — Desafia-me.

Faço cara feia para ele. Ele quer que eu diga.

— Você me deixou excitada, para cacete. Agora trate de me levar pra casa e de trepar comigo.

Ele fica boquiaberto e ri, surpreso. Nesse instante parece simplesmente um jovem despreocupado. Ah, ouvir essa risada. Adoro a risada dele, porque é tão rara.

— Você é tão romântica, Srta. Steele. — Ele pega a minha mão, nós saímos do prédio e caminhamos até o manobrista ao lado do meu Saab.

— Então você quer fazer sexo no carro — murmura Christian ao ligar o motor.

— Para falar a verdade, eu teria ficado feliz com o piso do saguão.

— Acredite, Ana, eu também. Mas não gosto de ser preso a esta hora da noite, e não queria comer você num banheiro. Bem, não hoje.

O quê!

— Então havia uma possibilidade?

— Ah, sim.

— Vamos voltar.

Ele se vira para olhar para mim e ri. Seu riso é contagiante; logo estamos os dois rindo — um riso maravilhoso, catártico e de jogar a cabeça para trás. Depois ele estica o braço e coloca a mão em meu joelho, acariciando-me de leve com dedos habilidosos. Paro de rir.

— Paciência, Anastasia — murmura e começa a dirigir em meio ao trânsito de Seattle.

CHRISTIAN ESTACIONA o Saab na garagem do Escala e desliga o motor. De repente, no confinamento do carro, a atmosfera entre nós muda. Com um desejo galopante, olho para ele, tentando conter meu coração acelerado. Ele está virado para mim, encostado na porta do carro, o cotovelo apoiado no volante.

Com o polegar e o indicador, ele puxa o lábio inferior. Tem uma boca tão provocante. Quero essa boca em mim. Ele está me observando atentamente, os olhos cinza-escuro. Minha garganta fica seca. Ele abre um sorriso lento e sensual.

— A gente vai transar no carro numa hora e num lugar de minha escolha. Agora, quero foder com você em todas as superfícies livres do meu apartamento.

É como se ele estivesse falando diretamente com a região abaixo da minha cintura... minha deusa interior executa quatro arabescos e um passo de balé.

— Certo.

Nossa, eu soo tão ofegante, desesperada.

Ele se inclina um milímetro para a frente. Fecho meus olhos, à espera de um beijo, pensando: finalmente. Mas nada acontece. Depois de intermináveis segundos, abro os olhos e o vejo me fitando. Não consigo imaginar o que está pensando, mas antes que eu possa dizer qualquer coisa, ele me distrai novamente.

— Se eu beijar você agora, não vamos chegar ao apartamento. Venha.

Droga! Como um homem pode ser tão frustrante? Ele salta do carro.

MAIS UMA VEZ, esperamos pelo elevador, e meu corpo vibra de expectativa. Christian segura minha mão, correndo o polegar ritmicamente ao longo de meus dedos, cada carícia suave ecoando dentro de mim. Ah, quero essas mãos em meu corpo. Ele já me torturou o suficiente.

— O que aconteceu então com a gratificação instantânea? — murmuro, enquanto esperamos.

— Não é apropriada para todas as situações, Anastasia.

— Desde quando?

— Desde hoje à noite.

— Por que você está me torturando desse jeito?

— Olho por olho, Srta. Steele.

— E como estou torturando você?

— Acho que você sabe.

Ergo o olhar para ele, e sua expressão é difícil de avaliar. *Ele quer que eu dê minha resposta... é isso.*

— Também gosto de adiar a gratificação — sussurro, sorrindo timidamente.

De repente, ele puxa a minha mão, e estou em seus braços. Ele me segura pela nuca, puxando de leve meu cabelo, deitando minha cabeça para trás.

— O que eu preciso fazer para que você diga "sim"? — pergunta, fervorosamente, surpreendendo-me de novo.

Eu pisco para ele; sua expressão é linda, séria e desesperada.

— Só me dê um pouco de tempo... por favor — murmuro.

Ele geme e enfim me beija com força, por um longo tempo. E então estamos dentro do elevador, e somos apenas mãos e bocas e línguas e lábios e dedos e cabelo. Um desejo poderoso dispara pelo meu sangue, turvando toda a minha razão. Ele me empurra contra a parede, apertando-me com o quadril, uma mão em meu cabelo, a outra em meu queixo, mantendo-me firme no lugar.

— Eu pertenço a você — ele sussurra. — Meu destino está em suas mãos, Ana.

Suas palavras são inebriantes, e, em meu estado superexcitado, quero arrancar suas roupas. Tiro seu paletó, e tropeçamos para fora do elevador assim que ele chega ao apartamento.

Christian me aperta contra a parede ao lado do elevador, seu paletó caído no chão, e sua mão subindo ao longo da minha perna, sem nunca tirar os lábios dos meus. Ele levanta o meu vestido.

— Primeira superfície — ofega e, de repente, levanta-me. — Passe as pernas em volta de mim.

Obedeço, e ele se vira e me coloca sobre a mesa do saguão, de forma que fica de pé entre minhas pernas. Percebo que o vaso de flores habitual não está ali. *Hein?* Ele enfia a mão no bolso da calça e me passa um pacotinho, abrindo o zíper.

— Você sabe o quanto me excita?

— O quê? — ofego. — Não... eu...

— Bem, você me excita — balbucia —, o tempo todo.

Ele pega o pacotinho das minhas mãos. Ah, é tudo tão rápido, mas, depois de tanta tentação, quero-o agora. Ele me encara ao colocar a camisinha, em seguida, põe as mãos em minhas coxas e abre minhas pernas. Preparando-se, ele faz uma pausa.

— Fique de olhos abertos. Quero ver você — sussurra e, segurando minhas mãos nas suas, entra em mim.

Eu tento, de verdade, mas a sensação é tão estonteante. É tudo o que eu estava esperando desde que ele começou com essa provocação. *Ah, a plenitude, a sensação...* Solto um gemido e arqueio as costas na mesa.

— Abra os olhos — rosna ele, apertando minhas mãos e entrando com força dentro mim, fazendo-me gritar.

Piscando, abro os olhos, e ele está me fitando de olhos arregalados. Ele sai bem devagar e então afunda em mim mais uma vez, a boca entreaberta, formando um *Ah...* mas não diz nada. Ver sua excitação, sua reação ao meu corpo, me incendeia por dentro, o sangue arde nas minhas veias. Seus olhos cinzentos queimam os meus. Ele acelera o ritmo, e eu me entrego, deleitando-me naquilo, vendo-o olhando para mim — sua paixão, seu amor —, enquanto desmoronamos, juntos.

Eu grito, numa explosão, e Christian me acompanha.

— Sim, Ana! — grita.

E cai em cima de mim, soltando minhas mãos e descansando a cabeça em meu peito. Minhas pernas ainda estão ao redor dele, e sob o olhar paciente e maternal das pinturas de Nossa Senhora, embalo sua cabeça contra o meu corpo, lutando para recuperar o fôlego. Ele ergue o olhar para mim:

— Ainda não terminei com você — murmura, inclinando-se para me beijar.

ESTOU NUA, DEITADA na cama de Christian, esparramada sobre o seu peito, a respiração ofegante. Deus do céu — como ele pode ter tanta energia? Christian corre os dedos para cima e para baixo ao longo de minhas costas.

— Satisfeita, Srta. Steele?

Solto um gemido de aprovação. Não tenho mais forças para falar. Ergo meus olhos embaçados para ele, deleitando-me em seu olhar cálido e apaixonado. Muito deliberadamente, inclino a cabeça para baixo, para que fique claro que vou beijar seu peito.

Ele enrijece por um instante, e eu deixo um beijo suave em seus pelos, inspirando seu cheiro único, misturado a suor e sexo. É inebriante. Ele rola para o lado, de forma que fico deitada junto a seu corpo, e olha para mim.

— Sexo é assim para todo mundo? Fico surpresa que as pessoas saiam de casa — murmuro, sentindo-me tímida, de repente.

Ele sorri.

— Não posso falar por todo mundo, mas é muito especial com você, Anastasia. — Ele se inclina e me beija.

— Isso é porque você é muito especial, Sr. Grey — concordo, sorrindo e acariciando seu rosto.

Ele pisca para mim, perdido.

— Está tarde. Hora de dormir — diz.

Ele me beija e depois se deita, puxando-me para junto de si, e ficamos de conchinha na cama.

— Você não gosta de elogios.

— Durma, Anastasia.

Hum... Mas ele é muito especial. Caramba... por que ele não percebe isso?

— Amei a casa — murmuro.

Ele fica em silêncio por um minuto, mas sinto seu sorriso.

— Amo você. Agora durma.

Ele enfia o rosto em meu cabelo, e eu caio no sono, sentindo-me segura em seus braços, sonhando com o pôr do sol e portas de varanda e escadas largas... e um pequeno menino de cabelos cor de cobre correndo por um prado, rindo e gargalhando enquanto eu corro atrás dele.

———

— Tenho que ir, baby. — Christian me acorda com um beijo logo abaixo da minha orelha.

Abro os olhos, já é de manhã. Viro-me para encará-lo, mas ele está de pé, de banho tomado e arrumado, maravilhoso, inclinando-se sobre mim.

— Que horas são?

Ah, não... Não quero chegar atrasada.

— Não precisa entrar em pânico. Tenho uma reunião no café da manhã. — Ele encosta o nariz no meu.

— Que cheiro bom — sussurro, espreguiçando-me sob ele, os membros rígidos e cansados depois de todas as nossas proezas de ontem. Passo os braços ao redor de seu pescoço. — Não vá.

Ele deita a cabeça de lado e levanta a sobrancelha.

— Srta. Steele, a senhorita está tentando afastar um homem de um dia de trabalho honesto?

Faço que sim com a cabeça, sonolenta, e ele sorri seu novo sorriso tímido.

— Por mais tentadora que você seja, tenho que ir. — Ele me beija e fica de pé.

Está usando um terno azul-marinho, camisa branca e uma gravata azul-marinho, e cada centímetro de seu corpo transmite um ar de CEO... um CEO muito sensual.

— Até mais, baby — murmura ele e vai embora.

Olhando para o relógio, noto que já são sete horas. Não devo ter ouvido o alarme tocar. Bem, hora de levantar.

No CHUVEIRO, TENHO uma inspiração. Pensei em outro presente de aniversário para Christian. É tão difícil comprar algo para um homem que já tem tudo. Já lhe entreguei meu presente principal, e ainda tenho o outro que comprei na loja de turismo, mas este na verdade vai ser para mim.

Desligo o chuveiro e dou um abraço em mim mesma, de tanta empolgação. Só preciso fazer uns preparativos.

No closet, coloco um vestido justo vermelho-escuro com um decote quadrado bem avantajado. Pronto, isso deve servir para ir pro trabalho.

Agora, o presente de Christian. Vasculho as gavetas, à procura de suas gravatas. Na gaveta de baixo, encontro a calça jeans desbotada e rasgada, a que ele usa no quarto de jogos — ah, ele fica uma delícia nessa calça. Passo a mão de leve sobre ela. Nossa, é tão macia.

Embaixo dela, encontro uma caixa de papelão grande e preta que desperta o meu interesse imediatamente. O que tem aqui dentro? Olho para ela, sentindo-me invadindo seu território de novo. Ergo a caixa e sacudo. É pesada, como se estivesse cheia de papéis ou manuscritos. Não posso resistir, abro a tampa e fecho-a novamente num susto. Puta merda — fotos do Quarto Vermelho da Dor. O choque me faz cair para trás sentada, enquanto tento limpar a imagem de meu cérebro.

Por que fui abrir a caixa? Por que ele guardou isso?

Tremo. Meu inconsciente faz uma cara feia para mim: *isto é anterior a você. Esqueça.*

Ele tem razão. Quando me levanto, percebo que as gravatas estão penduradas no final do cabideiro. Pego minha favorita e saio depressa.

Aquelas fotos são A. A. — Antes de Ana. Meu inconsciente faz que sim com a cabeça, concordando, mas sigo para a sala de estar para tomar café da manhã com o coração pesado. A Sra. Jones sorri calorosamente para mim e, em seguida, franze a testa.

— Está tudo bem, Ana? — pergunta gentilmente.

— Sim — murmuro, distraída. — Você tem a chave para o... hum... o quarto de jogos?

Ela faz uma pausa momentânea, surpresa.

— Tenho, claro. — Ela retira um pequeno molho de chaves do cinto. — O que você gostaria de comer no café da manhã, querida? — pergunta ao me entregar as chaves.

— Só um pouco de granola. Não vou demorar.

Eu me sinto mais ambivalente a respeito do presente, agora, mas só porque vi aquelas fotografias. *Nada mudou!*, meu inconsciente grita para mim de novo, encarando-me por sobre os óculos de meia-lua. Aquela foto que você viu por cima era bem sensual, minha deusa interior resolve se intrometer, e, mentalmente, faço cara feia para ela. É, era mesmo... sensual demais para mim.

O que mais ele escondeu por aí? Depressa, vasculho a cômoda de museu, pego o que preciso e tranco a porta atrás de mim. Não gostaria que José descobrisse este lugar!

Entrego as chaves para a Sra. Jones e me sento para devorar meu café da manhã, estranhando a ausência de Christian. As imagens fotográficas dançam, indesejáveis, em minha mente. Imagino quem era. Leila, talvez?

* * *

No CARRO, DIRIGINDO até o trabalho, pergunto-me se devo ou não dizer a Christian que encontrei as fotografias. *Não*, grita meu inconsciente, fazendo a careta de Edvard Munch. Decido que provavelmente ele está certo.

Assim que me sento em minha mesa, meu BlackBerry vibra.

De: Christian Grey
Assunto: Superfícies
Data: 17 de junho de 2011 08:59
Para: Anastasia Steele

Calculo que ainda faltem umas trinta superfícies pela casa. Estou ansioso por cada uma delas. E depois, ainda temos os pisos, as paredes... e não vamos nos esquecer da varanda.

Depois disso, o meu escritório...

Saudade.

Bj,

Christian Grey
Um CEO priápico, Grey Enterprises Holdings, Inc.

Seu e-mail me faz sorrir, e todas as minhas ressalvas anteriores se evaporam. É a mim que ele quer agora, e as memórias da noite passada me invadem a mente... *o elevador, o saguão, a cama*. É, priápico mesmo. Pergunto-me vagamente qual seria o equivalente feminino.

De: Anastasia Steele
Assunto: Romance?
Data: 17 de junho de 2011 09:03
Para: Christian Grey

Sr. Grey,

Você só pensa naquilo.

Senti sua falta no café da manhã.

Mas a Sra. Jones foi muito obsequiosa.

Bj.

De: Christian Grey
Assunto: Intrigado
Data: 17 de junho de 2011 09:07
Para: Anastasia Steele

E a Sra. Jones foi obsequiosa a respeito de quê?

O que está aprontando, Srta. Steele?

Christian Grey
Um CEO curioso, Grey Enterprises Holdings, Inc.

Como ele sabe?

De: Anastasia Steele
Assunto: Confidencial
Data: 17 de junho de 2011 09:10
Para: Christian Grey

Aguarde e confie — é surpresa.

Preciso trabalhar... deixe-me em paz.

Amo você.

Bj.

De: Christian Grey
Assunto: Frustrado
Data: 17 de junho de 2011 09:12
Para: Anastasia Steele

Odeio quando você esconde as coisas de mim.

Christian Grey
CEO, Grey Enterprises Holdings, Inc.

Fico olhando para a pequena tela do BlackBerry. A veemência implícita em seu e-mail me pega de surpresa. Por que ele se sente assim? Não é como se eu estivesse escondendo fotos eróticas dos meus ex-namorados.

De: Anastasia Steele
Assunto: Para a sua satisfação
Data: 17 de junho de 2011 09:14
Para: Christian Grey

É para o seu aniversário.

Mais uma surpresa.

Não seja tão petulante.

Bj.

Ele não responde de imediato, e eu sou chamada para participar de uma reunião, então não posso me demorar com o assunto.

QUANDO VERIFICO MEU BlackBerry de novo, percebo, com horror, que já são quatro da tarde. Para onde foi o meu dia? Nenhuma mensagem de Christian ainda. Decido mandar outro e-mail.

De: Anastasia Steele
Assunto: Olá
Data: 17 de junho de 2011 16:03
Para: Christian Grey

Você parou de falar comigo?

Não se esqueça de que vou sair para tomar uma bebida com José e de que ele vai passar a noite com a gente.

Por favor, mude de ideia e venha se encontrar conosco.

Bj.

Ele não responde, e eu sinto um arrepio de desconforto. Espero que esteja bem. Ligo para o seu celular, e a chamada cai na caixa postal. A mensagem diz simplesmente "Grey, deixe seu recado", em seu tom mais contido.

— Oi... hum... sou eu. Ana. Você está bem? Me ligue — gaguejo.

Nunca tive que deixar um recado para ele antes. Fico vermelha ao desligar. *Claro que ele vai saber que é você, sua idiota!* Meu inconsciente revira os olhos para mim. Sinto-me tentada a ligar para sua assistente, Andrea, mas concluo que isso seria ir longe demais. Relutante, continuo meu trabalho.

MEU TELEFONE TOCA inesperadamente, e meu coração pula. *Christian!* Mas não, é Kate, minha melhor amiga, finalmente!

— Ana — grita ela do outro lado da linha.

— Kate! Você voltou? Que saudade.

— Eu também. Tenho tanta coisa para contar. Estamos no aeroporto... eu e o meu homem. — Ela ri de um jeito nada típico de Kate.

— Legal. Também tenho um monte de coisa para contar.

— Vejo você no apartamento?

— Vou dar uma saída com José. Venha com a gente.

— José está na cidade? Claro! Me mande o endereço por mensagem.

— Tá — respondo.

— Você está bem, Ana?

— Estou, tudo ótimo.

— Ainda com o Christian?

— Ainda.

— Ótimo. Até mais, baby!

Ah, não, ela também. A influência de Elliot não tem limites.

— É, até mais, baby — sorrio e ela desliga.

Uau. Kate está de volta. Como vou contar a ela tudo o que aconteceu? Eu deveria fazer uma lista para não esquecer de nada.

UMA HORA DEPOIS meu telefone do escritório toca — *Christian?* Não, é Claire.

— Você deveria ver o cara que está aqui embaixo perguntando por você. Onde você conhece todos esses caras maravilhosos, Ana?

José deve ter chegado. Olho para o relógio: cinco para as seis, e uma pequena empolgação pulsa em mim. Faz séculos que não o vejo.

— Ana, uau! Você está linda. Tão adulta. — Ele sorri para mim.

Só porque estou usando um vestido chique... caramba!

Ele me abraça com força.

— E mais alta também — diz, espantado.

— São só os sapatos, José. Você também não está nada mal.

Ele está vestindo calça jeans, uma camiseta preta e uma camisa de flanela xadrez branca e preta.

— Vou pegar as minhas coisas, e a gente já vai.

— Legal. Vou esperar aqui.

PEGO DUAS GARRAFAS de Rolling Rocks no bar lotado e caminho até a mesa em que José está sentado.

— Você achou a casa de Christian direitinho?

— Achei. Não cheguei a entrar. Só coloquei as fotos no elevador de serviço. Um cara chamado Taylor levou lá para cima. Parece um lugar e tanto.

— E é. Espere só até ver por dentro.

— Mal posso esperar. *Salud*, Ana. Seattle fez bem a você.

Fico vermelha, e brindamos com nossas garrafas. É Christian que me faz bem.

— *Salud*. Conte-me como foi a exposição.

Ele sorri e começa a falar. Vendeu quase todas as fotos, exceto três, e o dinheiro deu para pagar os empréstimos da universidade e ainda sobrou algum.

— E fui contratado para fazer algumas paisagens para o Comitê de Turismo de Portland. Muito legal, não é? — conclui, orgulhoso.

— José, que maravilha. Mas isso não vai atrapalhar os seus estudos, não é? — franzo a testa para ele.

— Que nada. Agora que vocês foram embora, e mais três dos caras com quem eu costumava sair também se mudaram, tenho mais tempo.

— Nenhuma gatinha para manter você ocupado? Na última vez em que o vi, você estava rodeado por meia dúzia de mulheres concentradas em cada palavra que você dizia — levanto uma sobrancelha para ele.

— Não, Ana. Nenhuma delas é mulher o bastante para mim. — Ele é todo bravata.

— Ah, claro. José Rodriguez, destruidor de corações. — Dou uma risadinha.

— Ei, eu tenho meus momentos, Steele. — Ele parece vagamente magoado, e eu me sinto culpada.

— Claro que tem — asseguro.

— Então, como vai o Grey? — pergunta ele, seu tom de voz mudando, tornando-se mais frio.

— Está bem. Estamos bem — murmuro.

— E o negócio está sério?

— Está. Sério.

— Ele não é velho demais para você?

— Ah, José. Você sabe o que minha mãe diz: já nasci velha.

José sorri ironicamente.

— Como vai a sua mãe? — e assim, estamos fora da zona de perigo.

— Ana!

Viro-me e vejo Kate com Ethan. Ela está linda: o cabelo louro-avermelhado descolorido pelo sol, um bronzeado dourado, um sorriso radiante e o corpo bem definido por sob a camiseta branca e a calça jeans branca e justa. Todos os olhos estão em Kate. Eu me levanto e lhe dou um abraço. Nossa, como senti saudade dela!

Ela me afasta e me mantém a distância de um braço, examinando-me de perto. Fico vermelha diante desse olhar intenso.

— Você emagreceu. Muito. E está diferente. Adulta. O que aconteceu? — diz, toda maternal. — Gostei desse vestido. Ficou bem em você.

— Muita coisa aconteceu desde que você viajou. Eu conto depois, quando estivermos sozinhas — ainda não estou pronta para a Inquisição Katherine Kavanagh.

Ela me olha desconfiada.

— Você está bem? — pergunta gentilmente.

— Estou — sorrio, mas estaria mais feliz se soubesse onde Christian está.

— Legal.

— Oi, Ethan. — Sorrio para ele, e ele me dá um abraço rápido.

— Oi, Ana — sussurra ele em meu ouvido.

José franze a testa para ele.

— Como foi o almoço com Mia? — pergunto a Ethan.

— Interessante — diz ele, misteriosamente.

Ah?

— Ethan, você conhece José?

— Já nos vimos uma vez — resmunga José, avaliando Ethan enquanto eles apertam as mãos.

— Sim, na casa de Kate, em Vancouver — responde Ethan, sorrindo gentilmente para José. — Certo, quem aceita uma bebida?

Caminho até o banheiro e mando uma mensagem de texto para Christian, avisando onde estamos; talvez ele se junte a nós. Meu celular não indica nenhuma chamada não atendida nem e-mail novos. Não é a cara dele.

— O que foi, Ana? — pergunta José assim que volto para a mesa.

— Não consigo falar com Christian. Espero que ele esteja bem.

— Vai estar tudo bem. Mais uma cerveja?

— Claro.

Kate se inclina sobra a mesa.

— Ethan me contou que uma ex-namorada maluca invadiu o apartamento com uma arma?

— É... foi. — Dou de ombros num pedido de desculpas.

Ai, a gente tem que ter essa conversa agora?

— Ana, que diabo está acontecendo? — Kate olha abruptamente para o telefone. — Oi, baby — diz ela, atendendo uma ligação. *Baby*! Ela franze a testa e me olha. — Claro — diz e se vira para mim: — É Elliot... ele quer falar com você.

— Ana. — A voz de Elliot é contida e baixa, e sinto meu couro cabeludo pinicar ameaçadoramente.

— O que houve?

— É o Christian. Ele não voltou de Portland.

— O quê? Como assim?

— O helicóptero dele desapareceu.

— *Charlie Tango*? — sussurro, e todo o ar se esvai de meu corpo. — Não!

CAPÍTULO DEZENOVE

Encaro as chamas, em choque. Elas dançam e se entrelaçam em tons vívidos de laranja com extremidades de azul-cobalto, na lareira do apartamento de Christian. E apesar do calor que emana e do cobertor que me envolve os ombros, estou com frio. Um frio de congelar os ossos.

Ouço vozes abafadas, muitas vozes abafadas. Mas elas estão lá no fundo, um zumbido distante. Não identifico as palavras. Tudo o que posso ouvir, tudo em que posso me concentrar é o silvo suave da saída de gás da lareira.

Meus pensamentos se voltam para a casa que vimos ontem e para as lareiras imensas — lareiras de verdade de queimar lenha. Queria fazer amor com Christian diante de uma lareira de verdade. Queria fazer amor com Christian diante desta lareira. É, seria divertido. Sem dúvida, ele acharia um jeito de tornar isso inesquecível, assim como todas as vezes em que fizemos amor. Rio ironicamente para mim mesma; até nas vezes em que a gente estava só fodendo. Sim, essas também foram inesquecíveis. *Onde ele está?*

As chamas se remexem e brilham, aprisionando-me, entorpecendo-me. Eu me concentro apenas na beleza resplandecente e escaldante delas. Elas me enfeitiçam.

Anastasia, você me enfeitiçou.

Ele disse isso para mim na primeira vez em que dormiu comigo na minha cama. *Ah, não...*

Envolvo meu corpo com os braços e o mundo desmorona ao meu redor, a realidade invadindo minha consciência. O vazio rastejante se expande um pouco mais dentro de mim. *Charlie Tango* está desaparecido.

— Ana. Aqui — chama a Sra. Jones com carinho, sua voz me trazendo de volta para a sala, para o presente, para a angústia.

Ela me estende uma xícara de chá. Pego a xícara e o pires com gratidão, o barulho de um contra o outro evidenciando o tremor de minhas mãos.

— Obrigada — sussurro, minha voz rouca das lágrimas não derramadas e do grande nó em minha garganta.

Mia está sentada na minha frente, no enorme sofá em forma de U, de mãos dadas com Grace. Elas me observam, a dor e a ansiedade gravadas em seus belos rostos. Grace parece mais velha — uma mãe preocupada com o filho. Pisco para elas sem emoção. Não posso oferecer um sorriso tranquilizador, uma lágrima sequer — não há nada, só um vazio crescente. Olho para Elliot, José e Ethan, que estão de pé junto à bancada da cozinha, todos de rosto sério, falando baixinho. Discutindo algo com vozes calmas e tristes. Atrás deles, a Sra. Jones se ocupa na cozinha.

Kate está na sala de tevê, acompanhando o jornal local. Ouço o ruído da grande tevê de plasma. Não suporto mais ver a notícia — CHRISTIAN GREY DESAPARECIDO — e o seu lindo rosto na tevê.

Distraída, ocorre-me que nunca tinha visto tanta gente nesta sala, e que ainda assim todos parecem insignificantes perante o tamanho dela. Pequenas ilhas de pessoas perdidas e ansiosas no apartamento do meu Cinquenta Tons. O que ele acharia de estarem todos aqui?

Em algum lugar, Taylor e Carrick conversam com as autoridades que nos dão informações pingadas, mas é inútil. O fato é que ele está desaparecido. Está desaparecido há oito horas. Nenhum sinal, nenhuma notícia dele. As buscas foram interrompidas — isso eu sei. Está escuro demais. E nós não sabemos onde ele está. Ele pode estar machucado, com fome ou pior. *Não!*

Ofereço mais uma oração silenciosa a Deus. *Por favor, faça com que Christian esteja bem. Por favor, faça com que Christian esteja bem.* Repito isso de novo e de novo em minha cabeça: meu mantra, minha tábua de salvação, algo concreto a que me agarrar em meu desespero. Recuso-me a pensar o pior. Não, não pense nisso. Há esperança.

Você é minha tábua de salvação.

As palavras de Christian voltam para me assombrar. Sim, a esperança é a última que morre. Não devo me desesperar. Suas palavras ecoam em minha mente.

Agora sou um adepto convicto da gratificação instantânea. Carpe diem, Ana.

Por que eu não aproveitei o dia?

Estou fazendo isso porque finalmente conheci alguém com quem eu quero passar o resto da minha vida.

Fecho os olhos numa prece silenciosa, balançando o corpo de leve. *Por favor, não deixe que o resto da vida dele seja assim tão curto. Por favor, por favor.* Não tivemos tempo suficiente... precisamos de mais tempo. Fizemos tanta coisa nas últimas semanas, chegamos tão longe. Isso não pode acabar. Todos os nossos momentos felizes: o batom, quando ele fez amor comigo pela primeira vez no

Olympic Hotel, de joelhos diante de mim, oferecendo-se para mim, enfim poder tocá-lo.

Ainda sou eu, Ana, o mesmo eu. Eu amo você e preciso de você. Toque em mim. Por favor.

Ah, eu o amo tanto. Não seria nada sem ele, nada a não ser uma sombra — toda a luz eclipsada. *Não, não, não... meu pobre Christian.*

Isto aqui sou eu, Ana. Eu por inteiro... e sou todo seu. O que eu tenho que fazer para você entender isso? Para você ver que quero você do jeito que for? Que eu amo você?

E eu amo você, meu Cinquenta Tons.

Abro os olhos e, mais uma vez, encaro o fogo às cegas. As lembranças de nossos momentos juntos atravessam a minha mente: sua alegria de menino quando estávamos navegando e voando no planador; seu jeito suave, sofisticado e sensual para cacete no baile de máscaras; dançando comigo, ah, sim, dançando comigo aqui no apartamento, ao som de Sinatra, girando ao redor da sala; seu silêncio esperançoso e ansioso de ontem naquela casa — aquela vista deslumbrante.

Vou colocar o meu mundo a seus pés, Anastasia. Quero você, de corpo e alma, para sempre.

Ah, por favor, faça com que ele esteja bem. Ele não pode ter morrido. Ele é o centro do meu universo.

Um soluço involuntário escapa de minha garganta, e eu levo a mão à boca. Não. Preciso ser forte.

De repente, José está ao meu lado, ou será que já faz um tempo que ele está aqui? Não tenho ideia.

— Você quer ligar para a sua mãe ou para o seu pai? — pergunta gentilmente.

Não! Faço que não com a cabeça e seguro a mão de José. Não posso falar, sei que vou me acabar se o fizer, mas o calor e o aperto suave de sua mão não me oferecem nenhum consolo.

Minha mãe. Meu lábio treme quando penso nela. Será que devo ligar para mamãe? Não. Não poderia lidar com a reação dela. Talvez Ray, ele não ficaria muito emotivo — ele nunca é emotivo, nem quando os Mariners perdem.

Grace se junta aos rapazes, o que me distrai por um momento. Deve ser o período mais longo que ela já passou sentada. Mia se senta ao meu lado e aperta minha outra mão.

— Ele vai voltar — diz, a voz a princípio determinada, mas falhando na última palavra. Seus olhos estão arregalados e vermelhos, o rosto pálido e amassado por causa do tempo sem dormir.

Ergo o olhar para Ethan. Ele está observando Mia e Elliot, que passou os braços ao redor de Grace. Olho para o relógio. Já passam das onze, quase meia-noite.

Porcaria de tempo! A cada hora que passa, o vazio se expande, consumindo-me, sufocando-me. Lá no fundo, sei que estou me preparando para o pior. Fecho os olhos e ofereço outra oração silenciosa, apertando tanto a mão de Mia quanto a de José.

Abrindo os olhos, encaro as chamas mais uma vez. Posso ver seu sorriso tímido — a minha favorita dentre todas as suas expressões, um vislumbre do verdadeiro Christian, o meu verdadeiro Christian. Ele é tantas pessoas: maníaco por controle, CEO, perseguidor, deus do sexo, Dominador e, ao mesmo tempo, um menino com os seus brinquedos. Sorrio. O carro, o barco, o avião, o helicóptero *Charlie Tango...* meu menino perdido, perdido de verdade agora. Meu sorriso desaparece, e a dor me domina de novo. Eu me lembro dele no chuveiro, limpando as marcas de batom.

Não sou nada, Anastasia. Sou a casca de um homem. Não tenho coração.

O nó em minha garganta se expande. Ah, Christian, você tem sim, você tem um coração, e ele é meu. Quero amá-lo para sempre. Mesmo ele sendo tão complexo e difícil, eu o amo. Sempre vou amar. Nunca haverá outra pessoa. Nunca.

Lembro-me de passar a hora de almoço no Starbucks, avaliando os prós e os contras de Christian. Todos os contras, mesmo as fotografias que encontrei esta manhã, derretem na insignificância agora. Só há ele e o medo de ele não voltar. *Ah, por favor, Senhor, traga-o de volta, por favor, faça com que fique bem. Eu vou à igreja... Faço qualquer coisa.* Ah, se ele voltar, vou aproveitar o dia. Sua voz ecoa em minha cabeça mais uma vez: "Carpe diem, Ana."

Olho mais fundo nas chamas, as labaredas ainda lambendo e contorcendo-se em torno de si mesmas, brilhando intensamente. E então Grace solta um grito, e tudo fica em câmera lenta.

— Christian!

Viro a cabeça a tempo de ver Grace correndo pela sala de estar, saindo do canto atrás de mim onde estava andando de lá para cá, e, na entrada, vejo um Christian consternado. Está apenas com a camisa, as mangas arregaçadas e a calça do terno, e carrega nas mãos o paletó azul-marinho, os sapatos e as meias. Parece cansado, sujo e absolutamente lindo.

Puta merda... Christian. Ele está vivo. Eu o observo, entorpecida, tentando descobrir se estou alucinando ou se ele está realmente aqui.

Sua expressão é de absoluto espanto. Ele deixa o paletó e os sapatos no chão bem a tempo de pegar Grace, que joga os braços ao redor de seu pescoço e o beija com força na bochecha.

— Mãe? — Christian olha para ela, completamente perdido.

— Achei que nunca mais ia ver você de novo — sussurra Grace, expressando nosso medo coletivo.

— Mãe, estou aqui. — Ouço a consternação em sua voz.

— Morri mil vezes hoje — diz ela, a voz quase inaudível, ecoando meus pensamentos.

Grace suspira e soluça, incapaz de conter as lágrimas. Christian franze a testa — se de horror ou de vergonha, eu não sei — e, depois de um instante, envolve-a num abraço apertado.

— Ah, Christian — engasga, envolvendo os braços em torno dele, chorando em seu pescoço, o comedimento completamente esquecido.

E Christian não recua. Apenas permanece ali, segurando-a, balançando-a de leve, reconfortando-a. Lágrimas escaldantes brotam em meus olhos. Carrick grita do corredor.

— Ele está vivo! Caramba, você está aqui! — Ele aparece do escritório de Taylor, segurando o celular, e abraça os dois, os olhos fechados de alívio.

— Pai?

Mia grita algo ininteligível ao meu lado, e então ela está de pé e corre para se juntar aos pais, abraçando-os também.

Enfim, as lágrimas começam a escorrer pelas minhas bochechas. Ele está aqui, ele está bem. Mas não consigo me mover.

Carrick é o primeiro a se afastar, enxugando os olhos e batendo no ombro de Christian. Mia também os solta, e, em seguida, Grace dá um passo para trás.

— Desculpe — murmura.

— Ei, mãe, tudo bem — diz Christian, a consternação ainda evidente em seu rosto.

— Onde você estava? O que aconteceu? — Grace chora, levando as mãos à cabeça.

— Mãe — murmura Christian. Ele a puxa de novo para seus braços e beija o topo de sua cabeça. — Estou aqui. Estou bem. Só levei um tempo absurdo para voltar de Portland. Qual é a do comitê de recepção? — Ele corre os olhos pela sala até pousá-los em mim.

Ele pisca e lança um olhar breve para José, que solta minha mão. A boca de Christian enrijece. Eu me delicio com a visão dele, e o alívio toma conta de meu corpo, deixando-me gasta, exausta e completamente exultante. No entanto, as lágrimas não param. Christian volta a atenção para a mãe.

— Mãe, estou bem. O que houve? — diz, de um jeito tranquilizador.

Ela segura o rosto dele entre as mãos.

— Christian, você estava desaparecido. O seu plano de voo... você nunca pousou em Seattle. Por que não entrou em contato com a gente?

Christian arqueia as sobrancelhas, surpreso.

— Não achei que levaria tanto tempo.

— Por que não ligou?

— A bateria do meu celular acabou.

— Por que você não parou... não ligou a cobrar?

— Mãe, é uma longa história.

— Ah, Christian! Nunca mais faça isso comigo de novo! Você entendeu? — Ela meio que grita com ele.

— Tá bom, mãe. — Ele enxuga as lágrimas dela com os polegares e a abraça mais uma vez. Quando ela se recompõe, ele a solta para dar um abraço em Mia, que lhe dá um tapa forte no peito.

— Você nos deixou tão preocupados! — explode ela, e também está aos prantos.

— Estou aqui agora, pelo amor de Deus — murmura Christian.

À medida que Elliot se aproxima, Christian entrega Mia para Carrick, que já tem um braço ao redor da esposa e envolve a filha com o outro. Para surpresa de Christian, Elliot dá um abraço breve nele e lhe planta um tapa forte nas costas.

— Bom ver você — diz em voz alta, um tanto ríspido, tentando esconder a emoção.

Enquanto as lágrimas me escorrem pelo rosto, vejo tudo. A sala de estar está tomada por ele: amor incondicional. Ele o tem de sobra; apenas nunca o aceitou antes, e mesmo agora, está completamente confuso.

Olhe, Christian, todas essas pessoas amam você! Talvez agora você comece a acreditar nisso.

Kate está de pé atrás de mim — deve ter saído da sala da tevê —, acariciando meu cabelo com carinho.

— Ele está mesmo aqui, Ana — murmura, reconfortando-me.

— Vou dizer oi para a minha garota agora — diz Christian a seus pais e os dois concordam com a cabeça, sorrindo e se afastando dele.

Ele se move em direção a mim, os olhos cinzentos brilhando, embora cansados e ainda confusos. Em algum lugar dentro de mim, encontro forças para ficar de pé e me jogar em seus braços abertos.

— Christian! — soluço.

— Ei — diz ele e me abraça, enterrando o rosto em meu cabelo e inspirando profundamente.

Levanto o rosto coberto de lágrimas para ele, e ele me dá um beijo breve demais.

— Oi — murmura.

— Oi — sussurro de volta, o nó no fundo da garganta ainda queimando.

— Sentiu minha falta?

— Um pouco.

Ele sorri.

— Estou vendo. — E com um toque suave de sua mão, ele enxuga minhas lágrimas, que se recusam a parar de escorrer pelo meu rosto.

— Eu pensei... Eu pensei... — engasgo.

— Eu sei. Já passou... Estou aqui. Estou aqui — murmura ele, dando-me mais um beijo casto.

— Você está bem? — pergunto, soltando-o e tocando seu peito, seus braços, sua cintura.

Ah, sentir esse o homem quente, vigoroso e sensual sob meus dedos me confirma que ele está aqui, de pé, na minha frente. Ele está de volta. E nem sequer recua sob o meu toque. Apenas me encara com atenção.

— Estou bem. Não vou a lugar nenhum.

— Ah, graças a Deus. — Passo os braços ao redor de sua cintura novamente, e ele me abraça de novo. — Está com fome? Quer alguma coisa para beber?

— Quero.

Dou um passo para trás para buscar alguma coisa para ele, mas ele não deixa eu me afastar. Passa um dos braços por sobre meus ombros e estende a mão para José.

— Sr. Grey — diz José, educadamente.

Christian solta um riso e diz:

— Me chame de Christian, por favor.

— Christian, bem-vindo de volta. Que bom que está tudo bem... e, hum... obrigado por me deixar ficar aqui.

— Sem problemas. — Christian estreita os olhos, mas ele é distraído pela Sra. Jones, que de repente está a seu lado.

Só então me ocorre que ela não está arrumada como sempre. Não tinha notado isso antes. O cabelo está solto, e está usando uma calça legging cinza-clara e uma camiseta cinza e tão larga que a faz parecer menor do que é, o emblema do time da Universidade do Estado de Washington estampado na frente. Parece anos mais nova.

— Posso preparar alguma coisa para o senhor, Sr. Grey? — Ela enxuga os olhos com um lenço.

Christian sorri carinhosamente para ela.

— Uma cerveja, Gail, por favor, pode ser uma Budvar. E alguma coisa para eu beliscar.

— Eu vou buscar — murmuro, querendo fazer algo para o meu homem.

— Não. Não vá — diz ele em voz baixa, apertando o braço em volta de mim.

O restante da família se aproxima, e Ethan e Kate se juntam a nós. Christian aperta a mão de Ethan e dá um beijo rápido na bochecha de Kate. A Sra. Jones volta com uma garrafa de cerveja e um copo. Ele pega a garrafa, mas balança a cabeça, recusando o copo. Ela sorri e volta para a cozinha.

— Fico surpreso que você não queira algo mais forte — murmura Elliot. — Então que diabo aconteceu com você? Eu só me lembro do meu pai me ligando pra dizer que a sua libélula tinha sumido.

— Elliot! — repreende Grace.

— Helicóptero — rosna Christian, corrigindo Elliot, que sorri, e eu suspeito que seja uma piada de família. — Vamos sentar, e eu conto tudo. — Christian me puxa para o sofá, e todo mundo se senta, todos os olhos nele.

Ele dá um longo gole em sua cerveja. Então vê Taylor pairando na entrada e acena para ele. Taylor acena de volta.

— Sua filha?

— Está bem. Alarme falso, senhor.

— Ótimo. — Christian sorri.

Filha? O que aconteceu com a filha de Taylor?

— Que bom que o senhor está de volta. Precisa de alguma coisa?

— Temos um helicóptero para resgatar.

Taylor acena com a cabeça.

— Agora? Ou pode ser pela manhã?

— Amanhã de manhã, Taylor, acho.

— Certo, Sr. Grey. Mais alguma coisa, senhor?

Christian balança a cabeça e levanta a garrafa para ele. Taylor lhe oferece um raro sorriso — mais raro ainda do que os de Christian, acho — e deixa a sala, provavelmente indo para seu escritório ou para seu quarto lá em cima.

— Christian, o que aconteceu? — Carrick exige.

Christian começa a contar sua história. Estava voando no *Charlie Tango*, com Ros, seu braço direito, para tratar de um problema de financiamento na Universidade do Estado de Washington, em Vancouver. Mal consigo acompanhar, estou tão confusa. Fico só segurando a mão de Christian, fitando suas unhas bem-cuidadas, os longos dedos, as rugas nos nós dos dedos, o relógio de pulso — um Omega com três mostradores pequenos. Miro seu belo perfil à medida que ele continua a história.

— Ros nunca tinha visto o monte Santa Helena, então, no caminho de volta, para comemorar, fizemos um pequeno desvio. Eu sabia que a restrição de voo pela região tinha sido cancelada há um tempo, e queria dar uma olhada. Bem, foi a nossa sorte. Estávamos voando baixo, cerca de duzentos metros acima do nível do solo, quando o painel de instrumentos acendeu, indicando fogo na cauda.

Eu não tinha escolha a não ser cortar todos os sinais eletrônicos e pousar. — Ele balança a cabeça. — Pousei perto do Silver Lake, tirei Ros da cabine e consegui apagar o fogo.

— Fogo? Nos dois motores? — Carrick está horrorizado.

— É.

— Merda! Mas eu pensei...

— Eu sei — interrompe Christian. — Foi pura sorte que eu estivesse voando tão baixo — murmura ele.

Estremeço. Ele solta minha mão e passa o braço ao meu redor.

— Está com frio? — pergunta.

Nego com a cabeça.

— Como você apagou o fogo? — pergunta Kate, seus instintos investigativos de Carla Bernstein aflorando. Caramba, ela soa meio ríspida às vezes.

— Extintor. Somos obrigados a levar. Por lei — responde Christian, no mesmo tom.

Suas palavras de há muito tempo invadem minha mente. *Agradeço aos céus que foi você quem veio me entrevistar, e não Katherine Kavanagh.*

— Por que você não ligou ou passou um rádio? — pergunta Grace.

Christian balança a cabeça.

— Com a parte elétrica desligada, ficamos sem rádio. E eu não quis correr o risco de ligar de novo por causa do fogo. O GPS do BlackBerry ainda estava funcionando, então a gente pôde caminhar até a estrada mais próxima. Levamos quatro horas. Ros estava de salto alto. — Christian enrijece a boca em desaprovação. — Não havia sinal de celular. Não tem cobertura em Gifford. A bateria de Ros acabou primeiro. A minha acabou no caminho.

Deus do céu. Estremeço de novo, e Christian me puxa até o seu colo.

— E como você voltou para Seattle? — pergunta Grace, piscando de leve, sem dúvida diante da visão de nós dois. Fico vermelha.

— Pedindo carona. Juntamos todo o nosso dinheiro. Juntos, tínhamos seiscentos dólares; achamos que teríamos que pagar alguém para nos trazer de volta, mas um motorista de caminhão parou e concordou em nos dar uma carona. Ele recusou o dinheiro e dividiu o almoço com a gente. — Christian balança a cabeça, consternado com a memória. — Demorou um século. Ele não tinha celular... estranho, mas é verdade. Eu não me dei conta... — Ele para, olhando para a família.

— De que a gente ficaria preocupado? — zomba Grace. — Ah, Christian! — repreende-o. — A gente estava enlouquecendo aqui!

— Você saiu no jornal, meu irmão.

Christian revira os olhos.

— É. Foi o que eu imaginei quando cheguei aqui na portaria e tinha um punhado de fotógrafos de plantão. Desculpe, mãe, eu deveria ter pedido ao motorista para parar, para eu ligar. Mas eu estava ansioso para chegar. — Ele olha para José.

Ah, então foi por isso, porque José vai passar a noite aqui. Franzo a testa diante do pensamento. Nossa mãe, tanta preocupação.

Grace balança a cabeça.

— Que bom que você está inteiro, querido.

Começo a relaxar, descansando a cabeça contra seu peito. Ele está cheirando a ar livre, um pouco de suor, loção de banho — o cheiro de Christian, o perfume mais bem-vindo do mundo. Lágrimas começam a escorrer por meu rosto de novo, lágrimas de gratidão.

— Os dois motores? — diz Carrick novamente, franzindo o cenho, incrédulo.

— Vai entender. — Christian dá de ombros e passa a mão ao meu redor. — Ei — sussurra ele, e leva os dedos até a ponta do meu queixo, inclinando minha cabeça para trás. — Chega de chorar.

Limpo meu nariz com as costas da mão de um jeito nada refinado.

— Chega de desaparecer. — Dou uma fungada, e ele sorri.

— Falha elétrica... estranho, não é? — diz Carrick mais uma vez.

— Pois é, passou pela minha cabeça, também, pai. Mas, agora, eu só quero ir dormir e pensar nisso tudo amanhã de manhã.

— E a imprensa já sabe que o Christian Grey foi encontrado são e salvo? — pergunta Kate.

— Sabe. Andrea vai lidar com a imprensa, junto com minha equipe de RP. Ros ligou para ela depois que a deixamos em casa.

— É, Andrea me ligou para avisar que você estava vivo. — Carrick sorri.

— Preciso dar um aumento para essa mulher — diz Christian. — Está ficando tarde.

— Acho que essa é a nossa deixa, senhoras e senhores. Meu irmãozinho querido precisa de seu sono de princesa — zomba Elliot sugestivamente.

Christian faz uma careta para ele.

— Cary, meu filho está bem. Você pode me levar para casa agora.

Cary? Grace olha com adoração para o marido.

— É. Acho que dormir faria bem a todo mundo — responde Carrick, sorrindo para ela.

— Fiquem aqui — oferece Christian.

— Não, meu querido, quero chegar em casa. Agora que sei que você está bem. Relutante, Christian me coloca de volta no sofá e se levanta. Grace o abraça mais uma vez, pressionando a cabeça contra seu peito, e fecha os olhos, feliz. Ele a envolve em seus braços.

— Eu estava tão preocupada, querido — sussurra ela.

— Estou bem, mãe.

Grace se inclina para trás e o examina com atenção enquanto ele a segura firme.

— É. Acho que está — diz, lentamente, dando uma olhadinha para mim e sorrindo. Eu coro.

Seguimos Carrick e Grace até o saguão. Atrás de mim, percebo que Mia e Ethan estão tendo uma conversa animada aos sussurros, mas não consigo ouvi-los.

Mia está sorrindo timidamente para Ethan, e ele a encara, embasbacado, balançando a cabeça. De repente, ela cruza os braços e vira-se para ir embora. Ele esfrega a testa com uma das mãos, obviamente frustrado.

— Mãe, pai, esperem por mim — diz Mia, de mau humor. Talvez seja tão inconstante quanto o irmão.

Kate me abraça com força.

— Dá para ver que alguma coisa muito séria andou acontecendo por aqui, enquanto eu estava vagando alegre e ignorante em Barbados. Tá na cara que vocês dois são loucos um pelo outro. Fico feliz que ele esteja bem. Não só por ele, Ana, mas por você também.

— Obrigada, Kate — sussurro.

— É. Quem diria que a gente iria encontrar o amor ao mesmo tempo? — sorri. Uau. Ela admitiu.

— E com irmãos! — Dou uma risadinha.

— A gente pode virar cunhadas. — Ela brinca.

Fico tensa, reprimindo-me mentalmente, e Kate me encara de volta com um olhar de "o que você não está me contando". Eu coro. Droga, devo contar a ela que ele me pediu em casamento?

— Vamos, baby — chama Elliot do elevador.

— Amanhã a gente conversa, Ana. Você deve estar exausta.

Consegui um adiamento.

— Claro. Você também, Kate, você viajou de tão longe hoje.

Nos abraçamos mais uma vez, então ela e Elliot seguem os pais de Christian até o elevador. Ethan aperta a mão de Christian e me dá um abraço rápido. Parece distraído, mas entra no elevador antes de as portas se fecharem.

Quando voltamos do saguão, José está vagando no corredor.

— Bom. Vou me deitar... deixar vocês à vontade — diz.

Eu coro. Por que isso é tão desconfortável?

— Você sabe para onde ir? — pergunta Christian.

José faz que sim.

— Sim, a empregada...

— A Sra. Jones — corrijo.

— Isso, a Sra. Jones já me mostrou. É um apartamento e tanto, Christian.

— Obrigado — responde Christian educado enquanto se aproxima para ficar ao meu lado, passando um braço sobre meus ombros. Ele se debruça e dá um beijo em meu cabelo. — Vou comer o que quer que a Sra. Jones preparou para mim. Boa noite, José. — Christian caminha de volta para a sala de estar, deixando-nos na entrada.

Uau! Ele me deixou a sós com José.

— Bem, boa noite. — José parece desconfortável de repente.

— Boa noite, José, e obrigada por ter ficado.

— Claro, Ana. Sempre que o seu namorado rico e poderoso desaparecer, eu estarei lá para você.

— José! — repreendo-o.

— Brincadeira. Não fique brava. Vou embora amanhã de manhã cedo. A gente se vê, né? Senti saudades de você.

— Claro, José. Em breve, espero. Foi mal que a noite de hoje tenha sido... bem, uma merda. — Sorrio me desculpando.

— Pois é. — Ele sorri. — Uma merda. — Ele me abraça. — É sério, Ana, fico feliz que você esteja feliz, mas estou aqui pro que der e vier.

— Obrigada. — Eu o encaro.

Ele me lança um sorriso triste, amargo, e então caminha para o segundo andar.

Retorno para a sala de estar. Christian está de pé ao lado do sofá, me olhando com uma expressão indecifrável no rosto. Enfim estamos sozinhos e fitamos um ao outro.

— Ele ainda é doido por você, sabia? — murmura.

— E como você sabe disso, Sr. Grey?

— Reconheço os sintomas, Srta. Steele. Acredito que sofro do mesmo mal.

— Pensei que nunca mais fosse ver você — sussurro. Pronto: as palavras foram ditas. Todos os meus piores medos arrumados numa frase curta, e agora já exorcizados.

— Não foi tão ruim quanto parece.

Pego seu paletó e os sapatos do chão e caminho na direção dele.

— Deixe que eu levo isso — sussurra ele, pegando o paletó.

Christian olha para mim como se eu fosse a sua razão de viver, e tenho certeza de que espelha o meu olhar. Ele está aqui, realmente está aqui. Ele me puxa para seus braços e me envolve.

— Christian — engasgo, e minhas lágrimas brotam de novo.

— Está tudo bem. — Ele me acalma, beijando meu cabelo. — Sabe... nos poucos segundos de puro terror antes de pousar, todos os meus pensamentos estavam em você. Você é o meu talismã, Ana.

— Pensei que tinha perdido você — ofego.

Estamos de pé, abraçando um ao outro, reconectando-nos e assegurando-nos. Ao apertá-lo em meus braços, percebo que ainda estou segurando seus sapatos. Deixo-os cair no chão com um baque.

— Venha tomar banho comigo — murmura ele.

— Está bem. — Ergo o olhar para seu rosto. Não quero soltá-lo.

Olhando para mim, ele ergue meu queixo com os dedos.

— Sabe, mesmo chorando, você é linda, Ana Steele. — Ele se inclina e me beija com carinho. — E seus lábios são tão macios. — Ele me beija de novo, profundamente.

Deus do céu... e pensar que eu poderia tê-lo perdido... não... Paro de pensar e me entrego.

— Preciso guardar meu paletó — murmura ele.

— Jogue no chão — balbucio contra seus lábios.

— Não posso.

Afasto o corpo para olhar para ele, intrigada.

— Por causa disso. — Ele sorri para mim.

Do bolso interno, puxa a caixinha com o presente que dei a ele. Christian joga o paletó no encosto do sofá e coloca a caixa sobre ele.

Aproveite o dia, Ana, meu inconsciente me cutuca. Bem, já passou de meia-noite, então tecnicamente já é o aniversário dele.

— Abra — sussurro, e meu coração começa a pular.

— Estava torcendo para que você dissesse isso — murmura ele. — Esse negócio estava me enlouquecendo.

Abro um sorriso travesso. Sinto-me tonta. Ele me lança seu sorriso tímido, e eu me derreto, apesar do coração acelerado, deliciando-me com sua expressão divertida, ainda que intrigada. Com dedos hábeis, ele desembrulha o pacote e abre a caixa. Christian franze a testa ao retirar lá de dentro um chaveiro pequeno e retangular de plástico com uma imagem composta de pequenos pixels que se acendem e apagam, como uma minúscula tela de LED. É uma foto do horizonte da cidade de Seattle com a palavra Seattle escrita em letras grandes por cima da paisagem.

Ele fita o chaveiro por um momento e depois se vira para mim, perplexo, uma ruga marcando sua testa bem desenhada.

— Olhe atrás — sussurro, prendendo a respiração.

Ele vira o chaveiro, em seguida seus olhos se fixam nos meus, arregalados e cinzentos, repletos de admiração e alegria. Ele abre a boca, incrédulo.

A palavra "sim" se acende e apaga no anel do chaveiro.

— Feliz aniversário — sussurro.

CAPÍTULO VINTE

— Você aceita casar comigo? — sussurra ele, incrédulo.

Faço que sim com a cabeça, com nervosismo, vermelha e ansiosa, sem acreditar muito em sua reação: esse homem que eu pensei que tinha perdido. Como ele pode não entender o quanto o amo?

— Diga — ordena de mansinho, o olhar intenso e cálido.

— Sim, quero me casar com você.

Ele respira fundo e se move de repente, agarrando-me e girando-me de um jeito nada típico de Christian. Está rindo, jovem e despreocupado, irradiando alegria. Seguro seus braços para me apoiar, sentindo seus músculos rígidos sob meus dedos, e sua risada contagiante toma conta de mim: tonta, confusa, uma garota total e absolutamente encantada com seu homem. Ele me coloca no chão e me beija. Com força. Suas mãos estão em ambos os lados do meu rosto, sua língua é insistente, persuasiva... excitante.

— Ah, Ana — ofega contra meus lábios, e é uma alegria que me deixa atônita.

Ele me ama, disso não tenho dúvidas, e eu saboreio o gosto desse homem delicioso, esse homem que pensei que nunca mais veria. Sua felicidade é evidente — os olhos brilhando, seu sorriso jovem —, e seu alívio, quase palpável.

— Pensei que tivesse perdido você — sussurro, ainda deslumbrada e sem fôlego por causa do beijo.

— Baby, vai ser preciso mais do que um 135 com defeito para me separar de você.

— Um 135?

— *Charlie Tango*. É um Eurocopter EC135, o mais seguro da categoria.

Alguma emoção sombria, mas que não posso identificar, cruza seu rosto momentaneamente, distraindo-me. O que ele não está me contando? Antes que eu possa perguntar, ele enrijece e olha para mim, franzindo a testa, e por um segundo acho que vai me contar. Pisco para ele, mirando seus olhos cinzentos e especulativos.

— Espere aí. Você me deu isso antes da consulta com Flynn — diz, segurando o chaveiro. Parece quase horrorizado.

Ai, Jesus, aonde ele quer chegar com isso? Concordo com a cabeça, mantendo uma expressão séria.

Ele fica boquiaberto.

— Queria que você soubesse que o que quer que Flynn dissesse, não faria diferença para mim. — Dou de ombros, desculpando-me.

Christian pisca para mim, incrédulo.

— Então, ontem à noite, quando eu estava implorando por uma resposta, eu já tinha uma? — Ele está consternado.

Concordo de novo com a cabeça, tentando desesperadamente avaliar sua reação. Ele me olha, embasbacado, mas, em seguida, aperta os olhos e sorri com ironia.

— Todo aquele nervosismo — sussurra, ameaçadoramente. Sorrio para ele, dando de ombros mais uma vez. — Ah, não me venha com essa cara de inocente, Srta. Steele. Neste momento, minha vontade é...

Ele passa a mão pelo cabelo, então balança a cabeça e muda de rumo.

— Não acredito que você me deixou esperando. — Seu sussurro é dominado pela descrença.

E sua expressão muda sutilmente, os olhos brilhando perversos, a boca se abrindo num sorriso carnal.

Minha nossa. Uma empolgação me atravessa o corpo. O que ele está pensando?

— Acredito que um castigo se faz necessário, Srta. Steele — diz lentamente.

Castigo? Ah, merda! Sei que ele está brincando, mas, de qualquer forma, dou um passo cauteloso para trás.

Ele sorri.

— É esse o jogo? — sussurra. — Porque eu vou pegar você. — Seus olhos ardem com uma intensidade luminosa e divertida. — E você ainda está mordendo o lábio — acrescenta, ameaçadoramente.

Sinto todas as minhas entranhas se contraindo ao mesmo tempo. Meu Deus. Meu futuro marido quer brincar. Dou mais um passo para trás e me viro para correr, em vão. Christian me agarra com facilidade num só golpe, enquanto eu grito de prazer, surpresa e choque. Ele me ergue por cima do ombro e me carrega pelo corredor.

— Christian! — balbucio, sabendo que José está no segundo andar, embora eu duvide que possa nos ouvir.

Eu me apoio na parte inferior de suas costas, em seguida, num impulso corajoso, dou um tapa na bunda dele. Ele me dá um tapa de volta.

— Ai! — grito.

— Hora do banho — declara, triunfante.

— Me ponha no chão! — Tento demonstrar desaprovação e falho terrivelmente. Minha luta é inútil, seu braço me segura firmemente pelas coxas, e, por alguma razão, não consigo parar de rir.

— Gosta desses sapatos? — pergunta, divertido, ao abrir a porta do banheiro.

— Prefiro quando eles encostam no chão — tento rosnar para ele, sem muita eficácia, já que não consigo afastar o riso da voz.

— Seu desejo é uma ordem, Srta. Steele.

Sem me colocar no chão, ele tira ambos os meus sapatos e os deixa cair no piso do banheiro com um barulho. Junto à penteadeira, esvazia os bolsos: o BlackBerry sem bateria, chaves, carteira, o chaveiro. Só posso imaginar como deve estar meu reflexo no espelho, visto desse ângulo. Quando ele termina, caminha direto para o enorme chuveiro.

— Christian! — grito ao perceber suas intenções.

Ele liga a ducha no máximo. *Ui!* Um jato glacial jorra sobre minhas costas, e eu grito e paro logo em seguida, pensando de novo em José acima de nós. Está frio e eu estou completamente vestida. A água gelada embebe meu vestido, minha calcinha e meu sutiã. Estou encharcada e, mais uma vez, não consigo parar de rir.

— Não! — grito. — Me ponha no chão!

Dou outra palmada nele, desta vez com mais força, e Christian me solta, fazendo-me deslizar por seu corpo molhado. Sua camisa branca está grudada ao seu peito e suas calças estão encharcadas. Também estou encharcada; vermelha, tonta e sem fôlego, e ele está sorrindo para mim, e está tão... tão incrivelmente gostoso.

Ele fica sério, os olhos brilhando, e segura meu rosto, puxando meus lábios para junto dos seus. Seu beijo é suave, afetuoso e me distrai totalmente. Não me importo mais de estar completamente vestida e toda molhada no chuveiro de Christian. Somos só nós dois debaixo da água que jorra sobre nós. Ele está de volta, está bem, e é meu.

Minhas mãos se movem involuntariamente até sua camisa, que se agarra a cada linha e músculo de seu peito, revelando seus pelos sob a umidade branca. Puxo a barra da camisa para fora da calça, e ele geme contra minha boca, mas seus lábios não deixam os meus. Quando começo a desabotoar os botões, ele pega o zíper do meu vestido e o desliza para baixo, lentamente. Seus lábios se tornam mais insistentes, mais provocantes, sua língua invadindo minha boca — e meu corpo explode de desejo. Arranco sua camisa com força, rasgando-a. Os botões voam para todos os lados, ricocheteando nos azulejos e desaparecendo no piso do boxe. Ao retirar o tecido molhado de seus ombros e ao longo de seus braços, eu o pressiono contra a parede, impedindo suas tentativas de me despir.

— Abotoaduras — murmura ele, erguendo os pulsos com a camisa pendurada e encharcada.

Com dedos trêmulos, solto primeiro uma das abotoaduras de ouro e depois a outra, deixando-as cair descuidadamente no chão, e então é a vez de sua camisa. Seus olhos buscam os meus sob a ducha, seu olhar ardente, carnal, quente como a água. Estico a mão na direção do cós de sua calça, mas ele balança a cabeça e me segura pelos ombros, girando meu corpo, de forma que fico de costas para ele. Ele termina de abrir o meu zíper, afasta meu cabelo molhado e corre a língua ao longo do meu pescoço até a linha do cabelo e depois de novo para baixo, beijando-me e chupando-me.

Solto um gemido, e, lentamente, ele escorrega meu vestido pelos ombros e para baixo de meus seios, beijando meu pescoço embaixo da orelha. Ele abre meu sutiã e o puxa para baixo, libertando meus seios. Suas mãos se apossam de cada um deles, enquanto ele murmura sua apreciação em meu ouvido.

— Tão linda — sussurra.

Meus braços estão presos pelo sutiã e pelo vestido, que continuam pendurados logo abaixo de meus seios; os braços ainda estão dentro das mangas, mas minhas mãos estão livres. Deito a cabeça, dando a Christian um acesso melhor ao meu pescoço, e empurro meus seios em suas mãos mágicas. Estico as mãos atrás de mim e o ouço inspirar profundamente quando meus dedos curiosos tocam sua ereção. Ele empurra a virilha contra minhas mãos acolhedoras. Droga, por que ele não me deixou tirar sua calça?

Ele puxa meus mamilos e, à medida que eles endurecem e incham-se sob seu toque experiente, todos os pensamentos a respeito da calça dele somem e o prazer desponta cortante e libidinoso em minha barriga. Jogo a cabeça para trás contra ele e gemo.

— Isso. — Ele ofega, e me vira de novo, aprisionando minha boca na sua.

Ele tira meu sutiã, o vestido e a calcinha, e eles se juntam à sua camisa numa pilha encharcada no piso do boxe.

Pego a loção de banho ao nosso lado. Christian enrijece ao perceber o que estou prestes a fazer. Olhando-o diretamente nos olhos, espremo um pouco do sabonete líquido de cheiro adocicado na palma da mão e mantenho-a parada na frente de seu peito, à espera de uma resposta à minha pergunta implícita. Seus olhos se arregalam, e então ele me dá um aceno quase imperceptível de cabeça.

Com cuidado, coloco a mão sobre o seu esterno e começo a esfregar o sabão em sua pele. Seu peito sobe à medida que ele inspira profundamente, mas, exceto por isso, ele permanece imóvel. Depois de um tempo, suas mãos apertam meus quadris, mas ele não me afasta. Ele me observa com cautela, o olhar intenso, mais do que apavorado; seus lábios, no entanto, se abrem e sua respiração se acelera.

— Tudo bem, eu fazer isso? — sussurro.

— Sim. — Sua resposta é curta, quase um suspiro.

Lembro-me dos muitos banhos que tomamos juntos, mas o primeiro, no Olympic Hotel, é uma lembrança amarga e doce. Bem, agora posso tocá-lo. Lavo seu peito fazendo círculos suaves, limpando meu homem, movendo-me até suas axilas, sobre suas costelas, para baixo até sua barriga musculosa, sobre o seu caminho da felicidade, na direção do cós da calça.

— Minha vez — sussurra ele e pega o xampu, afastando-nos do alcance da ducha e espremendo um pouco de xampu sobre a minha cabeça.

Acho que é minha deixa para parar de dar banho nele, então enfio os polegares no cós de sua calça. Ele esfrega o xampu em meu cabelo, seus dedos longos e fortes massageando meu couro cabeludo. Gemendo de prazer, fecho os olhos e me entrego à sensação maravilhosa. Depois de todo o estresse da noite, isso é tudo de o que eu precisava.

Ele ri, e abro um dos olhos para vê-lo sorrindo para mim.

— É bom, é?

— Huuum...

Ele sorri.

— Também gosto — diz e se inclina para beijar minha testa, seus dedos continuando a massagem firme e doce. — Vire-se — diz, com autoridade.

Eu me viro, e seus dedos prosseguem massageando lentamente minha cabeça, limpando-me, relaxando-me, amando-me. Ah, isso é maravilhoso. Ele pega mais xampu e lava com carinho o cabelo comprido ao longo de minhas costas. Ao terminar, puxa-me de volta para debaixo do chuveiro.

— Deite a cabeça para trás — ordena, calmamente.

Obedeço de bom grado, e ele enxágua a espuma com cuidado. Quando acaba, eu o encaro mais uma vez e vou direto para sua calça.

— Quero lavar você inteiro — sussurro.

Ele sorri seu sorriso torto e ergue as mãos num gesto que diz: "Sou todo seu, baby." Sorrio; é como se fosse Natal. Abro o zíper sem dificuldade, e logo a calça e a cueca se juntam ao resto de nossas roupas. Fico de pé e pego a loção de banho e a esponja.

— Você parece feliz em me ver — murmuro, secamente.

— Sempre fico feliz em ver você, Srta. Steele. — Ele sorri para mim.

Coloco sabão na esponja. Em seguida, refaço minha viagem ao longo de seu peito. Ele está mais relaxado, talvez porque eu não o esteja tocando de fato. Desço com a esponja, atravessando sua barriga, por baixo do umbigo até seus pelos pubianos, e então até sua ereção.

Ergo o olhar para ele, e ele me fita com olhos entreabertos e cheios de desejo. *Hum... Gosto desse olhar.* Largo a esponja e uso minhas mãos, agarrando-o com firmeza. Ele fecha os olhos, deita a cabeça para trás e geme, mexendo os quadris na direção de minhas mãos.

Ah, sim! É tão excitante. Minha deusa interior ressurgiu após passar a noite chorando e se embalando num canto, e está de batom vermelho.

Seus olhos ardentes de repente fixam os meus. Ele se lembrou de alguma coisa.

— Hoje é sábado — exclama, os olhos brilhantes de excitação, e agarra a minha cintura, puxando-me para ele e beijando-me com força.

Uau, mudança de ritmo!

Suas mãos descem pelo meu corpo molhado e escorregadio até meu sexo, seus dedos explorando, provocando-me, e sua boca, implacável, deixando-me sem fôlego. Sua outra mão está em meu cabelo molhado, mantendo-me firme no lugar enquanto eu recebo toda a força de sua paixão desencadeada. Seus dedos se movem dentro de mim.

— Ahhh — gemo em sua boca.

— Isso — sibila Christian e me levanta, as mãos embaixo da minha bunda. — Passe as pernas em volta de mim.

Minhas pernas obedecem, e eu me agarro feito um caramujo ao seu pescoço. Ele me apoia contra a parede do chuveiro e faz uma pausa, olhando para mim.

— Olhos abertos — murmura. — Quero ver você.

Pisco para ele, meu coração martelando, o sangue pulsando quente e forte pelo meu corpo, um desejo real e crescente me atravessando. E ele entra em mim, ah, tão devagar, preenchendo-me, reivindicando-me, pele contra pele. Faço força para baixo contra ele e solto um gemido alto. Totalmente dentro de mim, ele faz uma pausa de novo, o rosto sério, intenso.

— Você é minha, Anastasia — sussurra.

— Para sempre.

Ele sorri vitorioso e se move, fazendo-me suspirar.

— E agora todo mundo pode saber, porque você disse sim.

Sua voz é reverente, e ele se inclina para baixo, pegando minha boca com a sua, e começa a se mexer... devagar e com carinho. Fecho os olhos e inclino a cabeça para trás enquanto meu corpo se arqueia, minha vontade se submetendo a ele, escrava de seu ritmo inebriante e lento.

Seus dentes arranham meu maxilar, queixo e pescoço à medida que ele vai acelerando o ritmo, empurrando-me para a frente, para cima — para longe do plano terrestre, do chuveiro abundante, do medo frio da noite. Sou só eu e meu homem nos movendo em uníssono, movendo-nos como se fôssemos um — completamente absorvidos um no outro —, nossos suspiros e gemidos misturados. Eu me deleito na sensação sofisticada de ser possuída por ele enquanto meu corpo se entrega e se desmancha ao seu redor.

Eu poderia tê-lo perdido... e eu o amo... Eu o amo tanto, e, de repente, sou dominada pela enormidade do meu amor e pela profundidade de meu compromisso com ele. Vou passar o resto da vida amando-o. Com esse pensamento assombroso, eu me detono ao redor dele — um orgasmo catártico e curador —, gritando seu nome à medida que as lágrimas escorrem por meu rosto.

Ele atinge o clímax e se derrama dentro de mim. Com o rosto enterrado em meu pescoço, desliza até o chão, segurando-me apertado, beijando meu rosto, beijando minhas lágrimas enquanto a água quente cai sobre nós, nos limpando.

— MEUS DEDOS ESTÃO enrugados — murmuro, apoiada contra seu peito, com aquela sensação de saciedade pós-coito.

Ele os leva até os lábios e os beija, um de cada vez.

— A gente realmente devia sair desse chuveiro.

— Estou bem aqui. — Estou sentada entre suas pernas e ele está me segurando apertado. Não quero me mover.

Christian concorda com um murmúrio. Mas, de repente, estou cansada até os ossos, cansada do mundo. Tanta coisa aconteceu na última semana — drama o suficiente para uma vida inteira —, e agora eu vou me casar. Um riso de descrença me escapa dos lábios.

— Algo divertido, Srta. Steele? — pergunta ele com carinho.

— Foi uma semana agitada.

Ele sorri.

— Ah, isso foi.

— Graças a Deus você está de volta inteiro, Sr. Grey — sussurro, séria diante do pensamento do que poderia ter acontecido. Seu corpo fica tenso e imediatamente me arrependo de ter lhe lembrado.

— Eu estava com medo — confessa, para minha surpresa.

— Hoje mais cedo?

Ele faz que sim com a cabeça, a expressão séria. *Puta merda.*

— Então você fez pouco caso do que aconteceu para tranquilizar sua família?

— Foi. Eu estava baixo demais para aterrissar bem. Mas, de alguma forma, consegui.

Droga. Meus olhos se voltam para os dele, e ele parece circunspecto, a água jorrando em cima de nós.

— Quão perto foi de dar errado?

Ele me encara.

— Perto. — E faz uma pausa. — Por alguns segundos terríveis, achei que nunca mais ia ver você.

Eu o abraço com força.

— Não posso imaginar minha vida sem você, Christian. Eu amo tanto você que isso me assusta.

— Eu também — ofega. — Minha vida seria vazia sem você. Amo tanto você. — Ele aperta os braços em volta de mim e enfia o rosto em meu cabelo. — Nunca vou deixar você ir embora.

— Não quero ir embora, nunca. — Beijo seu pescoço, e ele se abaixa e me beija com carinho.

Depois de um momento, ele se mexe.

— Vamos, vamos secar você e colocar você na cama. Estou exausto e você parece que levou uma surra.

Eu me inclino para trás e arqueio uma sobrancelha diante de sua escolha de palavras. Ele deita a cabeça de lado e sorri para mim.

— Você tem algo a dizer, Srta. Steele?

Nego com a cabeça e me coloco de pé, cambaleante.

Estou sentada na cama. Christian insistiu em secar meu cabelo — o que faz muito bem. Como ele aprendeu isso é um pensamento desagradável, então o afasto depressa. Já passam das duas da manhã, e eu estou pronta para dormir. Christian me olha e reexamina o chaveiro antes de subir na cama. Ele balança a cabeça mais uma vez, incrédulo.

— É tão maneiro. O melhor presente de aniversário que já ganhei. — Ele me encara, o olhar suave e cálido. — Melhor até que o pôster assinado do Giuseppe DeNatale.

— Eu teria respondido-lhe antes, mas como seu aniversário estava chegando... O que dar ao homem que já tem tudo? Pensei em dar... eu mesma.

Ele coloca o chaveiro na mesa de cabeceira e se aninha ao meu lado, puxando-me em seus braços, contra seu peito, e ficamos de conchinha.

— É perfeito. Igual a você.

Sorrio, embora ele não consiga ver minha expressão.

— Estou longe de ser perfeita, Christian.

— Você está rindo de mim, Srta. Steele?

Como ele sabe?

— Talvez. — Rio. — Posso lhe perguntar uma coisa?

— Claro. — Ele dá uma fungada no meu pescoço.

— Você não telefonou no caminho para Portland. Foi mesmo por causa de José? Você estava preocupado porque eu estava aqui sozinha com ele?

Christian não responde. Eu me viro para encará-lo, e seus olhos estão arregalados diante de minha reprovação.

— Você tem noção de como isso é ridículo? O tanto de estresse que você fez eu e a sua família passar? Nós todos amamos muito você.

Ele pisca algumas vezes e depois abre seu sorriso tímido para mim.

— Não tinha ideia de que estaria todo mundo tão preocupado.

— Quando é que essa sua cabeça grande vai entender que as pessoas amam você? — Contraio os lábios.

— Cabeça grande? — Ele arregala os olhos, surpreso.

Faço que sim com a cabeça.

— É. Cabeça grande.

— Não acho que a minha cabeça seja proporcionalmente maior do que o restante do meu corpo.

— Estou falando sério! Pare de tentar me fazer rir. Ainda estou meio brava com você, embora isso tenha sido um tanto amenizado pelo fato de que você está em casa são e salvo, quando eu pensei... — minha voz desaparece assim que me lembro daquelas horas de ansiedade. — Bem, você sabe o que eu pensei.

Seu olhar suaviza, e ele acaricia meu rosto.

— Desculpe.

— E a sua mãe, coitada. Foi muito comovente, ver você com ela — sussurro.

Ele sorri timidamente.

— Nunca a vi daquele jeito. — Ele pisca ao se lembrar. — É, foi realmente impressionante. Ela é sempre tão contida. Foi um choque e tanto.

— Está vendo? Todo mundo ama você. — Sorrio. — Talvez agora você comece a acreditar. — Eu o beijo suavemente. — Feliz aniversário, Christian. Que bom que você está aqui para dividir seu dia comigo. E você nem viu o que eu preparei pra você amanhã... hum... hoje — sorrio.

— Tem mais? — diz ele, espantado, e seu rosto irrompe num sorriso de tirar o fôlego.

— Ah, sim, Sr. Grey, mas você vai ter que esperar.

Acordo de repente de um sonho ou pesadelo, meu coração pulando. Viro, em pânico, e, para meu alívio, Christian está num sono profundo ao meu lado. Como eu me mexi, ele se agita na cama e estende o braço sobre mim, descansando a cabeça em meu ombro, suspirando baixinho.

O quarto está banhado pela luz da manhã. São oito horas. Christian nunca dorme até tão tarde. Eu me recosto e deixo meu coração se acalmar. Por que a ansiedade? Ainda é por causa da noite passada?

Viro-me e olho para ele. Ele está aqui. Está bem. Respiro fundo, acalmando-me, e fito seu belo rosto. Um rosto que agora me é tão familiar, todas as suas re-entrâncias e sombras eternamente gravadas em minha mente.

Ele parece muito mais jovem quando está dormindo, e eu sorrio porque hoje ele está um ano inteiro mais velho. Abraço a mim mesma, pensando em meu presente. Hum... o que ele vai fazer? Talvez eu devesse começar trazendo café da manhã na cama para ele. Além do mais, José ainda pode estar aqui.

Encontro José na bancada da cozinha, comendo uma tigela de cereal. Não posso deixar de corar ao vê-lo. Ele sabe que passei a noite com Christian. Por que de repente me sinto tão tímida? Não é como se eu estivesse nua ou algo assim. Estou com meu roupão de seda que vai até o pé.

— Bom dia, José. — Sorrio, espantando a timidez.

— Ei, Ana! — Seu rosto se ilumina, ele parece genuinamente feliz em me ver. Não há nenhum indício de implicância ou desdém em sua expressão.

— Dormiu bem? — pergunto.

— Muito. A vista daqui de cima é demais.

— É, sim. Muito especial — como o dono do apartamento. — Quer um café da manhã de homem? — provoco.

— Adoraria.

— É aniversário do Christian hoje, vou preparar um café na cama pra ele.

— Ele está acordado?

— Não, acho que está exausto de ontem — afasto depressa o olhar dele e caminho até a geladeira, para que ele não me veja corar. *Caramba, é só o José.* Quando tiro os ovos e o bacon da geladeira, José está sorrindo para mim.

— Você gosta mesmo dele, não é?

Aperto os lábios.

— Eu o amo, José.

Ele arregala os olhos por um momento; em seguida, sorri.

— E por que não amaria? — pergunta, gesticulando ao redor para a sala de estar.

Faço cara feia para ele.

— Puxa, obrigada!

— Ei, Ana, estou só brincando.

Hum... será que sempre vou receber esse tipo de crítica? De que estou me casando com Christian por causa do dinheiro?

— Sério, estou brincando. Você nunca foi esse tipo de garota.

— Que tal uma omelete? — pergunto, mudando de assunto. Não quero discutir.

— Claro.

— Para mim também — diz Christian, entrando na sala de estar.

Puta merda, ele está só com a calça do pijama, que pende de seu quadril daquele jeito absolutamente sensual.

— José. — Ele acena com a cabeça.

— Christian. — José devolve seu aceno solene.

Christian se vira para mim e sorri enquanto eu o encaro. Ele fez de propósito. Semicerro os olhos, tentando desesperadamente recuperar o equilíbrio, e a expressão de Christian se altera sutilmente. Ele sabe que eu sei o que ele está tramando, e ele não se importa.

— Eu ia levar seu café na cama.

Ele caminha imponente em minha direção, envolve-me com um braço, ergue meu queixo e planta um beijo molhado e barulhento em meus lábios. Nada típico de Christian!

— Bom dia, Anastasia — diz.

Minha vontade é fazer cara feia para ele e mandá-lo se comportar, mas é aniversário dele. Fico vermelha. Por que ele tem que ser tão territorial?

— Bom dia, Christian. Feliz aniversário. — Abro um sorriso, e ele sorri de volta, irônico, para mim.

— Estou ansioso pelo outro presente — diz, e pronto.

Fico da cor do Quarto Vermelho da Dor e olho nervosa para José, que está com uma cara de quem comeu algo ruim. Afasto-me e começo a preparar a omelete.

— Então, quais são seus planos para hoje, José? — pergunta Christian com ar casual ao se sentar num dos bancos.

— Vou encontrar meu pai e o pai de Ana, Ray.

Christian franze o cenho.

— Eles se conhecem?

— Estiveram juntos no exército. Eles perderam o contato até Ana e eu nos conhecermos na faculdade. A história é bem legal. São melhores amigos agora. Vamos viajar juntos, para pescar.

— Pescar? — Christian parece genuinamente interessado.

— É, o estuário é ótimo para a pesca. As trutas são gigantes aqui.

— Verdade. Meu irmão, Elliot, e eu uma vez pegamos uma de quinze quilos. Eles estão conversando sobre pesca? Qual é a graça de pescar? Nunca entendi.

— Quinze quilos? Nada mau. Mas o recorde é do pai de Ana: dezenove quilos.

— Não brinca! Ele nunca falou nada.

— Feliz aniversário, aliás.

— Obrigado. E aí, onde você gosta de pescar?

Paro de prestar atenção. Não preciso saber disso. Mas, ao mesmo tempo, fico aliviada. Está vendo, Christian? José não é tão mau assim.

Quando José se prepara para ir embora, os dois estão muito mais relaxados um com o outro. Christian rapidamente coloca uma calça jeans e uma camiseta e, descalço, me acompanha com José até o saguão.

— Obrigado por me receber — diz José a Christian enquanto eles apertam as mãos.

— Disponha. — Christian sorri.

José me dá um abraço rápido.

— Se cuida, Ana.

— Claro. Muito bom ver você. Da próxima vez a gente faz um programa decente à noite.

— Vou cobrar, viu? — Ele acena de dentro do elevador e então desaparece.

— Está vendo, ele não é tão mau assim.

— Ele ainda quer comer você, Ana. Mas eu não o culpo.

— Christian, não é verdade!

— Você não tem ideia, não é? — Ele sorri para mim. — Ele quer você. Pra cacete.

Franzo a testa.

— Christian, ele é só um amigo, um bom amigo. — De repente, me dou conta de que soo como Christian quando ele está falando da Mrs. Robinson. O pensamento é desconcertante.

Christian ergue as mãos num gesto apaziguador.

— Não quero brigar — diz, em voz baixa.

Ah! A gente não está brigando... está?

— Eu também não.

— Você não disse a ele que a gente vai se casar.

— Não. Achei que devia avisar minha mãe e Ray primeiro.

Merda. É a primeira vez que penso nisso desde que disse sim. Caramba, o que será que meus pais vão dizer?

Christian concorda.

— É, você tem razão. E eu... hum... deveria pedir a sua mão ao seu pai.

— Ah, Christian — rio —, não estamos no século XVIII.

Puta merda. O que Ray vai dizer? Pensar nessa conversa me enche de pavor.

— É a tradição. — Christian dá de ombros.

— Vamos falar disso mais tarde. Quero lhe dar o seu outro presente.

Meu objetivo é distraí-lo. Pensar no meu presente está abrindo um buraco em minha consciência. Preciso entregar a ele e ver como reage.

Ele abre seu sorriso tímido, e meu coração dá um pulo. Nunca na minha existência vou me cansar de olhar para esse sorriso.

— Você está mordendo o lábio de novo — diz e puxa o meu queixo.

A emoção percorre meu corpo assim que seus dedos me tocam. Sem uma palavra, e enquanto ainda tenho um mínimo de coragem, pego sua mão e o conduzo de volta para o quarto. Solto sua mão, deixando-o de pé junto da cama, e pego as duas caixinhas restantes de debaixo do meu lado da cama.

— Dois? — pergunta, surpreso.

Respiro fundo.

— Comprei isso antes de... hum... do incidente de ontem. Agora não tenho muita certeza. — Entrego uma das caixas depressa, antes que possa mudar de ideia.

Ele olha para mim, perplexo, sentindo minha insegurança.

— Tem certeza de que quer que eu abra?

Faço que sim com a cabeça, ansiosa.

Christian rasga a embalagem e fita a caixa, surpreso.

— *Charlie Tango* — sussurro.

Ele sorri. A caixa contém um pequeno helicóptero de madeira com uma grande hélice movida a energia solar. Ele abre a caixa.

— Movido a energia solar — murmura. — Uau.

E quando me dou conta ele está sentado na cama, montando o helicóptero. Ele termina num instante e ergue-o na palma da mão. Um helicóptero azul de madeira. Ele olha para mim e abre seu sorriso maravilhoso e sensual, e então vai até a janela para que ele receba a luz do sol, e o rotor começa a girar.

— Olhe só para isso — suspira, examinando de perto. — As coisas que já se pode fazer com essa tecnologia.

Ele o eleva até o nível dos olhos, observando a hélice girar. Está fascinado, e é fascinante de assistir, perdido em pensamentos, olhando o pequeno helicóptero. Em que está pensando?

— Gostou?

— Ana, adorei. Obrigado. — Ele me agarra e me beija depressa. Em seguida, se volta para assistir o rotor girar. — Vou colocar junto do planador, no meu escritório — diz, distraído, ainda observando a hélice.

Ele tira a mão do sol, e as hélices desaceleram até parar.

Não posso conter um sorriso de orelha a orelha, e minha vontade é de me abraçar. Ele adorou. Claro, ele adora tecnologias alternativas. Na pressa de comprar o presente, tinha me esquecido disso. Ele o coloca sobre a cômoda e se vira de frente para mim.

— Vai me fazer companhia enquanto a gente conserta *Charlie Tango*.

— É consertável?

— Não sei. Espero que sim. Se não, vou sentir saudade dela.

Dela? Fico chocada comigo mesma pela pequena pontada de ciúme que sinto de um objeto inanimado. Meu inconsciente bufa com um riso de escárnio. Eu o ignoro.

— E o que há na outra caixa? — pergunta ele, os olhos arregalados com uma empolgação infantil.

Puta merda.

— Não tenho muita certeza se este é para você ou para mim.

— Ah, é? — pergunta, e eu sei que despertei seu interesse.

Nervosa, entrego a segunda caixa para ele. Ele a sacode de leve e nós dois ouvimos um barulho pesado. Ele olha para mim.

— Por que está tão nervosa? — pergunta, confuso.

Dou de ombros, ficando envergonhada, animada e vermelha ao mesmo tempo. Ele levanta uma sobrancelha.

— Você está me deixando intrigado, Srta. Steele — sussurra, e sua voz me atinge em cheio, o desejo e a expectativa se concentrando em minha barriga. — Preciso dizer que estou apreciando a sua reação. O que você andou aprontando? — Ele aperta os olhos, especulativamente.

Fico de boca fechada, prendendo a respiração.

Ele remove a tampa da caixa e tira um pequeno cartão. O restante está embalado em papel. Ele abre o cartão, e seus olhos disparam para os meus, arregalados, não sei se chocados ou surpresos.

— Fazer maldades com você? — murmura.

Faço que sim e engulo em seco. Ele deita a cabeça de lado, com cautela, avaliando minha reação, e franze a testa. Então, volta sua atenção para a caixa. Rasga o papel de seda azul-claro e retira uma venda para os olhos, alguns grampos de mamilos, um plugue anal, o iPod dele, a gravata prateada e, por último, mas não menos importante, a chave do quarto de jogos.

Ele me olha, uma expressão sombria e ilegível no rosto. *Ai, merda.* Será que eu mandei mal?

— Você quer brincar? — pergunta ele, de mansinho.

— Quero — ofego.

— No meu aniversário?

— É. — Será que a minha voz pode soar mais tímida do que isso?

Uma miríade de emoções cruza seu rosto, nenhuma das quais posso identificar, mas enfim ele parece ansioso. *Hum...* Não é bem a reação que eu estava esperando.

— Você tem certeza? — pergunta.

— Nada de chicotes e essas coisas.

— Sei disso.

— Bom, então, tenho certeza.

Ele balança a cabeça e examina o conteúdo da caixa.

— Maníaca sexual e insaciável. Bem, acho que a gente pode fazer alguma coisa com este kit — murmura quase que para si mesmo, e então coloca os itens de volta na caixa.

Ao erguer o olhar para mim de novo, sua expressão mudou completamente. Caramba, seus olhos ardem, e sua boca se abre lentamente num sorriso erótico. Ele me estende a mão.

— Agora — diz, e não é um pedido.

Sinto minha barriga se contrair, forte e intensa, bem fundo dentro de mim. Coloco a mão na sua.

— Venha — ordena, e o sigo para fora do quarto, o coração na boca.

O desejo corre pelo meu sangue, quente e escorregadio, enquanto minhas entranhas se apertam, famintas. Finalmente!

CAPÍTULO VINTE E UM

Christian fica de pé diante do quarto de jogos.

— Você tem certeza disso? — pergunta, o olhar **aquecido**, mas ainda ansioso.

— Tenho — sussurro, sorrindo timidamente.

Seus olhos se suavizam.

— Tem alguma coisa que você não queira fazer?

Sou pega de surpresa pela pergunta inesperada, e minha **mente** entra em curto-circuito. Um pensamento me ocorre.

— Não quero que você tire fotos de mim.

Ele fica tenso, e sua expressão fica rígida à medida que deita a cabeça de lado, os olhos me examinando.

Ah, merda. Acho que ele vai me perguntar por quê, mas felizmente ele não o faz.

— Certo — murmura.

Sua testa se franze ao destrancar a porta, e ele dá um passo **para** o lado, deixando-me entrar no quarto. Sinto seus olhos em mim enquanto **ele** me segue e fecha a porta.

Ele coloca a caixa de presente sobre a cômoda, pega e liga o iPod e aponta para o aparelho de som na parede de modo que as portas de vidro **fumê** se abrem, deslizando. Ele aperta alguns botões, e o som de um trem de **metrô** ecoa pelo quarto. Em seguida, baixa o volume, e a batida eletrônica lenta e hipnótica que se segue fica como música de fundo. Uma mulher começa a cantar, **não** sei quem é, mas sua voz é suave e rouca, e o ritmo é intenso, deliberado... erótico. *Meu Deus.* É música para fazer amor.

Christian se vira para mim; estou no meio do quarto, o coração batendo forte, meu sangue pulsando nas veias no ritmo sedutor da música — ou pelo menos é o que parece. Ele caminha despreocupado na minha direção e puxa meu queixo para que eu pare de morder o lábio.

— O que você quer fazer, Anastasia? — murmura, deixando um beijo suave no canto da minha boca, seus dedos ainda segurando meu queixo.

— É o seu aniversário. O que você quiser — sussurro.

Ele corre o polegar ao longo do meu lábio inferior, a testa franzida de novo.

— Estamos aqui porque você acha que eu quero estar aqui? — Seu tom de voz é gentil, mas ele me encara intensamente.

— Não — sussurro. — Também quero estar aqui.

Seu olhar escurece, tornando-se mais ousado à medida que assimila minha resposta. Depois do que parece uma eternidade, ele fala:

— Ah, temos tantas possibilidades, Srta. Steele. — Sua voz é baixa, animada. — Mas vamos começar tirando a sua roupa.

Ele puxa a faixa do meu roupão para que ele se abra, revelando minha camisola de seda, então se afasta e se senta displicentemente sobre o braço do sofá.

— Tire a roupa. Devagar. — Ele me lança um olhar sensual e desafiador.

Engulo em seco, pressionando as coxas uma contra a outra. Já estou molhada entre as pernas. Minha deusa interior está nua, fazendo fila, pronta e aguardando, implorando-me para acompanhá-la. Escorrego o roupão pelos ombros, mantendo os olhos fixos nos dele, e, com um movimento dos ombros, deixo-o cair, esvoaçante, no chão. Seus olhos cinzentos se acendem, e ele corre o indicador ao longo dos lábios, fitando-me.

Deslizando as finas alças da camisola pelos ombros, olho para ele por um segundo, e então as solto. A camisola desce suavemente por meu corpo numa onda, caindo aos meus pés. Estou nua, praticamente ofegante e tão, tão pronta.

Christian permanece imóvel por um momento, e fico maravilhada com a apreciação carnal e sincera em sua expressão. Levantando-se, ele caminha até a cômoda e pega a gravata cinza — minha preferida. Brinca com ela entre os dedos ao se virar e caminhar casualmente na minha direção, um sorriso nos lábios. Quando chega diante de mim, imagino que vai exigir minhas mãos, mas não o faz.

— Acho que você está com roupa de menos, Srta. Steele — murmura.

Ele passa a gravata em torno do meu pescoço, e, devagar, mas com muita destreza, faz o que imagino ser um nó Windsor. À medida que ele aperta o nó, seus dedos arranham a base de meu pescoço, provocando disparos elétricos através de meu corpo e me fazendo ofegar. Ele deixa a ponta mais larga da gravata bem longa, longa o suficiente para alisar meus pelos pubianos.

— Você está maravilhosa agora, Srta. Steele — diz ele e se curva para me beijar com carinho nos lábios.

É um beijo rápido, e eu quero mais, o desejo se apoderando desenfreado de meu corpo.

— O que vamos fazer agora? — diz ele e, segurando a gravata, dá um puxão brusco que me faz pular para a frente, em seus braços.

Suas mãos mergulham em meu cabelo, e ele puxa minha cabeça para trás e me beija de verdade, com força, sua língua implacável e impiedosa. Uma de suas mãos passeia livremente pelas minhas costas até minha bunda. Quando se afasta de mim, também está ofegante, encarando-me, seus olhos cor de chumbo; eu fico cheia de desejo, tentando recuperar o fôlego, a mente completamente perdida. Tenho certeza de que meus lábios vão ficar inchados depois de suas investidas sensuais.

— Vire-se — ordena com gentileza, e eu obedeço. Tirando meu cabelo do nó da gravata, ele rapidamente o prende numa trança. Então, puxa a trança, fazendo minha cabeça se inclinar para trás. — Seu cabelo é lindo, Anastasia — murmura e beija meu pescoço, disparando arrepios ao longo de minha espinha. — Você só tem que dizer "pare". Você sabe disso, não é? — sussurra contra minha garganta.

Concordo com a cabeça, os olhos fechados, e me deleito com a sensação de seus lábios em mim. Ele me vira mais uma vez e pega a ponta da gravata.

— Venha — diz, puxando-me com cuidado e me levando até a cômoda, onde o restante do conteúdo da caixa está exposto. — Anastasia, estes objetos — ele levanta o plugue. — Isto aqui é grande demais. Como uma virgem anal, não é uma boa ideia começar com isto. É melhor a gente começar com isto. — Ele ergue o dedo mindinho, e eu engasgo, chocada.

Dedos... *lá?* Ele sorri para mim, e a lembrança desagradável da cláusula que fala sobre introdução de mão no ânus, mencionada no nosso contrato, me vem à mente.

— Só "dedo". No singular — diz baixinho, com aquela estranha habilidade de ler a minha mente.

Meus olhos disparam para os seus. Como ele faz isso?

— Estes grampos são muito cruéis. — Ele ergue os grampos de mamilos. — Vamos usar estes aqui — e coloca um par diferente sobre a cômoda. Eles parecem grampos de cabelo gigantes, mas com pingentes na ponta. — Estes são ajustáveis — sussurra, a voz repleta de gentileza e preocupação.

Pisco para ele, os olhos arregalados. Christian, meu mentor sexual. Ele sabe tão mais sobre tudo isso do que eu. Nunca vou conseguir acompanhá-lo. Franzo a testa. Ele sabe mais do que eu sobre muitas coisas... exceto sobre cozinhar.

— Pronta? — pergunta.

— Pronta — sussurro, minha boca seca. — Você vai me dizer o que pretende fazer?

— Não. Estou improvisando. Isto não é uma cena ensaiada, Ana.

— Como devo me comportar?

Suas sobrancelhas se franzem.

— Do jeito que você quiser.

Ah!

— Você estava esperando meu alter ego, Anastasia? — pergunta, seu tom vagamente zombeteiro e espantado ao mesmo tempo. Pisco para ele.

— Bem, estava. Gosto dele — murmuro.

Ele sorri consigo mesmo e passa o polegar ao longo de minha bochecha.

— Ah, gosta, é? — sussurra e corre o polegar por todo o meu lábio inferior. — Sou seu amante, Anastasia, não seu Dominador. Gosto de ouvir seu riso e sua gargalhada de menina. Gosto de você relaxada e feliz, como nas fotos de José. Foi essa a menina que apareceu no meu escritório. Foi por ela que me apaixonei.

Fico boquiaberta, e uma onda bem-vinda de calor surge em meu coração. É felicidade — pura felicidade.

— Mas tendo dito tudo isso, também gosto de fazer maldades com você, Srta. Steele, e meu alter ego conhece um truque ou outro. Então, faça o que estou mandando e se vire — seus olhos brilham com perversidade, e a felicidade se move acentuadamente para o sul, tomando-me com força e apertando cada tendão abaixo de minha cintura.

Obedeço. Atrás de mim, ele abre uma das gavetas e, um momento depois, está diante de mim de novo.

— Venha — ordena e puxa a gravata de leve, levando-me até a mesa.

À medida que passamos pelo sofá, vejo pela primeira vez que todas as varas desapareceram. Isso me distrai. Elas estavam aqui quando entrei ontem? Não me lembro. Será que Christian as retirou? A Sra. Jones? Christian interrompe minha linha de pensamento.

— Quero que você se ajoelhe nisto — diz, quando chegamos à mesa.

Ah, está bem. O que ele tem em mente? Minha deusa interior mal pode esperar para descobrir — ela já foi derrubada em cima da mesa e está olhando para ele com adoração.

Ele gentilmente me ergue sobre a mesa, e eu dobro as pernas debaixo de mim e me ajoelho diante dele, surpresa com minha própria graciosidade. Agora estamos olhos nos olhos. Ele leva as mãos até minhas coxas, agarra meus joelhos e separa minhas pernas, ficando de pé bem na minha frente. Está muito sério, os olhos sombrios, semicerrados... lascivos.

— Braços atrás das costas. Vou algemar você.

Ele pega uma algema de couro do bolso de trás da calça e passa os braços ao redor de mim. É isso. Para onde ele vai me levar dessa vez?

Sua proximidade é inebriante. Este homem vai ser meu marido. Dá para se cobiçar o próprio marido desse jeito? Não me lembro de nunca ter lido nada sobre isso. Sou incapaz de resistir a ele, e corro meus lábios entreabertos ao longo de sua mandíbula, sentindo a barba por fazer, uma combinação inebriante de pele pinicando e suavidade sob minha língua. Ele fica paralisado e fecha os olhos. Sua respiração falha, e ele se afasta.

— Pare. Ou isso vai terminar muito mais rápido do que nós dois queremos — adverte.

Por um momento, acho que talvez esteja com raiva, mas então ele sorri, e os olhos ardentes se iluminam com diversão.

— Você é irresistível — resmungo.

— Ah, sou, é? — diz ele secamente.

Faço que sim com a cabeça.

— Bem, não me distraia, ou vou amordaçar você.

— Gosto de distrair você — sussurro, encarando-o, teimosa, e ele ergue uma sobrancelha para mim.

— Ou lhe dar umas palmadas.

Hum... Tento esconder meu sorriso. Houve uma época, não faz muito tempo, em que suas ameaças me refreavam. Eu jamais teria a coragem de beijá-lo, espontaneamente, enquanto ele estivesse neste quarto. Percebo agora que já não me sinto intimidada por ele. É uma revelação. Sorrio maliciosamente, e ele sorri para mim.

— Comporte-se — rosna e se afasta, olhando para mim e batendo com as algemas de couro na palma da mão.

O aviso está lá, implícito em suas ações. Tento transmitir um ar de arrependimento, e acho que consigo. Ele se aproxima de mim de novo.

— Melhor — sussurra e passa os braços ao redor de mim mais uma vez, com as algemas na mão.

Resisto à tentação de tocá-lo, mas inspiro seu cheiro maravilhoso, ainda fresco com o banho de ontem à noite. *Hum...* Eu deveria engarrafar isso.

Estava esperando que ele algemasse meus pulsos, mas ele me prende pelos cotovelos, o que me faz arquear as costas, empinando os seios para a frente, embora meus cotovelos não estejam de jeito nenhum juntos um do outro. Assim que termina, ele volta para me admirar.

— Tudo bem? — pergunta.

Não é a mais confortável das posições, mas estou tão excitada com a expectativa de como ele vai conduzir isso que faço que sim com a cabeça, fechando os olhos.

— Ótimo.

Ele pega a venda no bolso de trás.

— Acho que você já viu o suficiente por hoje — murmura.

Ele desliza a venda pela minha cabeça, cobrindo meus olhos. Minha respiração acelera. *Uau.* Por que estar com olhos vendados é tão erótico? Estou aqui, amarrada e ajoelhada sobre uma mesa, esperando — uma sensação quente e pesada de expectativa no fundo da barriga. Ainda posso ouvir, no entanto, o ritmo melódico e constante da música. Ela ressoa pelo meu corpo. Não tinha notado ainda. Ele deve ter programado para repetir.

Christian se afasta. O que está fazendo? Ele caminha de volta para a cômoda e abre uma gaveta, em seguida, fecha-a de novo. Um momento depois, está de volta, e o sinto diante de mim, um cheiro pungente, rico e almiscarado no ar. É delicioso, quase de dar água na boca.

— Não quero estragar minha gravata preferida — murmura. E ela se solta pouco a pouco, à medida que ele desfaz o nó.

Inspiro profundamente à medida que a ponta da gravata viaja pelo meu corpo, fazendo cócegas pelo caminho. Estragar a gravata? Fico ouvindo com atenção para tentar descobrir o que ele vai fazer. Ele está esfregando as mãos. De repente, sinto os nós de seus dedos contra o meu rosto, descendo até o queixo ao longo da mandíbula.

Meu corpo desperta, atento, à medida que seu toque envia um arrepio delicioso ao longo dele. Ele pousa uma das mãos sobre meu pescoço, e ela está coberta por um óleo de cheiro adocicado e, portanto, desliza suavemente por ele, cruzando pelo colo até o ombro, seus dedos massageando minha pele com carinho. Hum, estou ganhando uma massagem. Não é o que eu esperava.

Ele coloca a outra mão em meu outro ombro e começa mais uma viagem provocante e lenta ao longo de minha clavícula. Solto um gemido baixinho enquanto ele prossegue em seu caminho na direção de meus seios cada vez mais sedentos pelo seu toque. É tentador. Arqueio-me mais na direção de seu toque hábil, mas suas mãos deslizam para as laterais do meu corpo, lentas, precisas, acompanhando o ritmo da música, e cuidadosamente evitando meus seios. Gemo, mas não sei se é de prazer ou de frustração.

— Você é tão linda, Ana — murmura ele, a voz baixa e rouca, sua boca junto ao meu ouvido.

Seu nariz segue a linha da minha mandíbula enquanto ele continua a me massagear — debaixo de meus seios, por toda a minha barriga, mais para baixo... Ele me beija por um instante nos lábios, então corre o nariz ao longo do meu pescoço. *Caramba, estou pegando fogo...* sua proximidade, suas mãos, suas palavras.

— E logo você vai ser minha mulher, na alegria e na tristeza — sussurra.
Meu Deus.

— Na saúde e na doença.
Caramba.

— Com meu corpo, vou venerar você.

Deito a cabeça para trás e solto outro gemido. Seus dedos correm por meus pelos pubianos, por cima do meu sexo, e ele esfrega a palma da mão contra meu clitóris.

— Sra. Grey — sussurra, a palma da mão se esfregando em mim.

Outro gemido.

— Isso — ofega ele, a palma da mão continuando a me provocar. — Abra a boca.

Estou arfando, e minha boca já está aberta. Abro um pouco mais, e ele escorrega um objeto grande de metal frio entre meus lábios. É da forma de uma chupeta gigante e tem pequenos sulcos ou reentrâncias e o que parece ser uma corrente na ponta. É grande.

— Chupe — ordena ele, com calma. — Vou colocar isso dentro de você.

Dentro de mim? Dentro de mim onde? Meu coração pula até a boca.

— Chupe — ele repete e para de esfregar a mão em mim.

Não, não pare! Quero gritar, mas estou com a boca cheia. Suas mãos oleosas deslizam por meu corpo e enfim seguram meus seios negligenciados.

— Não pare de chupar.

Delicadamente, ele aperta meus mamilos entre os dedos, e eles enrijecem e se alongam sob seu toque experiente, enviando ondas sinápticas de prazer até a minha virilha.

— Você tem peitos tão lindos, Ana — murmura, e meus mamilos endurecem ainda mais em resposta.

Ouço seu murmúrio de aprovação e solto um gemido. Seus lábios descem ao longo do meu pescoço para um dos seios, deixando mordidas suaves e me chupando mais e mais, na direção do mamilo, e de repente sinto o aperto do grampo.

— Ah! — lanço um gemido através do objeto em minha boca.

Minha nossa, a sensação é deliciosa, crua, dolorosa, prazerosa... uau, o beliscão. Gentilmente, ele lambe o mamilo preso e, ao fazê-lo, coloca o outro grampo. O aperto é igualmente árduo... mas tão bom quanto o primeiro. Solto um grito.

— Sinta isso — sussurra.

Ah, estou sentindo. Estou sentindo. Estou sentindo.

— Me dê isto. — Com cuidado, ele puxa a chupeta de metal adornado de minha boca, e eu a solto.

Mais uma vez suas mãos trilham um caminho ao longo de meu corpo até o meu sexo. Ele passou mais óleo nas mãos. Elas deslizam pela minha bunda.

Suspiro. O que ele vai fazer? Fico tensa, de joelhos, à medida que ele corre os dedos entre minhas nádegas.

— Calma, fique calma — sussurra perto de minha orelha e beija meu pescoço, seus dedos me alisando e me provocando.

O que ele vai fazer? Sua outra mão desliza para baixo ao longo de minha barriga até o meu sexo, esfregando-me mais uma vez. Ele desliza os dedos para dentro de mim, e eu gemo alto, satisfeita.

— Vou colocar isto dentro de você — murmura. — Mas não aqui — seus dedos brincam entre minhas nádegas, espalhando o óleo. — E sim aqui. — Ele move os dedos para dentro e para fora, batendo contra a parede da frente da minha vagina. Eu gemo e meus mamilos presos se incham.

— Ah.

— Silêncio — Christian remove os dedos e enfia o objeto em mim.

Ele segura meu rosto entre as mãos e me beija, a boca invadindo a minha, e eu ouço um clique bem de leve. Imediatamente o plugue começa a vibrar dentro de mim, *lá em baixo!* Suspiro. A sensação é extraordinária — mais intensa do que tudo que já senti antes.

— Ah!

— Calma. — Christian me tranquiliza, sufocando meus suspiros com a boca. Suas mãos se movem para baixo e puxam os grampos delicadamente. Grito bem alto.

— Christian, por favor!

— Calma, baby. Aguente só um pouco.

Isso é demais — todo esse excesso de estímulo, em todos os lugares. Meu corpo começa a subir, e de joelhos, sou incapaz de controlar a expectativa. *Deus do céu...* Será que vou ser capaz de aguentar isso?

— Boa menina. — Ele me acalma.

— Christian — ofego, soando desesperada mesmo para meus próprios ouvidos.

— Acalme-se, Ana, sinta isso. Não tenha medo.

Suas mãos estão agora em minha cintura, segurando-me, mas não consigo me concentrar nelas, no que está dentro de mim e também nos grampos. Meu corpo está se preparando, preparando-se para uma explosão: as vibrações implacáveis e a tortura doce, tão doce, em meus mamilos. *Puta merda.* Vai ser intenso demais. Suas mãos descem de meus quadris, escorregadias e oleosas, tocando-me, sentindo-me, massageando minha pele — massageando minha bunda.

— Tão linda.

De repente ele enfia delicadamente um dedo cheio de óleo dentro de mim... *lá!* Na minha bunda. *Porra.* A sensação é estranha, intensa, proibida... mas, ah... é tão... boa. E ele se move devagar, entrando e saindo, enquanto seus dentes arranham meu queixo erguido.

— Tão linda, Ana.

Estou suspensa no ar — no alto de uma ravina muito larga, e subo e caio ao mesmo tempo, tonta, mergulhando de volta à Terra. Não posso mais aguentar, e grito à medida que meu corpo se contorce e culmina na plenitude avassaladora. E enquanto meu corpo explode, não sou nada exceto sensação, em todos os lugares. Christian solta um dos grampos e depois o outro, fazendo com que meus mamilos reclamem com uma onda de dor suave, mas é tão, tão bom e faz com que o meu orgasmo se prolongue mais e mais. Seu dedo permanece onde está, saindo e entrando devagar.

— Ah! — grito, e Christian me envolve, segurando-me, e meu corpo continua a pulsar por dentro, sem dó. — *Não!* — grito de novo, implorando, e dessa vez ele tira o vibrador de dentro mim, e o dedo também, enquanto meu corpo continua a se contorcer.

Ele solta uma das algemas, e meus braços caem para a frente. Minha cabeça descansa em seu ombro, e estou perdida, perdida com todas essas sensações esmagadoras. Sou toda respiração entrecortada, desejo exausto e torpor suave e bem-vindo.

Vagamente, percebo que Christian me levanta, leva-me para a cama e me coloca sobre os lençóis frios de cetim. Depois de um momento, com as mãos ainda cheias de óleo, ele massageia de leve as costas das minhas coxas, meus joelhos, minhas panturrilhas e meus ombros. Sinto a cama afundar quando ele se deita ao meu lado.

Ele tira minha venda, mas não tenho energia para abrir os olhos. Pegando minha trança, ele desfaz o laço no cabelo e se inclina para a frente, beijando-me com carinho nos lábios. Só a minha respiração irregular perturba o silêncio no quarto, estabilizando-se à medida que desço devagar de volta à Terra. A música parou.

— Tão linda — murmura ele.

Quando convenço um dos meus olhos a se abrir, ele está me olhando, sorrindo de mansinho.

— Oi — diz. Consigo apenas soltar um grunhido em resposta, e seu sorriso se amplia. — Foi maldade o suficiente para você?

Faço que sim com a cabeça e abro um sorriso relutante. Caramba, mais um pouco de maldade e eu teria que espancar nós dois.

— Acho que você está tentando me matar — murmuro.

— Morte por orgasmo — sorri. — Há maneiras piores de morrer — diz, mas, em seguida, franze o cenho quase imperceptivelmente, quando um pensamento desagradável lhe passa pela cabeça. Isso me incomoda. Estico a mão e acaricio seu rosto.

— Você pode me matar desse jeito sempre que quiser — sussurro.

Noto que ele está maravilhosamente nu e pronto para a ação. Quando pega minha mão e beija meus dedos, aproximo-me e seguro seu rosto entre as mãos, puxando sua boca para a minha. Ele me beija rapidamente e então para.

— Isso é o que eu quero fazer — murmura e enfia a mão debaixo do travesseiro para pegar o controle remoto do aparelho de som. Ele aperta um botão e os acordes suaves de uma guitarra ecoam pelas paredes. — Quero fazer amor com você — diz, olhando para mim, os olhos cinzentos ardendo de amor sincero e vívido. Baixinho, no fundo, uma voz familiar começa a cantar "The First Time Ever I Saw Your Face". E seus lábios encontram os meus.

ENQUANTO EU ME comprimo ao redor dele, atingindo o orgasmo mais uma vez, Christian se solta em meus braços, a cabeça jogada para trás, gritando meu nome. Ele me aperta com força contra o peito quando nos sentamos face a face no meio da cama enorme, eu por cima dele. E, nesse momento — esse momento de alegria com esse homem e essa música —, a intensidade de minha experiência essa manhã, aqui com ele, e tudo o que aconteceu na última semana me inunda de novo, não apenas fisicamente, mas emocionalmente. Estou completamente dominada pelos sentimentos. Sou tão profundamente apaixonada por ele. Pela primeira vez tive um vislumbre de como ele se sente a respeito de minha segurança.

Estremeço ao relembrar quão perto ele passou do perigo ontem, com *Charlie Tango*, e meus olhos se enchem d'água. Se alguma coisa acontecesse com ele... Eu o amo tanto. Minhas lágrimas escorrem, expostas, pelas bochechas. As tantas personalidades de Christian... seu lado doce e gentil, e seu jeito arrebatado e Dominador "posso fazer o que bem entender e você vai gozar loucamente"... seus cinquenta tons... ele por inteiro. Espetacular em todas as suas facetas. Todinho meu. E estou ciente de que não conhecemos um ao outro completamente, e temos uma montanha de problemas para superar, mas sei por nós dois que vamos conseguir — e que vamos ter uma vida inteira para fazê-lo.

— Ei — ofega ele, apertando minha cabeça entre as mãos, olhando-me. Ainda dentro de mim. — Por que você está chorando? — Sua voz está repleta de preocupação.

— Porque amo tanto você — sussurro.

Ele semicerra os olhos como se estivesse sob o efeito de uma droga, absorvendo minhas palavras. Quando os abre de novo, eles brilham com amor.

— E eu amo você, Ana. Você me faz... inteiro. — Ele me beija suavemente enquanto Roberta Flack termina sua canção.

NÓS CONVERSAMOS E conversamos e conversamos, sentados juntos na cama do quarto de jogos, eu em seu colo, nossas pernas em torno um do outro. O lençol de cetim vermelho nos envolve feito um casulo, e não tenho ideia de quanto tempo se passou. Christian está rindo de minha imitação de Kate durante a sessão de fotos no Heathman.

— E pensar que poderia ter sido ela quem foi me entrevistar. Graças a Deus existe o resfriado — murmura, beijando meu nariz.

— Acho que foi uma gripe, Christian — repreendo-o, correndo o dedo preguiçosamente pelos cabelos em seu peito e me admirando que ele esteja tolerando isso tão bem. — As varas todas sumiram — murmuro, recordando meu momento de distração hoje mais cedo.

Ele passa uma mecha de cabelo atrás de minha orelha pela enésima vez.

— Achei que você nunca fosse superar esse limite rígido.

— Não, acho que não — sussurro, os olhos arregalados, e me vejo encarando os açoites, as palmatórias e os chicotes alinhados na parede oposta.

Ele segue meu olhar.

— Você quer que eu me livre deles também? — soa divertido, porém sincero.

— Não o chicote... o marrom. Nem o açoite de pontas de camurça. — Fico vermelha.

Ele sorri para mim.

— Certo, o chicote e o açoite de pontas. Ora, ora, Srta. Steele, você é cheia de surpresas.

— Como você, Sr. Grey. É uma das coisas que amo em você. — Eu o beijo de leve no canto da boca.

— E o que mais você ama em mim? — pergunta ele, e seus olhos se arregalam.

Sei que é um passo enorme, para ele, fazer essa pergunta. Isso me toca profundamente, e eu pisco para ele. Amo tudo nele, até mesmo os seus cinquenta tons. Sei que a vida com Christian nunca vai ser entediante.

— Isto. — Corro o indicador por seus lábios. — Amo isto e o que esta boca me diz e o que ela faz comigo. E o que tem aqui dentro. — Acaricio suas têmporas. — Você é tão inteligente e espirituoso e experiente, competente em tantas coisas. Mas, acima de tudo, amo o que está aqui. — Pressiono a palma da mão suavemente contra seu peito, sentindo seu coração batendo firme. — Você é o homem mais compassivo que já conheci. As coisas que você faz. O jeito como você trabalha. É inspirador — sussurro.

— Inspirador? — Ele está confuso, mas há um traço de humor em seu rosto.

Então seu rosto se transforma, e seu sorriso tímido aparece como se ele estivesse envergonhado, e quero pular em cima dele. E é o que eu faço.

ESTOU COCHILANDO, ENVOLTA em cetim e em Grey. Christian me acorda com uma fungada no pescoço.

— Com fome? — sussurra.

— Hum, faminta.

— Eu também.

Levanto-me para fitá-lo, esparramado na cama.

— É seu aniversário, Sr. Grey. Vou cozinhar alguma coisa. O que você quer comer?

— Me surpreenda. — Ele passa a mão pelas minhas costas, acariciando-me de leve. — É melhor eu dar uma olhada no BlackBerry para ver as mensagens que perdi ontem. — Suspira e se senta, e sei que nosso momento especial acabou... por enquanto. — Vamos tomar um banho — diz ele.

Quem sou eu para recusar um pedido do aniversariante?

CHRISTIAN ESTÁ NO escritório, ao telefone. Taylor está com ele, parecendo sério, mas ao mesmo tempo descontraído, de jeans e uma camiseta preta apertada. Ocupo-me na cozinha preparando o almoço. Encontrei postas de salmão na geladeira, e as estou temperando com limão, fazendo uma salada e cozinhando umas batatinhas. Sinto-me extraordinariamente tranquila e feliz, no topo do mundo — literalmente. Voltando-me para o janelão, fito o céu azul maravilhoso. *Todo aquele tempo conversando... todo aquele sexo... hum.* Acho que posso me acostumar com isso.

Taylor sai do escritório, interrompendo meu devaneio. Baixo o volume do iPod e tiro um dos fones de ouvido.

— Oi, Taylor.

— Ana. — Ele acena com a cabeça.

— Sua filha está bem?

— Sim, obrigado. Minha ex-mulher achou que ela estava com apendicite, mas estava exagerando, como sempre. — Taylor revira os olhos, surpreendendo-me. — Sophie está bem, embora esteja com uma gastroenterite feia.

— Sinto muito.

Ele sorri.

— *Charlie Tango* foi achado?

— Foi. A equipe de recuperação está a caminho. Eles devem levá-lo para o aeroporto da Boeing esta noite.

— Que bom.

Ele me abre um sorriso contido.

— Isso é tudo, senhora?

— Sim, sim, claro. — Fico vermelha... será que algum dia vou me acostumar com Taylor me chamando de senhora? Me faz sentir tão velha, com uns trinta anos, pelo menos.

Ele acena com a cabeça e deixa a sala de estar. Christian ainda está ao telefone. Estou esperando a água das batatas ferver. E tenho uma ideia. Pego meu BlackBerry de dentro da bolsa. Há uma mensagem de Kate.

* Vejo vc hoje à noite. Estou louca para ter uma loooooooooonga conversa *

Respondo.

* Eu também *

Vai ser bom conversar com Kate.
Abro o programa de e-mails e digito uma mensagem rápida para Christian.

De: Anastasia Steele
Assunto: Almoço
Data: 18 de junho de 2011 13:12
Para: Christian Grey

Caro Sr. Grey

Estou escrevendo para informar que o almoço está quase pronto.

E que hoje mais cedo eu dei uma trepada sacana de deixar qualquer um maluco.

Recomendo muito trepadas sacanas de aniversário.

E outra coisa: amo você.

Bj

(Sua noiva)

Fico de ouvido atento para escutar sua reação, mas ele ainda está ao telefone. Dou de ombros. Talvez esteja muito ocupado. Meu BlackBerry vibra.

De: Christian Grey
Assunto: Trepada sacana
Data: 18 de junho de 2011 13:15
Para: Anastasia Steele

Que aspectos exatamente deixaram você maluca?

Estou mantendo um histórico.

Christian Grey

Um CEO faminto e definhando depois dos exercícios extenuantes desta manhã, Grey Enterprises Holdings, Inc.

PS: Amei sua assinatura.

PS2: O que aconteceu com a arte da conversação?

De: Anastasia Steele
Assunto: Faminto?
Data: 18 de junho de 2011 13:18
Para: Christian Grey

Caro Sr. Grey

Posso chamar sua atenção para a primeira linha de meu último e-mail, informando que o almoço está de fato quase pronto? Portanto, nada de choramingar que está faminto e definhando. No que diz respeito aos aspectos enlouquecedores da trepada sacana... francamente, tudo. Gostaria de ler suas anotações. E também gosto da minha assinatura entre parênteses.

Bj

(Sua noiva)

PS: Desde quando você é tão loquaz? E você está ao telefone!

Aperto "enviar" e ergo a cabeça. Ele está de pé na minha frente, sorrindo. Antes que eu possa dizer qualquer coisa, ele contorna a bancada da cozinha, me pega em seus braços e me beija profundamente.

— Isso é tudo, Srta. Steele — diz, soltando-me, e volta, de calça jeans, pés descalços e camiseta branca para fora da calça, para seu escritório, deixando-me sem fôlego.

PREPAREI UM MOLHO de agrião, coentro e creme de leite para acompanhar o salmão, e arrumei a bancada da cozinha. Odeio interrompê-lo quando está trabalhando, mas agora estou de pé na porta de seu escritório. Ele ainda está ao telefone, descabelado como quem sai de uma boa transa, os olhos cinzentos e brilhantes: um banquete visual completo. Ele ergue o olhar ao me ver e não tira os olhos de mim. Então, franze a testa de leve, e não sei se é por minha causa ou por causa de sua conversa.

— Só deixe eles entrarem e não encha o saco deles. Entendeu, Mia? — Ele chia e revira os olhos. — Ótimo.

Tento imitar uma pessoa comendo, e ele sorri para mim e faz que sim com a cabeça.

— Vejo você mais tarde — desliga. — Só mais um telefonema? — pergunta.

— Claro.

— Esse vestido é muito curto — acrescenta.

— Você gostou? — Dou uma voltinha rápida.

É uma das roupas que Caroline Acton comprou. Um vestido de verão macio azul-turquesa, provavelmente mais adequado para usar na praia, mas o dia está tão bonito em tantos sentidos. Ele franze a testa, e a expressão em meu rosto se desfaz.

— Você fica fantástica nele, Ana. Só não quero que ninguém mais a veja assim.

— Ei! — Faço uma cara feia para ele. — A gente está em casa, Christian. Não tem ninguém aqui além dos funcionários.

Ele contrai a boca. Ou está tentando esconder sua diversão ou realmente não achou graça. Mas ele acaba por fazer que sim com a cabeça, tranquilizado. Balanço a cabeça para ele — ele está mesmo falando sério? Volto para a cozinha. Cinco minutos depois, ele está de novo na minha frente, segurando o telefone.

— Estou com Ray ao telefone, para você — murmura, os olhos cautelosos.

Todo o ar me foge do corpo ao mesmo tempo. Pego o telefone e cubro o bocal.

— Você contou a ele! — sussurro.

Christian faz que sim com a cabeça, e seus olhos se arregalam diante do meu nervosismo óbvio.

Merda! Respiro fundo.

— Oi, pai.

— Christian acaba de me perguntar se ele pode se casar com você — diz Ray.

O silêncio se estende entre nós enquanto tento desesperadamente pensar no que dizer. Ray, como de costume, permanece calado, sem me dar nenhuma pista sobre a sua reação a essa notícia.

— O que você respondeu? — Eu cedo primeiro.

— Eu disse que queria falar com você. É meio repentino, você não acha, Annie? Você não o conhece há muito tempo. Quero dizer, ele é um sujeito bacana, entende de pesca... mas tão cedo assim? — sua voz é calma e controlada.

— É. É repentino mesmo... só um minuto. — Saio depressa da cozinha, afastando-me do olhar ansioso de Christian, e caminho na direção do janelão. As portas da varanda estão abertas, e ando para o lado de fora, até a luz do sol. Não consigo me aproximar da beirada. É alto demais. — Sei que foi de repente e tudo mais... Só que... bem, eu o amo. Ele me ama. Ele quer se casar comigo, e não existe mais ninguém para mim. — Fico vermelha, pensando que essa é provavelmente a conversa mais íntima que já tive com meu padrasto.

Ray permanece em silêncio do outro lado da linha.

— Você já contou à sua mãe?

— Não.

— Annie... Eu sei que ele é rico e é um bom partido e tal, mas casar? É um passo tão grande. Você tem certeza?

— Ele é o meu "felizes para sempre" — sussurro.

— Uau — diz Ray depois de um momento, o tom mais suave.

— Ele é tudo.

— Annie, Annie, Annie. Você é uma jovem tão obstinada. Peço a Deus que você saiba o que está fazendo. Passe o telefone de volta para ele, sim?

— Claro, pai. E pai, você pode entrar comigo na igreja? — pergunto baixinho.

— Ah, querida — sua voz falha, e ele fica quieto por alguns momentos, a emoção em sua voz enchendo meus olhos d'água. — Nada me faria mais feliz — diz, afinal.

Ah, Ray. Amo tanto você... Engulo em seco para não chorar.

— Obrigada, pai. Vou passar para o Christian. Seja gentil com ele. Eu o amo — sussurro.

Acho que Ray está sorrindo do outro lado da linha, mas é difícil saber. Com Ray é sempre difícil saber.

— Pode deixar, Annie. E vê se vem visitar o seu velho, trazendo esse Christian com você.

Volto para a sala — fula da vida com Christian por não ter me avisado — e entrego o telefone para ele, demonstrando pela minha expressão como estou chateada. Ele parece divertido ao pegar o telefone, e caminha de volta para o escritório. Dois minutos depois, reaparece.

— Seu padrasto me deu sua benção um tanto relutante — diz, orgulhoso, tão orgulhoso que me faz rir, e ele sorri de volta. Está agindo como se tivesse acabado de negociar uma grande fusão ou uma aquisição, o que, suponho, não deixa de ser verdade em algum nível.

— Caramba, mulher, você cozinha bem. — Christian engole a última garfada e ergue o copo de vinho branco para mim.

Fico toda boba com o elogio e me dou conta de que só vou poder cozinhar para ele nos fins de semana. Franzo a testa. Gosto de cozinhar. Talvez eu devesse ter feito um bolo de aniversário para ele. Dou uma olhada no relógio. Ainda tenho tempo.

— Ana? — Ele interrompe meus pensamentos. — Por que você me pediu para não tirar fotos suas? — Sua pergunta me assusta, especialmente porque sua voz é enganadoramente suave.

Ah... merda. As fotos.

Olho para baixo, para meu prato vazio, torcendo os dedos em meu colo. O que posso dizer? Eu tinha prometido a mim mesma que não falaria que achei sua versão caseira da *Penthouse.*

— Ana — ele resmunga. — O que foi?

Sua voz me faz dar um pulo e olhar para ele. Quando foi que achei que ele não me intimidava mais?

— Achei as suas fotos — sussurro.

Seus olhos se arregalam de choque.

— Você abriu o cofre? — pergunta, incrédulo.

— Cofre? Não. Não sabia que você tinha um cofre.

Ele franze a testa.

— Não estou entendendo.

— No seu armário. A caixa. Estava procurando suas gravatas, e a caixa estava debaixo da sua calça jeans... aquela que você normalmente usa no quarto de jogos. Menos hoje. — Fico vermelha.

Ele me olha boquiaberto, horrorizado, e corre as mãos nervosamente pelo cabelo à medida que assimila essa informação. Esfrega o queixo, perdido em pensamentos, mas não pode esconder o incômodo perplexo em seu rosto.

De repente, balança a cabeça, exasperado — mas também divertido —, e um pequeno sorriso de admiração surge nos cantos de sua boca. Ele junta as mãos numa súplica diante de si mesmo e me encara de novo.

— Não é o que você está pensando. Tinha me esquecido dessas fotos. A caixa foi tirada do lugar. As fotografias normalmente ficam no meu cofre.

— E quem tirou a caixa do lugar? — sussurro.

Ele engole em seco.

— Só tem uma pessoa que poderia ter feito isso.

— Ah. Quem? E o que você quer dizer com "Não é o que eu estou pensando"?

Ele suspira e inclina a cabeça para o lado, acho que está envergonhado. *Acho bom!,* meu inconsciente rosna.

— Isso vai soar frio, mas... elas são uma apólice de seguro — sussurra, preparando-se para a minha resposta.

— Apólice de seguro?

— Contra a exposição da minha pessoa.

A ficha cai com um barulho desconfortável, ressoando dentro de minha cabeça vazia.

— Ah — balbucio, porque não consigo pensar no que dizer. Fecho os olhos. É isso. Isso é cinquenta tons de piração, ao vivo e a cores. — É. Você tem razão — murmuro. — Realmente soa frio. — Fico de pé para juntar os pratos. Não quero mais saber do assunto.

— Ana.

— Elas sabem? As mulheres... as submissas?

— Claro que sabem. — Ele franze a testa.

Ah, bem, isso já é alguma coisa. Ele estende a mão, agarrando-me e puxando-me para junto de si.

— Essas fotos deveriam estar no cofre. Não são para uso recreativo. — Ele faz uma pausa. — Talvez tenham sido, quando foram tiradas. Mas... — Ele para, implorando. — Elas não significam nada.

— Quem as colocou no seu armário?

— Só pode ter sido Leila.

— Ela sabe a senha do cofre?

— Não me surpreenderia. — Ele dá de ombros. — É um código muito longo, e eu quase nunca uso. É o único número que tenho anotado e nunca mudei. — Ele balança a cabeça. — Eu me pergunto o que mais ela sabe, e se ela pegou mais alguma coisa do cofre. — Ele franze a testa, em seguida, volta sua atenção para mim. — Olhe, vou destruir as fotos. Agora, se você quiser.

— São suas fotos, Christian. Faça o que quiser com elas — balbucio.

— Não fique assim — diz ele, pegando a minha cabeça entre as mãos e prendendo meu olhar no seu. — Não quero essa vida. Quero a nossa vida, juntos.

Deus do céu. Como ele sabe que o que existe por trás do meu horror por essas fotos é a minha paranoia?

— Ana, achei que a gente tinha exorcizado todos esses fantasmas esta manhã. Foi como eu me senti. Você não?

Eu pisco para ele, recordando a nossa manhã muito, mas muito agradável, romântica e para lá de selvagem no quarto de jogos.

— Sim — sorrio. — Sim, eu também.

— Que bom. — Ele se inclina para a frente e me beija, apertando-me em seus braços. — Vou rasgar as fotos — murmura. — E depois, tenho que trabalhar. Me desculpe, baby, mas tenho um monte de coisas para resolver hoje de tarde.

— Tudo bem. Tenho que ligar para minha mãe. — Faço uma careta. — Depois quero fazer umas compras e assar um bolo para você.

Ele sorri e seus olhos brilham feito os de um menino pequeno.

— Um bolo?

Faço que sim com a cabeça.

— De chocolate?

— Você quer de chocolate?

Seu sorriso é contagiante. Ele faz que sim com a cabeça.

— Vou ver o que posso fazer, Sr. Grey.

Ele me beija mais uma vez.

CARLA FICA MUDA de choque.

— Mãe, diga alguma coisa.

— Você não está grávida, está, Ana? — sussurra, horrorizada.

— Não, não, não é nada disso.

Meu coração se enche de decepção, e eu fico triste que ela pense isso de mim. Mas então, com uma onda de sofrimento, eu me lembro que ela estava grávida de mim quando se casou com meu pai.

— Sinto muito, querida. É só que isso é tão repentino. Quero dizer, Christian é um partidão, mas você é tão jovem, e você deveria ver um pouco do mundo.

— Mãe, você não pode simplesmente ficar feliz por mim? Eu o amo.

— Querida, eu só preciso me acostumar com a ideia. É um choque. Dava para ver na Geórgia que havia algo de especial entre você dois, mas casamento...?

Na Geórgia, ele ainda queria que eu fosse submissa dele, mas não vou dizer isso a ela.

— Vocês já marcaram a data?

— Não.

— Queria que seu pai estivesse vivo — sussurra.

Ah, não... isso não. Não agora.

— Eu sei, mãe. Gostaria de tê-lo conhecido também.

— Ele só segurou você no colo uma vez, e estava tão orgulhoso. Ele achou você a menina mais linda do mundo. — Sua voz é só um sussurro à medida que narra, de novo, o conto familiar. Daqui a pouco vai estar aos prantos.

— Eu sei, mãe.

— E aí ele morreu. — Ela funga, e sei que, como sempre, isso é só o começo.

— Mãe — sussurro, querendo atravessar o telefone para abraçá-la.

— Sou uma velha boba — murmura ela e funga novamente. — É claro que estou feliz por você, querida. Ray já sabe? — acrescenta, parecendo ter recuperado o equilíbrio.

— Christian acabou de pedir a ele.

— Ah, que bonitinho. Que bom. — Ela soa bastante melancólica, mas está se esforçando.

— É, foi mesmo — murmuro.

— Ana, querida, eu amo tanto você. E *estou* feliz por você, sim. Vocês dois tratem de me visitar.

— Pode deixar, mãe. Também amo você.

— Bob está me chamando, tenho que ir. Me avise quando fechar a data. Precisamos planejar as coisas... vai ser um festão?

Festão, droga. Nem tinha pensado nisso. Um festão? Não. Não quero um festão.

— Não sei ainda. Assim que souber, eu ligo para você.

— Ótimo. Se cuide e proteja-se. Vocês dois precisam se divertir um pouco... vocês têm tempo de sobra para filhos depois.

Filhos! *Hum...* e, mais uma vez, lá está a referência não tão velada ao fato de que ela me teve cedo demais.

— Mãe, eu não estraguei a sua vida, estraguei?

Ela arqueja.

— Ah, não, Ana, nunca pense isso. Você foi a melhor coisa que aconteceu a mim e ao seu pai. Eu só queria que ele estivesse aqui para vê-la tão crescida, se casando. — Ela retorna ao tom melancólico e piegas.

— Eu também. — Balanço a cabeça, pensando em meu pai mítico. — Mãe, vou deixar você ir. Ligo de novo depois.

— Amo você, querida.

— Eu também, mãe. Tchau.

É UM SONHO TRABALHAR na cozinha de Christian. Para um homem que não entende nada de culinária, ele parece ter tudo. Suspeito que a Sra. Jones também adore cozinhar. A única coisa de que preciso é de um chocolate de qualidade para fazer a cobertura. Deixo as duas metades do bolo esfriando sobre uma grelha feita para isso, pego minha bolsa e passo a cabeça pela porta do escritório de Christian. Ele está concentrado diante de seu monitor. Então, ergue o olhar e sorri para mim.

— Vou dar um pulinho no mercado para comprar uns ingredientes.

— Está bem. — Ele franze a testa para mim.

— O que foi?

— Você vai vestir uma calça jeans ou algo assim?

Ah, fala sério.

— Christian, são só pernas.

Ele me encara, nem um pouco divertido. Vai ser uma briga. E é aniversário dele. Reviro os olhos, sentindo-me como uma adolescente problemática.

— E se a gente estivesse na praia? — Tomo um rumo diferente.

— A gente não está na praia.

— Você reclamaria se a gente estivesse na praia?

Ele pensa por um momento.

— Não — diz simplesmente.

Reviro os olhos novamente e lanço um sorriso malicioso para ele.

— Bem, então finja que a gente está. Até mais.

Eu me viro e disparo para o saguão. Entro no elevador antes que ele me alcance. As portas começam a se fechar, e eu aceno para ele, sorrindo docemente enquanto ele assiste de olhos semicerrados, impotente, mas — ainda bem — divertido. Ele balança a cabeça, exasperado, e não posso mais vê-lo.

Hum, isso foi empolgante. A adrenalina está pulsando em minhas veias, e meu coração parece que vai sair pela boca. Mas, quando o elevador começa a descer, minha animação some. Merda, o que foi que eu fiz?

Cutuquei a onça com vara curta. Ele vai estar furioso quando eu voltar. Meu inconsciente está me encarando por sobre seus óculos de meia-lua, uma vareta na mão. Merda. Penso na pouca experiência que tenho com homens. Nunca morei com um homem antes — quero dizer, exceto Ray — e, de alguma forma, ele não conta. Ele é meu pai... bem, o homem que considero meu pai.

E agora tenho Christian. Ele nunca morou de verdade com ninguém, acho. Vou ter que perguntar a ele — se ainda estiver falando comigo.

Mas acho mesmo que devo vestir o que bem entender. Eu me lembro de suas regras. Sim, isso deve ser difícil para ele, mas com certeza ele pagou por esse vestido. Deveria ter dado instruções mais claras à Neiman: nada muito curto!

E essa saia não é tão curta assim, é? Dou uma olhada no espelho da portaria. Droga. Sim, é bem curta, mas agora já bati o pé. E sem dúvida vou ter que enfrentar as consequências. Pergunto-me vagamente o que ele vai fazer, mas primeiro preciso de dinheiro.

Dou uma olhada no meu saldo no caixa eletrônico: cinquenta e um mil seiscentos e oitenta e nove dólares e dezesseis centavos. São cinquenta mil a mais do que deveria ter! *Anastasia, você vai ter que aprender a ser rica também, se disser sim.* E é assim que começa. Saco meus parcos cinquenta dólares e caminho até o mercado.

Assim que chego, vou direto para a cozinha, e não posso deixar de sentir um arrepio de tensão. Christian ainda está no escritório. Caramba, já passou a maior parte da tarde lá dentro. Decido que minha melhor opção é enfrentá-lo e ver o tamanho do meu problema. Dou uma olhada cautelosa pela porta do escritório. Ele está ao telefone, olhando pela janela.

— E o especialista em Eurocopters vai chegar na segunda-feira à tarde?... Ótimo. Basta me manter informado. Diga a eles que vou precisar do relatório inicial na segunda-feira à noite ou na terça-feira pela manhã. — Ele desliga e gira em sua cadeira, mas trava assim que me vê, a expressão impassível.

— Oi — sussurro.

Ele não responde, e meu coração despenca até o estômago. Com cuidado, entro no escritório e dou a volta em sua mesa, até onde ele está sentado. Ele continua sem dizer nada, os olhos fixos nos meus. Fico de pé diante dele, sentindo-me uns cinquenta tons idiota.

— Voltei. Você está bravo comigo?

Ele suspira, pega a minha mão e me puxa até o seu colo. Envolvendo os braços ao redor de mim, enterra o nariz em meu cabelo.

— Estou.

— Desculpe. Não sei o que deu em mim. — Enrosco-me em seu colo, inalando seu cheiro celestial, sentindo-me segura, apesar de ele estar bravo comigo.

— Nem eu. Use as roupas que você quiser — murmura. Ele corre a mão pela minha perna nua até a minha coxa. — Além do mais, esse vestido tem suas vantagens. — E se inclina para me beijar.

Assim que nossos lábios se tocam, sou dominada por uma paixão ou uma lascívia ou uma necessidade profunda de fazer as pazes, e o desejo corre solto em meu sangue. Pego sua cabeça nas mãos, enfiando os dedos em seu cabelo. Christian geme, seu corpo responde, e ele morde faminto meu lábio inferior — meu pescoço, minha orelha, sua língua invadindo minha boca, e antes que eu perceba, ele está abrindo a calça, colocando-me de pernas abertas em seu colo e entrando em mim. Agarro o encosto da cadeira, meus pés mal tocando o chão... e nós começamos a nos movimentar.

— GOSTO DO SEU JEITO de pedir desculpas. — Ele respira em meu cabelo.

— E eu gosto do seu. — Rio, aninhando-me em seu peito. — Você já acabou?

— Deus do céu, Ana, você quer mais?

— Não! O trabalho.

— Vou acabar em meia hora, mais ou menos. Ouvi sua mensagem na minha caixa postal.

— De ontem.

— Você parecia preocupada.

— Eu estava preocupada. — Abraço-o com força. — Não é do seu feitio não responder.

Ele beija meu cabelo.

— Seu bolo deve ficar pronto em meia hora. — Sorrio para ele e levanto do seu colo.

— Mal posso esperar. O cheiro que veio do forno estava delicioso, sugestivo mesmo.

Eu sorrio timidamente para ele, sentindo-me um pouco envergonhada, e ele espelha minha expressão. Caramba, somos mesmo tão diferentes? Talvez sejam

suas memórias de infância de bolo no forno. Inclinando-me, deixo um beijo rápido no canto de sua boca e volto para a cozinha.

Já TENHO TUDO pronto quando o ouço sair do escritório, e acendo uma vela dourada no topo do bolo. Ele abre um sorriso de orelha a orelha enquanto caminha
na minha direção, e eu canto "Parabéns pra você" baixinho. Ele se abaixa e assopra a vela, de olhos fechados.

— Já fiz meu pedido — diz ao abri-los novamente e, por algum motivo, seu
olhar me faz corar.

— A cobertura ainda está mole. Espero que você goste.

— Mal posso esperar para provar, Anastasia — murmura ele, fazendo a frase
soar tão sensual.

Corto uma fatia para cada um de nós, e comemos com garfinhos pequenos.

— Hum — geme ele, satisfeito. — É por isso que quero casar com você.

E eu rio de alívio... ele gostou.

— PRONTA PARA ENFRENTAR minha família? — Christian desliga o motor do R8.
Estamos estacionados na garagem de seus pais.

— Pronta. Você vai dizer a eles?

— Claro. Estou ansioso para ver a reação deles. — Ele abre um sorriso malicioso para mim e sai do carro.

São sete e meia da noite, e apesar de ter sido um dia quente, uma brisa fresca sopra
da baía. Aperto a echarpe ao meu redor ao sair do carro. Estou usando um vestido de
festa verde-esmeralda que encontrei hoje de manhã quando estava vasculhando o
armário. Ele tem um cinto largo combinando. Christian pega a minha mão, e seguimos para a porta da frente. Carrick abre a porta antes que ele possa bater.

— Christian, olá. Feliz aniversário, meu filho. — Ele pega a mão estendida de
Christian, mas o puxa num abraço breve, surpreendendo-o.

— Er... Obrigado, pai.

— Ana, que bom ver você de novo. — Ele também me abraça, e nós o seguimos para dentro da casa.

Antes de chegarmos à sala de estar, Kate atravessa o corredor, fumegando, na
nossa direção. Parece furiosa.

Ah, não!

— Vocês dois! Quero falar com vocês — rosna em seu tom de "é melhor vocês
não se meterem comigo".

Olho nervosa para Christian, que dá de ombros e decide fazer sua vontade, e
nós a seguimos até a sala de jantar, deixando Carrick confuso sob o umbral da
porta da sala de estar. Ela fecha a porta e se vira para mim.

— Que porra é essa? — sussurra e agita uma folha de papel na minha direção.

Completamente confusa, pego a folha e dou uma olhada rápida. Minha boca fica seca. *Puta merda.* É a minha resposta ao e-mail de Christian, discutindo o contrato.

Capítulo vinte e dois

Fico pálida, meu sangue congela, e o medo me domina o corpo. Instintiva-mente, dou um passo, colocando-me entre ela e Christian.

— O que é? — murmura Christian num tom cauteloso.

Eu o ignoro. Não posso acreditar que Kate esteja fazendo isso.

— Kate! Você não tem nada a ver com isso. — Cravo meus olhos irados nela, a raiva substituindo o medo.

Como ela se atreve? Não agora, não hoje. Não no aniversário de Christian. Surpresa com a minha reação, ela pisca, os olhos verdes arregalados.

— Ana, o que é? — pergunta Christian de novo, num tom mais ameaçador.

— Christian, você pode sair, por favor? — peço a ele.

— Não. Mostre para mim. — Ele me estende a mão, e sei que não vai aceitar um não como resposta; sua voz é fria e ríspida. Relutante, entrego-lhe o e-mail.

— O que ele fez com você? — pergunta Kate, ignorando Christian. Ela pare-ce muito apreensiva. Uma miríade de imagens eróticas me passa pela cabeça, e eu coro.

— Não é da sua conta, Kate. — Não consigo afastar a exasperação de minha voz.

— Onde você conseguiu isso? — pergunta Christian, a cabeça inclinada de lado, o rosto inexpressivo, mas a voz... tão ameaçadoramente calma. Kate cora.

— Não importa. — Mas, diante de seu olhar de pedra, ela continua apressada-mente: — Estava no bolso de um casaco, que imagino que seja seu, que encontrei atrás da porta do quarto de Ana.

Kate titubeia perante o olhar furioso de Christian, mas ela parece se recuperar e fecha a cara para ele.

Em seu vestido vermelho-vivo, ela é um mar de hostilidade. Está deslumbran-te. Mas por que diabo andou revirando as minhas roupas? Normalmente sou eu que faço isso.

— Você contou para alguém? — A voz de Christian é como uma luva de seda.

— Não! Claro que não — revida Kate, afrontada.

Christian faz que sim com a cabeça e parece relaxar. Ele se vira e caminha até a lareira. Mudas, eu e Kate o observamos pegar um isqueiro e colocar fogo no e--mail, deixando-o cair lentamente sobre a lenha até desaparecer. O silêncio na sala chega a ser opressivo.

— Nem mesmo para Elliot? — pergunto, voltando a atenção para Kate.

— Ninguém — diz Kate enfaticamente, e pela primeira vez ela parece confusa e magoada. — Só quero saber se você está bem, Ana — sussurra.

— Estou bem, Kate. Mais do que bem. Por favor, Christian e eu estamos bem, muito bem, e isso aí é passado. Por favor, ignore.

— Ignorar? — pergunta. — Como poderia ignorar aquilo? O que ele fez com você? — Seus olhos verdes estão repletos de preocupação sincera.

— Ele não fez nada comigo, Kate. Falando sério, estou bem.

Ela pisca para mim.

— Mesmo? — pergunta.

Christian passa o braço em volta de mim e me puxa para perto de si, sem tirar os olhos de Kate.

— Ana aceitou se casar comigo, Katherine — diz, calmamente.

— Casar! — Kate solta um gritinho, os olhos arregalados, incrédula.

— Isso mesmo. Nós vamos anunciar o noivado hoje à noite — diz ele.

— Ah! — Kate me olha, boquiaberta. Está atordoada. — Eu deixo você sozinha por dezesseis dias, e é isso que acontece? É muito repentino. Então, ontem, quando eu disse... — Ela olha para mim, perdida. — E onde aquele e-mail entra nessa história?

— Não entra, Kate. Esqueça, por favor. Amo Christian, e ele me ama. Não faça isso. Não estrague a festa dele e a nossa noite — sussurro.

Ela pisca e, inesperadamente, seus olhos estão cheios de lágrimas.

— Não. Claro que não. Você está bem? — Ela quer ter certeza.

— Nunca estive tão feliz — sussurro.

Ela se aproxima e agarra a minha mão, apesar de Christian manter o braço ao meu redor.

— Bem mesmo? — pergunta, esperançosa.

— Estou. — Sorrio para ela, minha alegria retornando.

Ela está do meu lado de novo. E sorri para mim, minha felicidade refletindo--se em seu rosto. Saio do abraço de Christian, e ela me abraça de repente.

— Ah, Ana, eu fiquei tão preocupada quando li aquilo. Não sabia o que pensar. Você vai me explicar o que é? — sussurra.

— Um dia, não agora.

— Ótimo. Não vou contar a ninguém. Eu amo tanto você, Ana, como minha própria irmã. Eu só pensei... Eu não sabia o que pensar. Sinto muito. Se você está feliz, então eu estou feliz.

Ela olha diretamente para Christian e repete seu pedido de desculpas. Ele acena para ela, os olhos gélidos, e sua expressão não se altera. Ah, merda, ele ainda está com raiva.

— Eu realmente sinto muito. Você tem razão, não é da minha conta — sussurra ela para mim.

Ouvimos uma batida na porta, e Kate e eu saímos do nosso abraço. Grace enfia a cabeça pela porta.

— Tudo bem, querido? — pergunta a Christian.

— Tudo bem, Sra. Grey — responde Kate imediatamente.

— Tudo bem, mãe — diz Christian.

— Ótimo. — Grace entra. — Então vocês não vão se importar se eu der um abraço de aniversário no meu filho. — Ela sorri para nós, e ele se derrete no mesmo instante e a abraça com força. — Feliz aniversário, querido — diz ela baixinho, fechando os olhos em seu abraço. — Estou tão feliz que você ainda esteja entre nós.

— Mãe, estou bem. — Christian sorri para ela.

Ela se afasta e o olha bem de perto, então sorri.

— Estou tão feliz por você — diz, acariciando seu rosto.

Ele sorri para ela, seu sorriso de mil megawatts.

Ela sabe! Quando foi que ele contou?

— Bem, crianças, se vocês já tiverem terminado a conversa de vocês, tem uma multidão de pessoas aqui para se certificarem de que você está mesmo inteiro, Christian, e para lhe desejar um feliz aniversário.

— Já vou.

Grace olha ansiosa para Kate e para mim, e parece se tranquilizar ao ver nossos sorrisos. Ela dá uma piscadela para mim, mantendo a porta aberta para nós. Christian me estende a mão, e eu a seguro.

— Christian, eu sinto muito, mesmo — diz Kate humildemente. Kate agindo com humildade é algo realmente único. Christian faz que sim para ela, e saímos da sala.

No corredor, olho ansiosa para Christian.

— Sua mãe sabe?

— Sabe.

— Ah.

E pensar que a noite poderia ter sido arruinada pela tenaz Srta. Kavanagh. Tremo só de imaginar: as ramificações do estilo de vida de Christian reveladas a todo mundo.

— Bem, a noite já começou interessante. — Sorrio com gentileza para ele.

Ele se vira para mim, e lá está de novo, seu olhar divertido. Graças a Deus.

— Como sempre, Srta. Steele, você tem um dom para o eufemismo. — Ele leva minha mão aos lábios e beija meus dedos enquanto caminhamos até a sala de estar, onde nos deparamos com uma rodada de aplausos espontânea e ensurdecedora.

Merda. Quantas pessoas foram convidadas?

Corro os olhos pela sala de estar: todos os Grey; Ethan com Mia; Dr. Flynn e sua esposa, imagino; Mac, do barco; um homem bonito, negro e alto que me lembro de ter visto no escritório de Christian quando o conheci; Lily, a amiga chata de Mia; duas mulheres que não reconheço mesmo; e... *ah, não.* Meu coração afunda. *Aquela* mulher... A Mrs. Robinson.

Gretchen se materializa com uma bandeja de champanhe. Está usando um vestido decotado preto, o cabelo num penteado alto, em vez das maria-chiquinhas, o rosto corando e os cílios piscando para Christian. Os aplausos se dissipam, e Christian aperta minha mão quando todos os olhos se voltam para ele, em expectativa.

— Obrigado a todos. Parece que vou precisar de uma destas. — Ele pega duas taças da bandeja de Gretchen e lhe abre um breve sorriso. Acho que Gretchen vai ter um troço ou desmaiar.

Ele me entrega uma das taças e ergue a sua para o restante da sala. Imediatamente, todos se aproximam. Liderando o bando vem a malvada mulher de preto. Será que nunca usa outra cor?

— Christian, eu estava tão preocupada. — Elena lhe dá um abraço breve e dois beijinhos. Ele não me solta, apesar de eu tentar liberar minha mão.

— Estou bem, Elena — murmura Christian com frieza.

— Por que você não me ligou? — Sua súplica é desesperada, os olhos examinando os dele.

— Andei ocupado.

— Você não recebeu minhas mensagens?

Christian se move, desconfortável, e me puxa para junto de si, passando o braço ao redor de mim. Seu rosto permanece impassível enquanto ele segue fitando Elena. Ela não pode mais me ignorar, então acena com a cabeça educadamente em minha direção.

— Ana — ronrona. — Você está linda, querida.

— Elena — ronrono de volta. — Obrigada.

Encontro os olhos de Grace. Ela franze a testa, observando-nos.

— Elena, preciso fazer um anúncio — diz Christian, olhando para ela sem emoção.

Seus olhos azul-claros se cobrem, enevoados.

— Claro. — Ela abre um sorriso fingido e dá um passo para trás.

— Pessoal — chama Christian. Ele espera por um momento até que o burburinho na sala tenha se dissipado e todos os olhos estejam mais uma vez sobre ele.

— Obrigado a todos por terem vindo. Devo dizer que estava esperando um jantar em família, então esta festa é uma agradável surpresa. — E olha incisivamente para Mia, que sorri e lhe dá um aceno breve.

Christian balança a cabeça, exasperado, e continua.

— Ros e eu... — ele fita a ruiva de pé ao lado de uma moça loura pequena e vivaz — ... passamos um aperto e tanto ontem.

Ah, então essa é a Ros que trabalha com ele. Ela sorri e ergue sua taça para ele. Ele acena para ela.

— Então, estou especialmente feliz por estar aqui hoje para compartilhar com todos vocês uma ótima novidade. Esta linda mulher — ele se vira para mim —, Srta. Anastasia Rose Steele, consentiu em ser minha esposa, e eu gostaria que vocês fossem os primeiros a saber.

Há uma comoção geral, as pessoas vibram, e então mais uma salva de palmas! Puxa, isso está mesmo acontecendo. Acho que estou da cor do vestido de Kate. Christian segura meu queixo, leva meus lábios até os seus e me beija rapidamente.

— Em breve, você será minha.

— Já sou — sussurro.

— Legalmente — ele gesticula com a boca para mim e me abre um sorriso perverso.

Lily, de pé ao lado de Mia, parece cabisbaixa; Gretchen está com uma cara de quem comeu e não gostou. À medida que corro os olhos, ansiosa, pelas pessoas reunidas ali na sala, vejo Elena. Está boquiaberta — horrorizada, eu diria, e não posso conter a pequena, porém intensa satisfação, de vê-la assim estupefata. O que ela está fazendo aqui, afinal?

Carrick e Grace interrompem meus pensamentos muito pouco caridosos, e logo estou sendo abraçada e beijada e passada de mão em mão pelos Grey.

— Ah, Ana, estou tão feliz que você vá passar a fazer parte da família — solta Grace, espontânea. — O tanto que Christian mudou... Ele está... feliz. Sou muito grata a você.

Fico vermelha, envergonhada por sua exuberância, mas secretamente feliz também.

— Cadê a aliança? — exclama Mia, abraçando-me.

— Hum...

A *aliança! Caramba.* Não tinha nem pensado na aliança. Olho para Christian.

— Vamos escolher juntos. — Christian fecha a cara para ela.

— Ei, não me olhe assim, Grey! — Mia o repreende, e então o envolve em seus braços. — Estou tão feliz por você, Christian — diz.

Ela é a única pessoa que conheço que não se intimida com os olhares carrancudos de Grey. Ele me deixa completamente amedrontada... Bem, certamente me deixava.

— Quando vai ser? Vocês já marcaram a data? — Ela sorri para Christian.

Ele balança a cabeça, sua exasperação palpável.

— Não, não marcamos nada ainda. Ana e eu precisamos discutir tudo isso — diz, irritado.

— Espero que seja um festão, aqui. — Ela sorri entusiasmada, ignorando o tom cáustico do irmão.

— A gente provavelmente vai viajar para Las Vegas amanhã — rosna ele, e é recompensado com uma careta infantil, bem típica de Mia Grey.

Revirando os olhos, ele se vira para Elliot, que lhe dá seu segundo abraço apertado em dois dias.

— Mandou bem, meu irmão. — Ele dá um tapinha nas costas de Christian.

A comoção dos convidados é enorme, e levo alguns minutos até me ver de novo ao lado de Christian, junto do Dr. Flynn. Elena parece ter desaparecido, e Gretchen está enchendo as taças de champanhe, mau-humorada.

Ao lado do Dr. Flynn há uma bela jovem de cabelos longos e muito escuros, quase pretos, um decote impressionante e encantadores olhos castanhos.

— Christian — diz Flynn, estendendo a mão. Christian a aperta, alegremente.

— John. Rhian. — Ele beija a mulher na bochecha. Ela é pequena e bonita.

— Fico feliz que você ainda esteja entre nós, Christian. Minha vida seria muito mais monótona... e pobre, sem você.

Christian sorri.

— John! — Rhian o repreende, para divertimento de Christian.

— Rhian, esta é Anastasia, minha noiva. Ana, esta é a esposa de John.

— Fico muito feliz de conhecer a mulher que finalmente capturou o coração de Christian. — Rhian sorri para mim com gentileza.

— Obrigada — murmuro, envergonhada de novo.

— Foi uma tacada traiçoeira, hein, Christian. — Dr. Flynn balança a cabeça em descrença divertida. Christian franze a testa para ele.

— John, você e as suas metáforas envolvendo críquete. — Rhian revira os olhos. — Parabéns aos dois, e feliz aniversário, Christian. Que presente de aniversário maravilhoso. — Ela sorri para mim.

Não tinha ideia de que o Dr. Flynn estaria aqui, ou Elena. É um choque, e vasculho a cabeça para ver se tenho alguma pergunta a lhe fazer. Mas uma festa de aniversário não parece o local mais apropriado para uma consulta psiquiátrica.

Trocamos amenidades por alguns minutos. Rhian é dona de casa e mãe de dois filhos pequenos. Imagino que ela seja o motivo pelo qual o Dr. Flynn trabalha nos Estados Unidos.

— Ela está bem, Christian, respondendo bem ao tratamento. Mais umas duas semanas e poderemos levar em consideração um tratamento em casa. — Dr. Flynn e Christian mantêm o tom de voz baixo, mas não posso deixar de prestar atenção, deixando grosseiramente de ouvir Rhian.

— Então, agora a minha vida gira em torno de brincadeiras e fraldas...

— Deve tomar muito tempo. — Fico vermelha, voltando a atenção para Rhian, que ri com gentileza. Sei que Christian e Flynn estão falando de Leila.

— Pode perguntar algo a ela por mim? — murmura Christian.

— Então, o que você faz, Anastasia?

— Pode me chamar de Ana, por favor. Trabalho numa editora.

Christian e o Dr. Flynn baixam ainda mais o tom de voz; é tão frustrante. Mas eles interrompem o que estão falando quando as mulheres que não reconheci no início da festa se juntam a nós: Ros e a loura animada que Christian me apresenta como sua companheira, Gwen.

Ros é encantadora, e logo descubro que elas moram quase em frente ao Escala. Ela se derrama em elogios pelas habilidades de piloto de Christian. Aquela havia sido a sua primeira vez em *Charlie Tango*, e ela diz que nem hesitaria em voar com ele de novo. É uma das poucas mulheres que conheço que não se derrete por ele... bem, a razão é óbvia.

Gwen é risonha e tem um senso de humor irônico, e Christian parece extraordinariamente à vontade com as duas. Ele as conhece muito bem. Eles não discutem sobre trabalho, mas dá para ver que Ros é uma mulher inteligente que pode facilmente acompanhá-lo. Tem também uma ótima risada, grossa e gutural, de quem fuma demais.

Grace interrompe nossa conversa descontraída para avisar a todos que o jantar está sendo servido em estilo buffet, na cozinha. Lentamente, os convidados caminham para os fundos da casa.

No corredor, Mia me agarra pelo pescoço. Em seu vestido de boneca rosa-claro, de alcinhas, e seu salto agulha, ela se pendura em mim como um enfeite de árvore de Natal. Está segurando dois copos de coquetel.

— Ana — sussurra, num tom conspiratório. Ergo o olhar para Christian, que me solta, com uma expressão de "boa sorte, também acho impossível lidar com essa criatura", e entro na sala de jantar com ela. — Aqui. É um dos martínis de limão especiais do meu pai. Muito mais gostoso do que champanhe. — Ela me entrega uma taça e me encara ansiosa enquanto dou um gole cuidadoso.

— Hum... delicioso. Mas forte. — O que ela quer? Está tentando me embebedar?

— Ana, preciso de alguns conselhos. E não posso pedir a Lily. Ela é tão crítica sobre tudo. — Mia revira os olhos; em seguida, sorri para mim. — Está morrendo de inveja de você. Acho que ela imaginava que um dia Christian e ela pudessem ficar juntos. — Mia desata a rir do absurdo desse pensamento, e, lá dentro, eu me contorço com a ideia.

Isto é algo com o qual vou ter de lutar por muito tempo: outras mulheres cobiçando o meu homem. Afasto o pensamento indesejado e me distraio com o assunto diante de mim. Tomo mais um gole do martíni.

— Posso tentar ajudar você. Diga lá.

— Como você sabe, Ethan e eu nos conhecemos há pouco tempo, graças a você. — Ela sorri, radiante, para mim.

— Certo. — Aonde ela quer chegar com isso?

— Ana, ele não quer sair comigo. — Ela faz beicinho.

— Ah. — Pisco para ela, surpresa, e penso, *Talvez você não seja bem o tipo dele.*

— Não, falei tudo errado. Ele não quer sair comigo porque a irmã dele está saindo com o meu irmão. Sabe, ele acha que é uma situação meio que incestuosa. Mas eu sei que ele gosta de mim. O que eu faço?

— Ah, entendi — balbucio, tentando ganhar tempo. O que eu posso dizer? — Será que não dá para seguir como amigos e dar um tempo a ele? Quero dizer, vocês acabaram de se conhecer.

Ela ergue uma sobrancelha.

— Olha, eu sei que eu também acabei de conhecer Christian, mas... — Faço uma careta para ela, sem saber bem o que quero dizer. — Mia, isso é uma coisa que você e Ethan vão ter que resolver juntos. Eu tentaria o caminho da amizade.

Mia sorri.

— Você aprendeu esse olhar com Christian.

Eu coro.

— Se você quer um conselho, pergunte a Kate. Ela pode ter alguma ideia sobre como o irmão se sente.

— Você acha? — pergunta Mia.

— Acho. — Sorrio, encorajando-a.

— Legal. Obrigada, Ana.

Ela me dá mais um abraço e deixa a sala de jantar, toda saltitante — o que, diga-se de passagem, com aqueles saltos, é algo impressionante —, sem dúvida indo direto perturbar Kate. Tomo mais um gole do martíni e estou prestes a sair atrás dela quando fico paralisada.

Elena adentra a sala devagar, o rosto tenso, com uma determinação sombria e raivosa. Ela fecha a porta silenciosamente atrás de si e fecha a cara para mim.

Ah, droga.

— Ana — rosna ela.

Tento reunir todo o meu autocontrole, ligeiramente zonza depois de dois copos de champanhe e o coquetel letal que tenho em mãos. Acho que o sangue me fugiu todo do rosto, mas convoco tanto o meu inconsciente quanto minha deusa interior para tentar parecer o mais calma e equilibrada possível.

— Elena. — Minha voz é baixa, mas firme, apesar de minha boca estar seca. Por que essa mulher me assusta tanto assim? E o que ela quer agora?

— Eu lhe daria meus sinceros parabéns, mas acho que seria inapropriado. — Seus penetrantes e gélidos olhos azuis se fixam nos meus, repletos de repugnância.

— Não quero os seus parabéns, nem preciso deles Elena. Estou surpresa e decepcionada de vê-la aqui.

Ela arqueia uma sobrancelha. Acho que está impressionada.

— Não teria pensado em você como uma adversária à altura, Anastasia. Mas você me surpreende a cada instante.

— Eu simplesmente não pensei em você — minto, friamente. Christian ficaria orgulhoso. — Agora, se me dá licença, tenho coisas muito melhores a fazer do que perder meu tempo com você.

— Não tão rápido, mocinha — sussurra ela, recostando-se contra a porta e bloqueando minha saída. — Que diabo você pensa que está fazendo, concordando em se casar com Christian? Se você acha por um minuto que é capaz de fazê-lo feliz, está muito enganada.

— O que eu concordei em fazer com Christian não é da sua conta. — Sorrio com uma doçura sarcástica. Ela me ignora.

— Ele tem necessidades, necessidades que você não pode nem começar a satisfazer — ela gaba-se.

— O que você sabe das necessidades dele? — rosno. Meu sentido de indignação explode violento, queimando dentro de mim à medida que uma onda de adrenalina me atravessa o corpo. Como essa vagabunda de merda ousa passar sermão em mim? — Você não passa de uma doente que abusa de crianças, e, se dependesse de mim, eu jogava você no sétimo círculo do inferno e ia embora sorrindo. Agora saia da minha frente, ou vou ter que arrancar você?

— Você está cometendo um grande erro aqui, mocinha. — Ela balança o indicador longo e magro para mim, a unha muito bem-feita. — Como você se atreve a julgar o nosso estilo de vida? Você não sabe de nada, você não tem ideia de onde está se metendo. E se você acha que ele vai ser feliz com uma garotinha tímida e oportunista, que só pensa em dinheiro, feito você...

Já chega! Atiro o restante do meu martíni de limão na cara dela, deixando-a encharcada.

— Não ouse me dizer onde estou me metendo! — grito para ela. — Quando você vai aprender? Não é da sua conta!

Ela me encara embasbacada, o horror estampado no olhar, e limpa a bebida pegajosa do rosto. Acho que está prestes a avançar para cima de mim, mas é empurrada para o lado, de repente, quando a porta se abre.

De pé, junto à porta, está Christian. Ele leva um milésimo de segundo para avaliar a situação: eu, pálida e tremendo; ela, encharcada e lívida. Seu belo rosto escurece e se contorce de raiva enquanto ele se aproxima, parando entre nós duas.

— Que merda que você está fazendo, Elena? — diz.

Sua voz é glacial e repleta de ameaça.

Ela pisca para ele.

— Ela não é a pessoa certa para você, Christian — sussurra.

— O quê? — grita ele, assustando a nós duas. Não posso ver seu rosto, mas todo o seu corpo está tenso, e ele irradia animosidade. — E quem é você para saber o que é certo para mim?

— Você tem necessidades, Christian — diz ela, a voz mais suave.

— Já falei: isso não é da sua conta, porra! — ruge ele.

Merda: o Christian Muito Bravo deu as caras nada feias aliás. As pessoas vão acabar ouvindo.

— Qual é o seu problema? — Ele faz uma pausa, olhando para ela. — Você acha que é você? Você? Acha que você é a pessoa certa para mim? — Ele acalma a voz, mas ela está carregada de desprezo.

E, de repente, não quero estar aqui. Não quero testemunhar esse encontro íntimo. Sinto-me uma intrusa. Mas estou paralisada... meus membros incapazes de se mover.

Elena engole em seco e parece erguer o corpo. Sua postura muda sutilmente, tornando-se mais imponente, e ela dá um passo na direção dele.

— Eu fui a melhor coisa que já aconteceu na sua vida — rebate ela, arrogante. — Olhe só para você agora. Um dos empresários mais ricos e mais bem-sucedidos dos Estados Unidos, controlado, obstinado, você não precisa de nada. Você é o mestre do seu universo.

Ele dá um passo para trás, como se tivesse levado um golpe, e a encara, boquiaberto de descrença e indignação.

— Você adorava, Christian, não tente enganar a si mesmo. Você estava no caminho da autodestruição, e eu o salvei, salvei você de passar a vida atrás das grades. Acredite em mim, meu bem, é lá que você teria acabado. Eu ensinei a você tudo o que você sabe, tudo de que você precisa.

Christian fica branco, encarando-a horrorizado. Ao falar, sua voz é baixa e incrédula.

— Você me ensinou a foder, Elena. Mas isso é vazio, vazio como você. Não me admira que Linc tenha ido embora.

A bile me vem até a boca. Eu não deveria estar aqui. Mas estou congelada no mesmo ponto, morbidamente fascinada enquanto eles se atacam.

— Você nunca me abraçou — sussurra Christian. — Você nunca disse que me amava.

Ela estreita os olhos.

— O amor é para os tolos, Christian.

— Saia da minha casa. — A voz furiosa e implacável de Grace assusta a todos nós, e viramos a cabeça rapidamente para onde ela está, sob o umbral da porta. Está encarando Elena, que empalidece sob seu bronzeado de Saint-Tropez.

O tempo parece parar enquanto nós três respiramos fundo, e Grace entra, determinada, na sala. Seus olhos estão ardendo de raiva, sem se desviar de Elena, até que está diante dela. Elena arregala os olhos de susto, e Grace lhe dá um tapa com força no rosto, o som do impacto reverberando nas paredes da sala de jantar.

— Tire as patas imundas do meu filho, sua vadia, e saia da minha casa. Agora! — sussurra por entre os dentes.

Elena leva a mão até o rosto vermelho e encara Grace horrorizada, chocada, piscando para ela. Em seguida, corre para fora da sala, sem se preocupar em fechar a porta atrás de si.

Grace vira-se lentamente para Christian e um silêncio tenso se instala feito um cobertor grosso sobre nós quando os dois encaram um ao outro. Depois de um tempo, Grace fala.

— Ana, antes que eu o entregue a você, você se importaria de me dar um minuto ou dois a sós com meu filho? — Sua voz é calma, rouca, mas poderosa.

— Claro — sussurro e saio da sala o mais rápido que posso, dando uma olhada rápida e ansiosa por cima do ombro.

Mas nenhum dos dois se vira para me ver sair. Eles continuam a se encarar, com todas as palavras não ditas praticamente berrando entre eles.

No corredor, vejo-me perdida por um instante. Meu coração está pulando, e o meu sangue dispara pelas minhas veias... Estou em pânico, isso tudo é muito mais do que posso compreender. Deus do céu, aquilo foi pesado, e agora Grace sabe. Não consigo imaginar o que ela vai dizer a Christian, e sei que é errado, mas me inclino contra a porta, tentando ouvir.

— Por quanto tempo, Christian? — A voz de Grace é baixa. Mal posso ouvi-la. Não consigo escutar a resposta dele. — Quantos anos você tinha? — A voz dela é mais insistente. — Diga-me. Quantos anos você tinha quando tudo isso começou? — Mais uma vez não posso ouvir Christian.

— Está tudo bem, Ana? — Ros me interrompe.

— Tudo. Tudo bem. Obrigada. Eu...

— Só estou indo pegar minha bolsa — Ros sorri. — Preciso de um cigarro.

Por um breve momento, avalio a possibilidade de me juntar a ela.

— Estou indo ao banheiro.

Preciso recobrar meu juízo e meus pensamentos, para processar o que acabei de testemunhar e ouvir. A parte de cima da casa parece ser o lugar mais seguro para ficar sozinha. Assisto Ros caminhar até a sala de estar e subo, dois degraus de cada vez, até o segundo andar, e então continuo até o terceiro. Só tem um lugar em que quero estar.

Abro a porta do quarto de infância de Christian e a fecho atrás de mim, inspirando profundamente. Caminho até a sua cama, jogo-me em cima dela e fico encarando o teto branco e liso.

Minha nossa. Este deve ser, sem dúvida, um dos confrontos mais excruciantes que já tive de suportar, e agora me sinto entorpecida. Meu noivo e sua ex-amante — nenhuma noiva deveria ter que passar por isso. Dito isto, parte de mim está feliz que ela tenha revelado sua verdadeira faceta, e que eu estivesse lá para testemunhar.

Meus pensamentos se voltam para Grace. Pobre Grace, ter que ouvir aquilo tudo. Agarro um dos travesseiros de Christian. Ela deve ter ouvido que Christian e Elena tiveram um caso, mas não a natureza dele. Graças a Deus. Solto um gemido.

O que estou fazendo? Talvez a bruxa má não deixe de ter alguma razão.

Não, me recuso a acreditar nisso. Ela é tão fria e cruel. Balanço a cabeça. Ela está errada. Eu sou a pessoa certa para Christian. Sou tudo de que ele precisa. E, num momento impressionante de lucidez, não me pergunto *como* ele viveu a vida que viveu até recentemente, mas *por quê.* As razões para fazer o que fez com inúmeras garotas — nem quero saber com quantas. O *como* não é o problema. Todas elas eram adultas. Eram — como foi que Flynn colocou? — pessoas participando de um relacionamento consensual, seguro e saudável. O problema é o *porquê.* O *porquê* estava errado. O *porquê* é que vem de um lugar sombrio.

Fecho os olhos e coloco o braço sobre eles. Mas agora ele seguiu em frente, deixou tudo isso para trás, e ambos estamos na luz. Estou encantada por ele, e ele por mim. Podemos guiar um ao outro. Um pensamento me ocorre. *Merda!* Um pensamento perturbador e traiçoeiro, e estou no único lugar em que posso exorcizar esse fantasma. Sento-me na cama. Sim, preciso fazer isso.

Fico de pé, tremendo, tiro os sapatos, caminho até sua escrivaninha e observo o mural acima dela. As fotos do jovem Christian ainda estão lá — mais pungentes do que nunca, depois do espetáculo que acabei de testemunhar entre ele e a Mrs.

Robinson. E lá está, no canto, o pequeno retrato em preto e branco: sua mãe, a prostituta viciada.

Acendo a lâmpada da mesa e viro o foco de luz para a fotografia. Nem sei o seu nome. Ela se parece muito com ele, só que mais jovem e mais triste, e, olhando para seu rosto infeliz, tudo o que sinto é compaixão. Tento ver as semelhanças entre aquele rosto e o meu. Aperto os olhos diante da imagem, chegando bem perto, e não identifico nenhuma. Exceto, talvez, o cabelo, mas acho que o dela é mais claro que o meu. Não me pareço nem um pouco com ela. É um alívio.

Meu inconsciente se vira para mim, fazendo um barulhinho de desaprovação, os braços cruzados, encarando-me por sobre os óculos de meia-lua. *Por que você está se torturando? Você já disse sim. Você fez a fama, agora deite na cama.* Contraio os lábios para ele. Sim, com muito prazer. Quero me deitar nesta cama com Christian para o resto da vida. Sentada na posição de lótus, minha deusa interior sorri serenamente. Sim. Tomei a decisão certa.

Tenho que encontrá-lo — Christian deve estar preocupado. Não tenho ideia de quanto tempo passei no quarto dele; ele vai achar que eu fugi. Reviro os olhos ao imaginar sua reação exagerada. Espero que ele e Grace tenham terminado a conversa. Estremeço só de pensar no que mais ela pode ter dito a ele.

Encontro Christian subindo as escadas para o segundo andar, procurando por mim. Seu rosto está tenso e cansado — não é o mesmo Cinquenta Tons despreocupado com quem cheguei aqui. Permaneço no topo da escada, e ele para num dos degraus, de modo que ficamos olhos nos olhos.

— Oi — diz, com cautela.

— Oi — respondo, contida.

— Estava preocupado com...

— Eu sei — interrompo-o. — Me desculpe, não estava em condições de enfrentar a comemoração. Só precisava sair um pouco, você sabe. Para pensar.

Acaricio seu rosto. Ele fecha os olhos e inclina o rosto contra a minha mão.

— E você achou que seria uma boa ideia fazer isso no meu quarto?

— É.

Ele pega a minha mão e me puxa para um abraço, que eu aceito de bom grado, meu lugar favorito no mundo inteiro. Tem cheiro de roupa limpa, loção de banho e de Christian — o perfume mais relaxante e excitante do planeta. Ele inspira fundo, o nariz no meu cabelo.

— Sinto muito que você tenha tido que passar por isso.

— Não é sua culpa, Christian. Por que ela estava aqui?

Ele me olha, a boca se contorcendo num pedido de desculpas.

— É amiga da família.

Tento não reagir.

— Não é mais. Como está sua mãe?

— Mamãe está muito brava comigo neste instante. Estou muito feliz que você esteja aqui, e que a gente esteja no meio de uma festa. Caso contrário, estes poderiam ser meus últimos momentos de vida.

— Grave assim, é?

Ele faz que sim com a cabeça, os olhos sérios, e sinto sua perplexidade diante da reação dela.

— E você pode culpá-la por isso? — minha voz é calma, lisonjeira.

Ele me abraça com força e parece incerto, processando seus pensamentos. Enfim, responde:

— Não.

Uau! Um progresso e tanto.

— A gente pode se sentar? — pergunto.

— Claro. Aqui?

Concordo com a cabeça, e nos sentamos no alto da escada.

— Então, como você está se sentindo? — pergunto, segurando sua mão ansiosamente e fitando seu rosto triste e sério.

Ele suspira.

— Sinto-me libertado. — Christian dá de ombros e então sorri seu sorriso maravilhoso e despreocupado, fazendo desaparecer todo o cansaço e a tensão de instantes atrás.

— Sério? — Sorrio de volta para ele. Uau, eu seria capaz de rastejar sobre cacos de vidro por esse sorriso.

— Nossa relação de negócios acabou. Chega.

Franzo a testa.

— Você vai fechar o salão de beleza?

Ele ri com desdém.

— Não sou tão vingativo, Anastasia — repreende-me. — Não. Vou deixar tudo para ela. Na segunda-feira, eu falo com meu advogado. Devo isso a ela.

Arqueio uma sobrancelha para ele.

— Então, chega de Mrs. Robinson?

Ele contorce a boca, divertido, e balança a cabeça.

— Chega.

Sorrio.

— Sinto muito que você tenha perdido uma amiga.

Ele dá de ombros, em seguida, sorri.

— Sente, é?

— Não — confesso, ficando vermelha.

— Venha. — Ele se levanta e me oferece a mão. — Vamos voltar para a festa em nossa homenagem. Talvez eu até me embebede.

— E você por acaso fica bêbado? — pergunto ao segurar sua mão.

— Não desde que era um adolescente selvagem. — Descemos as escadas. — Você comeu? — pergunta ele.

Ah, droga.

— Não.

— Pois deveria. Pela aparência e pelo cheiro de Elena, aquilo que você jogou nela era um dos coquetéis letais do meu pai. — Ele me olha, tentando afastar o humor de seu rosto, e falhando miseravelmente.

— Christian, eu...

Ele ergue a mão para mim.

— Não tem discussão, Anastasia. Se for para beber e jogar álcool nas minhas ex, então você tem que comer. É a regra número um. Acho que já tivemos essa discussão depois da nossa primeira noite juntos.

Ah, sim. No Heathman.

De volta ao corredor, ele para e acaricia meu rosto, seus dedos deslizando ao longo do meu queixo.

— Fiquei acordado durante horas, assistindo você dormir — murmura. — Talvez eu já amasse você então.

Ah.

Ele se inclina e me beija com carinho, e eu me derreto toda por dentro, a tensão da última hora se esvaindo languidamente de meu corpo.

— Coma — sussurra.

— Certo — aquiesço, porque, neste instante, acho que poderia fazer qualquer coisa por ele. Segurando a minha mão, ele me leva até a cozinha, onde a festa segue a toda.

— Tchau, John. Boa noite, Rhian.

— Parabéns mais uma vez, Ana. Vocês vão ficar bem. — Dr. Flynn sorri gentilmente para nós, enquanto caminhamos lado a lado pelo corredor para nos despedir dele e de Rhian.

— Boa noite.

Christian fecha a porta e balança a cabeça. Ele me fita, de repente, os olhos brilhando de excitação.

O que foi?

— Só sobrou a família. Acho que minha mãe passou um pouco da conta na bebida. — Grace está cantando karaokê na sala de jogos. E Kate e Mia estão competindo com ela arduamente.

— E você a culpa por isso? — Sorrio para ele, tentando manter o clima leve entre nós. Funciona.

— Você está rindo de mim, Srta. Steele?

— Estou.

— Foi um dia cheio.

— Christian, ultimamente, todos os dias com você têm sido cheios. — Minha voz é sarcástica.

Ele balança a cabeça.

— Muito bem colocado, Srta. Steele. Venha, quero lhe mostrar uma coisa.

Segurando a minha mão, ele me leva até a cozinha, onde Carrick, Ethan e Elliot estão conversando sobre os Mariners, bebendo os últimos drinques e comendo as sobras da comida da festa.

— Vão dar um passeio? — Elliot provoca sugestivamente assim que atravessamos as portas para o jardim. Christian o ignora. Carrick franze a testa para Elliot, sacudindo a cabeça numa reprovação silenciosa.

À medida que descemos os degraus até o gramado, tiro os sapatos. Uma lua crescente reluz sobre a baía. Está muito brilhante, mergulhando tudo em inúmeros tons de cinza enquanto as luzes de Seattle piscam a distância. As lâmpadas do ancoradouro estão acesas, um farol suave cintilando sob o brilho frio da lua.

— Christian, eu gostaria de ir à igreja amanhã.

— Ah?

— Rezei para que você voltasse vivo, e você voltou. É o mínimo que posso fazer.

— Está bem.

Caminhamos de mãos dadas num silêncio relaxado por alguns momentos. Então, algo me passa pela cabeça.

— Onde você vai colocar as fotos que José tirou de mim?

— Achei que a gente poderia colocar na casa nova.

— Você comprou a casa?

Ele para e me olha, a voz cheia de preocupação.

— Comprei. Achei que você tivesse gostado dela.

— E gostei. Quando você comprou?

— Ontem de manhã. Agora a gente precisa decidir o que fazer com ela — murmura, aliviado.

— Não a derrube. Por favor. É uma casa tão linda. Só precisa de um pouco de amor e carinho.

Christian olha para mim e sorri.

— Certo. Vou falar com Elliot. Ele conhece uma arquiteta muito boa, ela fez umas obras na minha casa de Aspen. E ele pode cuidar da renovação.

Rio de repente, lembrando-me da última vez em que atravessamos esse gramado sob o luar até o ancoradouro. Ah, talvez seja para lá que estamos indo agora. Sorrio.

— O que foi?

— Estou me lembrando da última vez em que você me levou até o ancoradouro.

— Ah, aquilo foi divertido. — Christian ri baixinho. — Aliás... — Ele para de repente e me coloca no ombro, embora não estejamos muito longe. Solto um gritinho.

— Se me lembro bem, você estava com muita raiva — ofego.

— Anastasia, sempre estou com muita raiva.

— Não, não é verdade.

Ele me dá um tapa na bunda assim que para diante da porta de madeira. Então me coloca no chão, deslizando-me sobre o seu corpo, e segura minha cabeça entre as mãos.

— Não, não mais.

Abaixando-se, ele me beija com força. Quando se afasta, estou ofegante e o desejo vara o meu corpo.

Ele me olha, e, sob o brilho do raio de luz que vem de dentro do ancoradouro, vejo que está ansioso. Meu homem ansioso, não um cavaleiro branco ou um cavaleiro das trevas, mas um homem — um homem lindo, e não tão complicado assim — a quem amo. Acaricio seu rosto, correndo os dedos por suas costeletas e ao longo de sua mandíbula até o queixo; em seguida, deixo meu indicador tocar seus lábios. Ele relaxa.

— Tenho uma coisa pra mostrar a você aí dentro — murmura e abre a porta.

A luz dura das lâmpadas fluorescentes ilumina a impressionante lancha atracada no cais, balançando de mansinho na água escura. Ao lado dela, há um barco a remo.

— Venha.

Christian pega a minha mão e me conduz pelos degraus de madeira. Abrindo a porta no topo da escada, ele se afasta para que eu entre.

Fico boquiaberta. O sótão está irreconhecível, inteiramente coberto de flores... flores por todos os cantos. Alguém criou uma câmara mágica, repleta de belas flores do campo, luzes de Natal e pequenas lanternas de papel que lançam um brilho suave e pálido por todo o ambiente.

Viro o rosto para ele, e ele está me observando, a expressão ilegível. Então, dá de ombros.

— Você queria flores e corações — murmura.

Eu pisco para ele, sem acreditar no que estou vendo.

— Você tem meu coração.

E então ele acena em direção ao cômodo.

— E aqui estão as flores — sussurro, completando sua frase. — Christian, é lindo. — Não consigo pensar em mais nada para dizer. Meu coração pula até a boca, e as lágrimas ardem em meus olhos.

Segurando minha mão, ele me puxa para dentro do quarto, e antes que eu perceba, está com um dos joelhos no chão, na minha frente. *Minha nossa... Por essa eu não esperava!* Prendo a respiração.

Ele retira uma aliança do bolso interno do casaco e ergue o olhar para mim, os olhos brilhantes, cinzentos e inchados, repletos de emoção.

— Anastasia Steele. Eu amo você. Quero amar, adorar e proteger você para o resto da minha vida. Seja minha. Para sempre. Divida minha vida comigo. Case comigo.

Pisco para ele e as lágrimas me escorrem pelo rosto. Meu Cinquenta Tons, meu homem. Eu o amo tanto, e tudo o que posso dizer em meio à onda de emoção que me invade é:

— Sim.

Ele sorri, aliviado, e, lentamente, desliza a aliança pelo meu dedo. É linda, um diamante oval num anel de platina. *Uau, o diamante é enorme...* Grande, mas simples e deslumbrante em sua simplicidade.

— Ah, Christian — soluço, tomada de súbito pela alegria.

Fico de joelhos diante dele, os dedos em seus cabelos, e o beijo, com todo o meu coração e toda a minha alma. Beijo esse homem lindo, que me ama da mesma forma que eu o amo; e ele me envolve em seus braços, suas mãos subindo até os meus cabelos, sua boca na minha. Sei, no fundo, que sempre serei sua, e ele sempre será meu. Percorremos um longo caminho juntos, e ainda temos muito que caminhar, mas somos feitos um para o outro. Somos almas gêmeas.

———

A ponta do cigarro brilha intensamente na escuridão à medida que ele dá uma longa tragada. Solta a fumaça numa longa exalação, terminando com dois anéis que dissolvem diante de si, pálidos e fantasmagóricos sob o luar. Ele se ajeita em seu assento, entediado, e dá um gole rápido de bourbon barato direto do gargalo da garrafa embrulhada em papel pardo amassado, antes de descansá-la de novo entre as coxas.

Mal pode acreditar que ele continue cruzando seu caminho. Sua boca se contorce num riso desdenhoso e sarcástico. O helicóptero fora uma jogada precipitada e ousada. Uma das coisas mais emocionantes que já fizera na vida. Mas não deu certo. Ele revira os olhos com ironia. *Quem diria que o filho da puta saberia pilotar aquela merda de verdade?*

Ele bufa.

Eles o subestimaram. Se Grey pensou por um instante que ele iria se recolher sob o crepúsculo, choramingando baixinho, aquele babaca não sabia de nada.

Sua vida toda, foi a mesma coisa. As pessoas constantemente o subestimando — só um homem que lê livros. Que se fodam! Um homem com uma memória fotográfica que lê livros. Ah, as coisas que ele aprendeu, as coisas que ele sabe. Ele bufa de novo. *Sim, Grey, a seu respeito. As coisas que sei sobre você.*

Nada mal para um garoto de um fim de mundo de Detroit.

Nada mal para um garoto que conseguiu uma bolsa de estudos em Princeton.

Nada mal para um garoto que se matou de trabalhar durante toda a faculdade e acabou entrando no mercado editorial.

E agora tudo isso foi por água abaixo, tudo por causa de Grey e daquela vadia dele. Ele franze a testa diante da casa, como se ela representasse tudo o que ele mais despreza. Mas não há nada a fazer. A única confusão é uma loura peituda, toda de preto, cambaleando até a garagem aos prantos antes de entrar num Mercedes-Benz branco e picar a mula.

Ele dá uma gargalhada e estremece. Merda, suas costelas. Ainda estão doloridas do chute ligeiro do capanga de Grey.

Ele reconstrói a cena em sua mente. *"Encoste um dedo na Srta. Steele de novo, e eu mato você."*

Aquele filho da puta também vai ter o que merece. É, ele vai ver só.

Ele se recosta contra o banco do carro. *Parece que a noite vai ser longa.* Mas não vai a lugar nenhum, vai ficar ali, observando e esperando. Dá outro trago em seu Marlboro vermelho. Sua hora vai chegar. Sua hora vai chegar em breve.

CONHEÇA A PROVOCANTE ÚLTIMA PARTE DA
TRILOGIA *CINQUENTA TONS DE CINZA*

Cinquenta tons de liberdade

Olho para cima, pelas brechas do guarda-sol verde-alga, para o mais azul dos céus: um azul de verão, um azul mediterrâneo, e solto um suspiro de satisfação. Christian está ao meu lado, estirado sobre uma espreguiçadeira de praia. Meu marido — meu belo e sensual marido, sem camisa, uma bermuda feita de calça jeans cortada — está concentrado em um livro que prevê o colapso do sistema bancário ocidental. Pelo que todos comentam, é viciante de ler. Eu nunca o tinha visto tão quieto assim, nunca. Mais parece um estudante do que o bem-sucedido CEO de uma das maiores empresas privadas dos Estados Unidos.

Estamos no final da nossa lua de mel, aproveitando o sol da tarde na praia do Beach Plaza Monte Carlo — um nome bem apropriado —, em Mônaco, embora na verdade não estejamos nesse hotel. Abro os olhos e fito o *Fair Lady*, ancorado no porto. Naturalmente, estamos hospedados a bordo de um luxuoso iate. Construído em 1928, o *Fair Lady* flutua majestosamente sobre as águas, soberano em relação a todos os outros iates do porto. Parece um brinquedo de dar corda. Christian o adora; até suspeito de que ele esteja tentado a comprá-lo. Francamente... homens e seus brinquedos.

Recostando-me confortavelmente, escuto a lista de Christian Grey no meu iPod novo e cochilo sob o sol de fim de tarde, relembrando o pedido de casamento. Ah, um pedido dos sonhos, no ancoradouro... Quase consigo sentir o aroma das flores do campo...

— Podemos nos casar amanhã? — Christian murmura suavemente no meu ouvido.

Estou languidamente recostada no peito dele, na florida cobertura do ancoradouro, satisfeita depois de fazermos amor apaixonadamente.

— Hmm.

— Isso é um sim? — Capto expectativa na voz dele.

— Hmm.

— Um não?

— Hmm.

Sinto seu sorriso.

— Srta. Steele, você é incoerente?

Sorrio também.

— Hmm.

Ele ri e me abraça apertado, beijando o alto da minha cabeça.

— Então está combinado. Vegas amanhã.

Meio dormindo, levanto a cabeça.

— Acho que os meus pais não ficariam muito felizes com isso.

Ele passa os dedos pelas minhas costas nuas, para cima e para baixo, me acariciando ternamente.

— O que você quer, Anastasia? Vegas? Um casamento grande, com tudo a que tem direito? Vamos, diga.

— Grande não… Só os amigos e a família.

Ergo o olhar para ele, enternecida pela súplica silenciosa em seus brilhantes olhos cinzentos. *O que ele quer?*

— Tudo bem — concorda ele. — Onde?

Dou de ombros.

— Pode ser aqui?

— Na casa dos seus pais? Eles não vão se importar?

Ele resmunga.

— Minha mãe ficaria no sétimo céu.

— Aqui, então. Tenho certeza de que minha mãe e meu pai vão preferir.

Ele acaricia meu cabelo. Eu não poderia estar mais feliz.

— Bom, já resolvemos onde; agora vamos definir quando.

— Você tem que perguntar para a sua mãe, é claro.

— Hmm. — O sorriso dele desaparece. — Posso dar a ela um mês, no máximo. Quero muito você, não posso esperar mais que isso.

— Christian, eu já sou sua. Faz um bom tempo já. Mas tudo bem: um mês está bom.

Eu beijo seu peito, um beijo suave e casto, e sorrio.

— Você vai se queimar muito — sussurra Christian em meu ouvido, assustando-me no meio do meu cochilo.

— Estou incendiando por dentro só de admirar você. — E abro meu sorriso mais doce.

O sol do fim de tarde mudou de posição, de forma que os fortes raios incidem diretamente sobre mim. Ele sorri maliciosamente e, em um movimento rápido, puxa minha espreguiçadeira de volta para a sombra do guarda-sol.

— Agora está protegida do sol do Mediterrâneo, Sra. Grey.

— Obrigada por seu altruísmo, Sr. Grey.

— O prazer é todo meu, Sra. Grey, e não estou sendo nem um pouco altruísta. Se você se queimar demais, não vou conseguir tocar o seu corpo. — Ele ergue uma sobrancelha, seus olhos brilhando de jovialidade, e meu coração se derrete. — Mas suspeito que você já saiba disso, e está rindo de mim.

— Eeeeeeu? — digo, com um suspiro, fingindo inocência.

— Você sim. Vive rindo de mim. É uma das muitas coisas que amo em você.

Ele se abaixa e me beija, mordendo de leve meu lábio inferior.

— Eu esperava que você me lambuzasse com mais protetor solar — digo, fazendo beicinho e colando os lábios nos dele.

— Sra. Grey, é um trabalho sujo... mas uma oferta que não posso recusar. Sente-se — ordena ele, a voz áspera.

Obedeço, e, em toques lentos e meticulosos de seus dedos fortes e dóceis, ele me cobre de protetor solar.

— Você é realmente linda. Sou um homem de sorte — murmura ele enquanto seus dedos deslizam sobre meus seios, espalhando a loção.

— Um homem de sorte, com certeza, Sr. Grey.

Fito-o recatadamente, piscando para fazer charme.

— Seu nome é modéstia, Sra. Grey. Vire-se. Vou passar nas suas costas.

Sorrindo, eu me viro, e ele desamarra o laço do meu biquíni escandalosamente caro.

— O que você acharia se eu fizesse topless, como as outras mulheres da praia? — pergunto.

— Desagradável — diz ele, sem hesitar. — Não ficaria muito feliz em ver você usando tão pouca roupa agora. — Ele se inclina e sussurra em meu ouvido: — Não abuse da sorte.

— É uma ameaça, Sr. Grey?

— Não. É uma afirmação, Sra. Grey.

Solto um suspiro e balanço a cabeça. *Ah, Christian... meu Christian possessivo, ciumento e controlador.*

Quando acaba, ele dá uma palmada na minha bunda.

— Pronto, lindeza.

O BlackBerry dele, onipresente e sempre ativo, toca. Faço um olhar de desaprovação e ele sorri maliciosamente.

— É confidencial, Sra. Grey.

Ele ergue uma sobrancelha, ameaçando-me de brincadeira, dá mais uma palmada na minha bunda e se acomoda na espreguiçadeira para atender à ligação.

Minha deusa interior ronrona. Hoje à noite talvez nós duas possamos fazer algum espetáculo exclusivo para ele. Ela sorri com malícia e astúcia, levantando a sobrancelha. Eu sorrio só de pensar nisso, e mergulho novamente em minha siesta vespertina.

— MAM'SELLE? UN PERRIER *pour moi, un* Coca-Cola Diet *pour ma femme, s'il vous plaît. Et quelque chose à manger... laissez-moi voir la carte.*

Humm... O francês fluente de Christian me acorda. Meus cílios tremem à luz ofuscante do sol e percebo Christian me observando enquanto uma jovem uniformizada se afasta, a bandeja erguida, o comprido rabo de cavalo louro balançando provocativamente.

— Com sede? — pergunta ele.

— Sim — murmuro, sonolenta.

— Eu podia ficar apreciando você o dia inteiro. Cansada?

Fico vermelha.

— Não dormi muito na noite passada.

— Nem eu.

Ele sorri, pousa o BlackBerry na espreguiçadeira e se levanta. Sua bermuda abaixa um pouco... de uma forma que deixa visível o calção de banho. Christian tira a bermuda e o chinelo. Perco o fio do pensamento.

— Venha nadar comigo. — Ele oferece a mão e eu o admiro, entorpecida.

— Nadar? — repete ele, inclinando a cabeça para o lado com uma expressão no rosto de quem está achando graça. Quando não respondo, ele balança a cabeça lentamente. — Acho que você precisa de um toque de despertar.

De súbito, ele se lança sobre mim e me ergue nos braços. Eu solto um grito agudo, mais de surpresa do que de medo.

— Christian! Ponha-me no chão! — exclamo.

Ele dá uma risadinha.

— Só na água, baby.

Na praia, vários banhistas observam, com um misto de perplexidade e desinteresse que agora percebo ser típico dos franceses, Christian me carregar para o mar, rindo, e entra na água.

Agarro o pescoço dele.

— Você não faria isso — digo, sem fôlego, tentando abafar o riso.

Ele sorri.

— Ah, Ana, meu amor, você não aprendeu nada sobre mim no curto espaço de tempo desde que nos conhecemos?

Ele me beija, e eu aproveito a oportunidade para deslizar os dedos por seu cabelo, agarrando duas mechas e retribuindo o beijo, invadindo a boca dele com minha língua. Ele inspira forte e se inclina para trás, os olhos embaçados mas atentos.

— Conheço o seu jogo — sussurra ele, e vagarosamente avança na água límpida e gelada, me levando junto enquanto nossos lábios se grudam de novo. O frio do Mar Mediterrâneo logo foge de minha mente quando me enrosco em volta do meu marido.

— Pensei que você quisesse nadar — murmuro contra sua boca.

— Você me distrai muito. — Ele roça os dentes no meu lábio inferior. — Mas não sei se quero que a boa gente de Monte Carlo veja minha mulher nos espasmos da paixão.

Passo os dentes pelo pescoço dele, sua barba por fazer pinicando minha língua; não dou a mínima para a boa gente de Monte Carlo.

— Ana — ele geme.

Christian enrola meu rabo de cavalo em volta de sua mão e puxa gentilmente, fazendo minha cabeça pender para trás, expondo assim meu pescoço. Ele salpica beijos desde a minha orelha até a base da clavícula.

— Posso trepar com você no mar? — pergunta ele, arquejando.

— Deve — sussurro.

Christian afasta o torso e me encara, os olhos ternos, desejosos e *cheios de humor.*

— Sra. Grey, você é insaciável, e tão atrevida! Que tipo de monstro eu criei?

— Um monstro sob medida para você. Você iria me querer de outra maneira?

— Eu iria querer você de qualquer maneira, você sabe. Mas não agora. Não com plateia. — Ele vira a cabeça em direção à areia.

O quê?

De fato, vários banhistas abandonaram a indiferença e agora nos olham interessados. De repente, Christian me pega pela cintura e me lança no ar, deixando-me cair na água e afundar até bater na areia macia por baixo das ondas. Volto para a superfície tossindo, engasgando e rindo.

— Christian! — repreendo-o, encarando-o com o olhar firme.

Pensei que fôssemos fazer amor no mar… mais uma primeira vez. Ele morde o lábio inferior, contendo seu divertimento. Jogo água nele, que revida jogando em mim.

— Temos a noite inteira — diz ele, rindo como um bobo. — Mais tarde, baby.

Ele então mergulha, emergindo a um metro de distância; depois, em um estilo fluido e gracioso, nada para longe da praia, para longe de mim.

Rá! Meu Cinquenta Tons provocante e brincalhão! Protejo os olhos do sol enquanto o vejo se afastar. Ele adora me provocar... O que posso fazer para trazê-lo de volta? Enquanto nado retornando para a praia, avalio minhas opções. Nas espreguiçadeiras, as bebidas que ele pediu esperam por nós, e tomo um gole rápido da Coca Diet. Christian é uma manchinha ao longe.

Hum... Eu me deito de bruços e, um pouco atrapalhada, tiro a parte de cima do biquíni e a jogo despreocupadamente sobre a espreguiçadeira de Christian. Prontinho... vamos ver como eu posso ser atrevida, Sr. Grey. Engula essa. Fecho os olhos e deixo o sol aquecer minha pele... aquecer meus ossos, e começo a divagar sob o calor, meus pensamentos voltando para o dia do meu casamento.

— Pode beijar a noiva — anuncia o reverendo Walsh.

Sorrio para o meu marido.

— Finalmente você é minha — sussurra ele, puxando-me para seus braços e me beijando castamente na boca.

Estou casada. Sou a Sra. Christian Grey. Estou tonta de alegria.

— Você está maravilhosa, Ana — murmura ele, e sorri, o olhar brilhando de amor... e de algo mais escuro, mais picante. — Não deixe ninguém tirar esse vestido; só eu, entendeu?

Seu sorriso aquece a quase quarenta graus quando as pontas de seus dedos percorrem meu rosto, fazendo meu sangue ferver.

Ai, meu Deus... Como ele consegue fazer isso, mesmo aqui com todas essas pessoas olhando para nós?

Concordo em silêncio. Nossa, espero que ninguém nos ouça. Por sorte, o reverendo Walsh discretamente deu um passo para trás. Dou uma olhada para o grupo reunido em elegantes trajes de festa: minha mãe, Ray, Bob e os Grey estão aplaudindo — até Kate, minha dama de honra, que está linda em um vestido cor-de-rosa claro, ao lado de Elliot, irmão e padrinho de Christian. Quem diria que até Elliot pudesse se arrumar tão bem? Todos exibem sorrisos enormes e radiantes — menos Grace, que chora graciosamente em um delicado lenço branco.

— Pronta para festejar, Sra. Grey? — murmura Christian, abrindo um sorriso tímido para mim.

Eu derreto. Ele está divino em um smoking preto e simples com gravata e faixa prateadas. Está... *estonteante.*

— Mais do que nunca — respondo, com um sorriso bobo no rosto.

Mais tarde, a festa de casamento está a todo vapor... Carrick e Grace foram até a cidade. Eles reinstalaram o toldo e o decoraram lindamente em tons de cor-de-rosa claro, prateado e marfim, aberto dos lados e dando para a baía. Felizmente o tempo está bom, e o sol de fim de tarde brilha sobre a água. Há uma pista de dança na ponta da grande tenda, e um farto bufê na outra.

Ray e minha mãe estão dançando e rindo juntos. Tenho um sentimento dúbio vendo-os assim tão próximos. Espero que meu casamento com Christian dure mais. Não sei o que eu faria se ele me deixasse. *Quem casa a correr, toda a vida tem para se arrepender.* O provérbio é um fantasma a me assombrar.

Kate está ao meu lado, linda no seu vestido longo de seda. Ela me fita e franze o cenho.

— Ei, este deveria ser o dia mais feliz da sua vida — repreende-me ela.

— E é — sussurro.

— Ah, Ana, o que há com você? Está pensando em sua mãe e Ray?

Admito tristemente.

— Eles estão felizes.

— Só porque se separaram.

— Você está com dúvidas? — pergunta Kate, preocupada.

— Não, de jeito nenhum. É só que... eu amo tanto Christian. — Fico travada; não consigo, ou talvez eu não deseje, articular meus temores.

— Ana, está na cara que ele adora você. Sei que foi um início pouco convencional para um relacionamento, mas eu vi como vocês passaram felizes esse último mês. — Ela pega minhas mãos e as aperta com carinho. — Além disso, agora é tarde — acrescenta, com um sorriso bem-humorado.

Dou uma risadinha. Ninguém melhor do que Kate para apontar o óbvio. Ela me puxa para um Abraço Especial de Katherine Kavanagh.

— Ana, vai dar tudo certo. E se ele tocar em um fio de cabelo seu, vai se ver comigo. — Ela então me solta e sorri para alguém atrás de mim.

— Oi, baby. — Christian me abraça de surpresa e me beija na têmpora. — Kate — ele a cumprimenta. Ainda age friamente com ela mesmo depois de seis semanas.

— Olá novamente, Christian. Vou procurar o seu padrinho.

E, sorrindo para nós dois, ela se dirige até Elliot, que está bebendo com o irmão dela, Ethan, e nosso amigo José.

— Hora de irmos — murmura Christian.

— Já? Esta é a primeira festa em que eu não ligo de ser o centro das atenções. — Giro em seus braços para olhar para ele.

— Você merece. Está deslumbrante, Anastasia.

— Você também.

Ele sorri, e sua expressão torna-se mais quente.

— Este lindo vestido ficou perfeito em você.

— Este pedaço de pano velho?

Coro e puxo o delicado acabamento de renda do vestido de casamento, simples e bem cortado, desenhado para mim pela mãe de Kate. Adoro o fato de a renda deixar apenas os ombros descobertos — recatado mas sedutor, espero.

Ele se inclina e me beija.

— Vamos. Não quero mais dividir você com essa gente toda.

— Podemos ir embora da nossa própria festa de casamento?

— A festa é nossa, baby, podemos fazer o que quisermos. Já cortamos o bolo. E agora eu quero tirar você daqui e tê-la só para mim.

Dou uma risadinha.

— Você me tem para a vida toda, Sr. Grey.

— Fico muito feliz de ouvir isso, Sra. Grey.

— Ah, aqui estão vocês! Os dois pombinhos.

Dou um gemido de desgosto por dentro... A mãe de Grace nos encontrou.

— Christian querido: mais uma dança com a sua avó?

Ele contorce os lábios.

— É claro, vovó.

— E você, linda Anastasia, vá e faça um velho feliz: dance com o Theo.

— O Theo, Sra. Trevelyan?

— Acho que você pode me chamar de vovó. Agora, de verdade, vocês dois têm que começar a trabalhar para me darem bisnetos. Não vou durar muito mais tempo. — Ela nos lança um sorriso afetado.

Christian a olha horrorizado.

— Venha, vovó — diz ele, rapidamente pegando a mão dela e levando-a até a pista de dança. Ao se afastar, ele olha para mim, quase fazendo bico por ter sido contrariado, e revira os olhos. — Até mais, baby.

Ao me encaminhar na direção do Sr. Trevelyan, sou abordada por José.

— Não vou pedir outra dança. Acho que já monopolizei muito do seu tempo na pista... Estou feliz de vê-la feliz, Ana, mas é sério: eu estarei aqui... se precisar de mim.

— Obrigada, José. Você é um bom amigo.

— Pode contar comigo. — Seus olhos escuros brilham com sinceridade.

— Eu sei. Obrigada, José. Agora, se me der licença, tenho um encontro marcado com um senhor de idade.

Ele faz uma expressão confusa.

— O avô do Christian — esclareço.

Ele sorri.

— Boa sorte, Ana. Boa sorte com tudo.

— Obrigada, José.

Depois de dançar com o eternamente encantador avô de Christian, coloco-me em frente às portas francesas e fico apreciando o sol, que mergulha lentamente sobre Seattle, lançando sombras azul-claras e alaranjadas sobre a baía.

— Vamos embora — Christian me chama, apressado.

— Tenho que trocar de roupa.

Pego a mão dele, com a intenção de puxá-lo pelas portas francesas e levá-lo para cima comigo. Ele franze as sobrancelhas, sem compreender, e puxa minha mão de leve, para me deter.

— Pensei que você quisesse tirar o meu vestido — explico.

Seu semblante se ilumina.

— Correto — diz ele, e abre um sorriso lascivo. — Mas não vou tirar sua roupa aqui, senão só iríamos embora depois de... Sei lá... — Gesticulando a mão comprida, ele deixa a frase incompleta, mas está bastante claro o que quer dizer.

Fico vermelha e solto sua mão.

— E também não solte o cabelo — murmura ele, com ar sério.

— Mas...

— Nada de "mas", Anastasia. Você está linda. E quero que seja eu a tirar o seu vestido.

Ah. Faço um ar de desagrado.

— Guarde as roupas que você separou para sair daqui — ordena ele. — Vai precisar delas. Taylor já pegou a sua mala.

— Tudo bem.

O que foi que ele planejou? Christian não me contou para onde vamos. Na verdade, acho que ninguém sabe nosso destino. Nem Mia nem Kate conseguiram extrair a informação dele. Aproximo-me de minha mãe e de Kate, que estão circulando ali por perto.

— Não vou me trocar.

— O quê? — diz minha mãe.

— Christian não quer que eu tire o vestido.

Dou de ombros, como se isso explicasse tudo. Ela franze a testa por um breve instante.

— Você não deve obediência a ele — diz ela, com tato.

Kate resmunga ao ouvir isso, e tenta disfarçar com uma tosse fingida. Olho para ela com desaprovação. Nenhuma das duas tem ideia da briga que Christian e eu tivemos sobre isso. Não quero retomar a discussão. *Nossa, ele pode ficar bravo... e ter pesadelos.* As lembranças me deixam tensa.

— Eu sei, mãe, mas ele gosta desse vestido e eu quero agradar meu marido.

Sua expressão fica mais leve. Kate revira os olhos e discretamente se retira para nos deixar sozinhas.

— Você está tão linda, querida. — Carla afasta gentilmente uma pequena mecha do meu cabelo e acaricia meu queixo. — Estou tão orgulhosa de você, meu amor. Christian será um homem muito feliz ao seu lado. — Ela me puxa para um abraço.

Ah, mãe!

— É incrível como você parece adulta agora. Começando uma vida nova... Lembre-se apenas de que os homens são de outro planeta e tudo vai ficar bem.

Dou uma risada. Christian é de outro universo; ah se ela soubesse...

— Obrigada, mãe.

Ray se junta a nós, sorrindo docemente para nós duas.

— Você criou uma menina linda, Carla — diz ele, os olhos brilhando de orgulho.

Ray está muito garboso nesse smoking preto com a faixa de um tom pálido de rosa. Sinto as lágrimas surgirem no fundo dos meus olhos. Ah, não... até agora eu consegui não chorar.

— E você cuidou dela e a ajudou a crescer, Ray. — A voz de Carla é nostálgica.

— Cada minuto foi maravilhoso para mim. Você está me saindo uma noiva fantástica, Annie. — Ele pega a mesma mecha solta de cabelo, coloca-a atrás da minha orelha.

— Ah, pai...

Sufoco um soluço, e ele me abraça daquele seu jeito apressado e desconfortável.

— E também vai se sair uma esposa fantástica — sussurra ele, a voz rouca.

Quando Ray me solta, vejo Christian novamente ao meu lado.

Eles dão um aperto de mãos caloroso.

— Cuide da minha menina, Christian.

— É o que farei, Ray. Carla. — Ele cumprimenta meu padrasto com a cabeça e dá um beijo em minha mãe.

O resto dos convidados formou um comprido arco humano que nos conduzirá até a frente da casa.

— Pronta? — pergunta Christian.

— Sim.

Ele pega minha mão e me guia por baixo dos braços esticados, enquanto nossos convidados gritam boa sorte e parabéns e jogam arroz sobre nós dois. Esperando-nos com sorrisos e abraços no final do túnel estão Grace e Carrick. Eles nos abraçam e nos beijam. Grace se emociona novamente quando nos despedimos apressadamente.

Taylor está à nossa espera para nos levar dali no SUV Audi. Enquanto Christian segura a porta do carro aberta para mim, jogo meu buquê de rosas brancas e cor-de-rosa para a multidão de jovens que se formou atrás de mim. Mia triunfantemente o pega no alto, com um sorriso de orelha a orelha.

Entro no SUV rindo da maneira audaciosa como Mia agarrou o buquê, e Christian se abaixa para pegar a bainha do meu vestido. Logo que me vê confortavelmente instalada dentro do carro, ele acena um adeus para a multidão.

Taylor abre a porta do carro para ele.

— Parabéns, senhor.

— Obrigado, Taylor — responde Christian, sentando-se ao meu lado.

Enquanto o motorista arranca, os convidados jogam arroz sobre o automóvel. Christian pega minha mão e beija os nós dos meus dedos.

— Até aqui tudo bem, Sra. Grey?

— Até aqui tudo ótimo, Sr. Grey. Para onde vamos?

— Aeroporto — diz ele simplesmente, e sorri com uma expressão de esfinge.

Humm... o que ele está tramando?

Taylor não se dirige para o terminal de embarque, como eu esperava; em vez disso, passa por um portão de segurança e vai diretamente para a pista. O quê? E então eu vejo: o jatinho de Christian... *Grey Enterprises Holdings, Inc.* Escrito em imensas letras azuis na fuselagem.

— Não me diga que você está novamente usando o patrimônio da empresa para fins pessoais!

— Ah, espero que sim, Anastasia. — Christian sorri.

Taylor para perto da escada que dá para o avião e salta do Audi para abrir a porta para Christian. Eles discutem alguma coisa rapidamente; então Christian abre minha porta — e, em vez de dar um passo para trás e me deixar passar, ele se abaixa e me pega no colo.

Uau!

— O que você está fazendo? — Solto um gritinho.

— Carregando você para dentro.

— Ah... — *Não deveria ser quando chegássemos em casa?*

Ele me leva sem esforço escada acima, e Taylor nos segue com minha mala. Deixa-a na porta do avião antes de retornar ao Audi. Dentro da cabine, reconheço Stephan, o piloto de Christian, em seu uniforme.

— Bem-vindo a bordo, senhor. Olá, Sra. Grey. — Ele sorri.

Christian me coloca no chão e aperta a mão de Stephan. Ao lado do piloto está uma morena de uns... trinta e poucos anos, talvez? Ela também está de uniforme.

— Parabéns aos dois — continua ele.

— Obrigado, Stephan. Anastasia, você já conhece o Stephan. Ele vai ser nosso comandante hoje, e esta é a primeira-oficial Beighley.

Ela cora quando Christian a apresenta, e pisca rápido. Tenho vontade de bufar de raiva. Mais uma mulher completamente encantada pelo meu marido lindo--até-demais-para-o-meu-gosto.

— Prazer em conhecê-la — Beighley me cumprimenta, efusivamente.

Sorrio com simpatia para ela. Afinal de contas... ele é meu.

— Tudo certo para decolarmos? — pergunta Christian, dirigindo-se aos dois oficiais, enquanto dou uma olhada na cabine.

O interior é todo composto de madeira clara e couro creme. De extremo bom gosto. Do outro lado vejo mais uma jovem uniformizada — uma morena muito bonita.

— Tudo pronto. O tempo está bom daqui até Boston.

Boston?

— Turbulências?

— Só a partir de Boston. Há uma frente fria sobre Shannon que talvez cause certa instabilidade ao avião.

Shannon? Irlanda?

— Certo. Bom, espero só acordar depois de passarmos o mau tempo — diz Christian, tranquilo.

Acordar?

— Vamos nos preparar, senhor — diz Stephan. — Os senhores ficarão sob os atenciosos cuidados de Natalia, nossa comissária de bordo.

Christian desvia o olhar na direção da moça e franze o cenho, mas vira-se de volta para Stephan com um sorriso.

— Excelente — diz.

Ele pega minha mão e me leva até um dos suntuosos assentos de couro. Deve haver cerca de doze no total.

— Sente-se — diz ele, tirando o paletó e desabotoando o fino colete de brocado prateado.

Sentamo-nos em duas poltronas individuais, uma de frente para a outra, com uma mesinha incrivelmente lustrada no meio.

— Bem-vindos a bordo, senhores, e meus parabéns. —Natalia surgiu ao nosso lado e nos oferece uma taça de champanhe rosé.

— Obrigado — diz Christian, e Natalia sorri polidamente ao se retirar para os fundos do avião. — Brindemos a uma feliz vida de casados, Anastasia.

Christian levanta a taça em direção à minha e batemos de leve as duas. O champanhe é delicioso.

— Bollinger? — pergunto.

— Exato.

— A primeira vez que tomei Bollinger foi em uma xícara de chá. — Sorrio.

— Eu me lembro bem daquele dia. Sua formatura.

— Aonde estamos indo? — Não consigo conter minha curiosidade nem um minuto mais.

— Shannon — responde Christian, os olhos reluzentes de entusiasmo. Parece um menininho.

— Na Irlanda? Vamos para a Irlanda!

— Para reabastecer — acrescenta ele.

— E depois? — pergunto logo em seguida.

Seu sorriso aumenta e ele balança a cabeça.

— Christian!

— Londres — responde ele, encarando-me com intensidade para avaliar minha reação.

Engulo em seco. *Minha Nossa!* Achei que talvez estivéssemos indo a Nova York ou Aspen ou ao Caribe. Mal posso acreditar. Durante toda a minha vida eu quis conhecer a Inglaterra. Uma chama se acende dentro de mim; sinto-me incandescente de felicidade.

— Depois, Paris.

O quê?

— Depois, sul da França.

Uau!

— Sei que você sempre sonhou em conhecer a Europa — diz ele, suavemente. — Quero fazer seus sonhos se tornarem realidade, Anastasia.

— Você é o meu sonho, Christian.

— Digo o mesmo quanto a você, Sra. Grey — sussurra ele.

Ah, nossa...

— Aperte o cinto.

Dou um sorriso e obedeço.

Enquanto o avião começa a taxiar na pista, tomamos tranquilamente nosso champanhe, rindo um para o outro sem motivo aparente. Não posso acreditar. Aos vinte e dois anos, finalmente estou partindo dos Estados Unidos em direção à Europa — indo justamente a *Londres*.

Uma vez no ar, Natalia nos serve mais champanhe e prepara nosso banquete de casamento. É realmente um banquete: salmão defumado, seguido de perdiz assado com salada de feijão verde e batatas *dauphinoise*, tudo preparado e servido pela ultraeficiente Natalia.

— Sobremesa, Sr. Grey? — oferece ela.

Ele balança a cabeça em negativa e desliza o dedo pelo lábio inferior enquanto olha para mim, a expressão séria e indecifrável.

— Não, obrigada — murmuro, incapaz de desviar o olhar do dele.

Seus lábios se fecham num sorriso pequeno e secreto, e Natalia se retira.

— Ótimo — murmura ele. — Prefiro saborear você como sobremesa.

Opa... aqui?

— Venha — diz ele, levantando-se e me oferecendo a mão.

Ele me leva até a parte posterior da cabine.

— Tem um banheiro aqui.

Ele aponta para uma porta pequena, e depois me conduz por um curto corredor, ao final do qual entramos em outra porta.

Caramba... um quarto. A cabine é decorada em tons de creme e marfim, e a pequena cama de casal está coberta de almofadas douradas e acobreadas. Parece muito confortável.

Christian se vira e me puxa para seus braços, com o olhar fixo em mim.

— Pensei em passarmos nossa noite de núpcias a trinta e cinco mil pés de altura. É algo que nunca fiz antes.

Mais uma primeira vez. Olho para ele boquiaberta, meu coração aos pulos... o clube do sexo nas alturas. Já ouvi falar sobre isso.

— Mas primeiro eu tenho que tirar você desse vestido fabuloso.

Os olhos dele brilham, cheios de amor e de algo mais sombrio, algo que eu adoro... algo que convoca a minha deusa interior. Ele me deixa sem fôlego.

— Vire-se.

A voz dele é baixa, autoritária e incrivelmente sensual. Como ele consegue incutir tantas promessas em apenas uma palavra? Consinto de bom grado, e suas mãos alcançam meu cabelo. Gentilmente ele retira cada grampo, um de cada vez, seus dedos experientes concluindo a tarefa rapidamente. Meu cabelo cai sobre os ombros, uma mecha de cada vez, cobrindo minhas costas e meus seios. Tento ficar imóvel e não me contorcer, mas desejo ardentemente sentir seu toque. Depois de um dia longo e cansativo, embora emocionante, eu quero Christian — quero-o todo para mim.

— Seu cabelo é tão bonito, Ana.

Sua boca está próxima da minha orelha e eu sinto sua respiração, ainda que seus lábios não encostem em mim. Quando não há mais grampos a tirar, ele desliza os dedos pelo meu cabelo, massageando suavemente meu couro cabeludo... meu Deus... Fecho os olhos e aproveito a sensação. Seus dedos se movem para baixo, e ele puxa minha cabeça para trás, expondo meu pescoço.

— Você é minha — sussurra ele, e seus dentes puxam o lóbulo da minha orelha.

Solto um gemido.

— Quietinha agora — adverte ele.

Christian tira meu cabelo de sobre meus ombros e passa um dedo pelas minhas costas, de um ombro ao outro, acompanhando o decote rendado do vestido. Tenho um calafrio de expectativa. Ele crava um beijo terno nas minhas costas, acima do primeiro botão do vestido.

— Tão linda — diz, enquanto habilmente abre o primeiro botão. — Hoje você fez de mim o homem mais feliz do mundo. — Com uma infinita lentidão, ele abre o vestido, botão por botão, de cima a baixo. — Eu amo tanto você. — Cobrindo-me de beijos, desde a minha nuca até a extremidade do meu ombro, ele murmura entre cada beijo: — Eu. Quero. Você. Demais. Eu. Quero. Estar. Dentro. De. Você. Você. É. Minha.

Cada palavra me inebria. Fecho os olhos e inclino a cabeça, oferecendo meu pescoço para ele, e me vejo ainda mais sob o feitiço que é Christian Grey, meu marido.

— Minha — sussurra ele novamente.

Ele faz o vestido deslizar pelos meus braços, de modo que cai nos meus pés como uma nuvem de seda e renda marfim.

— Vire-se — murmura ele, a voz repentinamente áspera.

Obedeço, e ele engole em seco.

Estou vestindo um corpete apertado de cetim cor-de-rosa, com cinta-liga, calcinha rendada da mesma cor e meias de seda brancas. Seus olhos percorrem meu corpo avidamente, mas ele não diz uma palavra. Apenas me fita, os olhos arregalados de desejo.

— Gostou? — sussurro, já sentindo um rubor tímido subindo pelas minhas bochechas.

— Gostar é pouco, meu amor. Você está sensacional. Venha.

Ele me oferece a mão, e, aceitando-a, dou um passo para a frente, deixando o vestido para trás.

— Fique parada — murmura ele, e, sem tirar os olhos cada vez mais escuros dos meus, passa o dedo médio sobre meus seios, seguindo a linha do corpete.

Minha respiração fica ofegante, e ele repete o movimento sobre os meus seios, seu dedo provocante fazendo minha pele formigar por toda a espinha. Ele para e gira o dedo indicador no ar, indicando que devo me virar.

Nesse momento, eu faria qualquer coisa para ele.

— Pare — diz.

Estou de frente para a cama, afastada dele. Seu braço circunda minha cintura, me puxando para si, e ele se aninha no meu pescoço. Suavemente, suas mãos cobrem meus seios, brincando com eles, seus polegares desenhando círculos sobre meus mamilos até ficarem tesos contra o tecido do corpete.

— Minha — murmura ele.

— Sua — respondo num sussurro.

Deixando meus seios de lado, suas mãos percorrem minha barriga e minhas coxas, seus polegares passando por meu sexo. Abafo um gemido. Seus dedos deslizam sobre a cinta-liga, e, com sua habitual agilidade, ele desprende as meias dos dois lados simultaneamente. Suas mãos viajam em torno do meu corpo até alcançarem minha bunda.

— Minha — murmura ele, suas mãos se espalmando nas minhas nádegas, as pontas dos dedos roçando meu sexo.

— Ah.

— Shhh.

Suas mãos descem pela parte posterior das minhas coxas, e novamente ele desprende as ligas.

Abaixando-se, ele puxa a coberta da cama.

— Sente-se.

Faço o que ele manda, em transe; ele então se ajoelha aos meus pés e delicadamente descalça cada um dos meus sapatos de noiva Jimmy Choo. Agarra a parte de cima de minha meia esquerda e a despe lentamente, deslizando os polegares pela minha perna... E repete o processo com a outra meia.

— É como abrir os presentes de Natal. — Ele sorri por trás de seus longos cílios negros.

— Um presente que já é seu...

Ele franze o cenho, como em uma reprimenda.

— Ah, não, baby. Desta vez é realmente meu.

— Christian, eu sou sua desde que disse sim. — Avanço em um movimento rápido e seguro seu rosto em minhas mãos, o rosto que tanto amo. — Sou sua. Serei sempre sua, meu marido. Agora, acho que você está usando roupas demais.

Inclino-me para beijá-lo, e ele repentinamente levanta o corpo, me beija na boca e agarra minha cabeça com as mãos, os dedos enroscados no meu cabelo.

— Ana — sussurra ele. — Minha Ana.

Seus lábios procuram os meus novamente, sua língua ao mesmo tempo invasiva e persuasiva.

— Roupas — sussurro, nossas respirações se combinando quando empurro seu colete para baixo e ele o despe, me soltando por um momento. Ele faz uma pausa, olhando para mim; olhos ávidos, desejosos. — Deixe que eu tiro. — Minha voz é suave e firme. Quero despir meu marido, meu Cinquenta Tons.

Ele se senta sobre os tornozelos; inclinando-me para a frente, agarro sua gravata — sua gravata prateada, a minha preferida —, vagarosamente desfaço o nó e a tiro de seu pescoço. Ele levanta o queixo para que eu abra o primeiro botão de sua camisa branca; depois, é hora de dar um jeito nas abotoaduras. As que ele está usando hoje são de platina — gravadas com as letras A e C entrelaçadas —, o presente de casamento que lhe dei. Logo que as retiro, ele as pega de mim e as fecha dentro da mão. Em seguida beija a própria mão fechada e joga as joias no bolso da calça.

— Sr. Grey, tão romântico.

— Para você, Sra. Grey... corações e flores. Sempre.

Seguro sua mão e, vendo-o acima de mim através dos meus cílios, beijo sua aliança de platina toda lisa. Ele geme e fecha os olhos.

— Ana — murmura Christian, como se meu nome fosse uma oração.

Começando pelo segundo botão de sua camisa, repito seu gesto de alguns instantes atrás: dou um beijo terno no seu peito a cada botão que abro, sussurrando, entre um beijo e outro:

— Você. Me. Faz. Tão. Feliz. Eu. Amo. Você.

Ele geme e, em um movimento rápido, me agarra pela cintura e me joga na cama, para então inclinar-se sobre mim. Seus lábios encontram os meus, suas mãos em volta da minha cabeça; ele me abraça, me imobilizando, enquanto nossas línguas se juntam em êxtase. Subitamente ele ergue o torso e se ajoelha na cama, me deixando ofegante, querendo mais.

— Você é tão bonita... minha esposa. — Desliza as mãos pelas minhas pernas e pega meu pé esquerdo. — Que pernas mais lindas. Quero beijar cada centímetro dessas pernas. Começando por aqui.

Ele pressiona os lábios contra meu dedão do pé e depois o toca levemente com os dentes. Tudo abaixo da minha cintura entra em convulsão. Sua língua desliza sobre o peito do meu pé e seus dentes mordiscam desde meu calcanhar até o tornozelo. Ele percorre, com beijos, a parte interna da minha panturrilha; suaves beijos molhados. Por baixo dele, meu corpo se contorce.

— Quieta, Sra. Grey — ele me adverte, e de repente me faz virar de bruços, para então continuar a lenta caminhada de sua boca pelas partes posteriores das minhas pernas, das minhas coxas, até chegar a minha bunda, quando então ele para. Solto um gemido.

— Por favor...

— Quero você nua — murmura ele, e desprende lentamente os ganchinhos do meu corpete, sem pressa, um de cada vez. Quando o corpete já está totalmente aberto embaixo de mim, ele passa a língua ao longo da minha espinha.

— Christian, por favor.

— O que deseja, Sra. Grey? — Suas palavras são suaves, pronunciadas próximas ao meu ouvido. Ele está quase deitado sobre mim... Consigo senti-lo duro contra minhas costas.

— Você.

— E eu quero você, meu amor, minha vida... — murmura ele, e, antes que eu me dê conta, ele me vira, deixando-me de costas.

Christian levanta-se rapidamente e, com um movimento preciso, tira a calça e a cueca — ele agora está gloriosamente nu à minha frente, com seu corpo grande pronto para me possuir. A pequena cabine fica ofuscada pela sua beleza estontante, pela necessidade que ele tem de mim, por seu desejo. Ele se inclina e tira minha calcinha; depois me olha de cima a baixo.

— Minha — ele mexe a boca, sem emitir som.

— Por favor — suplico, e ele sorri... um sorriso típico do meu Christian: lascivo, malvado e tentador.

Ele volta para a cama e engatinha até mim. Levanta a minha perna direita deixando beijos por todo o percurso... até chegar ao alto das minhas coxas. Vigorosamente escancara minhas pernas.

— Ah... minha mulher — murmura ele, e então sua boca desliza em meu corpo.

Fecho os olhos e me rendo à sua língua tão ágil. Minhas mãos agarram seu cabelo enquanto meus quadris se movem e se retorcem, escravos do ritmo que ele imprime, e quase caio da pequena cama. Ele agarra meus quadris para que eu fique quieta... mas não interrompe a deliciosa tortura. Estou quase, quase lá.

— Christian... — Solto um gemido.

— Ainda não — diz ele, sem fôlego, e sobe pelo meu corpo, a língua afundando em meu umbigo.

— Não!

Droga! Sinto seu sorriso contra minha barriga enquanto ele continua seu percurso até em cima.

— Tão ansiosa, Sra. Grey. Ainda temos muito tempo, até chegar à Ilha Esmeralda.

Respeitosamente ele beija meus seios e belisca meu mamilo esquerdo com os lábios. Ao me fitar, seus olhos estão escuros como uma tempestade tropical enquanto ele me provoca.

Ah, meu Deus... Eu tinha esquecido. *Europa.*

— Meu marido, eu quero você. Por favor.

Ele se coloca sobre mim, seu corpo cobrindo o meu, apoiando o peso nos cotovelos. Abaixa o nariz de encontro ao meu, e eu deslizo as mãos por suas costas fortes e flexíveis até seu traseiro maravilhoso.

— Sra. Grey... minha esposa. Nosso objetivo é satisfazer. — Seus lábios roçam em mim. — Eu amo você.

— Também amo você.

— Olhos abertos. Quero ver você.

— Christian... ah... — grito, enquanto ele me penetra lentamente.

— Ana, ah, Ana — exclama ele, ofegante, e começa a se movimentar.

— QUE DIABO VOCÊ PENSA que está fazendo? — grita Christian, me acordando de meu sonho tão agradável.

Ele está todo molhado e lindo, de pé em frente à minha espreguiçadeira, me olhando furioso.

O que foi que eu fiz? *Ah, não... estou deitada de costas...* Droga, droga, droga, e ele está muito zangado. Merda. Realmente zangado.

www.cinquentatonsdecinza.com.br

www.intrinseca.com.br

Pólen® é o papel do livro.

Sua cor reflete menos luz e
deixa a leitura muito mais confortável.

Quanto mais confortável a leitura,
mais livros você consegue ler.

Quanto mais livros, mais conhecimento.

Quanto mais conhecimento,
melhor para você e todo mundo.

Pólen®.
Você pode ler mais.

www.vocepodelermais.com.br

1ª edição   SETEMBRO DE 2012

impressão   IMPRENSA DA FÉ

papel de miolo   PÓLEN SOFT 70G/M²

papel de capa   PAPELCARTÃO SUPREMO ALTA ALVURA® 250G/M²

tipografias   ELECTRA LT STD